Progetto e realizzazione grafica a cura di
Graphic design by
Roberta Sacco | Ines Paolucci

Finito di stampare nel mese di Aprile 2009 | Published April 2009
Stampato in Italia - Roma | Printed in Italy - Rome
Tipografia Ceccarelli (Grotte di Castro-VT)

a cura di | edited by
Tonino Paris   Sabrina Lucibello

DES IGN ER'S

exhibit product graphic fashion and food

Nel numero quadruplo della rivista **diid_disegno industriale_**industrial design (n.33_34_35_36) è stata proposta un'antologia di tutta la serie storica della rubrica "Designer" (dal n. 1 al n. 32). In tal modo si è fornita ai lettori una rassegna del lavoro di oltre 100 designer che rappresenta l'espressione compiuta di un flusso di idee, linguaggi, ricerche, prodotti, forme d'innovazione, sufficiente a farci conoscere il trend del design contemporaneo.Il numero quadruplo è esaurito in poco tempo. Ciò ci ha convinto a riproporre l'antologia in questo volume, una edizione svincolata dalla rivista e rivolta ad un più amplio pubblico di lettori. Nel libro, curato da Tonino Paris con Sabrina Lucibello, un gran numero di autori analizza il lavoro di designer che operano nei vari campi d'applicazione del design i cui profili sono diversi per generazione d'appartenenza e per approccio tematico di ricerca. L'analisi viene espressa con saggi d'approfondimento o con interviste, in ogni caso gli autori, senza la pretesa di esaurire la lettura del profilo dei designer esaminati, ci forniscono sempre un'interessante ed originale chiave di interpretazione dei personaggi studiati. Per questo sentiamo l'obbligo di ringraziarli tutti: Gloria Arditi, Chiara Athor Brolli, Alberto Bassi, Alessandro Biamonti, Giulia Birindelli, Fiorella Bulegato, Federica Dal Falco, Maddalena Dalla Mura, Elda Danese, Barbara Deledda, Rosita de Lisi, Loredana Di Lucchio, Cinzia Ferrara, Ali Filippini, Alessandro Fiore, Mario Fois, Lorenzo Imbesi, François Jégou, Alberto Lecaldano, Sabrina Lucibello, Ezio Manzini, Carlo Martino, Anna Meroni, Attila Nemes, Lucia Nigri, Chiara Pagani, Anna Pasini, Clara Tosi Pamphili, Ines Paolucci, Federica Pesce, Lucia Pietroni, Marco Rainò, Adam Somlai Fisher, Giorgio Tartaro, Pablo Ungaro, Cézar Vega, Wu Xuesong.
Ringraziamo i designer per la loro disponibilità e per la loro collaborazione. Si ringraziano inoltre Ines Paolucci e Paola Schiattarella che hanno contribuito all'impostazione dell'editing con grande disponibilità e creatività. Si ringraziano infine quanti hanno contribuito alle attività redazionali: Marco Chialastri, Alessia Longhi, Bruno Lanzi.

In the quadruple issue of **diid_disegno industriale_**industrial design (nos. 33, 34, 35 and 36), we proposed an anthology of the 'Designer' feature that had been published in the magazine's early issues (from 1 to 32). We wanted to provide our readers with a review of the work of over 100 designers, representing the complete expression of a flow of ideas, languages, research, products and innovations, which together help us to better understand contemporary design trends. That quadruple issue sold out very quickly. This convinced us that it would be worthwhile to propose the anthology once more in this volume, a separate edition of the magazine addressing a broader readership. In the book, edited by Tonino Paris and Sabrina Lucibello, a large number of authors analyse the work of designers who operate in the various fields of application of design, whose different profiles are based on their different generations and topical research approaches. They are analysed through essays and interviews, and, while not presuming to exhaustively profile the designers being examined, the authors consistently provide us with an interesting and original key for interpreting the people studied. For this, we want to thank them all: Gloria Arditi, Chiara Athor Brolli, Alberto Bassi, Alessandro Biamonti, Giulia Birindelli, Fiorella Bulegato, Federica Dal Falco, Maddalena Dalla Mura, Elda Danese, Barbara Deledda, Rosita de Lisi, Loredana Di Lucchio, Cinzia Ferrara, Ali Filippini, Alessandro Fiore, Mario Fois, Lorenzo Imbesi, François Jégou, Alberto Lecaldano, Sabrina Lucibello, Ezio Manzini, Carlo Martino, Anna Meroni, Attila Nemes, Lucia Nigri, Chiara Pagani, Anna Pasini, Clara Tosi Pamphili, Ines Paolucci, Federica Pesce, Lucia Pietroni, Marco Rainò, Adam Somlai Fisher, Giorgio Tartaro, Pablo Ungaro, Cézar Vega, Wu Xuesong. We thank the designers for their availability and co-operation. We also thank Ines Paolucci and Paola Schiattarella who helped with the book's layout with willingness and creativity. And finally, for their contribution to writing, we thank: Marco Chialastri, Alessia Longhi and Bruno Lanzi.

Caos_normalità_eccezione
Chaos_ Normality_Exception

Quando la scelta e l'analisi di oltre 100 designer è attribuita a diversi autori con diverse personalità e diverse visioni della disciplina del design, è impossibile che il risultato sia un racconto organico.
Pertanto, qualsiasi sforzo per restituire a posteriori una rappresentazione unitaria delle diverse esperienze, risulterebbe vano.
Infatti l'antologia presenta prodotti di design dai mille stili e per mille usi, realizzati con tutti i materiali e con tutte le forme, da quelle organiche a quelle geometriche. Oggetti che nell'insieme sembrano appartenere al mondo dell'imprevedibile e dell'irregolare. Oggetti che fluttuano nella vaghezza dell'espressività figurativa eclettica. Oggetti che sembrano fatti per meravigliare piuttosto che per essere usati. Oggetti in cui è difficile rintracciare il senso della loro storia e la prospettiva del loro futuro.
Insomma un moltitudine "disordinata". In una parola il *Caos*.
Ma forse è proprio Caos la cifra, il *fil rouge* che tiene insieme tanti designer e tante esperienze che rappresentano comunque l'espressione del design nella condizione attuale.
Non è forse Caos quanto generato dal flusso di prodotti che invade il mondo in cui viviamo?
E non è Caos la molteplicità delle forme espressive degli oggetti d'uso che ci circondano generando un diffuso inquinamento visivo?
E non è Caos la sovrabbondanza di prestazioni presenti in un singolo oggetto tecnico fino a generare una quantità d'usi ingestibili?
È caotico l'ambito operativo del designer, che è costretto a misurarsi con la progettazione in tutte le sue moltissime declinazioni: dalla produzione di prodotti materiali o immateriali, alla progettazione dei prodotti destinati allo spazio domestico o al corpo; dalla progettazione destinata al tempo libero al lavoro o al gioco o alla mobilità, alla progettazione di prodotti fabbricati in grande numero o a quella destinata a prodotti "unici" basati su procedimenti di carattere artigianale.
Nel Caos il design, con i suoi attori e i suoi prodotti, esprime un sistema di valori etici ed estetici che si diffondono invasivi nell'ambiente artificiale, condizionando i comportamenti sociali e le scelte e gli usi degli oggetti di cui omologa il gusto, il tempo di consumo e gli stili figurativi.
Il design diventa in tal modo, autoreferenziale, si rappresenta come un valore aggiunto. I suoi prodotti si ammantano della patina dell'eccesso, del superfluo.
Oltre l'utilità l'oggetto si propone di sollecitare sensi e desideri divenendo esso stesso veicolo di comunicazione, totem di identificazione per uno specifico gruppo sociale, fino a spettacolarizzarsi nei tanti prodotti-gadget dall'estetica che sconfina nell'inquinamento visivo.
Insomma è evidente come al prodotto di design si attribuisce una "sacralità" usurpata al prodotto d'arte, che rende superfluo ciò che dovrebbe essere utile ed effimero ciò che dovrebbe essere duraturo.
Questa nozione di design è l'ordine nascosto che ricuce le molte

esperienze illustrate nel libro, dove prevale appunto il Caos, dove gli oggetti d'uso hanno tante e diversissime connotazioni formali: una costellazione di prodotti a cui non corrisponde alcuna unità stilistica, bensì una molteplicità di linguaggi.
Manca quell'esplorazione che crea un "gusto" dominante, manca quella linea di ricerca finalizzata a formalizzare un linguaggio egemone o contrapposto ad un altro che egualmente vuole affermare il proprio primato. Ma è proprio la coesistenza e la compresenza di tanti e diversi linguaggi la caratteristica del "gusto" dominante.
Ciò che può sembrare una ricchezza, è certamente condizione di disorientamento, infatti è l'esito di una mutazione antropologica che ha investito non solo la società occidentale, ma l'intero pianeta. È come se una moltitudine di stili, sradicati da contesti geografici e storici più diversi, si fossero disseminati in frammenti per riproporre un ibrido di tanti linguaggi. È il *Global Style* ovvero la connessione semantica nella quale tutte le espressioni figurative delle tante tradizioni culturali del mondo, vengono annullate in una forma espressiva omologata a cui tutte le differenze vengono ricondotte. *Global style* è la connessione semantica che esprime lo scenario della contemporaneità dove il rapporto tra cultura e produzione in un contesto, ovvero il peso della tradizione, si sfuma geograficamente e temporalmente per "analizzare" quelle forme d'espressione che, non più influenzate dal contesto fisico ma sempre più trasversali, sono rilevanti per il loro ruolo sociale e rappresentano le nuove "etnie". *Global style* insomma, è quella dimensione dei prodotti, che si esprime con i linguaggi che risultano da contaminazioni di stili delle più diverse culture e tradizioni del pianeta. Via via che i luoghi più lontani sono divenuti accessibili, si sono prodotti linguaggi ibridi, nati dalla commistione delle più distanti espressioni stilistiche e figurative.
Linguaggi che le mode consumano rapidamente per riproporne di nuovi, sempre più ricchi di contaminazioni e di riferimenti alla tradizione di contesti lontani. Linguaggi universali che sintetizzano e semplificano, procedendo per stereotipi, verso forme d'omologazione culturale.
Le differenze riguardano solo il diverso modo di raccontare i temi della producibilità, del consumo, della sostenibilità, della produzione di artefatti in una società sempre più "ibridata".
In questo scenario, il successo del prodotto industriale è misurato dalla sua diffusione e dal favore che incontra presso il pubblico. La grande diffusione del prodotto, potrebbe far immaginare l'insorgere piuttosto di un sentimento in contrasto con il desiderio di possesso, ovvero ad un impulso che si coniuga con il desiderio di ciò che è "raro", "esclusivo", destinato a pochi, e quindi non compatibile con forme di produzione basate sul grande numero, come sono appunto quelle industriali.
Eppure, non è così. Nella società sempre più ibridata la qualità dell'oggetto non è più basata sull'unicità del pezzo, sul valore dato da

quel complesso di attributi di un prodotto, come la qualità e la ricercatezza dei materiali impiegati, la competenza delle maestranze utilizzate per l'esecuzione, tale da farne anche opera artisticamente compiuta, ma è sostituita dalla "griffe" e dal suo valore simbolico ed è condizionata da fattori come la comunicazione multimediale globalizzata, le strategie del marketing, il costume.
Diventano più importanti l'associazione dell'oggetto a chi lo possiede, al desiderio di emulazione, piuttosto che ai valori peculiari dell'artefatto.
I suoi specifici contenuti, tecnici, formali, funzionali vengono surrogati dal fatto che possederlo diviene condizione emblematica dell'appartenenza ad un gruppo e ad una condizione sociale.
L'aspirazione al possesso di un oggetto, può scaturire quindi da un "desiderio condizionato" dai mezzi di comunicazione e dalla pubblicità, che agiscono appunto su quei delicati meccanismi mentali, sociali e antropologici e che influenzano le nostre scelte in funzione di una marca, tanto da spingerci non solo verso l'acquisto di un prodotto senza verificarne l'utilità o la qualità, ma addirittura fino a farci diventare collezionisti.
Il possesso e l'esibizione di un oggetto rappresentano uno *status symbol*, e allora diventa affannosa la ricerca della griffe, della moda, dell'oggetto di design "firmato", all'interno della galassia di prodotti che ci circonda, inquinata dal caos del *Global Style*.

Nel Caos dell'inquinamento visivo, così come appare anche nei prodotti e nei sistemi di prodotti illustrati nell'antologia, si ritrovano tuttavia alcune forme d'interpretazione del design molto interessanti.
La prima è una nozione di design che si esprime nell'eccellenza dell'azione di grandi maestri per i quali la progettazione di un prodotto è l'istanza di misurarsi con l'eccezione, l'opera unica, la testimonianza di rappresentare nell'oggetto una concezione del mondo.
La seconda è una nozione di design che si esprime nella normalità del mestiere dell'*homo faber.*
Nel primo caso il designer, senza mai rinunciare ad una ricerca artistica basata sulla creazione di pezzi unici, interpreta il suo lavoro come continua invenzione di forme per opere da destinare all'uomo per il piacere di tutti i suoi sensi, per opere emblematiche di un'interpretazione colta dell'estetica dell'artefatto.
In questo caso il designer finalizza la sua sperimentazione a testimoniare la possibilità di applicare agli artefatti che progetta nuovi materiali, nuovi sistemi di fabbricazione, a proporre nuove tipologie di prodotti, spesso opere uniche, prototipi che generano nuovi linguaggi che hanno la forza di "fare scuola".
Spesso si tratta di opere che anticipano il futuro e spesso sono vere e proprie opere d'arte, testimonianze visibili della cultura contemporanea.

Fra i tanti esempi ricordati nell'antologia, mi sembrano particolarmente significate le esperienze di Humberto e Fernando Campana che basano la loro ricerca sull'uso di materiali poveri o di scarto industriale, per progettare oggetti unici per efficacia espressiva; significativa è l'osservazione dell'esperienza di Ross Lovegrove, il cui lavoro rappresenta un punto privilegiato da cui studiare e capire come ci si muove verso il futuro; emblematica è l'esperienza di Roberto Capucci, autore di abiti sculture, opere d'arte in tessuto; o quella di Gaetano Pesce, straordinario sperimentatore dell'uso di nuovi materiali per prodotti di "serie diversificata"; o quella di Issey Miyake, il cui lavoro esprime un continuo riesame e rinnovamento delle tecniche .
Nel secondo caso il designer, facendosi interprete dei bisogni dell'uomo, con il suo ingegno trasforma di volta in volta nuovi bisogni in nuovi prodotti scarnificati dal superfluo, essenziali nella forma e nell'uso a cui sono destinati, studiati per minimizzare lo spreco dei materiali impiegati, per semplificare i processi di fabbricazione, per fornire nuove opportunità alle attività dell'uomo. Fra i tanti esempi ricordati nell'antologia, particolarmente significative appaiono le esperienze di Antonio Citterio, raffinato nel minimalismo formale, quanto efficacie nella ricchezza delle soluzioni tecnologiche utilizzate; o quelle di Matali Crasset, attenta ad interpretare le ritualità quotidiane dell'uomo, per ideare nuovi prodotti per i suoi nuovi comportamenti; o quelle di Marc Sadler, Bruce Fifield, Hugo Kogan, Andy Davey, Michele De Lucchi, impegnati ad applicare le più avanzate innovazioni a prodotti tecnici come attrezzature elettromedicali, apparecchiature diagnostiche, prodotti destinati all'illuminazione o alla comunicazione o infine, attrezzature destinate alle pratiche sportive; o quelle di Ronan e Erwan Bouroullec, la cui ricerca è basata sulla flessibilità, la molteplicità, la reversibilità, la modularità e la combinazione degli elementi.
Quanto più ci si dedica alla sperimentazione e alla progettazione di prodotti ad alto contenuto tecnologico e prestazionale, tanto più è il designer della normalità che trova spazio per esprimersi.
Quanto più ci si dedica alla progettazione a basso contenuto tecnologico e funzionale, tanto più il designer tende ad esprimersi solo per stupire, progettando oggetti che non riescono a sfuggire all'estetica e all'etica del *Global Style* e al carattere effimero del prodotto.
Tanto nel primo quanto nel secondo caso, come è evidente, il design rende un servizio all'uomo perché ne migliora la qualità della vita, rappresentando un effettivo volano per l'innovazione del sistema produttivo e un importante fattore di progresso.

When you ask a number of authors with different personalities and different visions of design to select and analyse over 100 designers, it's almost impossible to obtain an coherent result.
So, it would be vain to try to derive a cohesive representation of the many experiences.
The anthology presents design products with a thousand different styles and a thousand different uses, made of all types of materials, and in all shapes: from organic to geometric. As a group, these objects seem to belong to an unpredictable and irregular world. They fluctuate in the vague universe of eclectic figurative expression. They appear to have been made to amaze rather than to be actually used. It is difficult to trace the meaning of the past or the prospects for the future in these objects. They are a 'disorganized' multitude. In a word: Chaos.
But could Chaos be exactly what links so many designers and so many experiences that represent the expression of design in its current form? Don't we live in a state of Chaos, generated by the flow of products invading our world?
Isn't the multiplicity of expressive forms of the useable objects which surround us Chaotic, generating widespread visual pollution?
And isn't the overabundance of features present in a single technical object Chaotic, with so many functions that the quantity of uses becomes unmanageable?
The world of designers is chaotic, as they are forced to contend with design in all its facets: from producing material or immaterial product, to designing products for the home or body; from designing for free time, or work or play or mobility, to designing products produced in large quantities or design that is intended for 'unique', handcrafted products.
In this Chaos, design, with its players and products, expresses a system of ethical and aesthetic values which invade the artificial environment, it conditions social behaviours and how we choose and use objects, and it standardises tastes, consumption times and figurative styles.
In this way, design becomes self-referential, and claims to be an added value. Its products wear the patina of excess.
Besides being useful, the object aims to stimulate the senses and desires, becoming itself a means of communication, a totem of identification for a specific social group, to the point of becoming a spectacle in the glut of aesthetic gadgets that cross the line into visual pollution.
It's obvious that design products are considered almost 'sacred', a characteristic stolen from the arts that renders superfluous that which should be useful, and ephemeral that which should be long-lasting.
This notion of design is the hidden order that links the many experiences described in the book, where Chaos prevails, and where useful objects have a vast array of formal connotations: a constellation of products lacking stylistic unity, but with a multiplicity of languages.

What is missing is an exploration which creates a dominant 'taste', a line of research aiming to formalise a dominant language or one which opposes another while also seeking to affirm its own supremacy. But this very coexistence of many different languages is characteristic of the dominant 'taste'.

What might appear to be a wealth certainly causes confusion, resulting from an anthropological mutation that has invaded not only western society, but the entire planet. It's as if a multitude of styles, uprooted from the most diverse geographical and historic contexts, were torn apart and recombined to create a hybrid of many languages. This is *Global Style*, the semantic connection in which all the figurative expressions of many of the world's cultural traditions are cancelled out by an approved expressive form to which all the others refer. *Global Style* is the semantic connection which expresses a contemporaneity, where the weight of tradition is blurred in space and time in the relationship between culture and production. It is used to analyse those forms of expression which, no longer influenced by the physical context but increasingly transversally, are relevant for their social role and represent new 'races'. In short, *Global Style* is that dimension of products which is expressed through the languages that are created by contaminations of styles from the most diverse cultures and traditions on the planet. As the farthest-flung places become accessible, hybrid languages are created, born by combining the most remote stylistic and figurative expressions. Fads consume these languages rapidly in order to propose new ones, which are increasingly contaminated and enriched by references to the traditions of far-off contexts. These universal languages use stereotypes to synthesise and simplify, moving towards forms of cultural approval.

The differences lie only in the different way of referring to productibility, consumption, sustainability, and the production of artefacts in an increasingly 'hybridised' society.

In this scenario, an industrial product's success is measured by its distribution and by its popularity with the public. One might think that the broad diffusion of a product would conflict with the desire to own it. This sentiment is associated with that which is 'rare' and 'exclusive', therefore intended for but a few, and is therefore incompatible with forms of mass production, like industrial manufacturing.

And yet, that's not the case. In an increasingly hybridised society, an object's quality is no longer linked to it uniqueness, or to the value assigned to it by its attributes, such as quality and the worth of the materials used, or the skill and talent used to make it, those things that make it artistically complete. Rather it is replaced by a 'designer label' with its symbolic value, and is conditioned by factors like global multimedia communication, marketing strategies and customs.

The object's association with its owner and the desire to emulate become more important than the object's own unique values.

The value of its technical, formal and functional specificities is replaced by the knowledge that owning the object becomes an emblematic condition for belonging to a group or a social condition.
So, the aspiration to possess an object can arise from a desire that is 'conditioned' by the media and advertising. These act on those delicate mental, social and anthropological mechanisms that lead us to choose a product based on its brand name, and even incite us to not only purchase products without first verifying their usefulness or actual quality, but to even collect them.
The ownership and exhibition of an object represent a status symbol, so we expend great effort seeking a name, a fashion or a 'designer' object from that galaxy of products surrounding us, polluted by the chaos of *Global Style*

There are still a few very interesting design interpretations in the Chaos of visual pollution, as we discover in the products and product systems illustrated in the anthology.
The first is a concept of design expressed in the excellence of the work of great masters who see designing a product as a way of measuring themselves against the exception, the unique work, the testimony of representing a conception of the world in the object.
The second is a concept of design which is expressed in the ordinary work of the *homo faber.*
In the first case, without ever abandoning their artistic quest to create unique pieces, designers see their work as a continuous creation of forms intended to please all of our senses, works that are emblematic of a cultivated interpretation of the aesthetic of the artefact.
In this case, designers' experiments aim to reflect the possibility of applying new materials and new manufacturing systems to the artefacts they design, to offer up new types of products, often one-of-a-kind pieces, prototypes that generate new languages which have the power to be 'trendsetters'.
These items are one step into the future, and are often veritable works of art, visible witnesses to contemporary culture. I believe that some of the most significant examples mentioned in the anthology are the experiences of Humberto and Fernando whose research is based on using poor materials or industrial scrap to design objects that are unique for their expressive efficiency; Ross Lovegrove whose work is examined to understand how to move into the future; Roberto Capucci, the author of sculptural clothing that are works of art in fabric; Gaetano Pesce an extraordinary experimenter into the use of new materials for 'diversified series' of products, and Issey Myake whose creations express a continuous technical re-examination and renewal.
In the second case, designers act as the interpreters of people's needs, using their ingenuity to transform new needs into new products while

eliminating the superfluous, products that are essential in their form and in the use for which they are intended, designed to minimise waste of the materials used, to simplify the production process, and to provide new opportunities for people's activities. Of the many examples included in the anthology, I believe some of the most noteworthy are Antonio Citterio, who is as refined in his formal minimalism as he is efficient in the wealth of technological solutions he implements; Matali Crasset, who attentively interprets our daily rituals in order to devise new products for our new behaviours; Marc Sadler, Bruce Fifield, Hugo Kogan, Andy Davey and Michele De Lucchi, who apply the most advanced innovations to technical products, including home appliances, diagnostic equipment, lighting and communication products, and even sporting equipment; and Ronan and Erwan Bouroullec whose research is based on flexibility, multiplicity, reversibility, modularity and combinations of elements.
The more they dedicate themselves to experimenting and designing products with a high technological and functional content, the more room 'normal' designers find to express themselves.
And, the more they dedicate themselves to designs with a low technological and functional content, the more designers tend to express themselves just to astonish us, designing objects that are unable to free themselves from aesthetics, from the ethic of *Global Style* and from the ephemeral character of the product.
In both cases, it's obvious that design renders a service because it improves our quality of life, because it represents a driving force for innovation in the productive system and is an important factor for progress.

product design | objects

adriano design

L'innovazione a misura d'uomo
"User Centred" Innovation

Adriano Design è il nome con il quale Davide e Gabriele Adriano, due fratelli italiani, piemontesi di nascita e architetti di formazione, firmano i loro progetti di industrial e product design. Davide è nato a Cuneo nel 1968, si è laureato in Architettura al Politecnico di Torino, dove insegna da alcuni anni Disegno Industriale. Gabriele è nato a Torino nel 1971, si è laureato in Architettura e poi ha conseguito un Master in Ergonomia presso il Politecnico di Torino, dove attualmente insegna Disegno Industriale. Fin dagli anni dell'Università i loro progetti di design hanno ricevuto premi e riconoscimenti nazionali ed internazionali. Nel 1999 hanno fondato il loro studio a Torino e da allora sviluppano insieme progetti di prodotti innovativi, molti dei quali sono entrati in produzione, per numerose aziende come Foppapedretti, Accornero, CMA, Melitta, Merlo, Cafina, Carrara & Matta, Lotto, Bemis, Ferrero Kinder sorpresa. Dal 2002 inoltre Adriano Design è responsabile dello sviluppo e della creazione dei prodotti della linea "Masterpiece" di Accornero.

I due fratelli Davide e Gabriele Adriano hanno creato il marchio Adriano Design con una passione e un sogno in comune: "disegnare tutto e accettare sempre la sfida che ogni cosa può essere progettata in modo diverso e migliore". Il loro metodo è quello di violare gli schemi, rimischiare le carte, inventare nuovi giochi e nuove regole affinché tutto ciò che progettano sia utile e più funzionale dell'esistente, facile e piacevole da utilizzare e soprattutto "a misura d'uomo". Infatti progettano prodotti di differente natura e tipologia, per utenti e contesti d'uso profondamente diversi, ma con un approccio metodologico comune che è quello di "umanizzare l'innovazione tecnica", ovvero di non subordinare mai i bisogni umani alle sempre nuove potenzialità offerte dalla tecnologia né agli aspetti stilisticoformali.
Ogni nuovo progetto è una nuova occasione di ricerca: "amiamo affrontare sempre nuove sfide in settori che ancora non conosciamo e troviamo estremamente stimolante cambiare in continuazione il soggetto del progetto", sostengono Gabriele e Davide Adriano, e "il design è per noi progetto e invenzione mai solo stile. Noi amiamo progettare ciò che serve ma non c'è, questo è quello che per noi deve essere il lavoro del designer". Si pensi infatti ai loro prodotti per l'infanzia disegnati per Foppapedretti, come il lavandino per bambini Dino o il vasino Popi, dove l'innovazione tipologica e formale è sempre il risultato di un'attenta analisi delle esigenze funzionali e delle caratteristiche ergonomiche degli utenti finali. O ancor più si pensi al Multifarmer progettato per la Merlo, un sollevatore telescopico per la movimentazione agricola e zootecnica, che ha richiesto complesse e approfondite ricerche sui differenti contesti d'uso in cui doveva essere impiegato, sulle specifiche e particolari attività che doveva supportare, sui requisiti funzionali, di usabilità e di sicurezza necessari per definire le caratteristiche del prodotto.

Mizzica, fornellino a gas con bomboletta usa e getta per la preparazione del caffè in moka, facilmente trasportabile, prodotto da Accornero, linea Masterpiece, Italia 2002
Mizzica, small, easily transportable gas stove with a disposable bottle to make moka coffee. Made by Accornero, Masterpiece series, Italy 2002

Mollino, posacenere da taschino per fumatori di sigaro, realizzato in acciaio con custodia in cuoio, prodotto da Accornero, linea Masterpiece, Italia 2001
Mollino, breast pocket steel ashtray for cigar smokers with a leather case. Made by Accornero, Masterpiece series, Italy 2001

Il loro modo di lavorare e di intendere la professione, in cui si fondono ricerca, conoscenze tecniche, creatività e senso del gioco, sapere e saper fare, è profondamente in linea con la tradizione del design italiano.
Anche il loro modo di concepire il rapporto tra designer e imprenditore richiama quelle radici: "lavoriamo solo con imprenditori che capiscono l'importanza della ricerca per l'innovazione del progetto del prodotto e rifiutiamo categoricamente chi ci chiede di ricamare un bel 'vestitino' per la sua 'vecchia produzione'", dichiarano i fratelli Adriano e, poi, aggiungono: "crediamo che il rapporto tra imprenditore e designer debba essere di rispetto e stima reciproca, per questo motivo accettiamo solo pochi lavori che però seguiamo personalmente in tutto il loro sviluppo".
Gabriele e Davide Adriano amano il loro mestiere e lo praticano con passione e divertimento come molti dei giovani designer delle nuove generazioni, ma come pochi si confrontano con problematiche tecniche, a volte in settori piuttosto lontani dal più praticato Furniture Design, riuscendo a mantenere in equilibrio tutti gli obiettivi del progetto, senza sconfinare nel tecnicismo né nell'esaltazione delle qualità formali, simboliche e stilistiche, sempre con ottimismo e buon umore.
Pertanto non si può non essere d'accordo con Giuliano Molineri, ex direttore generale di Giugiaro Design, che, in un articolo sui prodotti dei fratelli Adriano, afferma: "esempi di impegno come quello degli Adriano rafforzano la fiducia nelle prospettive del mestiere di designer in Italia", un impegno caratterizzato da un serio approccio metodologico al progetto centrato sull'uomo, sulle sue caratteristiche e i suoi bisogni, e fondato su una continua ricerca per l'innovazione.

Tiramisù, seggiolone per bambini realizzato da un telaio portante in legno massello e una seduta in cuoio naturale, progettato per Foppapedretti, Italia 2002
Tiramisù, childrenís high chair with a solid wooden frame and a natural leather seat. Designed for Foppapedretti, Italy 2002

Popi, vasino per bambini in plastica e silicone; prodotto da Foppapedretti, Italia 2001
Popi, plastic and silicone childrenís potty. Made by Foppapedretti, Italy 2001

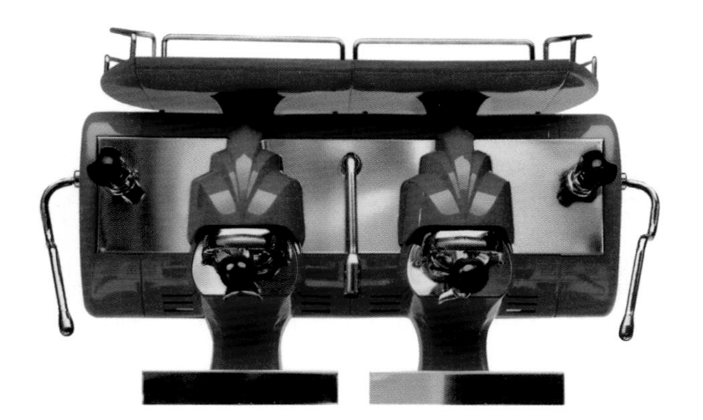

Adriano Design is the brand name used by Davide and Gabriele Adriano to promote their industrial projects and product design. The Italian brothers were born in Piedmont and are both architects. Davide was born in Cuneo in 1968. he graduated in Architecture at the Turin Polytechnic where he recently begun to teach Industrial Design. Gabriele was born in Turin in 1971 and graduated in Architecture. He went on to master in Ergonomics at the Turin Polytechnic where he too teaches Industrial Design. Ever since university, their design projects have been awarded Italian and international prizes and honours. They opened their Turin studio in1999 and since then have jointly created innovative products, many of which have been produced by companies such as Foppapedretti, Accornero, CMA, Melitta, Merlo, Cafina, Carrara & Matta, Lotto, Bemis, Ferrero Kinder sorpresa. Since 2002, Adriano Design is responsible for the development and creation of the "Masterpiece" line by Accornero.

Two brothers, Davide and Gabriele Adriano, created the brand Adriano Design by sharing a passion and a dream: "to design anything and to always accept the challenge that everything can be designed differently and better." To do this they break the rules, reshuffle the cards, invent new games and new rules so that everything they design is more useful and functional than before, easy and pleasant to use, but above all 'made to measure.' In fact, they design all sorts of different products for radically different types of users and contexts, but their design method is always the same: "to humanise technical innovation," in other words, to never make human needs subservient to the never-ending potential of new technology or to stylistic and formal concerns. Every new project is an opportunity for research: "we like to tackle new challenges in unfamiliar areas and changing the subject matter makes the project exciting." For Gabriele and Davide Adriano " design is not just style, but project and invention. We like to design useful and as yet inexistent objects: this is what we believe a designer's work should be." In fact, the formal and typological innovation of their children's products for Foppapedretti, such as the child's wash basin, Dino, or the potty, Popi, are the result of a careful analysis of the functional needs and ergonometric characteristics of the final users. Or, for instance, the Multifarmer they designed for Merlo. This is a telescopic handler to be used in agriculture and zootechnics. It required complex and in-depth research on the different ways it was to be used, on the specific and special activities it had to carry out, on its functional requirements, usage and safety: all these aspects were introduced into the product.
Their work method and their consideration of this profession which involves research, technical expertise, knowledge and know-how, creativity and a playful spirit is very much in line with the traditions of Italian design. Even their opinion of the relationship between the

Sibilla, macchina professionale per il caffè espresso, modulare e rivoluzionaria nella componentistica meccanica ed elettronica, prodotta da CMA, Italia 2001
Sibilla, professional espresso coffee machinewith modular and revolutionary mechanical and electronic parts. Made by CMA, Italy 2001

Dino, lavandino in plastica per bambini adattabile, leggero e facilmente trasportabile, prodotto da Foppapedretti, Italia 2001
Dino, lightweight, easily transportable childrenís plastic washbasin. Made by Foppapedretti, Italy 2001

Plug it, sistema di scaffali modulari, autoprodotta da EUG, UK 1997
Plug it, modular shelving, manufactured by EUG, UK 1997

LandHo!, panchina e fioriera per luogo pubblico realizzata a stampaggio rotazionale, prodotta da Nola, Svezia 2003
LandHo!, public seating and planter in rotational moulding, manufactured by Nola, Sweden 2003

designer and the entrepreneur in influenced by those traditions: "we only work with entrepreneurs who understand how important research is to the innovation of a product and we categorically refuse to work with people who ask us to embroider a beautiful 'dress' for their 'old production.' The Adriano brothers go on to say: "we believe that the relationship between entrepreneur and designer has to be based on reciprocal respect and esteem. This is why we don't accept many jobs, but we personally follow up the few we do."
Gabriele and Davide Adriano love their job: they work with passion and pleasure like many young designers that belong to the new generation. However there are few young designers who tackle technical problems like they do. Often these problems involve fields that are a far cry from the usual theme of Furniture Design. They are capable of balancing all the project aims without veering into technicism or highlighting formal, stylistic or symbolic qualities. They go about their work with optimism and good humour.
So we have to agree with Giuliano Molineri, the former general Director of Giugiaro Design who, in an article on the products designed by the Adriano brothers, said: "the kind of commitment shown by the Adriano brothers gives us new hope for the future of designers in Italy." Their commitment involves a serious methodological approach to the project that focuses on mankind, his characteristics and needs and based on an ongoing search for innovation.

james auger - jimmy loizeau

Il futuro delle relazioni umane
The Future of Human Relationship

James Auger e Jimmy Loizeau sono due giovani ricercatori dello Human Connectedness Group al Media Lab Europe di Dublino, istituto di ricerca indipendente e centro di eccellenza nelle tecnologie digitali, nato nel 2000 dalla collaborazione tra il governo irlandese e il Massachusetts Institute of Technology di Boston. James e Jimmy hanno conseguito un Master in Design Products presso il Royal College of Art di Londra e, accomunati dalla passione per l'innovazione tecnologica, dal 2000 lavorano insieme. Combinando diverse discipline - ingegneria, product design e arte - sviluppano e sperimentano nuovi concept di prodotti e nuovi scenari di interazione tra utenti e ambienti mediati dalla tecnologia, con l'obiettivo di esplorare le implicazioni socio-culturali e le potenzialità future delle nuove tecnologie digitali sulle modalità di relazione e comunicazione tra gli uomini nelle diverse esperienze e nei differenti contesti della vita quotidiana.

James Auger e Jimmy Loizeau fondano la loro ricerca e le loro sperimentazioni su una constatazione: le nuove tecnologie digitali hanno un enorme potenziale di sviluppo nella vita quotidiana ma le attuali applicazioni condizionano, spesso in modo non soddisfacente per gli utenti, le relazioni umane e sociali e le modalità di comunicazione, guidate soprattutto dall'utopia della super-efficienza e della multifunzionalità e da un concetto di utente "omogeneo" poco realistico.
Il lavoro di James e Jimmy si sviluppa, invece, dall'osservazione accurata delle interazioni quotidiane tra utenti e prodotti tecnologici, esplorando le reazioni, le difficoltà, i piaceri, i nuovi bisogni, i comportamenti inusuali e anomali dei differenti utilizzatori. Il loro obiettivo è di sviluppare nuovi concept di prodotto che consentano modalità di relazione e comunicazione tra gli uomini meno frustranti e standardizzate e dove la tecnologia sia in grado di supportare e amplificare le capacità sensoriali e relazionali degli utenti adattandosi alle loro differenti caratteristiche.
Dal 2002 James e Jimmy lavorano nel gruppo di ricerca Human Connectedness, diretto da Stefan Panayiotis Agamanolis, presso il Media Lab Europe di Dublino. I progetti di ricerca portati avanti da questo team indagano la qualità delle relazioni umane mediate dalle nuove tecnologie, cercando di sperimentare nuovi media di comunicazione capace di contrastare alcuni degli effetti negativi prodotti, nella società contemporanea, da un uso allargato e poco riflessivo delle In formation and Communication Technologies (ICT), come i rischi di isolamento, di straniamento dalla realtà, di stress, dovuti all'accelerazione dei flussi di informazione e alle nuove dimensioni di connettività in tempo reale e di virtualità che caratterizzano le attuali forme di comunicazione.
Fin dal primo progetto sviluppato assieme, Audio Tooth Implant, James e Jimmy concentrano l'attenzione su dispositivi e apparecchi che utilizzano la tecnologia più avanzata per stimolare nuovi modi di attivare,

ATI-Audio Tooth Implant, un nuovo concetto di comunicazione personale simile alla telepatia: un telefonino impiantato nel dente costituito da un sistema di micro-vibrazione e un ricevitore a bassa frequenza senza fili, Media Lab Europe, Dublino 2001
ATI-Audio Tooth Implant, a new concept of personal communication like a form of telepathy: a "phone tooth" made of a micro-vibration device and a wireless low frequency receiver, Media Lab Europe, Dublin 2001

Isophone, tecnologia di telecomunicazione che consente di fare un'immersione in uno spazio telefonico, Human Connectedness Group, Media Lab Europe, Dublino 2003
Isophone, an example of technology of telecommunication that enables the user to immerge himself in a telephonic space, Human Connectedness Group, Media Lab Europe, Dublin 2003

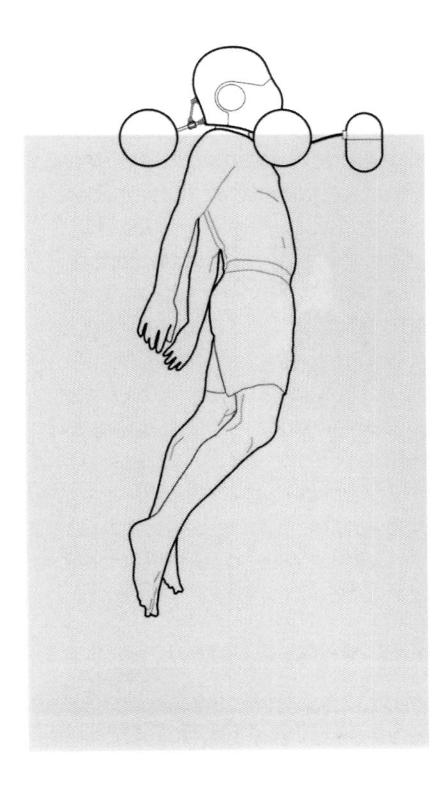

intrattenere e approfondire le relazioni sociali. Audio Tooth Implant è uno strumento innovativo di comunicazione, una sorta di microscopico telefono cellulare impiantato nel dente dell'utilizzatore attraverso un semplice intervento del dentista, che nasce dall'idea di riprodurre la modalità più antica e naturale di relazione tra gli uomini: la telepatia. Il dispositivo tecnologico fissato nel dente, costituito da un sistema di micro-vibrazione e un ricevitore a bassa frequenza senza fili, trasmette le informazioni ricevute, attraverso l'osso della mascella, direttamente all'orecchio. In questa stessa direzione di ricerca si collocano anche altre due visionarie sperimentazioni di James e Jimmy, Interstitial Space Helmet e Isophone, sviluppate entrambe presso il Media Lab Europe. ISH è un elmetto multimediale, dotato di telecamera, schermo e microfono, che consente di comunicare con gli altri, nel mondo reale, scegliendo e manipolando a piacimento la propria immagine, sembianza e identità. Isophone è un nuovo media indossabile per comunicare sott'acqua, costituito da un casco che consente di stare a galla e di "telefonare" isolandosi da tutti i rumori e dalle distrazioni. Il concetto è di costruire uno spazio totalmente dedicato alla telecomunicazione in cui immergersi consapevolmente, contrastando l'attuale e crescente tendenza ad una comunicazione rapida, ubiqua e decontestualizzata, accentuata dall'enorme diffusione dei telefoni cellulari, che logora e stravolge il valore relazionale del comunicare. Pertanto i progetti sperimentali e concettuali di James e Jimmy - pur concretizzandosi in dispositivi e apparecchiature tecnologiche indossabili, o addirittura impiantabili nel corpo, che sembrano prospettare una società futura direttamente mutuata dai romanzi di fantascienza di William Gibson, fatta di cyborg più che di uomini - esplorano e delineano, al contrario, nuovi scenari di interazione sociale in cui la profondità, la convivialità e la qualità delle relazioni umane non sono annullate ma anzi valorizzate e supportate dalle nuove tecnologie.

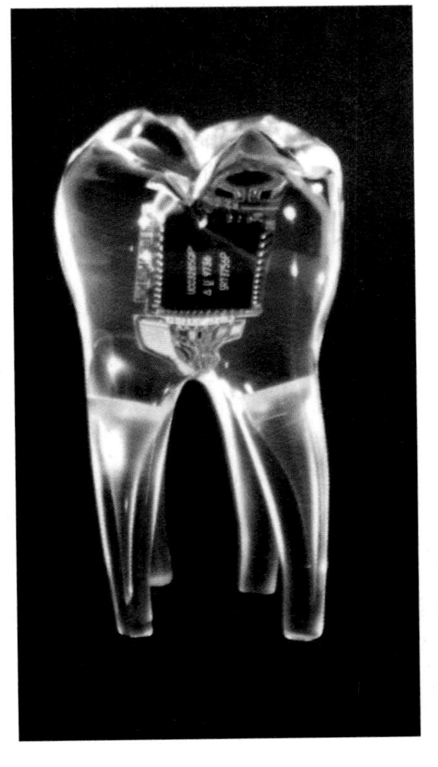

James Auger and Jimmy Loizeau are two young researchers at the Human Connectedness Group of the Media Lab Europe in Dublin, an independent research institute and centre of excellence for digital technologies established in 2000 through a collaboration agreement between the Irish Government and the Massachusetts Institute of Technology in Boston. With a Master in Design Products from the London Royal College of Art, James and Jimmy have a shared passion for technological innovation and have been working together since the year 2000. By combining different disciplines — engineering, product design and fine art — they develop and experiment with new product concepts and new interaction scenarios between users and technology-mediated environments. Their aim is to explore the social and cultural implications and the future potential of new digital technologies as well as their influence on the way in which people with different experiences, living in different everyday contexts, will relate and communicate with one another.

James Auger and Jimmy Loizeau base their research and experimentation on one assumption: new digital technologies have an huge potential for growth in everyday life, but current applications have an enormous influence, often not shared by users, on social and human relationships and communication modes, mainly powered by the utopia of super-efficiency and multifunctionality and by a some what unrealistic concept of a "homogeneous" user. Instead, James and Jimmy's work is based on the careful observation of daily interaction between users and technological products, exploring reactions, difficulties, pleasures, new needs and unusual or strange behaviour of the different users. They aim at developing new product concepts that will make relationships and

Tele-presence, attrezzatura per sperimentare la presenza in un luogo remoto da quello dove si ? fisicamente, 2001
Tele-presence, equipment for experimenting the presence at a remote location from the physical location, 2001

communication modes less frustrating and standardised and where technologies will be able to support and amplify the users' sensorial and relational abilities by adapting to their different characteristics.
Since 2002, James and Jimmy have been working in the Human Connectedness research group directed by Stefan Panayiotis Agamanolis at the Media Lab Europe in Dublin. This team's research projects focus on the quality of human relationships mediated by new technologies.
They try to experiment new communication genres capable of contrasting some of the negative effects produced in contemporary society by a widespread and unreasoned use of Information and Communication technologies OCT), for instance the risk of isolation, detachment from reality and stress, all caused by the accelerated flow of information, the new dimension of connectedness in real time and virtuality, all characteristic of these new communication tools. Ever since they developed their first project together, Audio Tooth Implant, James and Jimmy have concentrated on tools and equipment that use the latest state-of-the-art technology to stimulate new ways of triggering, maintaining and strengthening social relations. Audio Tooth Implant - an innovative communications tool, a sort of microscopic cell phone easily implanted into the user's tooth by the dentist – is the replica of an idea based on the oldest and most natural method of human relationship: telepathy. The technological device in a tooth works through micro-vibrations and a wireless low-frequency receiver. It transmits the information it receives through the jawbone directly to the person's ear. Two other visionary experiments by James and Jimmy run in the same direction: Interstitial Space Helmet and Isophone, both developed at the Media Lab Europe. ISH is a multimedia helmet with a video camera, monitor and microphone that allows you to communicate with others in the real world by freely choosing and manipulating your own image, features and identity. Isophone is a new media device to communicate underwater. It has a helmet that allows you to stay afloat and to "telephone" by isolating all noises and distractions.The concept is to create a space totally dedicated to telecommunications in which to knowingly immerge, fighting today's growing tendency for rapid, ubiquitous and decontextualised communication emphasised by the incredible use of mobile phones that strain and upset the relational value of communication. Even if James and Jimmy's conceptual and experimental projects materialise in technological equipment and devices that can be worn or even implanted into the body, ostensibly conjuring up a future society directly taken from science fiction novels written by William Gibson, full of cyborgs rather than human beings, they do explore and outline new scenarios of social interaction in which the depth, conviviality and quality of human relationships are not annulled, but rather are enhanced and supported by new technologies.

Artificial Horizon, strumento costituito da un giroscopio montato su un casco, per superare il disorientamento sensoriale, o malessere da viaggio, negli spostamenti in nave o auto, 2001
Artificial Horizon, a head-mounted gyroscope, a tool for realigning the sensory disorientation, which can manifest itself as travel sickness, during trips by ship and by car, 2001

masayo ave

L'anima dei materiali
Soul of Materials

Masayo Ave è un architetto e designer giapponese, nata a Tokyo. Laureatasi in Architettura nel Dipartimento di Ingegneria della Hosei University di Tokyo, si trasferisce in Italia nel 1990 per conseguire il Master in Industrial Design alla Domus Academy di Milano. Collabora con Dante Donegani fino al 1993 quando apre un proprio studio, Ave Design Corporation Tokyo-Milano. Lavora per Authentics, Casio, Colombostile, De Jager Product, DuPont, Higano, Hirofu, Industrielle. Nel 2000 crea una propria collezione di prodotti, chiamata "MasayoAve creation" e nel 2001 collabora con la DuPont Italia, come "creative researcher", agli esperimenti progettuali sul nuovo materiale Corian®. Il suo lavoro, fortemente caratterizzato da un approccio sperimentale e di ricerca, mira ad esplorare soprattutto le qualità sensoriali, percettive, emozionali dei materiali come valori fondamentali per il design dei suoi oggetti, sia quelli prodotti industrialmente che quelli realizzati in serie limitate.

Masayo Ave conduce le sue ricerche sperimentali nel campo del design da più di un decennio, con un particolare interesse per l'esplorazione delle qualità sensoriali, emozionali, espressive dei materiali, sia quelli innovativi e industriali, sia quelli naturali. I materiali hanno un'anima, suscitano stupore ed emozioni, basta saperli ascoltare, indagare, interrogare: questo è il segreto dei poetici oggetti creati dalla designer giapponese. Far emergere l'energia vitale, la "voce interiore", il potenziale intrinseco dei materiali e utilizzarli: queste sono le peculiarità del suo approccio progettuale che la contraddistinguono tra i designer della nuova generazione.
Attraverso la sua sensibilità artistica e lo studio costante e approfondito delle caratteristiche percettive - tattili, visive, sonore, luminose, ecc. - e non solo funzionali e prestazionali dei materiali, Masayo Ave riesce a conciliare tradizione e naturalità con innovazione e sofisticazione della tecnologia e della produzione industriale, trovando una via originale che svela la bellezza naturale dei materiali artificiali, che scopre caratteri inaspettati di comfort e piacevolezza sensoriale.
Come nella tecnica del bonsai e nell'arte dell'ikebana della tradizione giapponese, Masayo Ave combina e media, nei suoi progetti, caratteristiche, apparentemente inconciliabili, del naturale e dell'artificiale, del sensibile e del razionale. Non adatta mai il materiale a forme astratte, ma scopre le forme più appropriate suggerite dai materiali stessi, dalla loro essenza, ottenendo risultati estetici che fondono armonicamente elementi culturali orientali e occidentali. La straordinaria qualità dei suoi oggetti, sia quelli prodotti industrialmente, sia quelli realizzati artigianalmente per piccole collezioni, emerge da una combinazione di usi innovativi dei materiali, di sperimentazione di nuove tecniche di lavorazione, di innovazione del design. Si pensi a prodotti come la lampada *Genesi* e il sistema modulare di sedute/letto *Block*: sono

Genesi, MasayoAve creation, 1998
Lampada da tavolo
Genesi, MasayoAve creation, 1998. Table lamp

esempi di uso innovativo della schiuma reticolare a celle aperte di poliestere, un materiale di solito impiegato come filtro in utilizzi industriali, che in questi progetti manifesta tutte le sue potenzialità espressive superando di molto le intrinseche qualità tecnico-funzionali.
O ancora, gli esperimenti con il feltro di lana industriale, materiale morbido, piacevole al tatto, facile da modellare, utilizzato da Masayo Ave per realizzare una serie di oggetti domestici, come il portariviste *Dueto* il contenitore da tavolo *Arca*: esempi di prodotti che combinano innovazione e tradizione esaltando le qualità percettive del materiale.
Ed infine, particolarmente significative sono le sue ricerche progettuali e i suoi esperimenti con il Corian® della DuPont, una miscela ad alte prestazioni di materiali naturali e polimeri acrilici, utilizzata soprattutto nell'ambiente bagno e cucina, ma che, con le recenti sperimentazioni di design, ha visto nuovi e numerosi utilizzi: in particolare ricordiamo il fermalibri luminoso *White Night* e il fermacarte da scrivania *G 1*, presentati nella collezione *The C - Lection®* a "100% Design Rotterdam".
L'attività di Masayo Ave, fortemente connotata da un approccio sperimentale e di ricerca, non si lascia, quindi, ricondurre facilmente sotto una definizione univoca: finora, in ogni caso, la più significativa è quella di "industrial artist", da lei stessa coniata, perché esprime a pieno il rapporto dialettico natura/artificio, arte/industria, tradizione/innovazione, centrale in tutti i suoi progetti.

Block, MasayoAve creation, ICCF2000 Editor's award, 2000. Divano modulare e cuscini, realizzati in schiuma di poliestere senza CFC
Block, MasayoAve creation, ICCF2000 Editor's award, 2000. Modular sofa and cushion, made of CFC free foam on polyester

Masayo Ave is an Japanese architect and designer born in Tokyo. She is a graduate of architecture from the engineering department of Hosei University in Tokyo and came to Italy in 1990 to get her Master's Degree in Industrial Design at the Domus Academy in Milan. Up until 1993, she worked with Dante Donegani, the year in which she opened her own studio, the Ave design corporation Tokyo-Milan. She works for Authentics, Casio, Colombostile, De Jager Product, DuPont, Higano, Hirofu, Industrielle. In the year 2000, she designed her own collection of products called, Masayo Ave creation, and in 2001 worked at DuPont Italia as a creative researcher, carrying out design experiments on the new material Corian®. Characterised by a strong experimental and re s e a rch approach, her work explores focuses mainly on the sensorial, perceptive and emotional qualities of materials considered as fundamental values for the objects she designs, be they industrially produced or a limited edition.

Masayo Ave has been experimenting in the field of design for over a decade, in particular she has focused on the sensorial, emotional and expressive qualities of both innovative, industrial and natural materials. Materials have a soul, they amaze and delight if you know how to listen, study and question them: this is the secret of the poetic objects created by the Japanese designer. To draw out their vital energy, their 'inner voice,' the intrinsic potential of the material. And to use it: these are the characteristics of her design approach that set her apart from the new generation of designers. Using her artistic sensibilities and her ongoing re search of the functional, utilitarian and perceptive traits - touch, vision, sound, light, etc. – of materials, Masayo Ave is able to reconcile tradition and naturalness with the innovation and sophistication of technology and industrial production. She does this by unveiling the natural beauty of artificial materials, revealing unexpected features such as sensorial comfort and pleasure.

Like the bonsai technique and traditional Japanese ikebana, in her designs Masayo Ave unites and mediates seemingly irreconcilable natural and artificial characteristics, sensibilities and rationality. She never goes around trying to make materials fit some abstract form, but rather explores a material as it is, utilising its essence, and this produces aesthetic results that harmoniously combine cultural elements of the West and the East. The marvellous quality of her objects, whether they're made industrially or by artisans for small collections, are born from a novel ways to use material, to experiment with new production techniques and design methods. For instance, the *Genesis* lamp and the modular sofa system *Block*: these p roducts use a novel open cell polyester foam, a material normally used as a filter by industry. This design brings out all its expressive potential, far beyond its intrinsic technical and functional qualities. Another example is Masayo Ave 's

ZigZag, MasayoAve creation, 2002.
Cuscino per sedie in schiuma di poliestere
ZigZag, MasayoAve creation, 2002.
Cushion for chair in polyester foam

Phytolab, Dornbracht, Iserlohn (D) 2002,
Bagno di clorofilla, installazione
Phytolab, Dornbracht, Iserlohn (D) 2002,
Chlorophyll Bathroom, installation

experiments with industrial wool felt, a soft material pleasing to touch and easy to shape. She used it to create a series of household objects, for example the magazine rack, *Duet* or the table basket, *Arca*.
These products combine tradition and innovation, emphasising the sensory qualities of the material. Finally, her most significant design studies and experiments with Corian® and DuPont, a mixture of high yield natural materials and acrylic polymers mainly targeted for the kitchen and bathroom . However, recent design experimentation has led to numerous new ways in which it can be used: in particular, the bookend lamp, *White Night* and the desktop Paperweight, *G 1* in the collection *The C-Lection®* at the exhibition "100% Design Rotterdam. "The work by Masayo Ave is characterised by experimentation and research and this makes it difficult to define it with a single word. In any case, up to now the most appropriate and meaningful is "industrial artist," a term she herself coined because it fully expresses the dialectics between nature and artifice, art and industry, tradition and innovation, all features central to her designs.

Disegnare sensazioni
Designing Feelings

Ronan e Erwan Bouroullec sono nati a Quimper rispettivamente nel 1971 e nel 1976. Lavorano insieme dal 1999. La loro ricerca progettuale è caratterizzata da una forte componente sperimentale che si riflette sia nel progetto di artefatti di uso comune, quanto negli assemblages e nelle originali istallazioni temporanee realizzate per musei e gallerie di arte contemporanea. Gli artefatti dei Bouroullec – sedie, tavoli, vasi, lampade, microstrutture e pareti modulari, ma anche architetture come la recente "Floating house" – sono connotati da una ricerca morfologica purista, basata sulla leggerezza, la flessibilità, la molteplicità, la reversibilità, la modularità e la combinazione di elementi affini, ma anche dalla mise en scène dell'esperienza sensibile. L'attenzione agli aspetti percettivi si riflette sia nella concezione propria di questi oggetti che nella cura con cui sono studiati i dettagli.

L'innovativa e complessa ricerca dei Bouroullec si esprime in diversi campi dell'industrial design.
Accanto ad oggetti dalle linee essenziali che ricordano still life morandiane vi sono i "microinteriors" in cui è riproposto l'archetipo dell'abri e la serie di grandi diaframmi costituiti dalla ripetizione di una matrice. Questi artefatti, pur nella diversità di funzione, forma e dimensione, sono sintonizzati sulla stessa lunghezza d'onda e vengono composti in assemblages rarefatti o collocati in spazi delimitati da lievi strutture e superfici semitrasparenti. Tale coerenza si basa su un approccio progettuale che mette in primo piano le sollecitazioni derivanti dall'esperienza sensibile e dall'intuizione. Un altro elemento di originalità della ricerca di Ronan e Erwan, nonostante essa si nutra di riferimenti internazionali, è l'influenza della dimensione "rurale", la campagna francese in cui i due fratelli hanno le loro radici.
La concezione di alcuni oggetti – come Joyn Office System (Vitra, 2002) il grande piano di lavoro ispirato ai tavoli delle cucine bretoni – il montaggio degli elementi modulari di cui spesso sono composti che riecheggia la ripetizione di gesti e riti antichi; le immagini e le suggestioni legate al paesaggio costituiscono dei riferimenti nella creazione degli artefatti. Dal punto di vista dell'analisi morfologica si riconoscono alcuni caratteri dominanti. Innanzitutto la riduzione di un oggetto al suo scheletro, ovvero alle sue linee essenziali sovrapposte in fasce secondo la tecnica dell'intreccio. Come il Corian Wardrobe (Cappellini, 2002), la spalliera Hanging Treillis in terracotta, nylon e acciaio (Teracrea, 2003), le lampade Objets Lumineux (Cappellini, 1999) o Cabane, l'abri disegnato nel 2001 per la Kreo Gallery. Un secondo tema è quello dell'assemblaggio di elementi verticali e orizzontali tramite incastri o semplici elementi di giunzione: la libreria Charlotte (Neotu Gallery, 2000), il tappeto Zip Rug (Cappellini, 2001) o la Polystyrene house (2002) realizzata con blocchi di polistirene, PVC verniciato e plexiglas. La ricerca sui modi di combinazione di un insieme di oggetti è invece alla base di raffinate

Algues, Vitra Home Collection, Vitra 2004

Moduli *Cloud*, Cappellini, polistirene, Italia, 2002 (foto ©Paul Tahon)
Cloud modules, Cappellini, polystyrene, Italy, 2002 (photo by ©Paul Tahon)

collezioni quali la serie Combinatory Vases (Cappellini, 1998) in poliuretano, Torique (Gilles Peyroulet Gallery, 1999) e Aio (Habitat, 2000). Il disegno essenziale delle forme è esaltato dalla cura con cui sono scelti i materiali (polimeri, Corian, porcellana, metalli laccati…), i colori (bianco, nero lucido e opaco, verde, rosso, arancio) e progettate le textures. Il trattamento delle superfici è centrale nelle ultime ricerche dei Bouroullec orientate sulla doppia definizione delle superfici di un oggetto e la conseguente duplice impressione che esse suscitano.
Si tratta di sperimentazioni fatte con vernici di carrozzeria che hanno come tema la realizzazione di surfaces brillanti e opache alle quali lo sguardo associa rispettivamente sensazioni di assenza o di maggiore profondità.
Ma il tema peculiare dei Bouroullec è il progetto di "microambienti". Lit-clos, Cabane, Audiolab e Parasol lumineux sono strutture leggere e rappresentano una chiave di accesso a qualcosa di intimo, un filtro tra la realtà ed un'altra dimensione, in cui si è protetti e separati dal contesto, mentalmente più che fisicamente.
Essi sono associabili a quella "casa nella casa" che i bambini costruiscono con ciò che trovano per delimitare la loro enclave nel contesto familiare. Un approccio analogo – basato sul presupposto che uno spazio può essere definito non solo da un muro chiuso, ma anche dall'avvertimento di uno stato fisico o psichico – sottende il disegno delle superfici permeabili alla luce e allo sguardo.
Per chiarire la filosofia su cui si basa il rapporto tra tali diaframmi e l'ambiente che generano, si può ricorrere alle immagini del caminetto e dell'albero.
Quando si è vicini al fuoco, la sensazione di calore e luce che ci pervade crea una separazione naturale dal resto dell'ambiente.
Analogamente, seduti sotto un albero, si ha l'impressione di ritrovarsi in un paesaggio diverso da quello che si percepisce guardando la pianta da lontano. Le pareti dei Bouroullec funzionano nello stesso modo: "Per ridefinire un interno cerchiamo di trasformare in spazi le sensazioni che abbiamo".
Sotto questa luce si comprende meglio Algues, un grande diaframma verdastro costituito dalla ripetizione di un'alga di plastica. La struttura, visivamente complessa, è concepita come un merletto gigante. Da lontano si ha l'impressione di una superficie caratterizzata da una certa unità, mentre da vicino l'occhio viene catturato dalla ricchezza dei dettagli. Una parete di alghe informi è simile a la feuillée di un albero e la sua disposizione nello spazio avviene in un modo libero e intuitivo. Così i Bouroullec non disegnano solo oggetti ma "filtri" che ci permettono di accedere in modo fluido ad una dimensione altra e sensazioni che attingono ad immagini archetipe.

Ronan and Erwan Bouroullec are two young French designers born in Quimper in 1971 and 1976 respectively. They have worked together since 1999. Their extremely experimental design research is visible in the way they design everyday objects as well as in their assemblages and in the unusual, temporary installations designed for important modern art museums and galleries.
Their design concept is based on a purist morphological research, on lightness, flexibility, multiplicity, reversibility, modularity and the combination of similar elements. They also draw their inspiration from the mise en scène of emotional experiences. The artefacts designed by the Bouroullecs all focus in particular on perceptive issues. This is reflected in both the concept of these objects as well as in the care they take over even the smallest details.

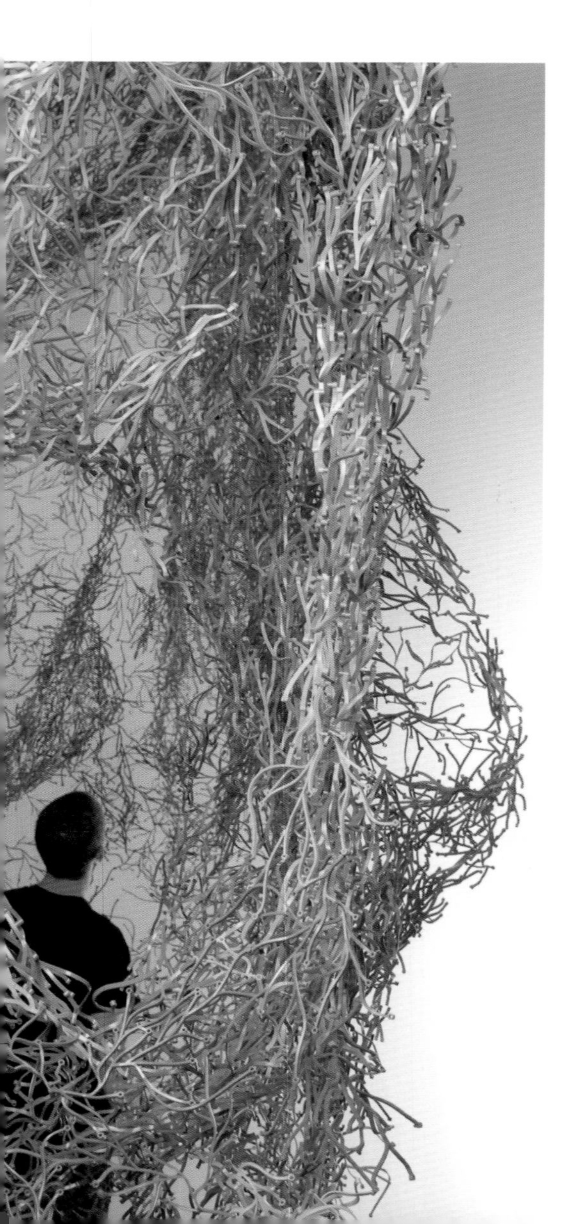

The Bouroullecs' innovative and complex research involves several fields of industrial design.
Minimal objects that recall Morandi's still life and "micro-interiors" that repropose the archetype of the *abri* and the series of large walls created by repeating a single matrix. Even if these artefacts have different functions, forms and sizes, they are all on the same wave length and are arranged in rarefied *assemblages* or placed in spaces surrounded by lightweight structures or semitransparent surfaces. This coherence is based on a design approach emphasising the inspiration that comes from emotional experiences and intuition. Another unique trait of the research carried out by Ronan and Erwan – despite the fact that it is full of international references – is the "rural" dimension, the native French countryside of these two brothers. The idea behind several objects – such as the *Joyn Office System* (Vitra, 2002), the huge worktable inspired by the kitchen tables in Brittany – the assembly of the modular elements which these objects are often made of and which echo the repetition of ancient gestures and rites; the images and inspirations that come from the landscape are reference points in their creation of these artefacts. A morphological analysis would highlight the following dominant traits.
First of all, the fact an object is reduced to its skeleton, in other words, to its basic shapes and superimposed in layers using a weaving technique. Like the *Corian Wardrobe* (Cappellini, 2002), bed head, *Hanging Trellis* in terracotta, nylon and steel (Teracrea, 2003), the lamps *Objets Lumineux* (Cappellini, 1999) or *Cabane*, the *abri* designed in 2001 for the Kreo Gallery. Another trait is the assembly of vertical and horizontal elements using joints or simple joining elements: the bookcase *Charlotte* (Neotu Gallery, 2000), the carpet *Zip Rug* (Cappellini, 2001) or the *Polystyrene house* (2002) built with blacks of polystyrene, painted PVC and Plexiglas. Instead, their research on how to combine objects lies at the heart of elegant collections such as

Roubaix exhibition 2004, installazione, La Piscine, Musée d'art et d'industrie de Roubaix, Francia, 2004 (photo by Paul Tahon)
Roubaix exhibition 2004, installation, La Piscine, Musée d'art et d'industrie de Roubaix, France, 2004 (photo by Paul Tahon)

Assemblage 4, edizione limitata, Kreo Gallery, Paris, 2004 (photo by Paul Tahon)
Assemblage 4, limited edition, Kreo Gallery, Paris, 2004 (photo by Paul Tahon)

the series *Combinatory Vases* (Cappellini, 1998) in polyurethane, *Torique* (Gilles Peyroulet Gallery, 1999) and *Aio* (Habitat, 2000).
The essential forms are emphasised by their careful choice of materials (polymers, Corion, porcelain, lacquered metals ...) and colours (white, glossy and opaque black, green, red, orange) and the way they design textures.
In some of their recent studies, the Bouroullecs have focused on the treatment of surfaces, on the double definition of the surfaces of an object and the ensuing double impression that it inspires. They have experimented with car paint and try and create glossy and opaque surfaces which, when you look at them, give you a feeling either of emptiness or greater depth.
But the special characteristic of the Bouroullecs is their "micro-environment" design. *Lit-clos*, *Cabane*, *Audiolab* and *Parasol lumineux* are lightweight structures: they represent a key to unlock something intimate and secret, a filter between reality and another dimension in which a person is projected and mentally rather than physically separated from the context. They are like that "house within a house" that children build with what they can find to cut off their enclave from the family environment. A similar approach – based on the assumption that a space can be defined not only by a wall, but also by the sensation of a physical or psychic space – is behind the design of surfaces that are permeable to light and vision.
To illustrate the philosophy behind the relationship between these separators and the environment they create, we could use the example of the fireplace and the tree. When you're near a fireplace, your feeling of warmth and light creates a natural separation between you and the rest of your surroundings. In a similar way, if you sit under a tree, you feel you're in a different landscape to the one you see when you look at the tree from a distance. The walls designed by the Bouroullecs work the same way: "To redefine an interior space we try and translate our feelings into spaces." This can help us understand *Algues* better. *Algues* is a large, greenish wall made of repetitive pieces of plastic algae. The visually complex structure was designed as a gigantic piece of lace. From a distance, it looks like a surface that has some sort of unity. When you get nearer, the eye is fascinated by the wealth of detail. A wall of shapeless algae similar to the *feuillée* of a tree with a free and intuitive arrangement in space. So the Bouroullecs don't just design objects, but "filters," that allow us to fluidly access another dimension and feelings are inspired by archetypes.

thierry boutemy

I bouquet emotivi
Emotional Bouquets

Classe 69, francese, da tredici anni stanziato nella residenziale ed elegante avenue Louise di Bruxelles, Thierry Boutemy è un artista che negli ultimi anni ha suscitato intorno a sé un enorme interesse.

Complice la recente quanto casuale collaborazione con Sophia Coppola di Maria Antonietta che lo ha portato in quel vortice virtuoso di serate mondane, sfilate di moda – lavora per nomi come Lanvin e Dries Van Notene – e inevitabilmente dei cast cinematografici, non ultimo Angel di François Ozon.
Lo scenario in cui si muove è quello del floral design, particolare ambito di applicazione del design inteso come la produzione – industriale o artigianale – di composizioni floreali per l'allestimento di ambienti. E' una branca che usa inevitabilmente elementi con caratteristiche specifiche connesse, se si esclude il settore legato alla composizione di fiori secchi o realizzati in materiale plastico, a una durata limitata nel tempo legata alla vita stessa della materia.
Se è vero che qui la percezione visiva è il punto di partenza privilegiato del processo creativo, quest'ultimo non sottende a un atteggiamento monosensoriale. Forma e colore sono solo il punto di partenza – e molto spesso di arrivo – della progettazione di un prodotto che coinvolge necessariamente anche i cosiddetti sensi minori, tatto e olfatto.
Non è un caso allora il fascino subìto dal designer per un regista alla stregua di Romeo Castellucci – fondatore dell'italiana Societas Raffaello Sanzio – noto in Italia e in molti paesi del mondo come autore di un teatro fondato sulla totalità delle arti e rivolto a una percezione integrale, grazie a un lavoro di retorica sui corpi e sulle figure volto a scatenare una forma di comunicazione profonda e radicale fino ad arrivare, a volte, a una comunicazione corticale e quindi di pura sensazione. Si tratta di alchimia minima per cui le cose devono scatenarne di nuove.
Ecco perché i bouquet di Thierry, caratterizzati da uno stile squisitamente controcorrente e da una sorprendente coerenza espressiva, rivelano la propria identità in Italia in ogni atto poetico, in ogni minimo fatto compositivo. Dalla scelta dei fiori, per lo più fragili come tulipani, papaveri, rose e ranuncoli, alla composizione, rigorosamente fluida e irregolare, i suoi progetti manifestano la propria irrinunciabile autenticità e genuinità. Le abitazioni in cui tutto è controllato – persino i fiori – esprimono secondo la filosofia dell'artista un senso e un concetto di staticità ben distante da quello che i fiori stessi dovrebbero comunicare in termini di vitalità e slancio. Una composizione firmata Boutemy non potrebbe mai essere di fiori bloccati con il fil di ferro o peggio ancora tinti. Al contrario è nella fragilità della materia che il designer francese trova l'elemento di fascino delle proprie composizioni.

Boutique, Rue de la Pépinière 2A Bruxelles, 2007

Composizioni floreali, 2007
Floral arrangements, 2007

Piuttosto che alla robustezza dei fiori, come nel caso delle orchidee, l'interesse è sempre volto all'effimero che diventa, attraverso l'opera umana, simbolo eterno e universale. I bergsoniani direbbero élan vital, creazione libera e imprevedibile, vita sempre nuova che non ha che da distendersi per estendersi. In questo contesto l'intervento del designer non può che essere limitato: sono i fiori che da soli raccontano storie, e le storie che raccontano devono essere semplici e uniche. Scopo ultimo dell'atto creativo sembra allora essere, in un mondo così complesso e sofisticato, la ricerca della semplicità intesa come naturalità, l'essenza non costruita. Le fonti ispiratrici e allo stesso tempo gli elementi evocatori delle composizioni sono identificati nell'innocenza, nella spontaneità, nell'assenza di sovrastrutture.
I bouquet vogliono allora essere un invitó a carpire la pienezza di un istante, a catturare i profumi e i colori della natura, a far sopravvivere sensazioni genuine che rimandano all'infanzia nell'incubatrice del ricordo, la memoria. Perché, dopo di tutto, il fiore è vita che rimanda necessariamente a un senso di morte, come due fili narrativi evocativi che si intrecciano. Vita e morte, Eros e Thanatos, mitologica coppia dialettica: Eros che crea, genera e unisce, Thanatos che distrugge, frammenta e disperde.
Elementi contrapposti che identificano un ciclo continuo, perché uno è la negazione e allo stesso tempo condizione necessaria dell'altro. Il precoce disincanto di chi comprende e rimanda alla complessità dell'essere viene espresso nella sua totalità in queste composizioni.

Class of 69, French, Thierry Boutemy set up shop thirteen years ago in Brussels' elegant, residential Avenue Louise. In recent years, his popularity has grown enormously.

His fame was boosted by his recent, albeit unplanned collaboration with Sophia Coppola on the set of Marie Antoinette which propelled him into a leading role during the virtuous vertigo of social evenings, fashion shows – he works for ateliers such as Lanvin and Dries Van Notene – and, inevitably, film sets, the last in order of time being Angel by François Ozon.
Boutemy's world is the world of floral design, a rather unique branch of design involving the industrial or artisanal production of floral compositions for interiors. It's a field which uses very specific ingredients (excluding dried or plastic flower arrangements) and has a limited lifespan dictated by the materials themselves.
It's true that visual perception is the privileged starting point of the creative process, but this doesn't mean that he adopts a monosensorial approach. Shape and colour are only the starting – and very often the finishing – point of a product's design that necessarily involves the so-called lesser senses: touch and smell.
It's easy to see why Boutemy was bewitched by a director like Romeo Castellucci – founder of the Italian Societas Raffaello Sanzio – famous in Italy and the world as the author of theatrics that embrace all the arts and aim at creating integral perception thanks to the rhetoric invested in the actors' bodies and faces intended to trigger an in–depth and radical form of

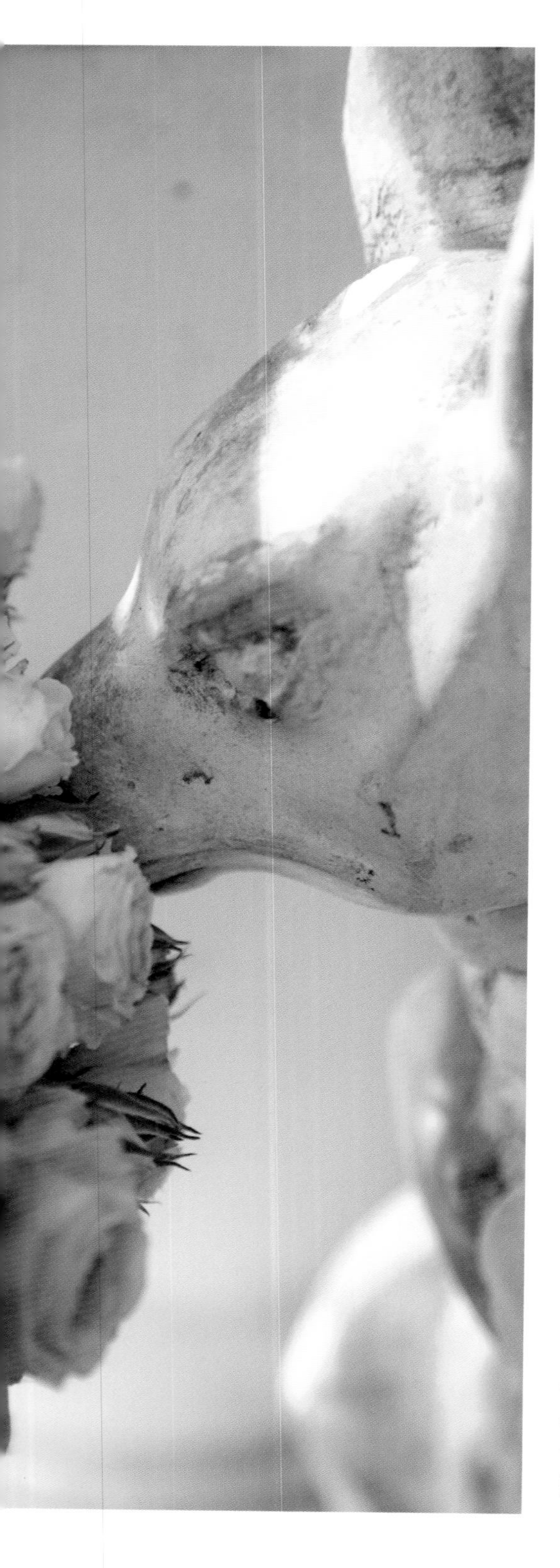

communication. Sometimes, this communication becomes cortical communication – pure emotion. It involves minimal alchemy: objects should trigger the creation of new objects.
This is why Thierry's bouquets, characterised by a totally radical style and a surprising expressive coherence, reveal their identity in every poetic act, in every small compositional detail. His projects reveal the crucial, indispensable elements of authenticity and genuineness: from his choice of flowers, mainly fragile flowers like tulips, poppies, roses and buttercups, to his strictly fluid and irregular compositions.
The artist believes that houses in which everything is under control – even flowers – transmit a feeling of stillness that is very different to the feeling that flowers themselves should transmit in terms of liveliness and élan. Boutemy would never dye flowers or use steel wire to arrange them. On the contrary, the French designer revels in the fragility he finds fascinating for his floral arrangements. Rather than focusing on sturdy, robust flowers, like orchids for instance, he looks for the ephemeral which man's work transforms into an eternal and universal symbol.
Fans of Bergson would call it an élan vital, a free and unpredictable creation, a life that is always new, that only needs to stretch out to spread out. In this context, the work of a designer is limited: it's the flowers that tell the story, and the stories they tell have to be simple and unique.
In such a complex and sophisticated world, the ultimate goal of a creative

act would appear to be the search for simplicity in the sense of naturalness, of the unconstructed essence.
His source of inspiration and the evocative elements of the arrangements include innocence, spontaneity and the absence of superstructures. The bouquets are intended to encourage people to capture the fullness of a moment, the perfumes and colours of nature, to prolong genuine emotions that recall childhood in the mists of a souvenir, of memory. Because, after all, flowers represent life, and this necessarily conjures up a sense of death, like two narrative tales that entwine and merge together. Life and death, Eros and Thanatos, mythological dialogue: Eros that creates, generates and unites, Thanatos that destroys, fragments and scatters. Contrasting elements of an endless cycle, because one is the negation – yet at the same time the sine qua non condition – of the other. These floral arrangements express as never before the precocious disenchantment of those who understand and allude to the complexity of life.

Il software come arredamento
Software as Furnishings

"La Matematica è il Linguaggio della Natura". Si aprono con questo *claim* i progetti di Daniel Brown, giovane prodigio del design multimediale e interattivo che ha sperimentato negli ultimi anni i linguaggi e le potenzialità che offrono i nuovi media, supportando la maturazione della nuova comunicazione elettronica attraverso la riflessione, la sperimentazione e il progetto. Brown si inserisce a pieno titolo in questo nuovo universo da esplorare nel momento più significativo del processo che spinge verso la transizione dei nuovi artefatti, dove il design della comunicazione ripensa a se stesso. Il mondo digitale tende spesso ad unificare l'evento ideativo e la sua implementazione in un'unica figura di riferimento quella del designer che spesso ricopre il ruolo di creativo e tecnico, progettista e realizzatore in un continuo scambio tra idea e artefatto, dove il confronto avviene con figure professionali complementari, appartenenti ad ambiti di formazione diversi. Daniel Brown fa parte di questa schiera di designer a "tuttotondo" che seguono il progetto dall'ideazione alla produzione, si definisce infatti designer, programmatore e artista specializzato in *Creative Digital Technology* e *Interactive Design*. Nel 1997 lancia on-line le sue prime opere digitali sperimentali nel sito www.noodlebook.com, una decina di applicazioni demo composte di algoritmi di rotazione 3D applicati alle forme disegnate e modificate dall'utente. Il lavoro è composto in *shockwave* colori, forme e luci prendono vita generate da un opportuno codice, il designer gioca sulle coppie, le dualità, i palindromi, le immagini allo specchio, le forme liquefatte d'insetti e le farfalle. Le conoscenze del design fisico vengono applicate al design cibernetico, l'espressione creativa del designer questa volta non nasce dalla materia ma dall'algoritmo. Si parla di Net-Art algoritmica una forma d'arte che rende l'utente parte integrante del processo creativo, il designer si fa regista di un evento spazio–temporale e l'utente, interagendo, co-autore.
Nel 1999 la rivista *Internet Business Magazine* ha definito Daniel Brown

come uno dei 10 migliori *web designers* del momento, negli ultimi anni ha partecipato a mostre come la "Great Expectations" organizzata a New York dal Design Council e il "Great Brits" allestito a Milano e a Tokyo per il British Council. I suoi primi progetti sperimentali sono raccolti al Museum of Modern Art di S. Francisco, attualmente è New Media Director dello SHOWstudio di Nick Knight e continua a sviluppare nuovi progetti indipendenti per Play-Create. Più recentemente ha avuto il riconoscimento come miglior designer dell'anno ed è stato scelto dal quotidiano britannico "The Observer" tra gli 80 personaggi che definiranno gli scenari e le tendenze dei prossimi dieci anni.
Fin dalle prime ricerche sperimentali Daniel Brown si lascia ispirare e guidare dalla natura e in particolare dalle molteplici forme dei fiori che sono per lui una fonte inesauribile di ispirazione, le animazioni indagano le caratteristiche rintracciabili in natura come l'autosomiglianza *"proprietà intrinsecamente estetica e frutto di un processo algoritmico di base, la ricorsività, che si verifica quando un sistema riceve un'immissione (in–put) la modifica leggermente e poi utilizza il prodotto ottenuto (out–put) come nuovo in–put"* (*La Geometria della Natura,* Teoria, 1989, Benoit B. Mendelbrot, W. H. Freeman & Company). Brown seguendo le regole dell'algoritmo mette a punto dei *software* in grado di generare ed evocare sensazioni simili a quelle presenti in natura con il solo scopo di stupire e appagare il senso estetico dell'osservatore. Il riutilizzo di un'unica forma di base per creare diversi livelli di metaforme imita la tendenza alla parsimonia e alla ridondanza tipica della natura. Tutto fiorisce, arricchendo di fiori, foglie e colori lo spazio circostante. La questione principale su cui si fondano i progetti di Daniel Brown sembra essere quella di indagare sulle potenzialità artistiche del *software*, in un ottica che percepisce le cose non nella loro opaca esattezza, ma reinterpretandole come se fossero nuove e misteriose. Nel progetto presentato alla mostra My World –The New subjectivities in design – al

Software As Furniture. Sperimentazione sull'uso delle tecnologie informatiche come arredamento
Software As Furniture. Experimental use of computer technology as furnishings

Waterfall, Conran–Designed Park Hotel, New Delhi, 2005

25 Copthall Avenue, progetto per Conran & Partners Architects
25 Copthall Avenue, comissioned by Conran & Partners Architects

Dazed and Confused. Fotomontaggi realizzati per la rivista Dazed and Confused in collaborazione con Nick Knight e SHOWstudio
Dazed and Confused. Photomontages for the magazine Dazed and Confused in collaboration with Nick Knight and SHOWstudio

IDEO, Maxischermo per Vodafone Lisbona
IDEO, Maxiscreen for Vodafone Lisbon

Design Museum di Londra nel 2006, una mostra tesa ad individuare artefatti industriali che presentassero la stessa espressività emotiva di quelli artigianali, emerge fortemente il concetto di software come arredamento. Per My World è stato studiato un ambiente domestico arredato con pochi oggetti, per creare uno spazio neutro e sofisticato, sulle cui superfici sono state proiettate le decorazioni digitali animate. Di volta in volta l'aspetto estetico dell'ambiente cambiava completamente al cambiare delle proiezioni sugli oggetti, forme e colori floreali sbocciavano ad esempio su un servizio da tavola di piatti o sulla biancheria da letto. Anche in questo caso l'intento di Daniel Brown rimane comunque quello di indagare su una nuova forma di espressione artistica che sta al limite tra arte, design e programmazione. Lo spazio diventa una *skin* sulla quale proiettare *pattern* dinamici che imitano e riproducono la materia organica, avvalendosi delle più sofisticate tecnologie.

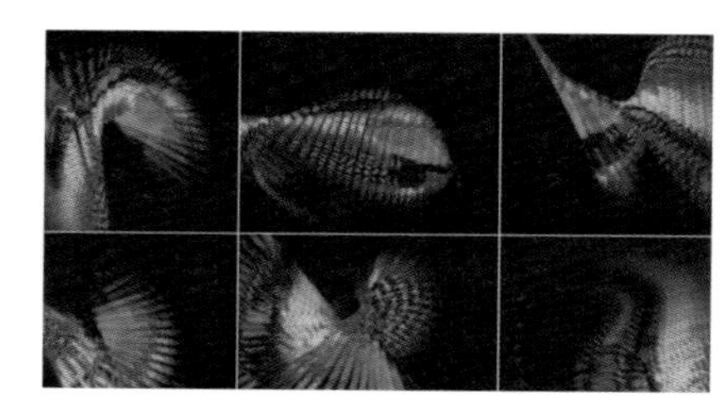
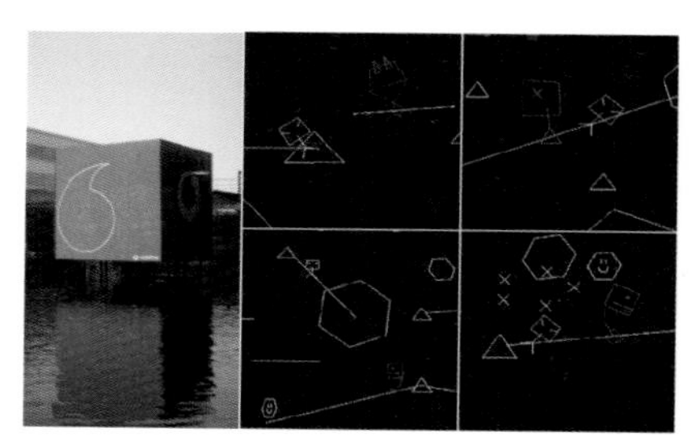
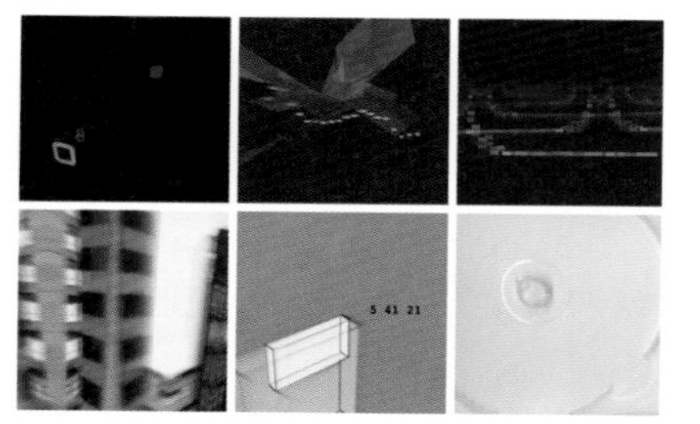
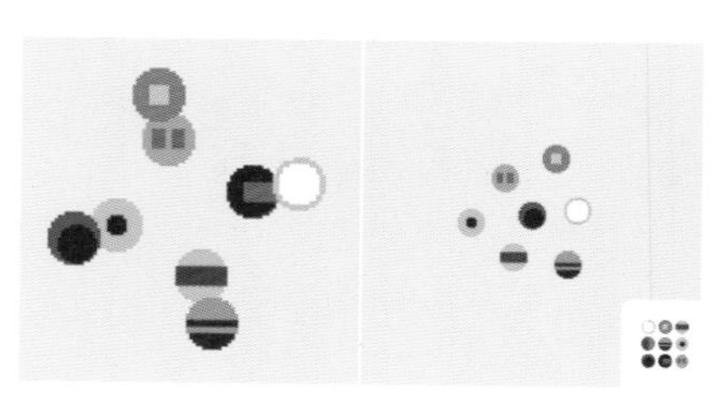
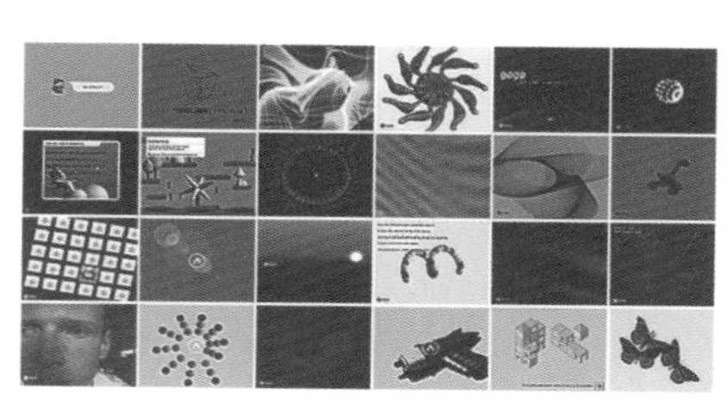

"Mathematics is the Language of Nature". This is how Daniel Brown, the young prodigy of multimedia and interactive design, introduces his project reports. In the past few years he has tested the styles and potential of new media, helping to develop new electronic communications with his ideas, experiments and projects.
He is a leading player in this new world that is unfolding at a significant moment in the process of adjusting to new artefacts, a time when communications design is reinventing itself. The digital world often tends to unite the creative event and its implementation in a single reference model: the designer.
Often he is a creative and a technician, a designer and a manufacturer in an ongoing process of exchange between ideas and artefacts which often involves professional figures from complementary fields of learning.
Daniel Brown is one of these 'all–rounders' who follow the project from its inception to production. He calls himself a designer, programmer and artist specialised in Creative Digital Technology and Interactive Design. In 1997, he launched his first experimental digital works online on his website www.noodlebook.com: a dozen 'demo' applications of 3D rotation algorithms applied to forms drawn and modified by users.
The work has shockwave colours, forms and lights invented by a special code; the designer plays with pairs, duality, palindromes, mirror images, liquefied forms of insects and butterflies. Physical design is applied to

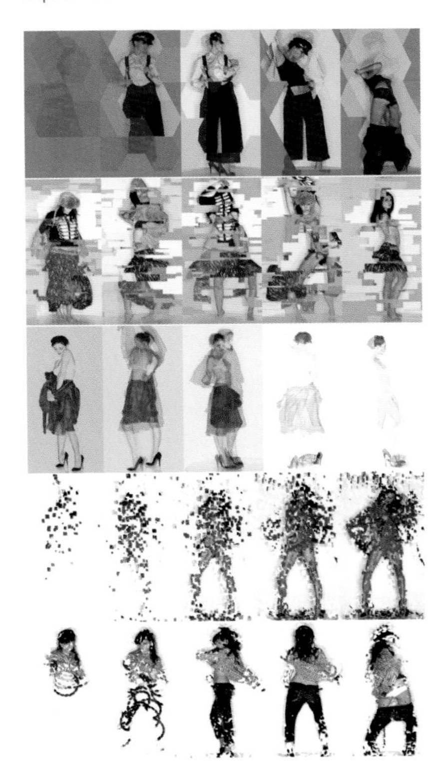

Noodlebox, www.noodlebox.com, 1996-97
Dress me up, 2006 SHOWstudio

David Stuart

My World –The New subjectivities in design, Design Museum (London), 2006

cybernetic design; this time, the designer's creativity is not based on matter but on an algorithm. It's called algorithmic Net Art, a form of art that turns the user into an integral part of the creative process.
The designer is the director of a spatial/temporal event and by interacting the user becomes the co–author.In 1999, the Internet Business Magazine classified Daniel Brown as one of the top ten internet designers of his age.
In the past few years he has taken part in shows like "Great Expectations" organised in New York by the Design Council, and "Great Brits" held at the British Council in Milan and Tokyo.
His first experimental projects are archived in the San Francisco Museum of Modern Art.
He is currently the New Media Director of Nick Knight's SHOWstudio and continues to develop new independent projects for Play–Create. More recently, he was named Designer of the Year and was selected by the British newspaper, *The Observer*, as one of the 80 people who will determine future trends in the next ten years.
Ever since he carried out his first experiments, Daniel Brown was inspired and guided by nature, in particular the shapes of flowers which are an endless source of inspiration for him.
His animations explore natural characteristics such as self–similarity: he stated that an intrinsically aesthetic characteristic based on a basic algorithmic process, *recursiveness*, takes place when a system receives an input, modifies it slightly and then uses the output as a new input (Benoit B. Mendelbrot, *The Fractal Geometry of Nature*, W.H. Freeman & Company, 1977).

Based on the rules of algorithms, Brown developed software that can create and induce feelings similar to those present in nature. His only aim is to shock and satisfy a viewer's aesthetic senses.
The re-use of a single basic shape to create different levels of metaforms copies nature's tendency to be parsimonious and redundant. Everything blooms and fills the immediate vicinity with flowers, leaves ad colours.
The main thrust of Daniel Brown's projects is to study software's artistic potential: his approach is not to perceive objects in their opaque accuracy, but to reinterpret them as if they were new and mysterious.
Brown presented a project at the show My World – The New Subjectivities in Design – held at the Design Museum in London in 2006. The show compared industrial artefacts that had the same emotional expressiveness as handmade/artisanal products. What emerged from his projects was his concept of software as furnishings.
For the My World show, he designed a home using just a few objects in order to create a neutral and sophisticated space.
Then he projected digitally animated decorations on the surfaces and objects.
When the images/patterns on the objects changed, so did the aesthetics of the interiors; for example, floral shapes and colours blossomed on a set of plates or on bed linen. Visitors could interact in this project and virtually paint on the objects.
In this case too, Brown's intention was to investigate a new form of artistic expression that lies somewhere along the borders of art, design and programming. Brown uses space as a skin on which to project dynamic patterns that mimic and reproduce organic matter by exploiting the very latest technology has to offer.

elio caccavale

La fattoria degli ibridi
Hybrids' Pharm

Elio Caccavale, di origine napoletana, cresce come designer in quel laboratorio progettuale londinese che ha come baricentro il Royal College of Art, da cui ne trae la vena sperimentale nel ricercare un dialogo stretto tra scienza e quotidiano. Il suo lavoro si inserisce nel dibattito sul ruolo del design nel fronteggiare i bisogni emergenti del mondo contemporaneo, coinvolgendo in particolare le innovazioni introdotte dalle tecnologie avanzate e dalle biotecnologie.
Per Caccavale le biotecnologie sono un terreno di sperimentazione dove la più avanzata innovazione tecnologica si scontra con gli aspetti più umani come l'etica e la condotta sociale.

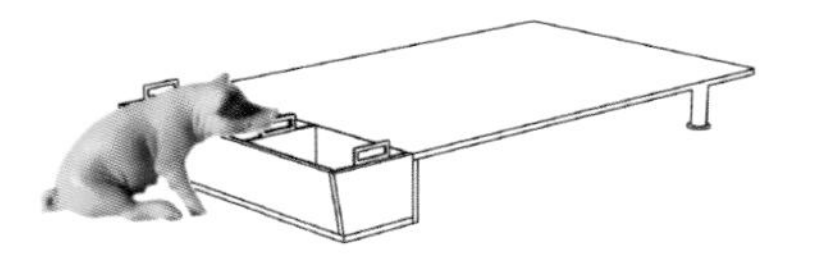

Immagina di possedere dalla nascita un maialino con il tuo DNA ingegnerizzato all'interno, così da fungere da banca d'organi per il tuo futuro: come sarebbe la tua vita se l'animale crescesse e vivesse dentro casa con la famiglia? Quali tipologie di oggetti potrebbero emergere in questa strana convivenza? E soprattutto quali sarebbero le conseguenze sociali, culturali ed etiche connesse a questo ipotetico scenario futuribile?
Sembrerebbe l'incipit per un romanzo di science fiction alla Crichton, e invece sono alcune delle riflessioni connesse a Utility Pets, progetto sperimentale di Elio Caccavale che elabora una serie di prodotti connessi direttamente agli xenotrapianti, i trapianti di organi animali sugli umani, per riflettere sull'impatto delle tecnologie genetiche sui nostri stili di vita. L'animale preso in considerazione in questo caso è un maialino, in gergo scientifico knockout, che funge quasi da polizza assicurativa per la vita del padrone, sacrificandone di volta in volta i componenti che possono rendersi necessari. Tra gli ipotetici prodotti da social fiction si segnala una TV che trasmette immagini a bassa risoluzione che può essere azionata a distanza dall'animale; un giocattolo per il maiale con microfono e radiotrasmittente che permette al proprietario di ascoltare il maialino divertirsi a distanza; un filtro per non farlo soffrire delle conseguenze del fumo passivo, very politically correct! Ma il lavoro di Caccavale non si limita alla vita funzionale della strana coppia legata da un vincolo medico che si spinge alla quasi consanguineità nell'avere una forma di comunanza genetica, ma va oltre cercando di sondarne anche le interdipendenze e le relazioni che possono confluire nella sfera psicologica, che lascia emergere non poche contraddizioni e complessi irrazionali. Nasce così conforter, un prodotto psicologico creato con il muso del suino dopo l'estremo sacrificio, utile come memento dopo l'operazione di xenotrapianto e che aiuta a gestire psicologicamente la contraddittorietà dei sentimenti legati insieme alla guarigione ed alla perdita di un animale caro.
Il progetto, cioè, non è solo l'occasione per concepire nuovi prodotti e servizi, ma anche la possibilità di esplorarne le istanze estetiche,

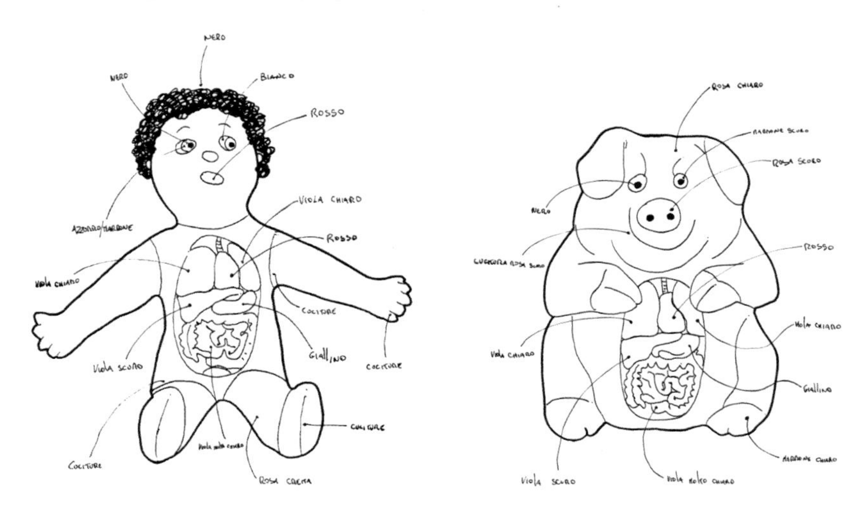

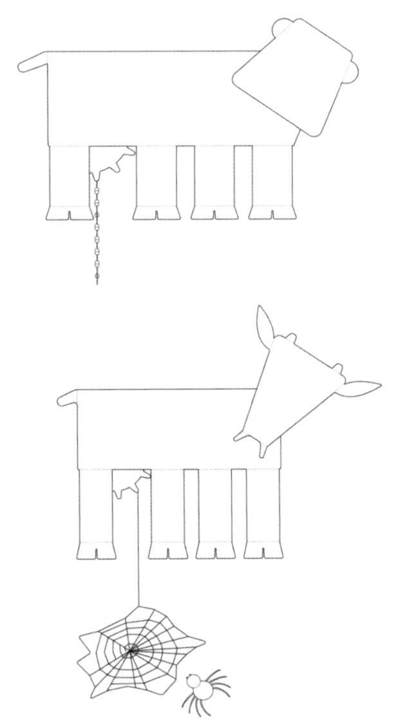

narrative, anche poetiche, traslando direttamente le nuove tecnologie negli scenari del quotidiano. Gli oggetti che ne risultano, diventano altrettanto una forma di diagramma delle nuove relazioni sociali, mediandone i vari livelli di interazione ed evidenziandone tutto il portato speculativo nel riflettere il dibattito contemporaneo sui temi più scottanti. Gli ultimi decenni sono stati caratterizzati dal crescente impatto delle tecnologie biogenetiche e delle scienze del vivente sull'immaginario sociale, quanto nei più diversi settori disciplinari. Sviluppare componenti organiche a fini terapeutici e perfino cellule di sangue umani all'interno di altri organismi portatori, è già da molti anni una pratica di ricerca comune nel settore medico, e presto lo sarà anche con metodi di produzione industriale. Ma soprattutto, l'ingegneria genetica sta diventando sempre più un settore produttivo e conseguentemente la ricerca ne segna il percorso, rincorrendo il brevetto dei geni e lasciando emergere una nuova categoria di merci non tangibili.
La tecnologia in questo senso ha acquisito il controllo sui processi di produzione e di riproduzione della vita, trasformandola anche negli strati più intimi, con i connessi problemi di natalità, mortalità, morbilità, igiene e profilassi, temi che non mancano di sollevare le necessarie questioni politiche, o meglio biopolitiche. La biopolitica, attraverso le tecnologie della vita, si prende a cuore così della popolazione come appartenente ad una specie biologica, con l'obiettivo di rafforzarla e di accrescerla, proteggerla e tutelarla, infine potenziarla. Si rivolge cioè alla moltitudine dei corpi come massa globale che può essere investita, a tutti i livelli, dai meccanismi di regolazione della vita. L'intervento dell'uomo sulla materia vivente lascia emerge la sua attitudine progettuale ma anche pianificatoria, la trasformazione creativa

MyBio project, bioreactor, 2005

MyBio project, disegni iniziali, 2005
MyBio project, preparatory sketches, 2005

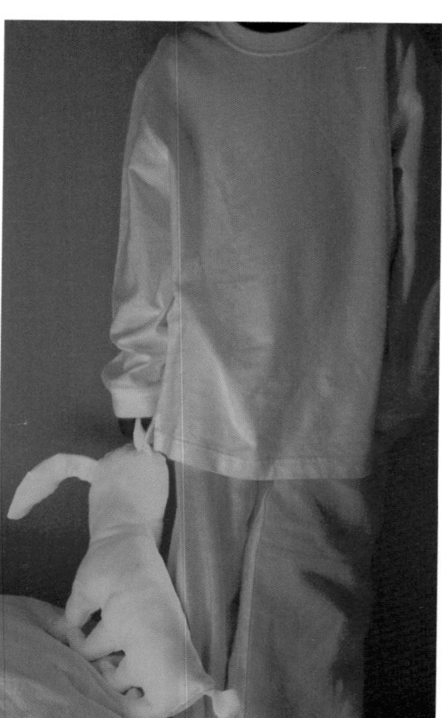

dell'ambiente in cui viviamo ed insieme la decisione politica ed il relativo esercizio del potere: scienza, tecnologia e progetto rientrano così nei rapporti sociali di produzione e riproduzione e altrettanto se ne possono studiare le influenze. Il tempo che impiega la scienza a trasformare le scoperte in tecnologie, sta accelerando e conseguentemente i prodotti diventano tali altrettanto rapidamente con una traiettoria velocissima sulle nostre vite. Se il design ha a che fare con l'innovazione tecnologica e con la produzione per l'industria, e se esiste un'ingegneria genetica, altrettanto non può mancare un design che si occupi in senso progettuale dei relativi scenari artificiali ed estetici, legati alle tecnologie emergenti che usciranno presto dai laboratori, sondandone le prospettive anche a lungo termine. Ma il tema biopolitico è ancora più evidente nel progetto future families, che si concentra sui processi di trasformazione della tradizionale famiglia nucleare, ormai insidiata e resa obsoleta come struttura sociale dagli avanzamenti scientifici. Durante gli ultimi anni, le nuove tecnologie per la riproduzione, la procreazione assistita e in provetta, la fecondazione eterologa, rompono il tradizionale equilibrio di confine tra sfera privata e sfera pubblica, diventando inevitabilmente una questione biopolitica ed obbligando ad un ripensamento delle classiche categorie e degli strumenti di analisi. Nel concentrarsi sui meccanismi di riproduzione della vita, le biotecnologie hanno cioè aperto a nuove forme di libertà procreativa in cui il concepimento si svolge in una sequenza biologica segmentata che può iniziare in provetta con un donatore di sperma e una donatrice di ovociti, transitare nel corpo di una madre surrogata e proseguire in una famiglia composta da una coppia oppure da un genitore/genitrice single che fa/fanno crescere il bambino. Il risultato è

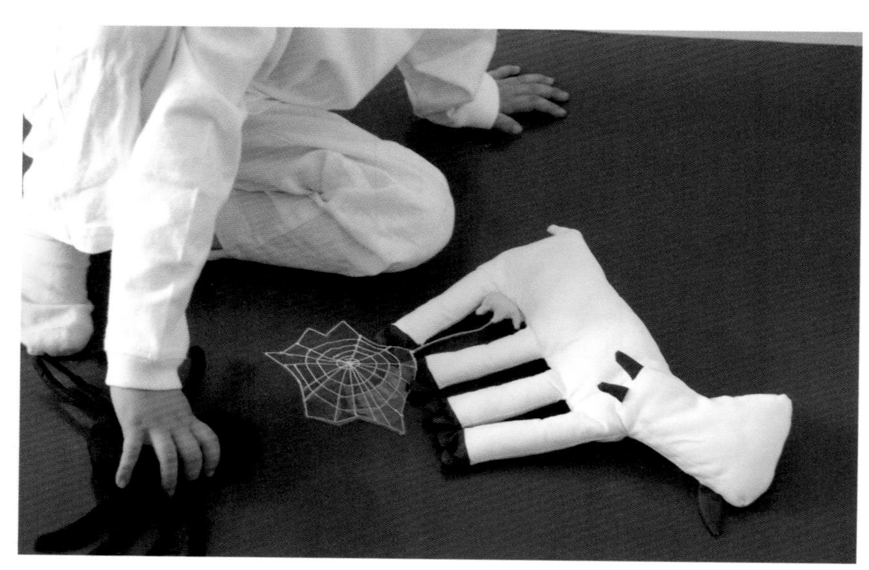

MyBio project, jellyfish, pesce che si illumina al buio, 2005
MyBio project, glowing jellyfish, 2005

MyBio project, glowing rabbit, coniglio che si illumina nel buio, 2005
MyBio project, glowing rabbit, 2005

MyBio project, spider goat, capra che produce ragnatela, 2005
MyBio project, spider goat, 2005

che un bambino può avere potenzialmente fino a cinque persone di riferimento per la sua nascita, sollevando questioni di natura etica e sociale. Il progetto future families in questo senso è centrato sulle nuove tipologie di relazioni sociali che si verranno a creare, riflettendone il dibattito sui radicali cambiamenti scientifici e socio-culturali. Gli oggetti progettati intendono mediare in questo senso i legami di reciprocità tra membri diretti e indiretti della famiglia, esplorandone le interazioni socio-culturali tra la madre surrogata, la donatrice d'ovulo, il donatore di seme, il padre o la madre single e i bambini.Caccavale cita l'esempio portato alle cronache nel Regno Unito di Ian Mucklejohn, un uomo d'affari cinquantottenne single che è diventato padre senza una madre con l'aiuto di internet, dove è riuscito a trovare una donatrice d'ovulo, che ha a sua volta fecondato con il suo seme in California e poi pagato una madre surrogata per portare i suoi tre gemelli.
Il progetto svolge così anche un ruolo di mediazione verso le paure e le paranoie che gli scenari tecnologici spesso sollecitano, proprio perché la stessa tecnologia appare qualcosa di completamente estraneo dalla natura umana e perciò trattata come irrazionale, o corrispondente ad una razionalità altra.
La confidenza verso un fenomeno ne rende più trasparenti e familiari le relazioni che potrebbero emergere, rasserenando forme di ansietà e di timore e il design può così fungere da placebo, mettendo in scena una versione più umanizzata e incoraggiando una sensazione di controllo, sicurezza e padronanza.
La collezione di bambole myBio rappresentano delle strane creature transumane che possono emergere dall'ibridazione biologica per aiutare i bambini a comprenderne i metodi e ad affrontarne le possibili applicazioni nella vita ordinaria. Dodici bambole transgeniche, dalle forme volutamente astratte, diventano lo strumento pedagogico in grado di innescare altrettante narrazioni su possibili biofuturi, che improvvisamente nel gioco si fanno familiari: con semplici simulazioni si stimola l'immaginazione fornendo una contestualizzazione che ne ripropone le possibili interazioni sociali, anche quelle a tinte più fosche, rese così evidenti e naturali.
MyBio boy e myBio pig spiegano il trapianto d'organi dall'animale all'uomo; myBio rabbit e myBio glowing fish si illuminano al buio sotto la luce UVA per illustrare l'uso di GFP come un indicatore fluorescente per il monitoraggio genetico negli organismi viventi; myBio reactor cow è una mucca che produce proteine nel latte per uso farmaceutico; myBio spider goat, una capra-ragno.
Il lavoro di Caccavale afferma l'idea di una nuova era postbiologica e postumana in cui tutto può essere smontato e riassemblato, manipolato all'infinito in maniera polimorfa, interfacciando componenti

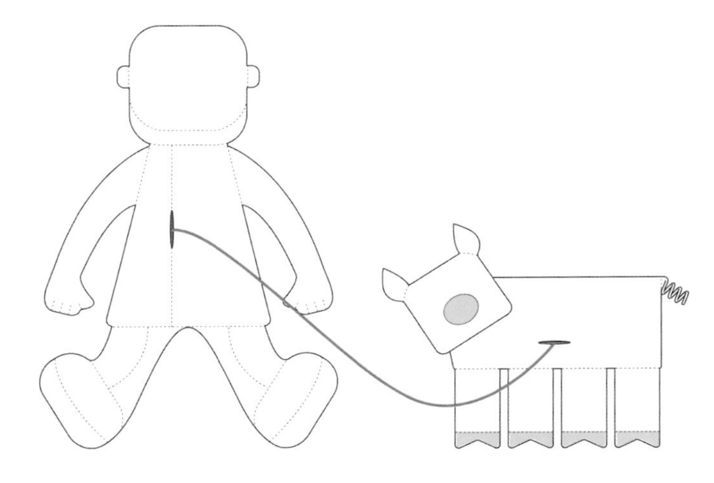

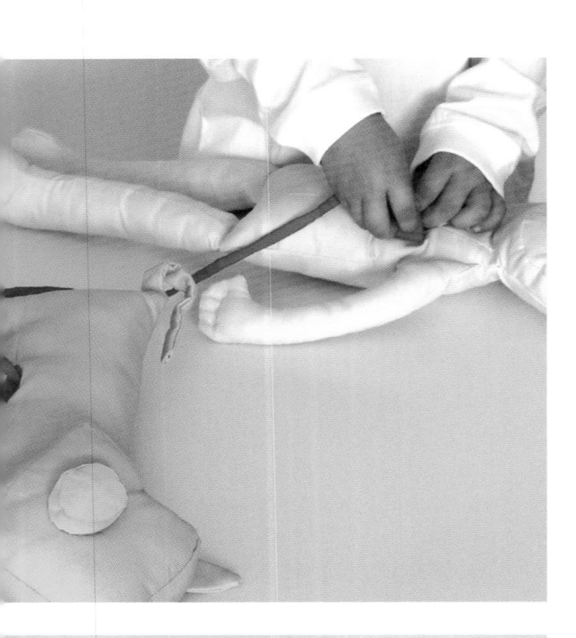

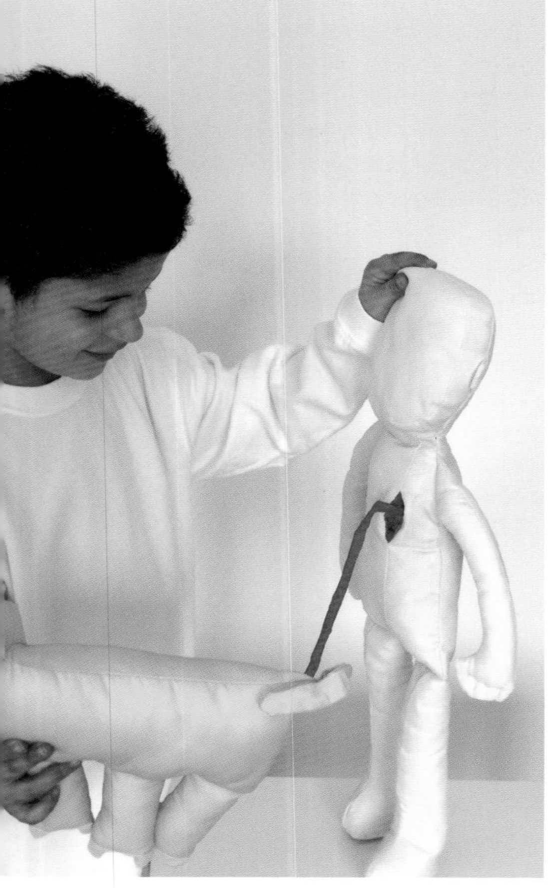

biotiche e artificiali. La scienza si è cioè somatizzata ed il corpo ne diventa la rappresentazione diretta del progetto. Dall'invenzione della pillola, la tecnologia si fa insinuante nel corpo e non può essere considerata in opposizione al biologico, piuttosto una delle manifestazioni del bios stesso, laddove si sfumano i confini tra i diversi contesti. Testimonianza di una sorta di ontologia orizzontale, dove non si riscontrano più differenze tra tecnologico, umano, anche animale. Confermando l'attitudine di designer-ricercatore, Elio Caccavale con hybrids amplia in questo senso il catalogo biologico, proponendo nuovi percorsi di adattamento tra diverse forme biologiche. Hybrids è un workshop transdisciplinare, condotto con gli studenti di medicina dell'Imperial College e gli studenti di Product Design del Central Saint Martins College of Art and Design, entrambe a Londra, allo scopo di indagare sui possibili incroci tra animali e i relativi prodotti che potrebbero affiancarli. Le specie, più che per vicinanza genetica, sono classificate per particolari interazioni e performance fisiche, funzioni estetiche e biologiche, dettagli somatici, e soprattutto per gli ipotetici scenari sociali che ne scaturirebbero in rapporto alle persone/utenti. Il laboratorio progettuale elabora un'intera fattoria di animali ibridi che nella loro intelligenza e autonomia richiamano l'antecedente orwelliano.
Così bearDog, ibrido anche nel nome, incorpora l'inesauribile affetto del cane con la consuetudine stagionale del letargo degli orsi. Adatto soprattutto al nomade contemporaneo che vive una vita indipendente, unisce le socievoli attenzioni canine senza i sensi di colpa di quando li si lascia soli.
Altrettanto vaQuito è una zanzara geneticamente modificata con un'ape. Pensata in risposta alla paura dei bambini per gli aghi e le punture, può iniettare il vaccino di cui è portatrice in maniera indolore per poi morire subito dopo. Si presenta congelata a secco in un packaging a forma di blister, ma una volta rimosso il sigillo si risveglia a contatto con il calore umano e fa il suo lavoro di una vita, somministrando la dose medicinale. Impiegata poi sui larga scala attraverso sciami, può essere iutilizzata nelle campagne di vaccinazioni nazionali, immunizzando tutto ciò che trova nel percorso. Ma anche qui emerge una questione strettamente biopolitica in grado di disegnare scenari distopici: e se fosse utilizzata da terroristi o piuttosto in uno scenario di guerra? O forse è già stata adottata in qualche modo?

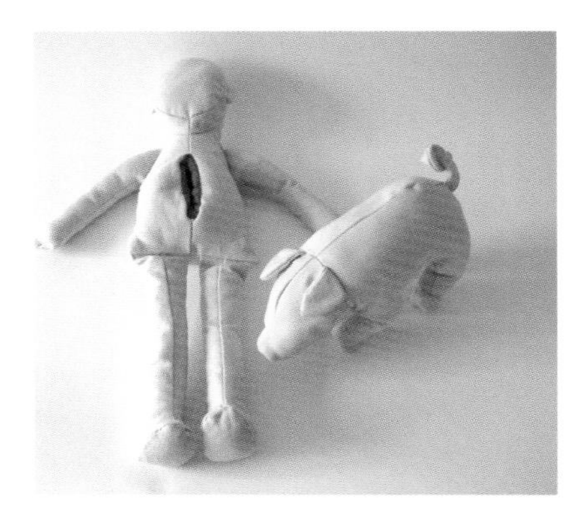

Born in Naples, Elio Caccavale developed his skills as a designer in the fertile design milieu that centred around the Royal College of Art in London: it was here he learnt to experiment to find a way to create a link between science and everyday life. His work reflects the ongoing debate on how design should tackle the emerging needs of our modern world by exploiting, in particular, the novelties introduced by advanced technologies and biotechnologies.
Elio considers biotechnologies as a field in which to experiment, a field in which the latest state-of-the-art technological innovations clash with more human issues such as ethics and social behaviour.

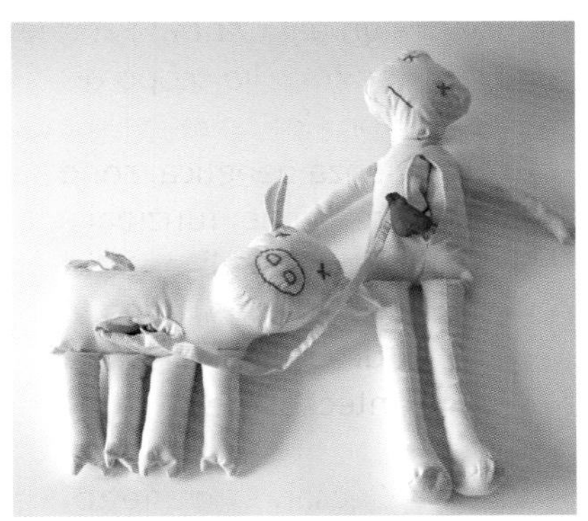

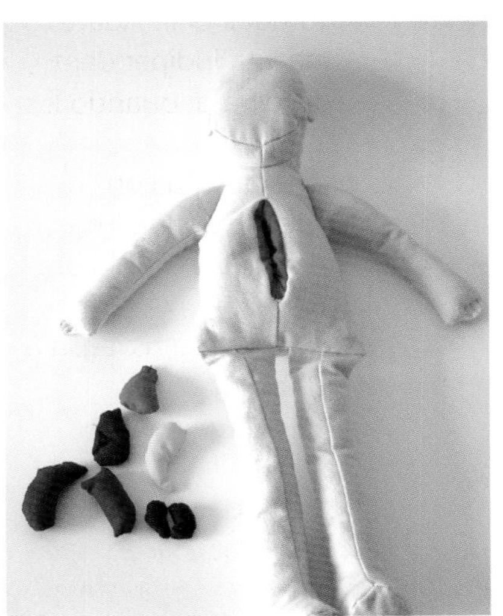

MyBio project, xenotrapianto, prototipo, 2005
MyBio project, xenoimplant, prototype, 2005

Just think if you had a genetically modified piglet with your very own DNA so that he was an organ bank for your future: what would your life be like if he grew and lived at home with you and your family? What sort of objects might be needed during this unusual cohabitation? Above all, what would be the social, cultural and ethical effects of this hypothetical future scenario?
This sounds like the incipit of one of Crichton's science fiction novels. Instead, these are some of the considerations in Utility Pets, an experimental project by Elio Caccavale who developed a series of products directly linked to xenotransplantation, the transplantation of animal organs into humans to reflect how genetic technologies impact on our lifestyles. In this case, Elio considers a piglet, scientifically known as a "knockout" pig, which acts as a form of living insurance policy, sacrificing the organs that might, from time to time, be needed by its owner.
One of the imaginary, social - fictional products is a low resolution TV remote controlled by the animal; a toy for the pig with a microphone and a radio handset allowing the owner to listen to the pig enjoying himself; a smoke-filtering device so that it doesn't have to suffer the consequences of passive smoking - very politically correct!
Caccavale doesn't concentrate only on the practical side of the life of this unusual couple bound by a medical relationship, indeed almost blood relations given their genetic similarities. He goes further, trying to discover the possible psychological interdependencies and relationships that may develop and generate more than one contradiction or irrational complex. He designed a comforter, a psychological product made from the snout of the sacrificed pig which serves as a memento after the xenotransplantation and helps people come to terms with the contradictory feelings generated by the loss of a dear and beloved animal.
The project is not just an opportunity to develop new products and services, but also to explore aesthetic, narrative, even poetic avenues, transposing new technologies directly into our daily life. In a way, the

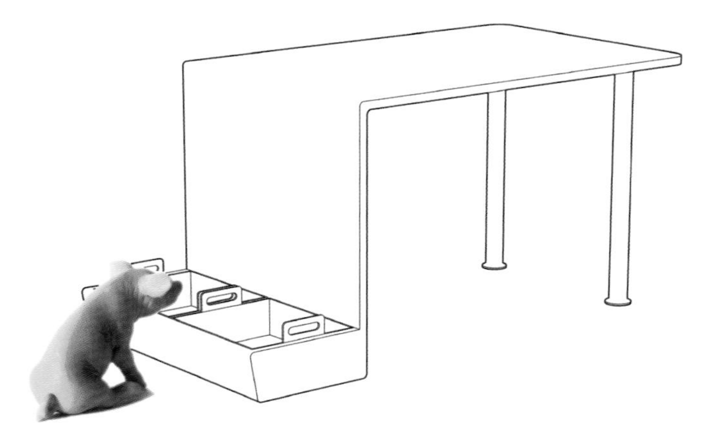

objects illustrate these new social relationships, mediating the different levels of interaction and showing how speculative they are insofar as they reflect our contemporary debate on hot topics.
In the past twenty years, biogenetic technologies and living sciences have increasingly captured people's imagination as well as impacting on several fields of learning. For many years growing organic organs for therapeutic purposes, and even blood cells inside other host organisms, has been commonplace in the medical world: in the near future, it will be done on an industrial scale. But above all, genetic engineering is increasingly becoming a productive sector. As a result, research shows the way, patenting genes and developing a new category of intangible goods.
In this sense, technology has gained control over processes of production and reproduction of life, modifying even its innermost parts associated with problems of natality, mortality, morbidity, hygiene and prevention, issues which necessarily raise political, or better still, biopolitical problems. Using life technologies, biopolitics considers the population as belonging to a biological species and tries to strengthen, develop, protect, shield and finally improve it. In other words, it considers bodies as a single global mass that can be affected, at all levels, by the mechanisms that govern life.

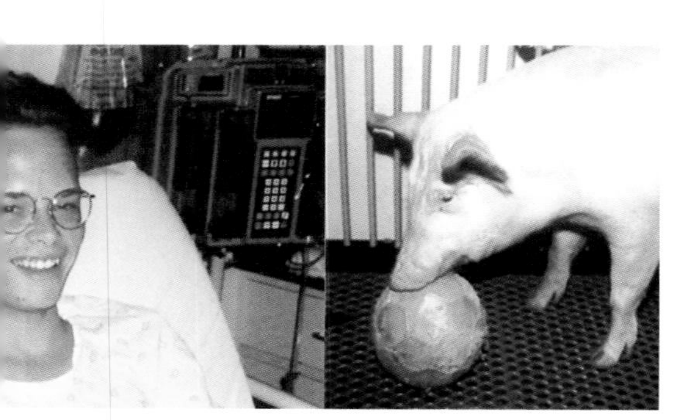

The way man works with living matter reveals his penchant for design as well as for planning, how he creatively transforms the environment in which we live as well as how he takes political decisions and exercises power: science, technology and design are part of the social relations of production and reproduction and we can therefore study their effects. It takes less and less time for science to turn discoveries into technologies; as a result, products are produced more rapidly and this has a direct and immediate effect on our lives. If design is involved in technological innovation and industrial production, and if genetic engineering does exist, then one field of design must focus on the artificial and aesthetic scenarios of emergent technologies which will soon come out of the labs, and examine what will happen in the long term.

The question of biopolitics is even more obvious in the future families project which focuses on changes in the traditional nuclear family now besieged and rendered obsolete as a social structure by scientific progress. Recent new technologies for reproduction, assisted and in-vitro procreation and heterologous insemination have altered the traditional balance between what is private and what is public: inevitably it becomes a biopolitical issue and forces us to rethink the classic categories and tools of analysis. By focusing on the mechanism of reproduction, biotechnologies have opened the door for new forms of procreative freedom in which conception is a segmented biological process that can start in a test tube with donors of sperm and ovocites, passes through the body of a surrogate mother and continues in a family made up of a

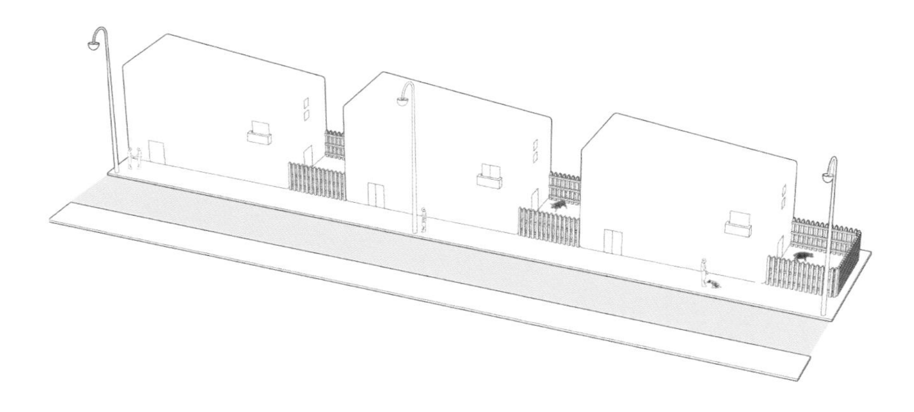

Utility Pets project, a tavola, illustrazione, 2004
Utility Pets project, at the table, illustration, 2004

Utility Pets project, Robert Pennington and Wilbur, 2004

Utility Pets project, dispositivo per il conforto psicologico, 2004
Utility Pets project, psychological comfort device, 2004

Utility Pets project, maialino a spasso nel parco, 2004
Utility Pets project, piglet walking in the park, 2004

Utility Pets project, abitazioni con maialini, 2004
Utility Pets project, stys with piglets, 2004

Utility Pets project, maialino OGM, 2004
Utility Pets project, GM piglet, 2004

couple, or of a single male or female parent who raises the child. Potentially up to five people can be responsible for the birth of a child and this raises ethical and social problems.
The future families project focuses on the new social relations of the future and reflects the debate on current radical scientific, social and cultural changes.
The objects are designed to mediate the mutual bonds between direct and indirect members of the family, to explore the social and cultural interaction between the surrogate mother, the donors of the ovocites and the sperm, the single father or mother and the children.
As an example, Elio refers to a story published in Great Britain involving Ian Mucklejohn, a single, 58-year old businessman who became a father without there being a mother involved; with the help of the Web he found a woman ready to donate an ovum which he fertilised with his own sperm in California and then paid a surrogate mother to carry the three twins.
The project also mediates the fears and paranoia often raised by technology because it feels completely foreign to human nature and is therefore treated as something irrational or corresponding to a different rationale. When we know more about something, its effects become more transparent and familiar and this allays our anxieties and fears. Design can therefore act as a placebo, providing a more humanised version and fostering a feeling of control, safety and command
The MyBio collection of toys are strange "transhuman" creatures that can emerge from biological hybridisation to help children understand how hybridisation works and how we can use it in everyday life. Twelve transgenetic toys, purposely designed with abstract shapes, become a pedagogical tool that tells the story of possible biofutures. When the children play with them, they suddenly become familiar: simple games, even those a little scary become logical and natural, stimulate the children's imagination and demonstrate what effects they have socially.
MyBio boy and MyBio pig demonstrate the physical transfer of the organ from the animal to the human; MyBio bunny and MyBio glowing fish light up in the dark when illuminated with a UV light, demonstrating how the use of GFP can be used as a fluorescent indicator for monitoring gene expression in living organisms; MyBio reactor cow shows how cows produce protein in their milk for pharmaceutical drugs; MyBio goat has a spider web attached to its udders.
Caccavale's work reveals a new post-biological and post-human era in which everything can be disassembled and reassembled, endlessly manipulated polymorphically by interfacing biotic and artificial components.
Science has, so to speak, "somatised" itself and the body is the direct expression of the project. Ever since the first pill was invented, technology

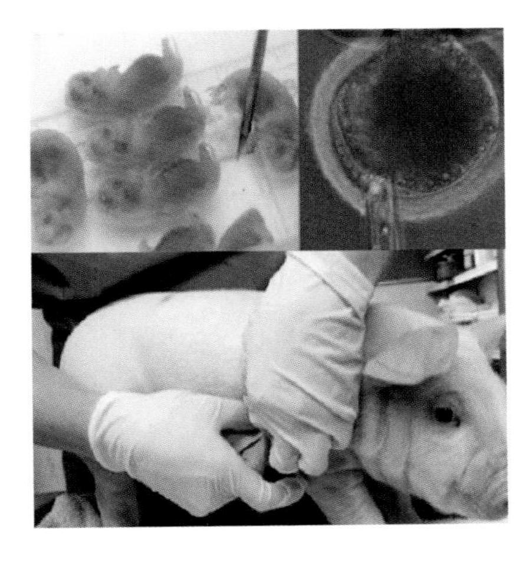

has insinuated itself into our bodies; it cannot be considered contrary to what is biological, but rather one of the expressions of bios itself, where the borders between the different contexts are blurred. It testifies to a sort of horizontal ontology where there are no differences between what is technological, human or even animal.
The Hybrids project is proof of Elio Caccavale's expertise as a designer and researcher; it broadens the biological catalogue by proposing new processes of adaptation between different biological forms.
Hybrids is a transdisciplinary workshop run by medical students at the Imperial College and students of Product Design at the Central Saint Martins College of Art and Design, both in London. It investigates possible hybrids between animals and the products they could use.
The species are classified not by their genetic similarities, but based on particular interactions and physical performance, aesthetic and biological functions, somatic details and, above all, on hypothetical social scenarios that might develop with people or users. The workshop developed an entire farm of hybrid animals which, thanks to their intelligence and independence, recall the animals in Orwell's Animal Farm.
BearDog, hybrid even in name, combines the endless affection of a dog with the seasonal lethargy of a bear. Specifically suited to modern nomads who live independent lives, bearDog is friendly like a dog but

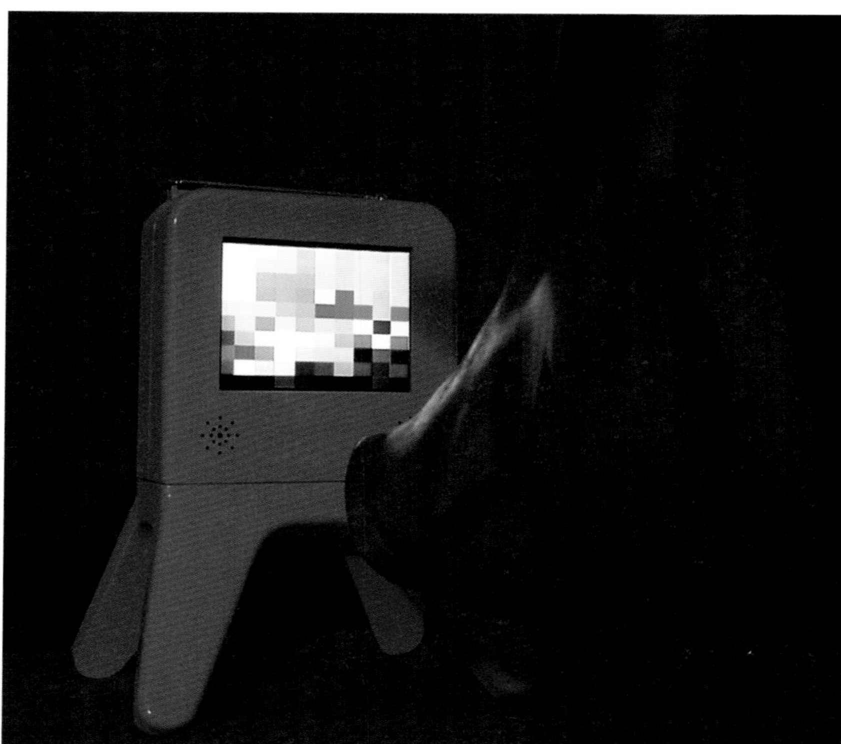

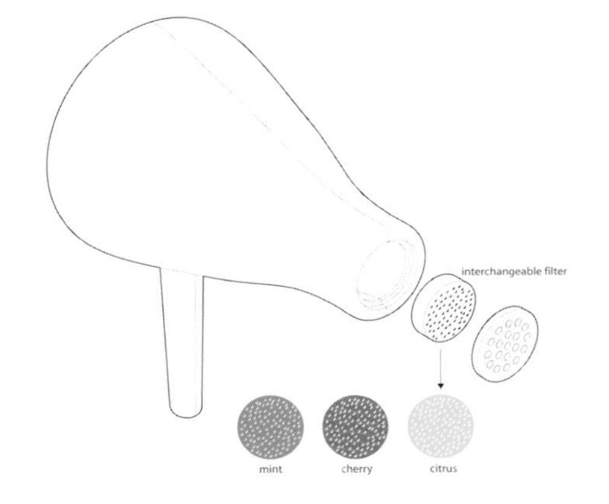

eliminates our sense of guilt when we leave him by himself.
Similarly, vaQuito is a genetically modified mosquito crossed with a bee. It was designed with children's fear of needles or insect bites in mind; it can painlessly inject a vaccine it carries and then die immediately afterwards. It comes dried and frozen in a blister; when the seal is removed and it comes into contact with the warmth of the human body it performs its one and only duty of a lifetime, administering its medicine. If used on a large scale in swarms, it could be part of a national vaccination campaign, immunising everything in its path. But this raises a strictly biopolitical question that can create distopic scenarios: what if it were used by terrorists or in a war? Or perhaps, somehow or another, it's already been used?

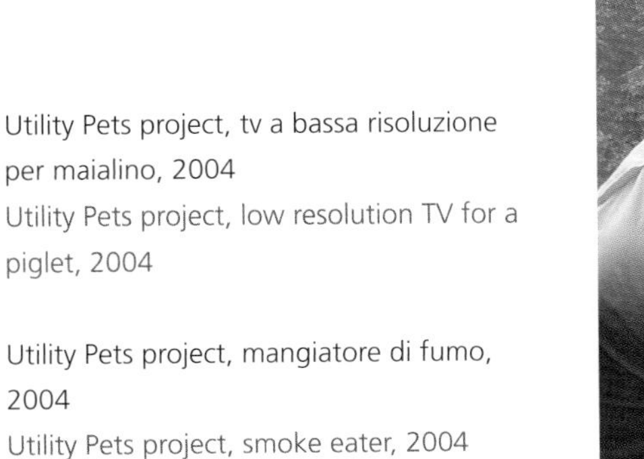

Utility Pets project, tv a bassa risoluzione per maialino, 2004
Utility Pets project, low resolution TV for a piglet, 2004

Utility Pets project, mangiatore di fumo, 2004
Utility Pets project, smoke eater, 2004

Utility Pets project, trasmittente, 2004
Utility Pets project, transmitter, 2004

Dal riuso all'invenzione
From Reuse to Invention

I fratelli Campana sono i designer brasiliani più conosciuti e apprezzati nel panorama internazionale del design contemporaneo. Humberto, nato nel 1953 a Rio Claro (San Paolo), si è laureato in Legge, ma ha sempre avuto una grande passione per la scultura e il lavoro manuale, oltre ad una profonda sensibilità per i materiali e le forme; Fernando, nato nel 1961 a Brotas (San Paolo), si è laureato in Architettura presso la Facoltà di Belle Arti e nel 1983, appena terminati gli studi, ha iniziato a lavorare con il fratello contribuendo, con le sue conoscenze specifiche sul processo di design, a dare concretezza all'esuberante e spontanea creatività artistica di Humberto. Nel 1984 realizzano i loro primi oggetti artistici e nel 1989 Adriana Adam e Maria Helena Estrada dedicano, alla loro prima collezione di oggetti di arredo in ferro, una mostra al Museo d'Arte di San Paolo, intitolata in modo provocatorio "Desconfortáveis". Fin dai primi lavori, i fratelli Campana esprimono una visione originale e anarchica del design brasiliano, non assoggettata alle tendenze linguistiche e formali del design europeo, caratterizzata da una particolare abilità manuale e dall'utilizzo non convenzionale di materiali poveri e di recupero, di scarti industriali e sfridi di lavorazione. Particolarmente significativa per il loro percorso professionale è la prima visita al Salone del Mobile di Milano nel 1994: tornano a San Paolo con l'intenzione di trovare una via brasiliana al design contro la colonizzazione europea, un linguaggio internazionale per esprimere le loro radici culturali. Nella seconda metà degli anni '90 l'Italia rappresenta per Humberto e Fernando il trampolino di lancio per il riconoscimento del loro talento nel mondo e, più tardi, per la loro affermazione anche in Brasile. Infatti hanno contribuito notevolmente al loro successo a livello internazionale, sia la partecipazione ad alcune mostre organizzate da Vanni Pasca, come "Viaggio in Italia" ad "Abitare il Tempo" a Verona nel 1994 e "Il Brasile fa anche Design" a Milano nel 1995, nel 1996 e nel 1998, sia il proficuo rapporto intrapreso con alcune aziende italiane con una particolare vocazione all'innovazione, come Edra, OLuce e FontanaArte, che hanno iniziato a produrre i loro oggetti trasformandoli da pezzi unici in prodotti industriali. Da allora Humberto e Fernando hanno ottenuto numerosi riconoscimenti: i loro oggetti sono stati esposti nei più prestigiosi musei internazionali, come il MOMA di New York, il Victoria and Albert Museum di Londra, il Palazzo Reale di Milano, il Vitra Design Museum di Berlino, il Design Museum di Londra, e sono stati chiamati a tenere conferenze e workshop in tutto il mondo, al Centre Pompidou di Parigi, al Vitra Design Museum di Berlino, alla Parsons School of Design di New York, al Museu Brasileiro da Escultura (MuBE) di San Paolo. Attualmente hanno il loro studio e continuano a vivere a San Paolo, pur lavorando soprattutto in Europa, perché dal Brasile traggono gran parte dell'energia e dell'ispirazione per il loro lavoro.

Nel 1994 Marco Romanelli, che per primo già nel 1991 aveva fatto

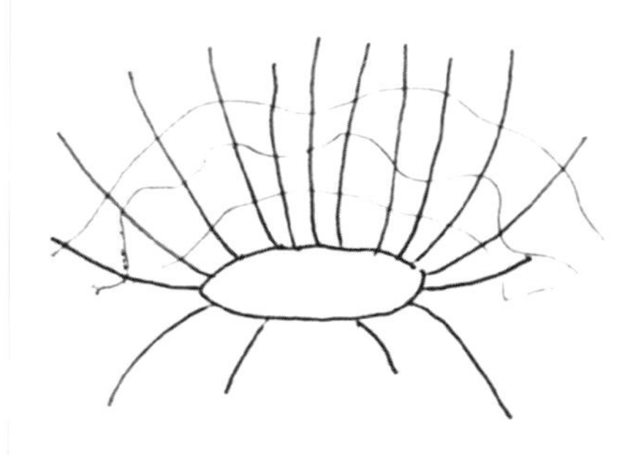

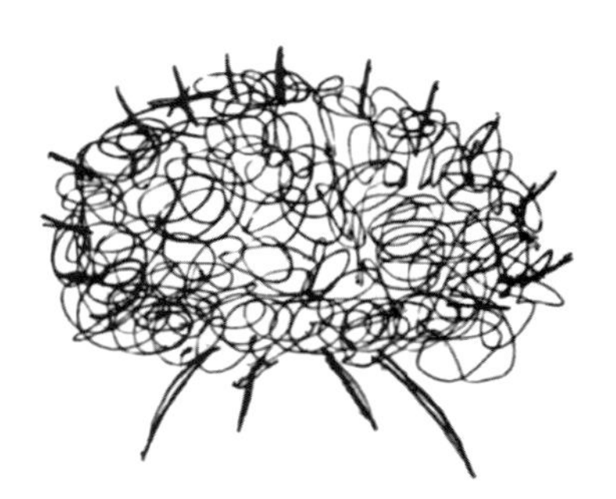

cadeira
vermelha
cordões de
algodão

conoscere al pubblico italiano ed europeo i progetti di Humberto e Fernando Campana, dava di loro una definizione ancora oggi pienamente condivisibile: "straordinari designer-artigiani capaci di svelare le qualità poetiche insite nella materia, anche la più povera, di coniugare industrializzazione e manualità; capaci di parlare, nel mondo, un linguaggio progettuale realmente brasiliano" (Domus, n. 757, 1994, pp. 56-61). Infatti il loro lavoro è oggi più che mai caratterizzato da una continua esplorazione delle qualità profonde dei diversi materiali, attraverso la loro manipolazione diretta, che li conduce ad un'espressione linguistico-formale non stereotipata, autonoma ed originale, anche se profondamente radicata nella cultura brasiliana. Nella loro ricerca progettuale, che dura da vent'anni e che mira a sovvertire e rivoluzionare l'uso dei materiali esistenti in una tensione

costante verso la sperimentazione, la creatività e l'innovazione, sono presenti e ricorrenti alcuni temi: il rapporto tra globalizzazione e radici culturali locali, l'esplorazione della vocazione espressiva, sensoriale ed estetica dei materiali, i processi di "decostruzione", "accumulo" e "stratificazione" come metodi e tecniche di progetto, il fascino dell'imperfezione e della casualità, l'amore per la natura mutevole e contraddittoria del Brasile ed in particolare di San Paolo, l'importanza e il valore sociale del lavoro manuale nel processo creativo e progettuale. Come afferma Francesca Picchi, "Sul finire degli anni Ottanta, in una cultura pervasa da modelli globali, stili internazionali, prospettive high-tech responsabili di diffondere oggetti industriali neutri, insensibili a singolarità geografiche, climatiche, di costume, il lavoro dei Fratelli Campana ha offerto la certezza che qualcosa di diverso era possibile e che le icone della modernità potevano anche non essere l'unico universo di riferimento" (Domus, n. 860, 2003, pp. 80-89). Il loro design, si

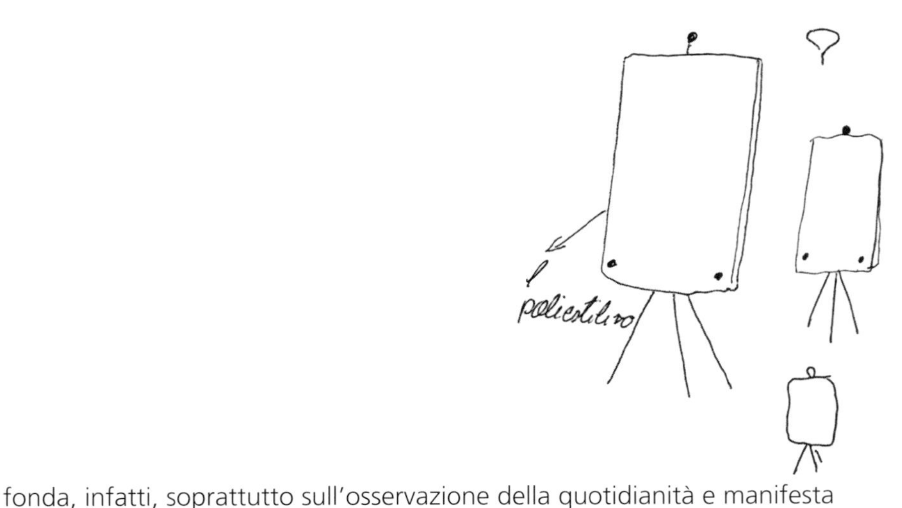

fonda, infatti, soprattutto sull'osservazione della quotidianità e manifesta un'enorme capacità di contaminare la propria visione del mondo incorporando culture estranee e diverse, producendo così oggetti intimamente radicati nel contesto brasiliano, ma che allo stesso tempo non concedono nulla alla retorica del 'fatto a mano' come espressione nostalgica di un mondo in via di estinzione e parlano un linguaggio universale. Hanno trovato una via autonoma e alternativa rispetto alla versione classica del Modernismo che per decenni ha influenzato il design brasiliano, rifiutando e superando, senza ideologie né moralismi, stereotipi e modelli progettuali internazionalmente affermati. La loro non è mai una rinuncia alla produzione seriale in favore dell'artigianato artistico, ma una ricerca consapevole di un vocabolario espressivo personale che attinge riferimenti dal contesto geografico-culturale in cui vivono, senza cadere nel conformismo internazionale, interessati al processo più che al risultato, alle relazioni tra le cose più che alle forme. Per Humberto e Fernando "il designer di domani dovrà attingere al suo retroterra culturale (tradizioni, colori, storia) per dare ai suoi prodotti un'autenticità e un'originalità indipendenti dalle tendenze della moda e della globalizzazione". San Paolo, con tutte le sue contraddizioni, è il loro campo privilegiato di osservazione e la loro più grande fonte d'ispirazione: metropoli "destrutturata", caratterizzata da una vitale spontaneità che "organizza e disorganizza se stessa" in modo anarchico, accumulando oggetti e materiali con forme inconsuete. Allo stesso modo di San Paolo, gli oggetti dei Campana prendono forma e si costruiscono per accumulo, sovrapposizione, stratificazione, intreccio di elementi e materiali diversi, inconsueti ed economici, attraverso tecniche elementari, senza la necessità di definirli totalmente a priori, lasciando spazio alla singolarità, alla casualità e anche all'imperfezione. Come sostengono loro stessi, "Abbiamo imparato che non è sempre possibile ottenere i risultati che ci si prefigge. In Brasile ad esempio non è possibile realizzare oggetti perfetti, senza sbavature o irregolarità. E allora occorre trasformare l'errore in poesia. Abbiamo preso a prestito il processo della mancanza da chi vive per la strada ed è costretto a reinventarsi la vita senza avere a disposizione molti mezzi. La strada ci ha insegnato ad accettare l'imperfezione, l'errore, e ridere della vita conservando il buon umore". Nati da questo ottimistico e sorprendente modo di vedere le cose, i coloratissimi ed esuberanti oggetti dei fratelli Campana definiscono un'estetica nuova fondata su un approccio spontaneo al progetto, che parte dalla materia, ne esplora ed estrae il potenziale evocativo ed emotivo e ne reinventa il destino formale attraverso un sapere intuitivo e un continuo processo di sperimentazione. Basti pensare agli sgabelli e paraventi *Zig Zag* e alla sedia *Anemona*, realizzati da un intreccio di tubi colorati in PVC per innaffiare, o alla sedia *Bubble Wrap*, costituita dalla stratificazione di fogli di pluriball per imballaggi che

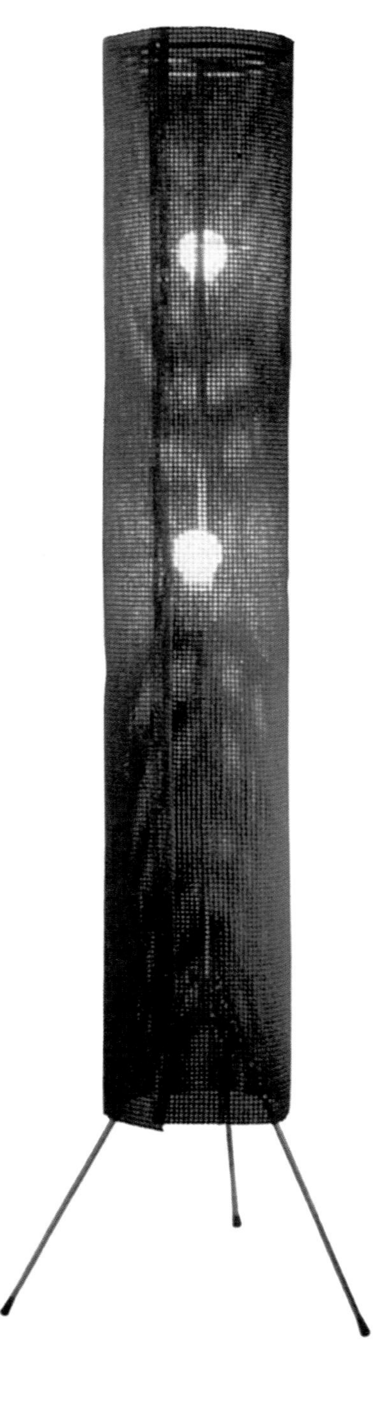

formano l'imbottitura fissata su una struttura metallica, o alla sedia *Vermelha*, un groviglio di 450 metri di corda di cotone rosso intrecciato sapientemente su una struttura di acciaio, o alla poltrona *Sushi*, senza struttura, costituita da un fascio di strisce di scarti di tessuti diversi (moquette, tappetini di gomma, erba sintetica, stoffe, feltro, plastica, ecc.), arrotolate e tenute insieme da un tubolare elastico, o la poltrona *Favela*, omaggio all'autocostruzione spontanea delle periferie povere del Brasile, una sovrapposizione di minuti pezzi di legno recuperati che, come in una favela, risalgono l'uno sull'altro e si stratificano a formare la struttura, o ancora i mobili della serie *Papel*, ispirati alle cataste di scatoloni di cartone recuperati ogni giorno dai carretti per le vie di San Paolo e realizzati attraverso un'accurata sovrapposizione di fogli di cartone ondulato, o infine il divano *Boa*, un imbottito senza struttura, costruito da un intreccio casuale di 90 metri di tubolare riempito di poliuretano elastico, rivestito di velluto colorato e annodato a formare un groviglio informale.
Questi oggetti hanno conquistato la scena internazionale del design contemporaneo non solo per la loro particolare qualità estetica e metaforica, ma soprattutto perché rappresentano un'interessante e originale mediazione tra dimensione locale e globale del progetto: un design che rivela le sue radici brasiliane, una piena appartenenza ad una cultura locale materiale, ma che esprime anche valori universali.
L'attenzione di Humberto e Fernando per la dimensione locale – dall'universo magico insito nelle straordinarie risorse naturali dell'Amazzonia, al sincretismo religioso, alla spiritualità che mischia religione cattolica e riti afro-brasiliani tra sacro e profano, ai rapporti dicotomici tra città e campagna che caratterizzano San Paolo e i suoi dintorni, alle tecniche di autocostruzione e alle molteplici forme di ibridazione culturale che connotano la vita e il paesaggio urbano delle metropoli brasiliane – rende i loro progetti autentici, ricchi di riferimenti contestuali, con una straordinaria carica espressiva ben lontana dai condizionamenti e dall'omologazione linguistica del minimalismo imperante nella cultura europea del design, senza tuttavia mai cadere nel "vernacolare" e nel "folkloristico". I loro oggetti sono al contempo locali e globali, o *"Tropical Modern"*, per utilizzare un'efficace definizione di Paola Antonelli, Mel Byars e Maria Helena Estrada che dà il titolo ad un libro dedicato nel 1998 al loro lavoro: trovano energia, vitalità e ispirazione nel "saper fare" e nelle diverse culture e tradizioni del Brasile, ma affrontano problematiche generali di grande attualità e di interesse internazionale, come la valorizzazione dei materiali poveri e di scarto, l'esaurimento e la rinnovabilità delle risorse naturali, il valore sociale del lavoro manuale per i paesi del sud del mondo, la ricerca di un rapporto con la produzione industriale e l'industrializzazione nuovo ed adeguato alle condizioni culturali e sociali locali. Come afferma Cristina Morozzi,

Verde, sedia, Edra, 1998
Verde, chair, Edra, 1998

Azul, sedia, Edra, 1998
Azul, chair, Edra, 1998

profonda conoscitrice del design brasiliano e dell'opera dei Campana, "I loro progetti sono 'glocali', cioè compatibili culturalmente sia con il locale sia con il globale. E denunziano, meglio di mille parole, la rivincita del locale sul globale perverso, quello delle colonizzazioni commerciali che producono le nuove schiavitù dei marchi. Ormai avvezzi a misurarsi con le logiche industriali del nord del mondo, Fernando e Humberto restano intimamente legati alla loro terra, alla sua condizione di povertà, alla sua speranza di ricchezza, alla sua spensierata e folle inventiva. È dalla mancanza di materie prime nobili e di strutture industriali che ha origine la loro opera, sublimazione di quell'arte di arrangiarsi che è ragione di sussistenza. Il lavoro dei Campana può essere letto come garbata provocazione verso un design sempre più tentato dallo stilismo: la povertà dei materiali, l'imperfezione e la disomogeneità del fatto a mano contro il nitore del progetto patinato che annulla le dissonanze in un'asettica armonia d'insieme" (Estrada M. H. ed., *Campanas*, Bookmark, São Paulo, 2003, pp. 48-54). Ed in linea con questa visione Humberto e Fernando sono soliti consigliare ai giovani che vogliono intraprendere la professione di designer: "Non seguite mai le mode e restate sempre fedeli alla vostra essenza".

The Campana Brothers are the most famous and esteemed Brazilian designers on the contemporary international design stage. Humberto was born in 1953 in Rio Claro (São Paulo) and graduated in law. However, he was always fascinated by sculpture and manual work as well as having a special talent and sensitivity for materials and shapes. Fernando was born in 1961 in Brotas (São Paulo) and graduated in architecture at the Faculty of Fine Arts. In 1983, just out of university, he began to work with his brother; his specific knowledge of design processes was a perfect complement to his brother's exuberant and spontaneous artistic creativity. In 1984 they produced their first artistic objects and in 1989 Adriana Adam and Maria Helena Estrada dedicated an exhibition to their first wrought iron, interior design collection; the exhibition, provocatively entitled "Desconfortáveis" was held at the São Paulo Art Museum. The Campana brothers have always had a unique and anarchic vision of Brazilian design, free from the stylistic and formal trends of European design; their designs are characterised by manual craftsmanship and the non-conventional use of poor or re-cycled material, industrial rejects or production waste.

Favela, poltroncina, Edra, 2003
Favela, armchair, Edra, 2003

Bambu, sedia, Hidden, 2000
Bambu, chair, Hidden, 2000

Celia, chair, Habitart, 2003
Celia, chair, Habitart, 2003

Serie Papel: Papelao, sedia, Edra, 2001
Serie Papel: Papelao, chair, Edra, 2001

Taquaral, sedia, Hidden, 2000
Taquaral, chair, Hidden, 2000

Shark, sedia, Campana Objetos 2000
Shark, chair, Campana Objetos 2000

Discos, poltroncina, collezione José Ricardo Giordani 1989
Discos, armchair, collezione José Ricardo Giordani 1989

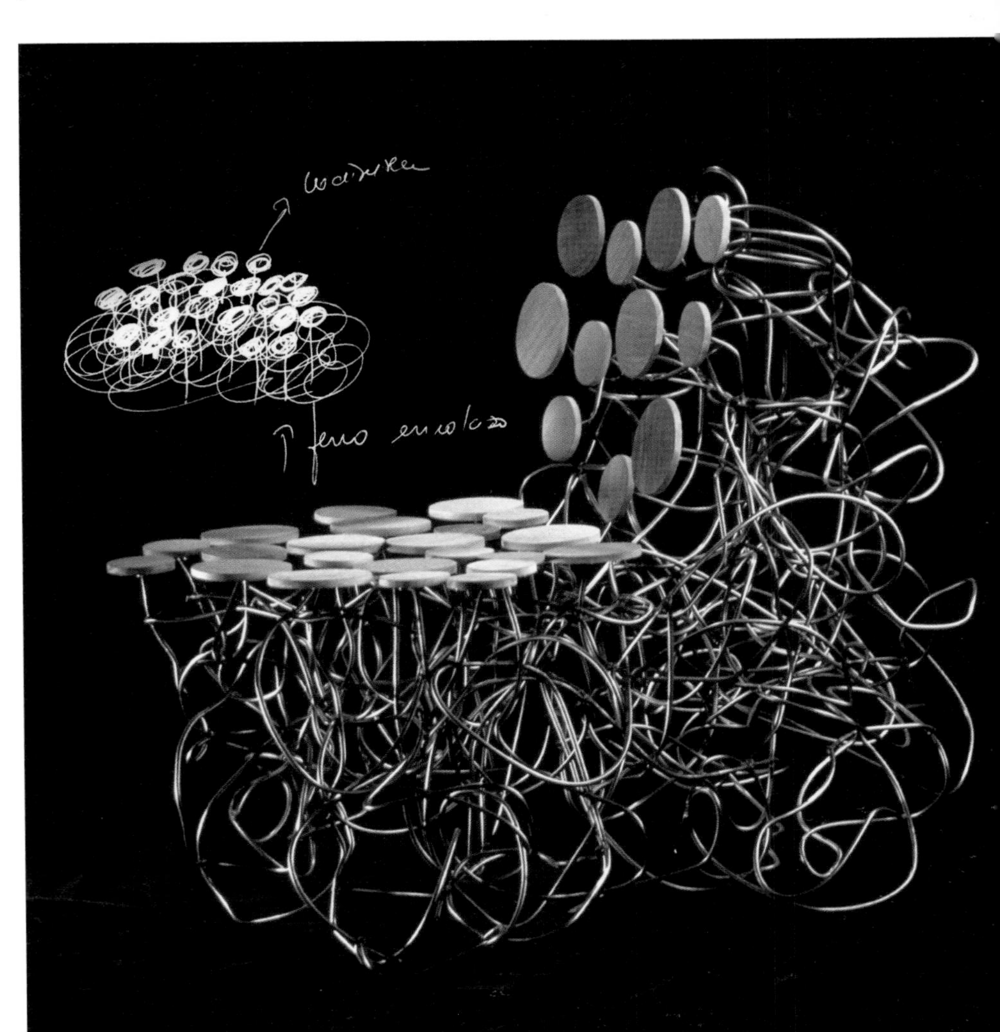

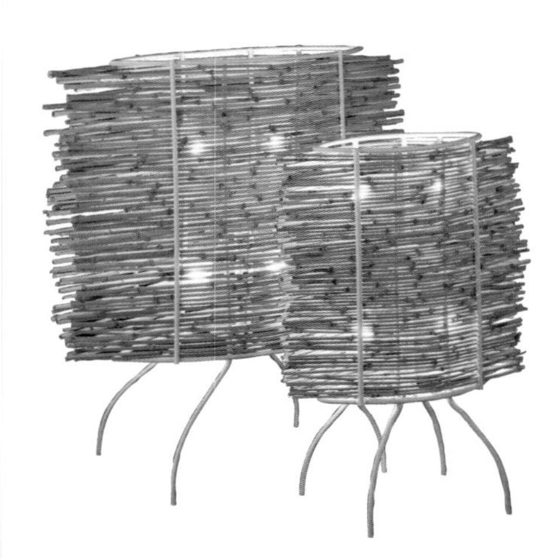

Bambù, lampada, FontanaArte, 2000
Bambù, lamp, FontanaArte, 2000

A memorable moment in their professional career was their first visit to the Milan Furniture Fair in 1994; they returned to São Paulo determined to find a Brazilian design method in antithesis to European colonisation, an international style that expressed their cultural roots. In the second half of the nineties, Humberto and Fernando considered Italy as the stepping-stone towards world renown and, later on, fame in Brazil. In fact, one of the elements that was fundamental in furthering their international success was their participation in some of the exhibitions organised by Vanni Pasca, such as "Viaggio in Italia" at Abitare il Tempo *in Verona in 1994 and "Il Brasile fa anche Design" in Milan in 1995, 1996 and 1998 as well as the constructive relationship they established with a number of Italian companies that focused on innovation such as Edra, OLuce and FontanaArte (that began to produce their designs, transforming them from unique pieces to industrially produced objects). Since then, Humberto and Fernando have been awarded many prizes: their designs are exhibited in the most prestigious international museums such as the MOMA in New York, the Victoria and Albert Museum in London, Palazzo Reale in Milan, the Vitra Design Museum in Berlin, the Design Museum in London. They have been called to hold conferences and workshops all over the world, at the Centre Pompidou in Paris, the Vitra Design Museum in Berlin, the Parsons School of*

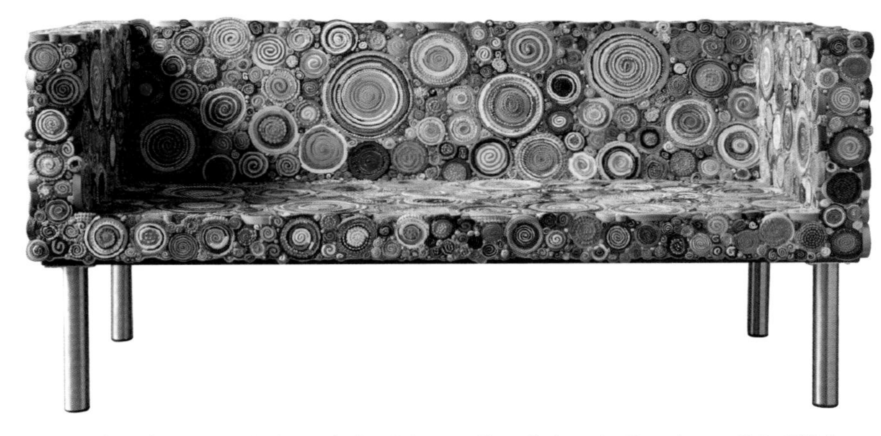

Design in New York and the Museu Brasileiro da Escultura (MuBE) in São Paulo. Even if they work mainly in Europe, they still live and have their studio in São Paulo because Brazil is the place where they get most of the energy and inspiration they need for their work.

In 1991, Marco Romanelli was the first to introduce the Italian and European public to the designs by Humberto and Fernando Campana. In 1994, he defined the Brazilian designers as "amazing artisan-designers who are able to expose the poetic qualities of materials, even the poorest materials, to combine industrialisation with manual skills, to spread a truly Brazilian style all over the world" (Domus, n. 757, 1994, p. 56-61). In fact, their work is increasingly characterised by a constant exploration of the most hidden qualities of various materials; their direct manipulation of materials leads to a non-stereotype, formal and stylistic expression that is unique and independent, even if deeply rooted in Brazilian culture.
Their design research has been ongoing for twenty years.
It aims at subverting and revolutionising the use of exiting materials through constant experimentation, creativity and innovation. Some of the most common elements in this research are: the relationship between globalisation and local cultural roots; the exploration of the expressive, sensorial and aesthetic traits of materials; the processes of "deconstruction." "accumulation" and "stratification" as design methods and techniques; the attraction of imperfection and chance; their love for the changing and contradictory nature of Brazil, especially São Paulo and the importance and social value of manual work in the creative and design process.Francesco Picchi had this to say: "
Towards the end of the eighties, in a perverse culture of global models, international styles, hi-tech prospects responsible for distributing neutral industrial objects that ignored particular geographical and climatic traits or customs, the work of the Campana Brothers guaranteed that something different was possible and that the icons of modernity were not the only reference models" (Domus, n. 860, 2003, p. 80-89). In fact, they chiefly base their designs on the observation of daily issues and are extremely skilled in contaminating their own vision of the world by incorporating different or foreign cultures; this leads them to produce truly Brazilian objects which, at the same time, concede nothing to the rhetoric of "handmade" as a nostalgic expression of a world on the verge of extinction. Instead, they speak a universal language.
They have found their own alternate and independent path compared to the classical version of Modernism that influenced Brazilian design for decades; they did this by rejecting and overcoming internationally acclaimed design stereotypes and models, without using ideologies or moralisms.

Vitória Régia, sgabello, Campana Objetos 2002
Vitória Régia, stool, Campana Objetos 2002

Sushi, divano, Campana Objetos 2003
Sushi, sofa, Campana Objetos 2003

California Rolls, sedia, Campana Objetos 2002
California Rolls, chair, Campana Objetos 2002

Theirs is never the rejection of mass production in favour of artistic craftsmanship, but a conscious search for a personal expressive style that draws on the geographical and cultural features of the place they live in, without falling into international conformism; they are more interested in the process than in the result, in the relationship between things rather than their shape. For Humberto and Fernando, "tomorrow's designer's will have to draw on his cultural heritage (traditions, colours, history) to give his products an authenticity and an originality that is not affected by fashionable trends and globalisation." São Paulo, with all its contradictions, is their privileged field of observation and main source of inspiration: a "destructured" metropolis full of lively spontaneity that anarchically "organises and disorganises itself," accumulating objects and materials with unusual shapes. Just like São Paulo, the objects designed by the Campana Brothers take shape and are built through accumulation, superimposition, stratification, the mixture of different, unusual and economic elements and materials using elementary techniques that don't have to be entirely established beforehand, leaving room for special features, chance and even imperfection.

As they themselves say, "It's not always possible to get the results you're aiming for. For example, in Brazil, it's not possible to design objects that are perfect, without little imperfections or irregularities. So you have to transform the mistake into poetry. We've borrowed the method used by people who live on the streets and have to reinvent their lives every day

Sushi, poltrona-pouf, Edra, 2002
Sushi, pouf-sofa, Edra, 2002

Sushi, Vitória Régia, sgabello, Campana Objetos 2003
Sushi, Vitória Régia, stool, Campana Objetos 2003

without having much to work on. Street life has taught us to how to accept imperfection and mistakes and laugh at life without loosing our good humour."

The brilliantly colourful and exuberant designs by the Campana Brothers are born from this optimistic and extremely surprising philosophy. They define a new aesthetics based on a spontaneous approach to design that starts with the material, explores it and extracts its evocative and emotional potential, reinventing its formal destiny by using intuitive knowledge and continuous experimentation. Just think of: the *Zig Zag* stools; the *Anemona* chair made out of coloured PVC water hoses; the *Bubble Wrap* chair with its stratification of pluriball packaging sheets that create the padding stuck to the metal frame; the *Vermelha* chair, a jumble of 450 meters of red cotton rope skilfully entwined around a steel frame; the *Sushi* chair, without a frame, made of a band of strips of different leftover fabrics (wall-to-wall carpeting, small rubber carpets, synthetic grass, material, felt, plastic, etc.), wrapped and held together by an elastic tube; the *Favela* chair, a homage to the spontaneous self-production of the poor suburbs of Brazil, a superimposition of minute pieces of reused wood that, as in *favelas*, are piled on top of one another actually creating the frame; the furniture of the *Papel* series, inspired by the heaps of cardboard boxes collected every day on carts in the streets of São Paulo and made by accurately superimposing sheets of corrugated cardboard, Finally, think of the *Boa* sofa, a frameless padding made from the haphazard assembly of 90 meters of tubes

Mostra "Campanas", Centro Cultural Banco do Brasil, Brasilia 2003
Exposition "Campanas", Centro Cultural Banco do Brasil, Brasilia 2003

filled with elastic polyurethane covered in coloured velvet and knotted to create an informal, tangled mass.
These objects have been successful on the contemporary international design scene not only because of their aesthetic and metaphoric qualities, but above all because they represent an interesting and original mediation between the local and global dimension of a project: a design that reveals its Brazilian roots, its strong bonds with a local material culture but which also expresses universal values. The attention Humberto and Fernando pay to the local dimension makes their designs authentic, full of contextual references and endowed with an incredible expressive force that is very different to the conditioning and stylistic homologation of the dominant minimalism of European design culture. However, their designs never become "vernacular" or "folkloristic."
This local dimension includes the magical universe of the incredible natural resources of the Amazon, religious synchronism, the spirituality that combines the Catholic religion with the Afro-Brazilian rites, the sacred and the profane, the dichotomous relationship between city and countryside that characterises São Paulo and its hinterland, the self-production techniques and multiple forms of cultural hybridisation that are typical of life and the urban landscape in Brazilian metropolises.
Their design are both local and global, or "Tropical Modern," to use the very effective definition coined by Paolo Antonelli, Mel Byers and Maria Helena Estrada that was used as the title of a book dedicated in 1998 to the work of the Campana Brothers. They find energy, vitality and inspiration in their "know-how" and the different cultures and traditions of Brazil. But they also tackle general problems that are both topical and international, such as the enhancement of poor materials and rejects, the end or renewability of natural resources, the social value of manual work for the countries in the south of the world, the search for a relationship with industrial production and new industrialisation suited to local social and cultural conditions. In the words of Cristina Morozzi, an expert on Brazilian design and the work of the Campana brothers, "their designs are "glocal," in other words culturally compatible with both local and global. Better than a thousand words, their designs express the revenge of local upon a perverse global culture, the culture of commercial colonisation that creates the new slavery of brands. Fernando and Humberto are used to measuring themselves against the industrial logic of the northern hemisphere; they are intimately tied to their native land, to its poverty, to its dreams of riches, to its carefree and mad inventiveness. Their designs are based on a lack of prime raw materials and industrial structures; a sublimation of that art of "getting through the day" that means subsistence. Their work can be considered as a polite provocation towards a design increasingly tempted by stylism: poor materials, imperfection and

Sushi, fruttiera, Campana Objetos 2002
Sushi, fruit-dish, Campana Objetos 2002

inhomogeneity of handmade objects versus the sharp clarity of a shiny design that eliminates the dissonances in an aseptic overall harmony" (Estrada M. H. ed., *Campanas*, Bookmark, São Paulo, 2003, p. 48-54). In keeping with this approach, Humberto and Fernando normally advise youngsters who want to become designers: "Don't ever follow fashion and always be faithful to your soul."

luise campbell

Oggetti "da" sentire
Objects to be "Felt"

Se la differenza può considerarsi il linguaggio più evidente della contemporaneità, questa non può essere pensata in questa sua accezione, frutto del suo diretto significato etimologico – del divario, della dissomiglianza, della disuguaglianza.
Rappresenta, invece, il risultato del suo stesso contrario: cioè di una costante sovrapposizione di fattori, espressioni, abitudini, culture, emozioni, individualità e collettività...
Riportare il concetto di differenza nelle esperienze del design, ed in particolare in quelle che non calcano i palcoscenici dell'establishment lavorando negli spazi ancora "puliti" della sperimentazione, può significare aprire uno scenario dove possono esprimersi le più specifiche e disparate condizioni: culturali, sensoriali, emozionali, ma anche tecniche e "prestazionali".

E proprio in questa dicotomia, del fenomeno delle differenze, tra significato e significante può risultare interessante parlare di una delle "differenze" più classiche della condizione umana: la differenza di genere. Ma non per avvalorare o meno se questa diversità biologica si esprima anche e in che misura a livello psicologico e comportamentale; piuttosto per comprendere come, nella chiave contemporanea di differenza, non si può più parlare di "genere" come entità distinta e omogenea, ma solamente di "espressioni di genere".
Spesso si è portati a distinguere lo scenario contemporaneo degli oggetti in due grandi famiglie: da una parte quelli estremamente razionali, che spingono il loro valore sulla prestazione, che ci affascinano per le loro "performance" e per la loro "potenza" espresse attraverso forme e materiali elaborati, e che non pochi affermerebbero associati ad una visione "maschile" della condizione umana; dall'altra oggetti che più che una funzione sembrano servire un bisogno estetico, che offrono spunti all'immaginario descrivendosi come oggetti/qualità - belli, divertenti, romantici, infantili ... - e dove la scelta del materiale e della decorazione non ha nulla a che vedere con la loro possibilità tecnica o funzionale, e che si pensa siano frutto del cosiddetto "pensiero femminile".
Gli oggetti di Louise Campbell e Ana Mir, due nomi già noti nel panorama del cosiddetto design giovane, sfuggono a questa distinzione e, ognuno nel loro personalissimo modo, è come se appartenessero ad una terza famiglia e fossero esito di un "terzo" pensiero. Sono esempi eccellenti delle mille differenti possibilità di espressione di quel, finalmente, grande "circolo" del design femminile!
Anche a guardarli bene, gli oggetti pensati da Louise Campbell, lasciano sempre un seme di incertezza e di confusione. Certamente si rimane stupiti: a volte affascinati della ricercata complessità delle geometrie, altre volte compiaciuti dalla disarmante semplicità delle forme, altre ancora rassicurati dalla familiarità dei materiali.

Collage, lampada, Louis Polsen Lighting, 2004
Collage, floor lamp, Louis Polsen Lighting, 2004

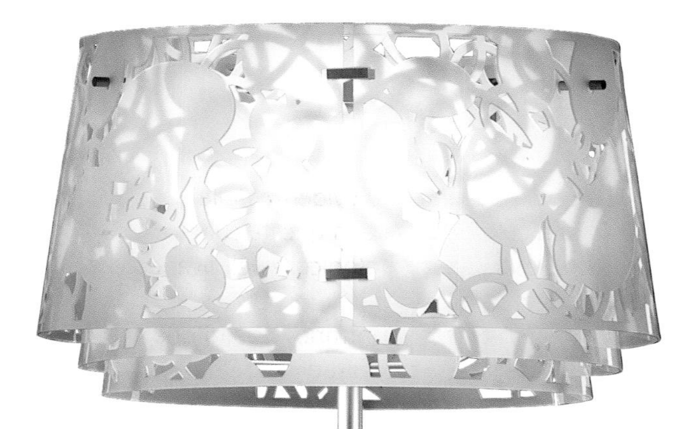

Nulla di strano se non fosse che la confusione, quella che rimane in testa, sta nel fatto che questa diversità di stimoli non avviene mai contemporaneamente sullo stesso oggetto, ogni volta si rinnova.
Abituati come siamo a pensare al designer come ad un'entità certa che, così pressato nella morsa della notorietà, ricerca a tutti costi un suo carattere distintivo - superando senza troppi imbarazzi le naturali flessioni dell'uso - questi oggetti ci sembrano usciti ogni volta da un mano diversa.
Così non è, la mano è sempre la stessa ma quello che di diverso Louise mette nella sua ricerca progettuale, è l'idea: un'idea che parte, come lei stessa dice, dall'osservazione delle piccole complicazioni che, le nostre emozioni, i nostri desideri, incontrando nell'interazione quotidiana con il mondo materiale.
Sembrerebbe un approccio funzionalista, figlio di quel razionalismo nord europeo - cultura nella quale Louise si forma - che tende a ridurre ogni forma di complessità arrivando a sfiorare i limiti puritani del vivere. Ma in Louise spinge anche un'altra cultura, non sociale, ma emozionale, quasi biologica: la cultura della sensibilità simbolica, della giocosità del vivere, della naturalità materiale.
Ecco allora che sedie, scaffali, lampade, tappeti perdono qualsiasi rimando alla loro funzione tecnica e si scoprono nell'uso capaci di funzioni emozionali.
Come quando dall'osservazione della tendenza, quasi "fallica" come la stessa Louise afferma, di misurare la bellezza dei divani a "metrocubo", dove il valore è dato da una dimensione che perde qualsiasi riferimento con quella umana, nasce Fold-a: un piccolo divano, leggero nel peso e nella forma dove l'attenzione è data non solo all'aspetto estetico ma alla semplicità del materiale, lana per il rivestimento, feltro per l'imbottitura e tondino di metallo per la struttura. Un omaggio all'onestà del design, che da esattamente quello che dichiara.
Ancora, dalla necessità di trasformare il disordine così personale che si crea con gli abiti in una stanza da letto, nascono le Casual Cupboards: due, apparentemente instabili, scaffali realizzati in legno curvato, che accolgono con naturalezza i nostri abiti senza pretendere che prima siano ben piegati, stirati o catalogati per colore e tessuti!
E "appoggiarci" sopra la maglia appena tolta non ci sembrerà più un gesto così sbagliato...

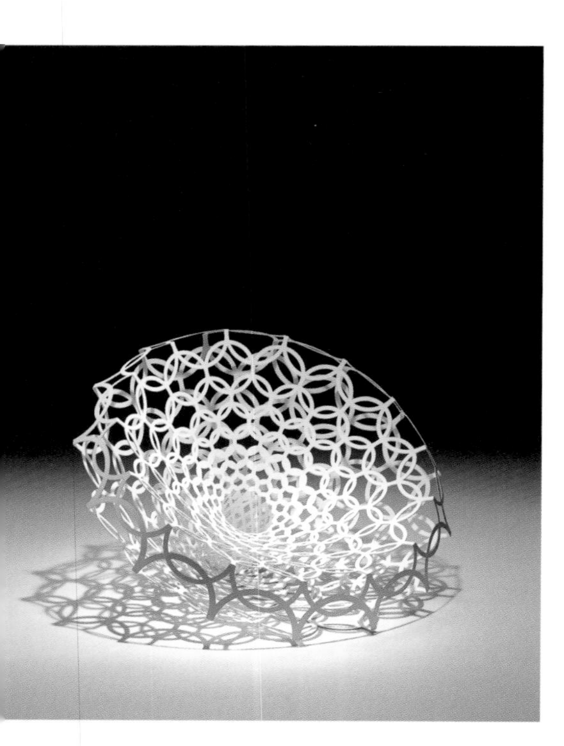

Ma l'osservazione non si limita agli spazi privati. Con la serie di sedute Seesaw Louise prova a dare soluzione a quel senso di disagio che ci accompagna in tutte le sale di attesa, dove rinasce in noi quello stimolo tutto infantile di "non stare fermi". Ecco allora un divano/dondolo che ci stimola il corpo e alleggerisce la mente.
Anche il suo lavoro sulla serie di lampade ha la stessa matrice emozionale. Louise afferma che non è partita dal progettare la luce ma le ombre: perché sono queste in natura a darci la qualità della luce e, allo stesso tempo, la sostanza degli oggetti. E dunque semplici forme per paralumi in vetro o policarbonato, con un trattamento delle superfici, traforate, serigrafate, decorate, che trasforma la luce emanata in qualcosa con una propria essenza, non solo semplice elemento funzionale.
E se da una parte accolgono tutta la poesia emozionale dell'oggetto simbolico, dall'altra si cimentano con la logica, semplicemente razionale, della risoluzione di un bisogno, di una necessità spesso quotidiana.
E tutto questo senza disdegnare la componente tecnologica, spingendosi anche in soluzioni formali azzardate.
Come la seduta Very round semplicemente giocata sulla composizione geometrica di ben 240 cerchi bidimensionali in lamiera di alluminio tagliati al laser, che si dispongono a formare un oggetto tridimensionale che prende sostanza, non solo nella sua presenza, ma anche e soprattutto dalla sua ombra. Nessuna gamba, nessun giunto, nessuno dei dettagli che si associano normalmente ad una sedia. Solo una grande coppa aperta, nella quale chiunque è benvenuto a sedersi e dondolarsi dolcemente.
E questo sono, in fondo, gli oggetti di Louise: progettati per essere producibili e pensati per essere vissuti, per far star bene, farci sentire speciale, cullarci, darci qualcosa con cui giocare, qualcosa su cui pensare, che ci regalano l'occasione di essere sensibili.

If being different is considered a characteristic of modernity, it cannot be considered a direct consequence of its etymological meaning – of division, dissimilarity and inequality.
Instead, it represents the exact opposite: i.e. a constant combination of issues, expressions, customs, emotions, individuality and community...
If we apply the concept of "difference" to design, in particular those areas of design that don't belong to the establishment and work in the still "clean" world of experimentation, then we could be lifting a veil on a scenario that allows a range of specific factors to be expressed: culture, feelings, emotions, but also techniques and "performances."

Prince Chair, poltroncina, Hay, 2005
Prince Chair, chair, Hay, 2005

Very round, poltrona, Zanotta, 2006
Very round, armchair, Zanotta, 2006

Fold-a, divano, 2001. Autoproduzione
Fold-a, sofà, 2001. Self-production

Honesty, poltrona, Jacob Trolle, 1999
Honesty, armchair, Jacob Trolle, 1999

In the framework of this phenomenon of difference, this dichotomy between meaning and significant, perhaps it's useful to talk about one of the classical "differences" that exists between human beings: the gender difference. It's not a question of deciding if this biological diversity is also psychological and behavioural, but rather of understanding how, when we speak of difference today, we can no longer talk about "gender" as a separate, standardized topic, but only about "gender expression."
Often we divide modern objects into two big families: on the one hand, the extremely rational performance-oriented objects that fascinate us with their "functions" and "power," elaborate shapes and materials, which many people would associate with a "male" view of human existence; on the other, objects that seem to satisfy an aesthetic need and not a function, that fuel our imagination by defining themselves as objects/quality – attractive, amusing, romantic, infantile – and where the choice of materials and decorations has nothing to do with their technical or functional potential. Many people believe that these objects are inspired by a "female way of thinking."
The objects designed by Louise Campbell and Ana Mir, two well-known names in the world of so-called young design, do not fit into either family, but each in their own very special way, appears to belong to a third family, to a "third" way of thinking. They are perfect examples of how to express oneself differently, of what is, at long last, a distinguished "club" of female design.
You always feel a little confused and uncertain when you look closely at the objects designed by Louise Campbell. And you are certainly either surprised, sometimes fascinated, by the details of their complex patterns, the disarmingly simple shapes, or else reassured by the familiar materials.
This isn't strange if it weren't for the fact that the confusion in your head, this variety of stimuli, never occurs at the same time for the same object: it's different every time.
We are accustomed to thinking that designers are people who, stressed

Fatso, lampadario, Louis Polsen Lighting, 2003
Fatso, hanging lamp, Louis Polsen Lighting, 2003

Cupboards, scaffale per indumenti, 1999. Autoproduzione
Cupboards, clothes storage, 1999. Self-production

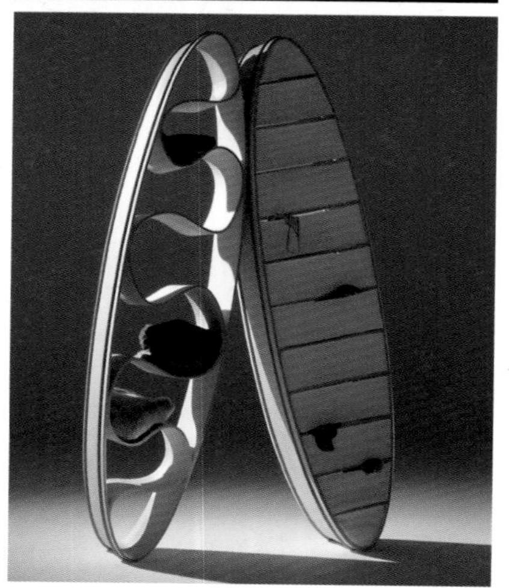

as they are by their own fame, are always looking to make their mark - and are not embarrassed to ignore a decline in an object's popularity – and that each time these objects have been designed by someone new. That's not true: Louise is always the designer, but what makes her different is her design research, an idea: she herself admits that this idea comes to her when she looks at the small hitches created by our feelings and desires when we interact everyday with the material world. This would appear to be a functionalist approach, dictated by that northern-European rationalism – Louise's culture – that tends to simplify every complex shape and almost defies the limits of a puritan lifestyle. But Louise also expresses another culture that isn't social but emotional, almost biological: the culture of symbolic sensibility, of the joy of life, of material naturalness.
Her chairs, bookshelves, lamps and carpets loose all their functional traits and discover that they can inspire emotions.
One example is the Fold-a sofa based on the observation of the trend (almost "phallic" as she herself admits) that measures the beauty of sofas in "cubic meters," where value is based on size and has nothing to do with human beings. Fold-a is a small sofa, light in shape and weight. Here Louise focuses on aesthetics and uses simple materials: wool for the upholstery, felt for the padding and steel for the frame. A tribute to the honesty of design, which delivers exactly what it promises. Casual Cupboards is another example designed to "clean up" the very personal mess created by clothes in a bedroom. Two seemingly unstable plywood shelves that in a "laid back" way store our clothes without expecting them to be ironed, folded or arranged by colour or type!!! "Throwing" the pullover we've just taken off over this cupboard doesn't seem so wrong any more...
But she doesn't only focus on private spaces. In her Seesaw series of chairs, Louise tries to remedy our nervousness when we're sitting in a waiting room where we're gripped by our childhood habit of "not sitting still." Seesaw is a sofa/seesaw that stimulates our bodies and lightens the mind.
Even her work on the lamp series comes from the same emotional source. Louise says she didn't design the lamps with light in mind, but shadows: in nature, shadows define the quality of light and, at the same time, the consistency of objects. Simple shapes for glass or polycarbonate lampshades: rather than just being a functional object, the pierced, serigraphed or decorated surfaces turn the light into something with its own soul.
If, on the one hand, they incorporate all the emotional poetry of a symbolic object, on the other, they are held together by the simply rational logic of solving a problem, an often daily necessity.
And all this, without disdaining the technological elements and even

Seesaw, panca, Erik Jørgensens Møbelfabrik, 2005
Seesaw, bench, Erik Jørgensens Møbelfabrik, 2005

adopting some pretty courageous solutions.
One example is the Very round chair with its over 240 two-dimensional laser-cut steel circles arranged to create a three-dimensional object; its shape, but above all its shadow, gives the chair a material dimension. No legs, no joints, none of the details that are normally associated with a chair. Only a huge open cradle in which everyone is invited to sit or swing gently.
In short, these are Louise Campbell's objects: designed to be produced and intended to be used, to make people comfortable, to make people feel special, to cradle us, give us something to play with, something to think about: an opportunity to feel emotions.

antonio macchi cassia

Progettazione sensibile
Sensitive Design

"Quarant'anni di carriera nel disegno industriale, un metodo, un lungo silenzio ascoltando le reazioni agli oggetti progettati, un approccio all'insegnamento come progetto di vita rispettosa dei passaggi che ti portano a poter dare agli altri pezzi della tua esperienza. Tre consulenze importanti e durature: Olivetti, Amplaid, Steiner, inframmezzate da ricerche e progetti minori, utili per rinfrescare le idee."

Dalle parole e dall'attività di Antonio Macchi Cassia, emergono la passione per il lavoro di progettista, la sicurezza di un metodo, la capacità di collaborazione con le persone che contribuiscono alla nascita di un nuovo progetto, e il forte senso di responsabilità nei confronti dell'utente finale. Durante la lunga carriera Macchi Cassia ha lavorato per grandi, piccole e medie aziende, trasmettendo una certa idea di design, responsabile e rispettoso delle variabili legate al contesto storico e culturale. Questi sono alcuni dei valori che lo rendono una figura di riferimento nel panorama del design internazionale.
Nel 1967 decide di "lasciare un lavoro sicuro da dipendente e di preparare progetti per conoscere aziende e vivere del proprio lavoro di designer", due anni dopo comincia la consulenza nel Centro Design Olivetti a Ivrea con Mario Bellini. Un rapporto professionale che durerà vent'anni anni, durante i quali avrà la possibilità di lavorare con Ettore Sottsass, Perry King, Michele De Lucchi: "una scuola fantastica" che segnerà il suo lavoro futuro.
L'apertura dello studio a Milano, nel 1972, coincide invece con l'inizio della collaborazione con la Steiner, società americana che opera nel mondo dei servizi, mentre dal 1980 progetta per Amplaid, azienda che produce macchine per la misurazione dell'udito.
Accanto al rapporto instaurato con queste tre aziende, Macchi Cassia è impegnato in un'intensa attività di progettazione e di ricerca per altre realtà, nella quale attua la metodologia progettuale acquisita all'Olivetti. Nascono allora numerosi oggetti in differenti settori: dal monitor per Philips ai televisori per Condor e Radiomarelli, dalle lampade per Arteluce e Stilnovo ai mobili per ufficio per Tosimobili, fino alle esperienze in campo sportivo con le scarpe per ciclisti per Vittoria e gli studi per le chiusure degli scarponi per Nordica. E ancora, vari oggetti in cui si confronta con la complessità dei processi e delle forme della tecnologia: il dosatore per gelato per Piazza, gli irrigatori per piante per Crouzet, gli accessori auto per Di. W.S., gli apparecchi igienici per comunità per Elis, i pannelli di controllo per automazione per Osai, i comandi per ascensori Falconi o le attrezzature per mense Burgo Scott. Nonché tutti gli oggetti sviluppati nel settore medicale, come la raccolta porta a porta per la produzione di un farmaco per Serono o apparecchio per la diagnosi del melanoma della pelle per Gisettanta.
Non mancano le incursioni nel mondo imprenditoriale per la

Contenitore Serono. All'interno una sacca di materiale plastico dotata di una valvola permette la movimentazione della sacca senza fuoriuscita del liquido stesso
Serono Container. It has a plastic sac inside and a valve for the liquid so that even if the sac tilted and shifted the liquid wouldn't spill

M20, dalla macchina da scrivere elettronica al PC
M20, from an electronic typewriter to a personal computer

M10. Il primo portatile con possibilità di aggregazione della stampante e del dispositivo per la trasmissione via telefono di dati
M10. The first laptop that can be connected to a printer and modem

sperimentazione di tecnologie avanzate, ad esempio, fondando nel 1985 – assieme a tre amici – un'azienda che applica un'innovativa tecnica di stampaggio delle resine e l'assemblaggio di prodotti. È impegnato inoltre nell'attività didattica, come professore dal 1994 nei laboratori di design del prodotto al Politecnico di Milano – dove sviluppa con i laureandi progetti rivolti al settore medicale –, e più recentemente, nel 2005, al master in design medicale dell'università IUAV di Venezia.

Riconosce una continuità nel disegno dei prodotti progettati in quarant'anni di attività?
Forse la frequentazione del mondo di coloro che useranno l'oggetto, ma anche la costante frequentazione di coloro che lo produrranno cioè i modellisti, i prototipisti, gli stampisti, i produttori di materiali, i preventivisti. È con questo magma in ebollizione che si configura un oggetto facendo confluire in una griglia le informazioni, i vincoli, l'esperienza e i sogni.

È ancora possibile operare nel design svolgendo una ricerca transdisciplinare che mira all'accordo tra tutte le variabili di progetto e alla "soluzione di problemi" piuttosto che alla semplice "produzione di oggetti"? Com'è cambiata la professione in questi anni?
A parte il differente numero dei professionisti di allora e di oggi, che è comune a tutte le discipline, l'impatto della tecnologia è stato quello di stravolgere e in parte di condizionare l'esito del progettare.
L'accelerazione dei tempi nei progetti non permette di ricercare, di provare e di confrontarsi prima di decidere. I progetti si clonano, diventano figli della macchina che li ha disegnati più che della testa di chi li ha pensati.

Quali differenze individua tra le tre collaborazioni più durature della sua carriera: Olivetti, Steiner, Amplaid?
Olivetti, ad esempio, ci aiutava in tutte le fasi concentrando in uno studio i diversi saperi e capacità di raccogliere dati, ma soprattutto metteva il designer insieme alle altre figure a discutere, a proporre, a difendere la sua idea, alla pari, sempre. Ciò che mi è rimasto più vivo di quell'esperienza è la coscienza di tutti nel riconoscere che l'interno, l'esterno, il colore, la finitura, l'interfaccia con l'utilizzatore, l'imballaggio, le istruzioni, la manutenzione, tutto porta al successo del prodotto e tutto si chiama "design". Quando ci si riesce è veramente come dirigere un'orchestra che, come è noto, è composta di bravi professionisti. Con questo "metodo" sono nati l'M10, il primo portatile con possibilità di aggregazione della stampante e del dispositivo per la trasmissione di dati via telefono, e l'M20 che rappresenta il passaggio dalla macchina da

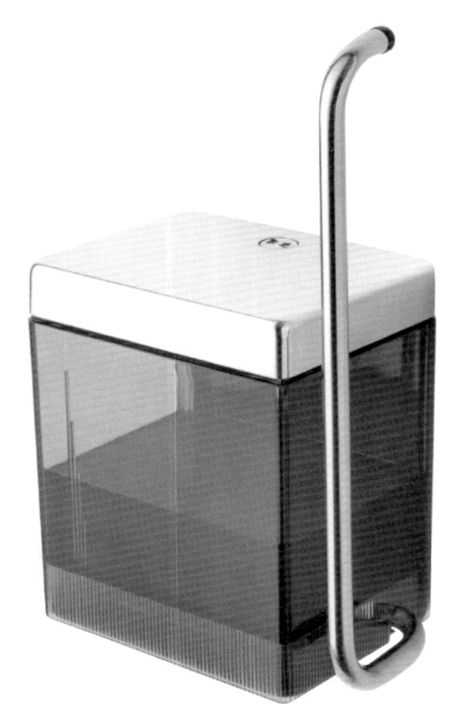

Distributore di sapone Visiosoap
Visiosoap Soap dispenser

Visio 80/800

Con F8 la Steiner introduce il rotolo continuo di cotone nei distributori per l'asciugatura delle mani
The Steiner F8 had a single cloth roll in the dispenser to dry one's hands after washing.

Con Visiomatic la Steiner rinnova la "carrozzeria" del rotolo per l'asciugatura delle mani
The Steiner Visiomatic had a new "cabinet" for the cloth roll

scrivere elettronica al personal computer. Da tempo infatti la macchina da scrivere lavorava col monitor affiancato o integrato, abbiamo quindi caricato il monitor sulla macchina e configurato quello che sarà il futuro pc. Amplaid mi ha portato invece a pensare l'oggetto prodotto in piccola serie, senza quindi investimenti importanti, facilmente assemblabile senza particolari linee di montaggio. È un esercizio che porta a privilegiare i dettagli, l'interfaccia, a scapito dell'architettura del prodotto dove gli investimenti non permettono soluzioni originali. La confidenza tra oggetto, utilizzatore e paziente è la base del progetto che può modificare la buona riuscita degli esami per i quali la macchina è stata progettata. La macchina deve trasmettere serenità, sicurezza, confidenza con il paziente. Steiner è la consulenza che ancora oggi è presente nel mio studio. È il solo rapporto con un cliente che mi ha consentito di sviluppare i prodotti nella loro interezza, fatta di meccanismi e di carrozzerie.
È il discorso Olivetti svolto completamente dal designer che guida il gruppo di progetto, accorpando le necessarie competenze. È un mondo di oggetti orientato più al pubblico che al privato, che serve gli ospedali, le industrie, la collettività, gli studi professionali e tutti i luoghi dove l'igiene deve essere presente. L'azienda Steiner, ad esempio, è stata la prima al mondo a introdurre nei distributori il rotolo continuo di cotone per l'asciugatura delle mani. Un momento importante è stato quando – dopo anni di vendite – si è deciso di rinnovare la carrozzeria dell'originario modello F8. Abbiamo allora analizzato l'uso del distributore, il cambio del rotolo, la manutenzione e presentato Visiomatic, la prima carrozzeria che introduce la trasparenza nella parte inferiore. Un nuovo disegno che, oltre che far apparire la macchina più piccola, dà la possibilità di controllare a distanza la quantità di tessuto rimasta nel distributore. Ciò ha costituito il successo del prodotto. In seguito, con Visio 80/800 è stata inserita la retrazione della parte finale

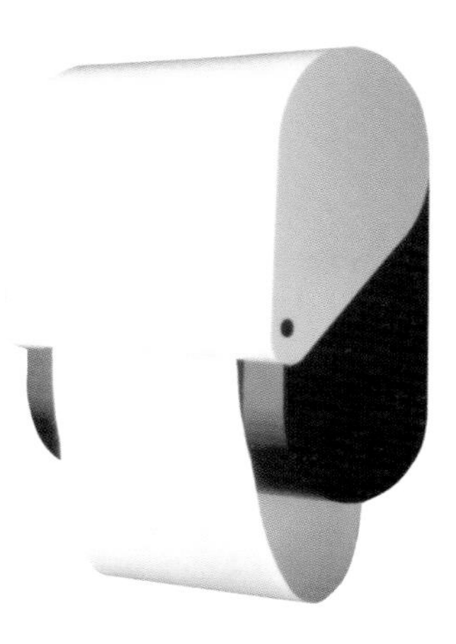

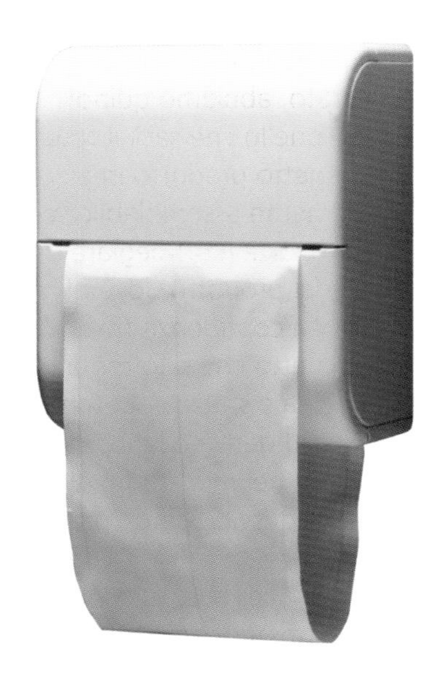

del tessuto, eliminando la pendenza del tessuto. Un'ulteriore modifica introdurrà poi la retrazione dell'ansa di cotone ogni volta che si usa l'asciugamano. Le migliorie igieniche, d'uso, di assistenza e di estetica costituiscono insieme il design di questo prodotto, sottolineando l'importanza del design nel raggiungimento della qualità.
Passando ad un altro esempio, le caratteristiche della macchina Visio 80/800 sono state trasferite nel distributore di sapone Visiosoap dove estetica, robustezza, facilità d'uso e di assistenza, si fondono in una soluzione che non ha subìto cedimenti nel tempo. Fa parte del progetto anche il dispositivo interno per l'erogazione della dose di sapone. Dieci anni dopo lo studio si porrà l'obiettivo di mantenere le medesime qualità, diminuendo però drasticamente il numero di pezzi componenti il distributore e quindi il suo costo di produzione. Anche questo è design.

I progetti per Serono, sono un esempio di equilibrio tra il valore d'uso e il valore tecnologico, l'espressione della sensibilità per il progetto rivolto alla collettività.
Tra gli incarichi a tema, Serono è stato sicuramente il più importante e configura con Amplaid e Steiner l'esperienza di studio nel mondo della sanità, mondo rivissuto anche all'interno dell'università. La specificità del progetto Serono si rifaceva alla raccolta di urina, presso donatrici, nelle loro case, per concentrare le donazioni presso un centro di raccolta dove, con un processo particolare, veniva estratto un ormone base per il farmaco contro la sterilità. Si trattava di dare alla raccolta il significato di una donazione nel rispetto della sicurezza, dell'igiene e della comodità dell'operazione. Abbiamo quindi ideato un contenitore con all'interno una sacca di materiale plastico dotata di una valvola di ingresso del liquido che permette la movimentazione della sacca senza fuoriuscita del liquido stesso.

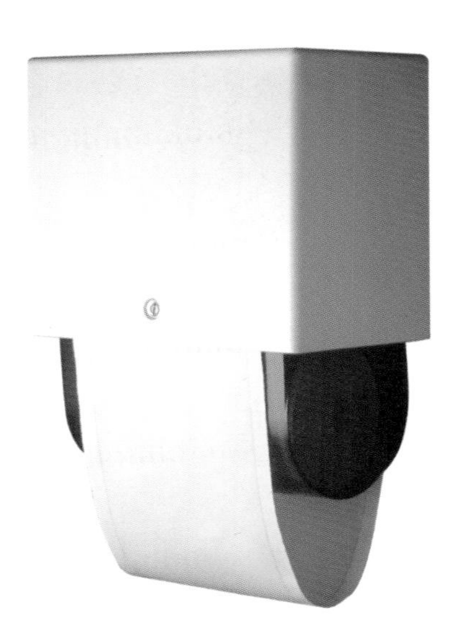

La necessità di una progettazione sensibile alle esigenze e al benessere dell'utente è particolarmente evidente nel campo della sanità. I prodotti medicali tendono ad essere tecnologicamente avanzati ma spesso non soddisfano le esigenze psicofisiche e psicologiche degli utenti attivi e passivi.
Questo è il mio percorso che penso possa essere di aiuto agli studenti che continuamente alimentano la mia voglia di scoprire.

"A career in industrial design that has lasted for forty years, a method, a long silence spent listening to how people reacted to my objects, an approach to teaching as a life-long learning curve that enabled me to use my experience to design other objects. Three important and long-term consultancies, Olivetti, Amplaid, Steiner, and other studies and projects useful to refresh one's memory and inspire new ideas."

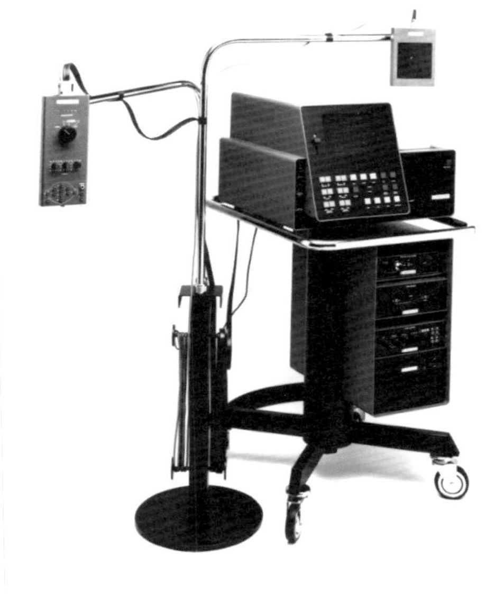

The words and works by Antonio Macchi Cassia betray his enthusiasm for his work as a designer, his confidence in his method, his ability to work with people who participate in the development of a new project and his strong sense of responsibility towards the user. Throughout his long career, Cassia has worked for all kinds of companies, small, medium or large; he has transmitted the way he sees design - responsible and respectful of the variables imposed by history and culture. These are some of the traits that have made him famous in the field of international design.
In 1967 he decided to leave "a steady job as an employee to develop projects for companies and earn my living as a designer." Two years later he began to work as a consultant at the Olivetti Design Centre in Ivrea with Mario Bellini. This professional relationship was to last for twenty years during which he had the opportunity to work with Ettore Sottsass, Perry King and Michele De Lucchi: "an incredible school of life" that was to influence all his future work.
The inauguration of his studio in Milan in 1972 coincided with his collaboration with Steiner, an American service company, while later, in 1980, he started to design for Amplaid, a company that produces audiology equipment.
Apart from his work with these three companies, Macchi Cassia is extremely active in the field of design and research for other clients

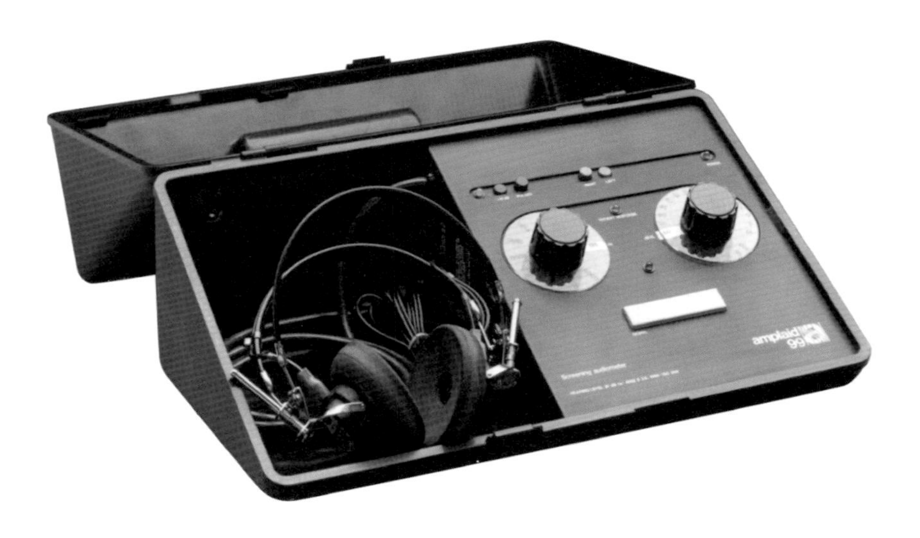

Amplaid 99: la macchina deve trasmettere al paziente serenità, sicurezza, confidenza
Amplaid 99: the machine has to transmit calm, safety and confidence to the patient

Amplaid 16: un prodotto in piccola serie, senza quindi investimenti importanti, facilmente assemblabile senza particolari linee di montaggio
Amplaid 16: produced in small numbers without costly investments; it had to be easily put together without using assembly lines

where he uses the design method learnt while working for Olivetti. He has designed many objects for several different sectors: monitors for Philips, televisions for Condor and Radiomarelli, lamps for Arteluce and Stilnovo, office furniture for Tosimobili and, in the sports world, cyclists' shoes for Vittoria and ski boot fasteners for Nordica. He has also designed other objects where he had to master complex technological processes and learn about forms: an ice-cream scoop and plant irrigators for Crouzet, car accessories for Di.W.S., bathroom equipment for Elis, automation control panels for Osai, elevator controls for Falconi and canteen equipment for Burgo Scott. Not to mention all his designs for the medical sector: the door-to-door collection for a drug developed by Serono or equipment for the diagnosis of melanoma for Gisettanta. Macchi Cassia has also worked briefly as an entrepreneur, experimenting with advanced technology. For example, the company he founded in 1985 with three friends invented revolutionary techniques for moulding resins and product assembly. Since 1994, he also teaches in the product design workshops of the Milan Polytechnic – where together with graduate students he designs objects for the medical sector – and, more recently, in 2005, he lectures in a master in medical design at the IUAV University in Venice.

Is there are a 'thin red line' running through what you've designed in the past forty years?
Perhaps working with users, but also permanent synergy with the people who actually make my design, in other words, the makers of the model, prototype and moulds, the people who produce the materials and the ones who estimate the costs. This is the tumultuous magma I use to create an object because it contains all the information, constraints, experiences and dreams I need to design.

In the field of design is it still possible to use an interdisciplinary approach to try and bring together all the variables of a project and "solve the problem" rather than simply "produce objects?" What has changed in your profession of late?
Apart from the increase in the numbers of designers (but this is common to all disciplines), the impact of technology is what has deeply altered and, to a certain extent, influenced design. Everything is so fast you don't have time to study, test and talk with your colleagues before you have to decide. Designs are cloned, they become 'children' of the machine that designed them rather than of the mind that invented them.

Were there any differences in the way you worked with your three main clients, Olivetti, Steiner and Amplaid?
Olivetti, for example, helped us throughout the whole process by

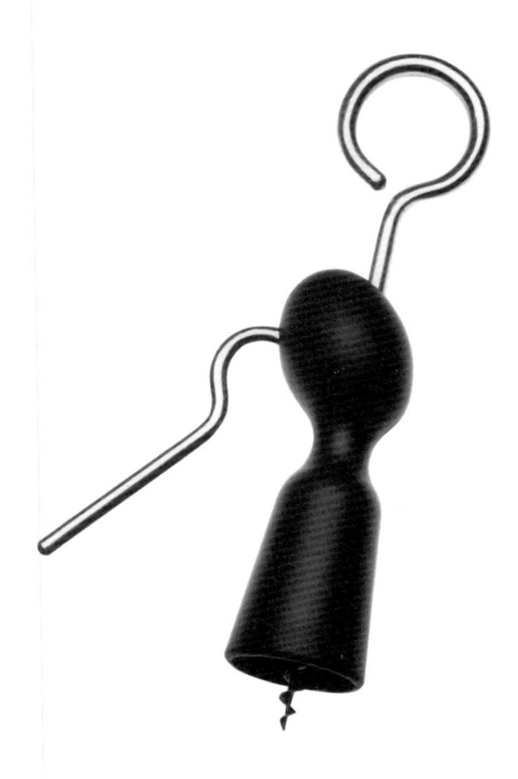

Cavatappi Piazza
Piazza Corkscrew

bringing together all the people involved and all the necessary data. The main thing was that the designer worked with other people to debate, propose and defend his ideas, on an equal footing, as always. What I remember most about that period is that we all realised how important the inside, outside, colour, finishings, user interface, packaging, instructions and service were to make the product successful: we call all this 'design.' When you succeed it's like directing an orchestra in which, as we all know, only good professionals play. We used this method to create the M10, the first portable that could be hooked up to a printer and modem, and the M20 which marked the shift from an electronic typewriter to a personal computer. For some time screens were either next to the typewriter or part of it: so we put the screen on the machine and made what would later be called a portable.
Amplaid instead gave me a chance to design objects to be produced in small numbers without costly investments; the objects had to be easily put together without using assembly lines. This makes you focus on details, on the interface, and not on the shape of the product where investments don't provide innovative solutions. The object, user and patient have to feel comfortable with one another: this is the main idea behind the design because it determines whether the results provided by the machine are satisfactory. It has to transmit a sense of calm, safety and confidence to the patient.
I still work with Steiner. It's the only client that lets me design all parts of a product, its mechanisms and containers. It's the Olivetti approach implemented only by the designer who leads the workgroup, deciding which experts to involve. The objects it produces are more for the public rather than the private sector, hospitals, industries, the community, professional studios and wherever hygiene is required. Steiner was the first to introduce cloth towel dispensers for people to dry their hands. One defining moment was when – years after it came out – we decided to change the cabinet of the original F8; we looked at how the dispenser was used, how the cloth roll was replaced, how it was serviced and then we presented Visiomatic, the first cabinet with a transparent lower half. Apart from the fact it looked smaller, the new design allowed you to check how much cloth was left in the dispenser. This is what made it so successful. Later on, with the Visio 80/800 we inserted a retractor at the towel end to avoid the cloth from hanging limp. Later we inserted a mechanical retractor so that the towel was pulled back into the cabinet after every use. The product's improved design (hygiene, use, service and aesthetics) proves how important design is to ensure quality.
I could give you another example: the features of the Visio 80/800 dispenser were used for the soap dispenser Visiosoap. Its aesthetics, robust cabinet, ease of use and service were all rolled into one: and it's still popular after all these years. Part of the project was the design of the

internal soap dispenser mechanism. Ten years later, we wanted to maintain the same quality but drastically reduce the number of parts and therefore production costs. This too is design.

The products you designed for Serono represent a perfect balance between use and technology, an example of a sensible project for the community.
Serono is certainly the most important client when it comes to ad hoc projects. When I designed for Serono, as well as Amplaid and Steiner, the health sector was one of my main focuses, as it was later when I taught at university. The project for Serono involved collecting urine samples from donors at home and shipping them to a specialised centre where they extracted a base hormone for a drug against infertility. We had to make the donors feel they were part of an important project, yet at the same time, make sure that there was no compromise in hygiene, safety or convenience. We designed a container with a plastic sac inside and a valve for the liquid; even if the sac tilted and shifted the liquid wouldn't spill.

In the health sector, it's important for design to take into account the needs and well-being of users. Medical products tend to be technologically advanced but often ignore the psychophysical and psychological needs of active and passive users.
This is what I've learned and I think it can be helpful for students who continue to fuel my curiosity and desire to learn.

antonio citterio

Caratteri italiani nel design
The Italian Traits of Design

Elegante, raffinato, pulito, essenziale. Sono solo alcuni dei termini ricorrenti utilizzati da critici o da giornalisti per descrivere e commentare i prodotti e, più in generale, il lavoro dell'architetto e designer Antonio Citterio. Nato a Meda, in Brianza, rinomato distretto industriale del mobile e culla imprenditoriale del design italiano, Citterio avvia la sua attività di designer agli inizi degli anni Settanta - risale al 1972 l'apertura del primo studio con Paolo Nava. Dal 1981 si occupa anche di architettura di interni sviluppando un filone ricco di prestigiose realizzazioni, collaborando prima con Terry Dwan - dal 1987 al 1996 – e successivamente con la francese Patricia Veil, con la quale fonda nel 1999 la Antonio Citterio & Partners, con studi a Milano e ad Amburgo.

Seguendo un percorso professionale molto coerente e caratterizzato da una continua sperimentazione, che negli ultimi anni lo ha visto impegnato anche nella progettazione architettonica di prestigiosi edifici, tra cui non ultimo il recente Bulgari Hotel di Milano, Antonio Citterio è oggi considerato uno dei progettisti italiani di maggior successo.
Come designer ha al suo attivo un ampio portfolio di prodotti, molti dei quali best seller, presenti nelle collezioni permanenti dei principali musei del mondo. Può vantare, come pochi altri designer contemporanei, lunghi sodalizi professionali con aziende di design di primaria importanza, come B&B, Flexform, Kartell o Vitra. Sono in molti, infatti, ad attribuirgli l'intero progetto strategico d'impresa piuttosto che quello dei singoli prodotti, associando il suo nome a quello dell'azienda.
Incluso da Anty Pansera nella terza generazione dei designer italiani, non sono identificabili nel suo lavoro banali riferimenti a stili e linguaggi dei maestri del passato, ma è possibile affermare che è forse oggi l'unico designer contemporaneo italiano in cui sono leggibili marcati caratteri di stile nazionale.
Tra questi bisogna riconoscere, primo fra tutti, l'eleganza formale, derivante da una grande capacità di controllo del segno, da un'acuta selezione di materiali e dalla considerevole attenzione rivolta ai dettagli e alle finiture. Un'eleganza che nasce sicuramente da un approccio al progetto che guarda al passato, come hanno fatto Ponti, Castiglioni o Magistretti, attraverso tutta la tradizione italiana del mobile.
Una tradizione che Citterio traduce sapientemente, attraverso rifunzionalizzazioni dei prodotti e uso di materiali della contemporaneità, in oggetti originali molto orientati verso un target di acquirenti, alto e bisognoso di "percezioni di valore". Sono di dichiarata memoria i progetti per la Flexform, come la famosa poltrona A.B.C., molti dei prodotti per la B&B, ma anche oggetti più tecnologici come le più recenti lampade Kelvin per la Flos.
Le forme da lui elaborate lavorano, infatti, in equilibrio tra la durezza di

Fusital, maniglia
Fusital, handle

Hansgrohe, Rubinetteria, con Toan Nguyen
Hansgrohe, taps & fittings, with Toan Nguyen

alcune espressioni più integraliste del minimalismo – vedi Lissoni o Pawson – sinonimo di estrema contemporaneità, e la morbida rotondità di alcune espressioni del neo-organicismo.
Anzi è proprio nella morbidezza di alcuni dettagli, dei raccordi e dei profili degli oggetti che è possibile individuare gli elementi distintivi del lavoro di Citterio. Si pensi al piede d'appoggio in pressofusione di alluminio dei tavolini, dei primi anni Novanta, Leopoldo o Battista, progettati per Kartell; al raccordo del bracciolo con lo schienale nel disegno della sedia pieghevole Dolly sempre per la stessa azienda; al profilo delle posate Tools del 1998 per Iittala, al disegno della canna e delle manopole della serie di rubinetti per Axor, fino ad arrivare ai dettagli delle sedute e dei mobili per ufficio per Vitra. Così come sembra tutto giocato sulla mediazione tra durezza e morbidezza il disegno dei sanitari per Pozzi-Ginori, come i lavabi, wc e bidet delle serie Join e 500.
In numerose interviste Citterio ha dichiarato di non avere dei maestri ma di guardare con attenzione alla produzione dei coniugi Eames, il cui palese omaggio è forse rintracciabile nelle sedute per ufficio AC1, AC2

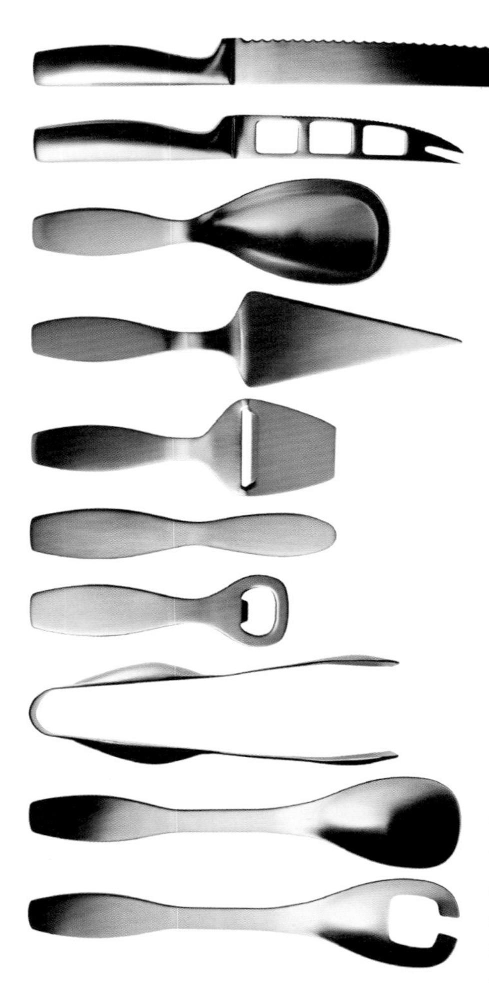

per Vitra del 1988, e di stimare il lavoro di Alvaro Siza.
Ha così fissato due riferimenti di primissimo livello che lavorano o hanno lavorato su registri completamente opposti, organici i primi, assolutamente neorazionalista e minimalista il secondo, di cui forse il suo lavoro tenta di attuare una contaminazione. L'eleganza è ottenuta da Citterio anche attraverso le finiture, di cui ha compreso e fatto comprendere l'importanza all'interno di un progetto. Nel suo caso, la scelta di finiture originali e raffinate è facilitata dalla possibilità di compiere continui trasferimenti tecnologici e morfologici tra i numerosi settori produttivi da lui frequentati. È il caso, per esempio, della finitura in platino proposta come lussuosa alternativa al cromo, per la rubinetteria disegnata per Axor, il cui riferimento tecnologico è rintracciabile nella frequentazioni di grandi gioiellieri come Damiani, De Beers o Bulgari per i quali ha lavorato. Anche la satinatura dei metalli è tema trasversale tra i braccioli delle note poltrone A.B.C. del 1998 per Flexform, le posate per Iittala sempre del 1998 ed i profili dei sistemi di porte Pavilion e Planus per Tre Più. Altro materiale che Citterio ha saputo declinare nella contemporaneità è certamente il legno. Venature e trattamenti del rovere o del wengè sono state ampiamente utilizzati dal progettista nei mobili per la B&B e per il marchio Maxalto, basti pensare al dettaglio della gamba piatta del tavolo Apta del 1996, e all'enfatizzazione dell'orizzontalità ottenuta attraverso la ricorrenza della venatura del legno. Ma oltre che per l'eleganza, i prodotti di Citterio, si distinguono per l'innovazione tipologica di cui sono portatori. Questo è certamente un altro carattere tipicamente italiano che il progettista ha saputo cogliere e perpetuare. Emblematici in questo senso sono stati: il progetto del sistema di imbottiti Sity, del 1986 per B&B, che gli è valso il Compasso d'Oro, in cui per la prima volta il classico sistema di divani, poltrone, e chaise longue è stato smontato e ricomposto in un sistema coordinato ed integrabile; o il noto progetto di contenitori ed espositori da parete Metropolis, del 1984 per la Tisettanta, che ha introdotto sul mercato la nuova tipologia dei wall-system, da cui derivano tutte le soluzioni che oggi vediamo nei living room. Una caratteristica quella dell'innovazione tipologica che ritroviamo oggi, a distanza di quasi venti anni in molti suoi progetti: dalle porte Planus e Pavilion, in cui la tipologia della porta viene letta ed integrata in relazione alle pareti, a quella della cucina trasformata nel caso delle famose Artusi e Convivium per l'Arclinea in spazi laboratorio e di convivenza.
Un personaggio dunque, Antonio Citterio, che ha saputo mediare con grande abilità una tradizione progettuale e produttiva molto importante, come quella italiana, con le esigenze imprenditoriali e tecnologiche della contemporaneità, riuscendo a definire un percorso originale e ad ottenere un grande successo.

Collective Tools, Iittala, con Glen Oliver Löw
Collective Tools, Iittala, with Glen Oliver Löw

Elegant, refined, clean and simple. These are some of the words often used by critics or journalists to describe and comment on products and, more in general, on the work of the architect and designer, Antonio Citterio. Born in Meda (Brianza), the famous industrial furniture district and entrepreneurial cradle of Italian design, Citterio began his career as a designer in the early seventies when he opened his first studio with Paolo Nova in 1972. In 1981 he became involved in interior decoration and since then has produced a long list of exciting designs, initially working with Terry Dawn (from 1987 to 1996) and then with the French designer, Patricia Veil, with whom he founded the company, Antonio Citterio & Partners in 1999 with offices in Milan and Hamburg. His professional career has been very consistent and characterised by continuous experimentation. In the last few years, he's been involved in the architectural design of prestigious buildings, including the recent Bulgari Hotel in Milan.

Antonio Citterio is considered to be Italy most successful contemporary designer. As a designer Citterio has a vast portfolio of products, many of them best-sellers on display in the permanent collections of the world's most famous museums. Compared to many other contemporary designers, Citterio has to his credit long professional collaborations with important design companies such as B&B, Flexform, Kartell and Vitra. In fact, many people task him with their company's entire strategic project rather than just single products, often associating his name with that of the company. Anty Pansera has put him among the third generation Italian designers who distinguish themselves for doing work that doesn't

Mart , B&B Italia, poltrona
Mart, B&B Italia, armchair

Luta, B&B Italia, sedia
Luta, B&B Italia, chair

include predictable references to styles or designs of earlier masters. He's perhaps the only contemporary Italian designer who has decidedly national characteristics. The first of these traits is the formal elegance of his work determined by his incredible skill in controlling the design, a careful choice of materials and the considerable attention he lavishes on details and finishings. This elegance undoubtedly comes from his approach to the project which is influenced by the past, by traditional Italian furniture, in much the same way as Ponti, Castiglioni or Magistretti were before him. Citterio cleverly interprets this tradition by finding new uses for products and modern materials. He exploits these two aspects to design original objects that target a high class clientele who need to "see the value". Some of his most renowned products include those for Flexform, for example the famous A.B.C. armchair, many products for B&B as well as more technological objects, such as the recent Kelvin lamps for Flos. In fact, the shapes he designs are balanced between the starkness of some of the more integralist expressions of minimalism, i.e. Lissoni or Pawson, synonymous of extreme contemporaneity, and the soft roundness of certain neo-organic products. In fact, the softness of some of the details, joints and contours of his objects, represent the distinctive traits of Citterio's work.
For instance, the die-cast aluminium feet of the small, early nineties tables, Leopoldo Battista, or the joints between the armrest and back of the folding chair, Dolly, both designed for Kartell; the shape of the cutlery, Tools, for Iittala (1998); the design of the spout and taps of the fittings for Axor and finally the details of the office seats and furniture for Vitra. The same balance between softness and starkness characterises the

design of the bathroom fittings for Pozzi-Ginori, the washbasins, toilets and bidet of the Join and 500 series.
In many interviews Citterio has said he has no maestri, but that he's always been very interested in the designs by the Eames husband and wife team. His office chairs AC1, AC2 for Vitra (1988) are perhaps the closest thing to a tribute. He also admires the work of Alvaro Siza. These first-class designers have very different styles. The former are organic, the latter, absolutely neo-rationalist and minimalist. He does perhaps try to show these influences in his work. It's the finishings that Citterio uses to achieve this elegance . He has understood and made others understand how important they are. It's easier for him to design original and refined finishings because he can exploit the technological and morphological elements he uses in other fields he works in to cross-fertilise. For instance, the platinum finishings designed as an alternative to chrome for the taps and fittings by Axor. He got the idea while working for important jewellers such as Damiani, De Beers or Bulgari. Even metal glazing is a transversal idea used in the armrests of the famous A.B.C. armchairs for Flexform (1988), the cutlery for Iittala (1988) and the edges of the door systems Pavilion and Planus for Tre Più. Another material that Citterio has relaunched into our contemporary world is wood. The grain or treatment of oak or wenge has been extensively exploited by Citterio for the B&B furniture line and the Maxalto brand. Just think of the detail on the flat foot of the Apta table (1996) and the emphatic horizontal design he creates with the grain of the wood. But apart from their elegance, it's the typological innovation of the products he designs that's important. This is certainly another Italian characteristic that the designer has incorporated and transmitted. One emblematic example is the design

Kelvin, FLOS, lampada con Toan Nguyen
Kelvin, FLOS, lamp with Toan Nguyen

Freetime, B&B Italia, divano
Freetime, B&B Italia, sofa

Elements, Vitra, contenitori, servi e paraventi con Toan Nguyen
Elements, Vitra, containers, carriers and screens with Toan Nguyen

of padded furniture Sity (1986) for B&B which won him the Compasso d'Oro prize. For the first time the classic sofa, armchair and chaise longue system was broken down and recombined in a co-ordinated and flexible system. Another example is the famous wall cabinets and shelves Metropolis (1984) for Tisettanta that introduced on the market a new type of wall-system which became the forerunner of all the solutions we see in our living rooms today. Twenty years later, typological innovation is still very much part of his designs: the Planus and Pavilion doors that is designed to match the wall, or the kitchen which, in the case of the famous Artusi and Convivium for Arclinea, have been transformed into convivial working areas.
Antonio Citterio is a person who has learnt to skilfully compromise between the very important Italian design and production traditions and the entrepreneurial and technological demands of contemporary living. He has drawn his own path to success.

Grande serie, piccoli oggetti
Mass Production, Little Objects

Incontrando Franco Clivio, la prima cosa che colpisce è la dirompente carica emotiva con la quale parla degli oggetti, della loro bellezza nascosta tra i meccanismi della tecnica, del loro linguaggio silenzioso, mentre estrae da un cofanetto alcuni esemplari di una collezione straordinaria. La seconda cosa che colpisce è la sua splendida Moulton, una bicicletta dal design innovativo, simbolo del design inglese degli anni '60. Sempre piegata nel bagagliaio della macchina. É una fida compagna pronta all'uso in qualsiasi momento. Lo incontriamo a Milano insieme a Raimonda Riccini, curiosi di sapere come si affronta il progetto per la grande serie.
Grande serie come nel caso di quel piccolo raccordo in plastica grigia e arancione che, dal 1968, aiuta, in modo pratico e funzionale, a connettere alla rete idrica il tubo di gomma usato in giardino. Un oggetto che, da qualche anno, ha raggiunto la quota di un miliardo di pezzi prodotti. Ma i numeri, alla fine del nostro incontro, non saranno l'unica cosa a suscitare stupore.

Fin dall'inizio il mio interesse più vivo è stato quello per la tecnica. Smontavo le biciclette e tutte le cose meccaniche che mi passavano per le mani. Ho sempre avuto la curiosità di sapere come è fatta una cosa, come funziona, e questa curiosità mi accompagna ancora oggi.
Dalla mia passione giovanile nacque la decisione di iniziare l'apprendistato come disegnatore meccanico, ma non trovai subito un posto. Mi si offrì invece l'occasione di lavorare in uno studio di architettura. Accettai, perché per me era importante studiare e fare disegno tecnico. Guardando l'architettura, studiando Le Corbusier o Mies van der Rohe, i loro disegni, ho conosciuto il mondo dell'estetica. E così ho finito per pensare che anch'io avevo una forte sensibilità per la bellezza, forse dovuta alle mie origini italiane.

É per questo che sei andato a Ulm?
Quando sono andato a Ulm, ignoravo cosa fosse il design. A Ulm non si privilegiava l'estetica, si faceva anche dell'estetica, un'estetica che oggi metterei molto in dubbio. Per esempio, ricordo il progetto di un estintore: lo studente, per migliorare le sue caratteristiche, aveva pensato di verniciarlo di grigio, il grigio di Ulm.
Un estintore, tutto può essere, tranne che grigio!
A Ulm ho cominciato a vedere meglio cosa fosse il mondo della tecnica e la combinazione tra la tecnica e l'estetica. Forse per questo non ho mai fatto mobili, non ho fatto lampade per le abitazioni. Ho fatto lampade per musei, chiese, grandi palazzi, non ho fatto lampade per fare del design, ma per illuminare. Oggi la gente compra le lampade senza vederle accese, a me non interessa la lampada, io voglio vedere la luce.

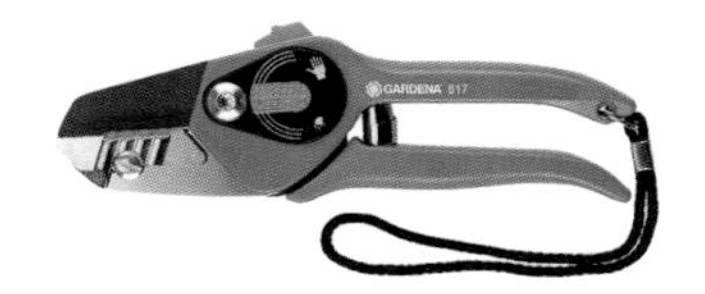

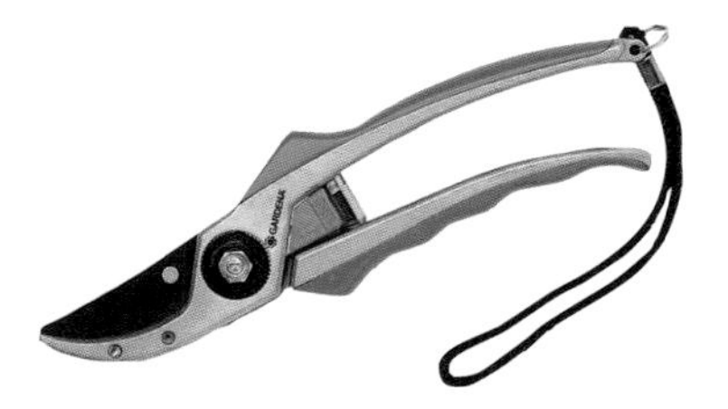

Forbici da giardino, Gardena
Garden shears, Gardena

A Ulm è iniziato il tuo rapporto con Gardena. Come è nato e soprattutto cosa ha significato progettare oggetti realizzati in una serie così grande?
I prodotti di massa non li progetti come tali. Prima fai cinque pezzi e poi se va bene ne produci dieci. Se il prodotto è studiato intelligentemente diventa di grande serie. Ecco, se sbagli all'inizio, sbagli completamente nel procedere.
Nel 1968 quando ho cominciato a progettare il sistema della Gardena era un momento in cui nessuno pensava a ridurre l'uso dei materiali. La plastica non costava niente, anzi sembrava un materiale infinito. Abbiamo cominciato a pensare a un oggetto nel quale l'uso della plastica è ridotto al minimo, dal quale non puoi togliere un grammo di plastica, se no si spacca.
La concorrenza allora ne produceva uno che, a parità di funzione, pesava quattro volte di più, ma era più forte sul mercato. In quel momento arrivò un fattore imprevedibile: la crisi del petrolio. La plastica comincia a costare sempre di più, la concorrenza ha dovuto togliere il prodotto dal mercato.

Gardena non è solo il raccordo di connessione dei tubi.
Sì, possiamo parlare di un vero e proprio sistema. La forza di un sistema è che quando lo hai adottato non lo cambi tanto facilmente. É come quando hanno stabilito la larghezza dei binari dei treni. Se sbagli in un sistema devi, purtroppo, tirare avanti con un sistema sbagliato.
Vedi la lampadina di Edison ha un filetto di 27 mm, oggi la si potrebbe fare in modo diverso, ma ormai non si può più cambiare. Il prodotto di grande serie deve essere molto intelligente nella funzione e anche risolvere i problemi delle persone. Se una cosa è di moda, non diventa mai un prodotto di grande serie, per esempio i mobili di plastica, di fatto, sono scomparsi.

Come siete arrivati a quel giunto?
Se si vanno a guardare le radici di questi oggetti, in realtà si vede che sono cose che c'erano tutte da tempo. Innanzi tutto il giunto non è un oggetto, ma è elemento di fissaggio.
Il mondo del fissaggio è un mondo immenso: il design sta là dove vengono tenuti insieme i pezzi.
Si trattava di un oggetto che deve permettere di passare da un sistema rigido, il rubinetto, a un sistema molle, il tubo di gomma, e portare l'acqua dove vuoi.
Questo sistema di fissaggio è vecchio, ha più di cento anni, si comincia dagli impianti domestici, dalla cucina a gas e dagli agganci che connettevano i tubi delle cucine economiche alla rete fissa.

Irrigatore a impulso a settori, Gardena
Full-part pulse sprinkler, Gardena

Irrigatore circolare Samba, Gardena. Per irrigare superfici da 9 a 250 mq
Samba circular sprinkler, Gardena. For watering from 9 to 250 sq.m

Spaccato di un gocciolatore di fine linea autocompensante, Gardena
Diagram of an endline drip head, Gardena

Un altro sistema, più recente, è quello dell'aria compressa.
La nostra non è stata un'invenzione, i raccordi di ottone sono stati sostituiti con quelli di plastica, la guarnizione con quella di gomma. L'intelligenza di questo prodotto viene dalla tecnologia del nuovo materiale.
C'era una funzione esistente, un materiale nuovo da usare, e anche l'idea di portare questo sistema in giardino, dove non c'era.
É una costellazione di idee che sono raccolte in un prodotto.
Per questo motivo Gardena non ha un brevetto su questi prodotti. É brevettato soltanto un piccolo pezzettino interno, perché l'idea non puoi brevettarla, esisteva già. Puoi brevettare la forma, il modello depositato, i colori, la tecnica, ma non l'oggetto.

In più di vent'anni di produzione non c'è mai stato bisogno di innovare? In tanto tempo i materiali cambiano, le tecniche di produzione pure, i prodotti sono praticamente costretti a cambiare.

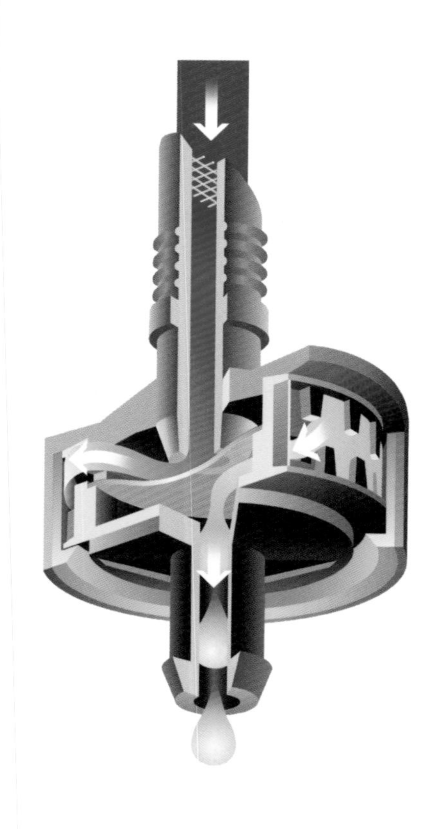

Nel 1995 abbiamo progettato un nuovo elemento di fissaggio, realizzato con due plastiche differenti che è stato messo in vendita a un prezzo un po' più alto dell'altro. Il mercato non lo ha accettato. Allora si è abbassato il prezzo, stesso livello di quello del 1968, ma non c'è stato niente da fare, non è stato accettato, anche se era più funzionale e con una migliore tenuta.
Questo perché, l'altro elemento aveva una maggiore penetrazione nel mercato, ma soprattutto perché non c'era una ragione forte per cambiare. Io credo che i prodotti diventino di grande serie tramite l'uso, tramite la funzione e per il modo in cui si presentano al mercato.
É il problema delle aziende che hanno prodotto oggetti di successo e che non ce la fanno a ripetersi.

E allora la penna Pico per Lamy da dove nasce?
La Pico introduce un concetto completamente nuovo.
Esistevano già da tempo penne che da piccole diventano grandi. In questo caso la mia curiosità è stata fondamentale.
Tanti anni fa, in un mercatino, vedo un oggetto dorato, lo prendo in mano e mi accorgo che tirando si allunga. Da un pezzo si trasforma in tre pezzi e diventa una matita. La compro e la metto nel cassetto, con molte altre cose, senza pensare di applicarmi subito a quest'oggetto.
Poi è arrivata la richiesta della Lamy. I tecnici non erano capaci di realizzare il meccanismo, pensavano che per allungare la penna, si dovesse per forza tirare, usando due mani. Io volevo che la mia penna funzionasse con una mano sola.
Ho insistito, non sapevo come avrebbe potuto funzionare

internamente. Hanno cercato, cercato e hanno trovato questo meccanismo.

Quindi la Pico è il risultato di un lavoro di gruppo?
Nel disegno industriale non esiste una persona che può dire ho fatto tutto io. Ci sono tantissime persone che contribuiscono. Un prodotto molto buono è il prodotto di un team, dove tutti fanno dei compromessi, dove ognuno ha la responsabilità di quei compromessi. A questo va aggiunta la necessità di avere un imprenditore coraggioso. Questo oggi manca sempre di più perché i proprietari non sono lì, ci sono manager e i manager non vogliono fare sbagli. Se c'è il proprietario che dice: lo facciamo, allora tutti tirano la corda dalla stessa parte e si riesce a farlo. Bisogna che ci sia il personaggio che assume il rischio.
Oggi le decisioni si prendono più in base ai sondaggi di opinione, che sul coraggio della sfida.

Oltre a Gardena, Erco e Lamy, con chi hai lavorato?
Ho progettato telefoni da casa per Siemens, molti anni fa, che però non stati prodotti. Ho fatto un espositore per occhiali per la Rodenstock, una o due maniglie per la FSB, poco altro.

Quando progetti, come fai per vedere se una cosa funziona o no?
I modelli sono molto importanti, ho dei modelli che sono migliori del prodotto finito. Con un modello davanti bastano venti secondi per decidere. La mia prima esperienza con Erco è nata proprio grazie ai modelli. Li ho convinti grazie ai modelli. Loro non avevano mai visto modelli così belli. Per Erco ho fatto un prodotto, Stella, che è nato per sparire nei plafon, perché devi vedere solo la luce e un cerchio. Credo di avere fatto un buon design perché ora vedo che gli architetti lo usano mettendo tutto in mostra, anche quello che era nato per essere nascosto.
Anche con la penna Pico non volevo fare del design, perché mi sono detto: se faccio una cosa di moda, questa penna dopo cinque anni non la vuole più nessuno, mentre fatta così la puoi vedere anche tra vent'anni.

Però hai fatto lo stesso del design, questa piccola placca con il nome della marca non è casuale, impedisce che la penna una volta appoggiata rotoli via.
Su questo particolare abbiamo discusso moltissimo. La placchetta è così, e soprattutto collocata in quel punto perché può stare solo lì, altrimenti tutto il meccanismo interno salta. Se avessi voluto fare

Raccordi portagomma connessi a una pompa da giardino, Gardena
Hose connector attached to a garden pump, Gardena

Raccordo portagomma attacco rapido, Gardena
Click-lock hose connector, Gardena

Raccordo di riparazione, Gardena
Hose repairer, Gardena

Modelli di troncarami, per differenti diametri di rami, Gardena
A selection of loppers, for branches with different diameters, Gardena

Modelli di segacci da giardino, Gardena
Different types of garden secateurs, Gardena

Irroratori a pressione, Gardena. Per irrorazioni nebulizzate, trattamenti antiparassitari e concimazioni
Pressure Sprayer, Gardena. For fine watering, protection of plants and fertilizing

qualcosa per impedire che la penna rotolasse, l'avrei fatta più piccola, l'avrei messa in un altro punto, non dove si impugna la penna.
I designer, vedi, fanno a volte credere delle belle storie.

Ho riletto in questi giorni una vecchia intervista a Dieter Rams. Nel rispondere parla dei principi per orientarsi nel design. Mi sembra che abbiate moltissimi punti in comune. Parla di design innovativo, di facilità d'uso di un prodotto, delle qualità estetiche, di come rendere comprensibile un prodotto esaltandone le doti che ne rendono intuibile l'uso. Poi che è discreto, onesto, resistente, coerente nei minimi dettagli, rispettoso dell'ambiente, ma soprattutto che il design è il minor design possibile.
Un buon design non è forte, è discreto. É sempre quello che ha detto Mies van der Rohe, "less is more". Certo la cosa più difficile è semplificare, ridurre le cose all'essenziale. Credo che il buon design abbia anche un aspetto sociale, che abbia una grande responsabilità, non deve prendere in giro la gente. Ma ora basta, ora vi faccio vedere delle cose, il mio museo.

Un cofanetto di pelle, come un piccolo caveau portatile, degno di una banca svizzera, viene posto sul tavolo. Abbandonati i panni del designer, Franco Clivio si trasforma in prestigiatore. Sfila da ogni cassetto il suo tesoro di perle preziose: occhiali, penne, bottoni, strumenti di misura, sistemi di chiusura, oggetti a funzione multipla, pezzi tradizionali e contemporanei. É un bottino di oggetti, per ognuno dei quali non risparmia spiegazioni: dove, come li ha trovati, comprati, come sia stato rapito dalla loro intelligenza costruttiva o dalla loro ironia.
Mentre parla non c'è più confine tra passione e lavoro, tra il ragazzino che è partito smontando biciclette per conoscere la tecnica e il designer che, giocando, ha disegnato prodotti venduti in milioni e milioni di pezzi. La magia di quel cofanetto è il suo prossimo progetto ma, come tutte le magie, spetterà a lui svelarne il segreto.

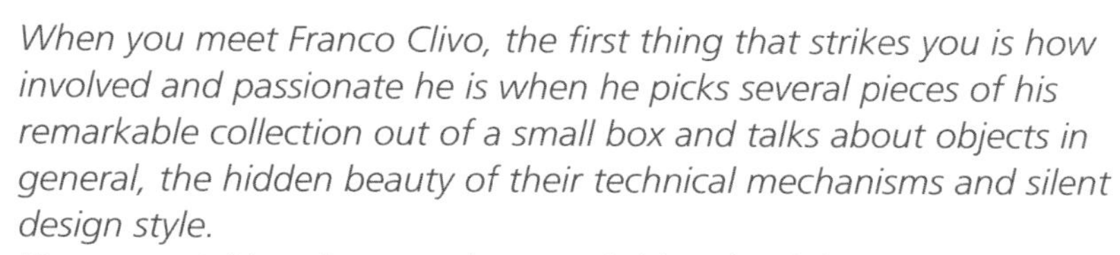

When you meet Franco Clivo, the first thing that strikes you is how involved and passionate he is when he picks several pieces of his remarkable collection out of a small box and talks about objects in general, the hidden beauty of their technical mechanisms and silent design style.
The second thing that surprises you is his splendid Moulton, an incredible innovative bicycle, the symbol of English design in the sixties. Permanently folded in the boot of his car, the bicycle is his faithful companion, ready to be used at any time.
We met Franco Clivo in Milan. Above all, Raimonda Riccini and I wanted to know how you design something for mass production.
A product like the small, grey and orange plastic pipe fitting which, since 1968, has provided a practical and functional way to connect the garden hose to the water mains. A few years ago, an incredible one billion of them had been produced. At the end of our meeting, numbers were not the only surprise.

From a very early age I was fascinated by anything technical. I used to strip bicycles or any other mechanical object that I could get my hands on. I was already interested in knowing what it was made of and how it worked, and I still am today. My youthful enthusiasm drove me to become an apprentice as a mechanical designer, but I didn't find a job immediately.
I was asked to work in an architect's studio. I said yes, because it was important for me to study and draw technical designs. I was very lucky. Studying architecture, looking at drawings by Le Corbusier or Mies van der Rohe I discovered the world of aesthetics. And so I began to think that I too had a great sense of beauty, perhaps because of my Italian roots.

Is that why you went to Ulm?
When I went to Ulm, I really knew nothing about design. At Ulm, aesthetics was just one of the subjects. Today I question that type of aesthetics.
For example, I remember a project for a fire extinguisher: to improve its characteristics, one student decided to paint it grey, Ulm grey.
A fire extinguisher can be any colour, but not grey!
When I was there, I began to get a better understanding of the technical world and the combination of technique and aesthetics.
Perhaps that's why I've never designed furniture, or lights for people's homes. I've done lighting for museums, churches and big buildings: I haven't done lights for design's sake, but just to create light.
People buy lamps without switching them on, I'm not interested in the lamp, I'm interested in light.

Pompe da giardino, per alimentazione irrigatori o impianti d'irrigazione e aumento dellla pressione disponibile, Gardena
Garden Pump, for watering or watering systems and increasing available pressure, Gardena

You began to work with Gardena when you were at Ulm. How did that happen, and how do you fell about those items being produced on such a large scale?
You don't design mass-produced products as such. First you design five pieces and if that goes well then you do ten. If the product is well designed, then it is mass produced. So if you make mistakes in the beginning, then everything goes wrong. In 1968, when I began to design the Gardena system, no-one talked about ecology, no-one talked about reducing the amount of material we used. Plastic was cheap and seemed to be eternal. We began to think about a product that used a small amount of plastic, a product from which you couldn't take away another ounce of plastic, otherwise it would break. Our competitors – who were stronger on the market – used to make one with the same functions, but it weighed four times as much. Then something unexpected happened: the oil crisis. Plastic went up in price and our competitors had to take the product off the market, it was too expensive.

Designing a pipe fitting for Gardena isn't all you've done, you've done lots of other things for them.
Of course, I've designed an entire system. The wonderful thing about a system is that once you've bought it, you won't easily change it.
A little like when the distance between railway tracks was decided 150 years ago. If you design a bad system, then you're stuck with it. Edison's light bulb has an 27mm electric wire. Today we could change and make it differently, but it's too late now. Mass production has to be very functional very intelligent and solve people's problems. If something's just trendy, it'll never be mass-produced. In fact, plastic furniture has disappeared.

How did you come to design that fitting?
If you look at where the object comes from, you'll see that all the parts had been around for some time. First of all, the fitting is not an object,

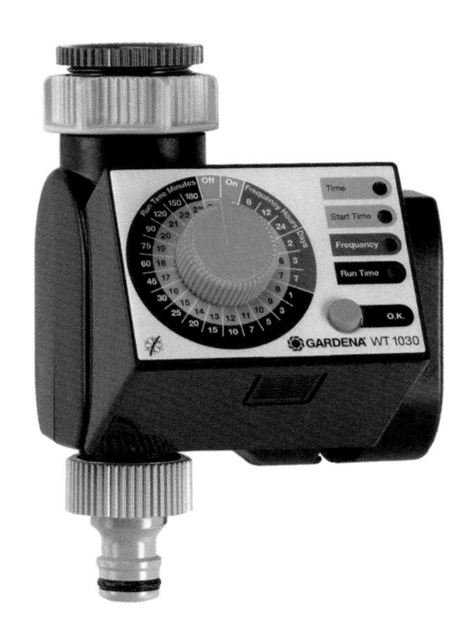

it's a fastening part. The world of fastening parts is enormous: the design focuses on where the parts are joined together. This fastening part has to join a rigid system, the tap, with a flexible system, the rubber hose, so you can take water wherever you like. This fastening system isn't new, it's over 100 years old. It started with household facilities, the gas stove and the hooks that joined the tubes of the cooker to the mains network. Another more recent system is the compressed air system.
This wasn't a new design: the brass fittings were replaced with plastic ones and the seal rings with rubber rings. What's intelligent about this product is the new material. The feature existed, as did the new material and then we thought we'd use it in a garden system, which didn't exist. It's a host of ideas all rolled into one product. That's why Gardena doesn't have a patent on these parts. All that's patented is a tiny, small piece inside.
You couldn't patent the idea because it already existed. You can patent the shape, the protected design, the colours and technique, but not the object.

Haven't you ever updated the design in the last twenty years? In such a long period of time, materials change, as do production techniques. So products are almost forced to change.
In 1955, we designed a new fastening part with two different types of plastic: it was put on the market at a slightly higher price than the other.
The market didn't buy it. So we lowered the price, we sold it at the same price as the 1968 one. Again it was discarded, even if it was more functional and lasted longer. This happened because the other one had conquered a large slice of the market, but above all, because there was no real reason to change.
I think that objects become a mass commodity because of the way they're used, the way they function and the way they're marketed. This is a problem common to all companies that have made successful products: they can't manage to do a repeat performance.

So where did you get the idea for the Pico pen for Lamy?
Pico introduced a completely new concept. Small pens that became bigger already existed. In this case, my curiosity was crucial. Many years ago, I saw a small piece of gold in a corner market. I picked it up and saw that if I pulled it, it got longer. One piece became three and it turned into a pencil. I bought it and put it in my drawer with lots of other things and didn't think of working on it right away. This sometimes happens to us designers, we don't set ourselves tasks, we wait for the doorbell to ring.

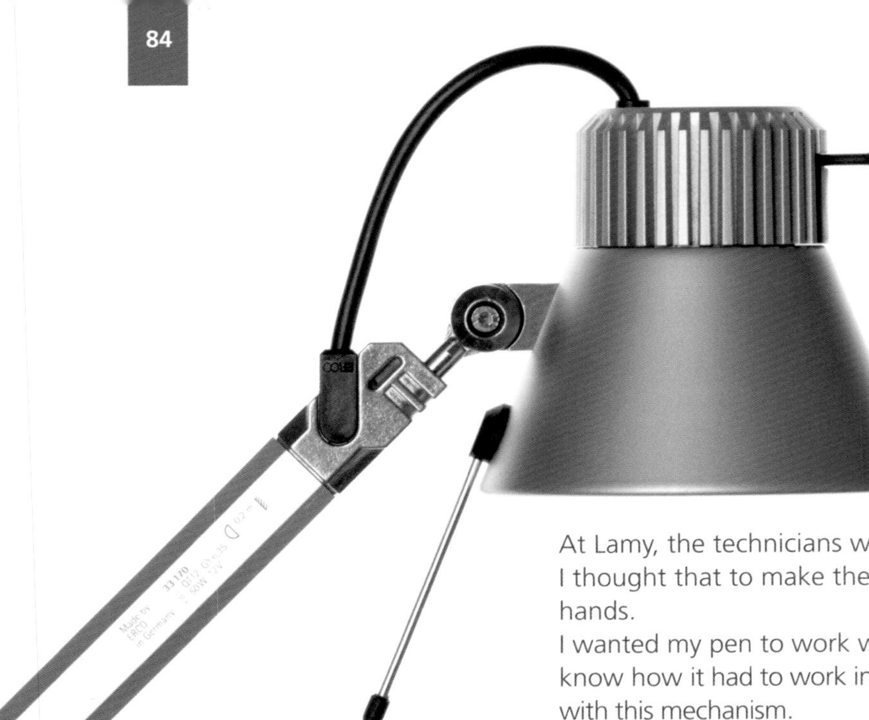

At Lamy, the technicians weren't able to invent the mechanism:
I thought that to make the pen longer you had to pull it with two hands.
I wanted my pen to work with just one hand. I insisted, but I didn't know how it had to work inside. They tried and tied and finally came up with this mechanism.

So Pico was a team effort?
In industrial design, no-one can say that he did it all himself, so many people are involved. A good product is a team effort where everyone has to compromise and everyone is responsible for those choices.
Then you have to have a brave entrepreneur. There aren't many left these days, because they aren't the owners, there're managers and managers don't want to make mistakes. If the owner says: let's do it, then everyone pulls in the same direction and you're able to achieve something.
Someone has to accept the risk. Today people make decisions based on opinion polls rather than bravely facing a challenge.

Who have you worked with apart from Gardena, Erco and Lamy?
Many years ago I designed telephones for Siemens, but they were never produced. I designed a small display case for glasses by Rodenstock, one or two handles for FSB and very little else.

When you design something, how do you know if it'll work?
Prototypes are very important, I have prototypes that are better than the finished product. With one in front of me, I can decide in twenty seconds.
I started to work with Erco because of a prototype. I convinced them using a prototype. They'd never seen such beautiful ones. I designed Stella for Erco. I designed it to disappear into the false ceiling, so that all you see is the light and a circle. I think it was a good design because I've noticed that architects use it. Even the parts that should be hidden are visible: they use aesthetics that should be hidden as an aesthetics designed to be on display.
The same happened with the Pico pen, I didn't want it to be a design, because I said to myself: "if I design something that's trendy, then after five years no-one will want it any more, but if I design it like that, then it'll still be around in twenty years' time".

Lucy, lampada a braccio, Erco
Lucy, double arm lamp, Erco

But even then you actually did a design: this small plaque with the brand name on it is not an accident, it stops the pen from rolling away.

Stella, faretto orientabile, Erco
Stella, spotlight, Erco

Pico, penna a sfera estensibile, Lamy
Pico, ball-point, Lamy

No, we argued a lot about this detail. The plaque is designed the way it is and is located where it is because it couldn't be put anywhere else, otherwise the internal mechanism wouldn't work. If I'd wanted to do something to stop the pen rolling away, I'd have put it somewhere else, not where you hold the pen. You see, designers sometimes tell you tall stories.

Lately, I was reading an old interview with Dieter Rams. In one of his answers, he talked about principles in design. I think you have a lot in common. He talks about innovative design, of the ease with which you use a product, its aesthetic qualities, how to make people understand a product by emphasising the traits behind its function. Then it has to be discreet, honest, resistant, coherent – even down to the smallest details – environmentally-friendly, but above all the design has to be the least possible design.

Good design is not loud, it's discreet. It's what Mies van der Rohe always said: "less is more." Obviously the most difficult thing is to simplify design, reduce things to the essential. I think that a good design also has a social function and great responsibility: it shouldn't make fun of people.
Let's stop now, I want to show you my collections, my museum.

Clivio puts a small, leather case, like a small portable caveau worthy of a Swiss Bank on the table. Shedding the trappings of a designer, he turns into a magician. Out of each drawer come his treasure of precious pearls: glasses, pens, buttons, measuring instruments, fasteners, multifunctional objects, traditional and contemporary pieces. It's a treasure-trove of objects and he explains all the details: where and how he found and bought them, how he was captivated by how intelligently they were made or by their irony. While he talks, the border between passion and work blurs: there's no difference between the small boy who started by taking his bicycle apart to understand its technical features and the designer who has playfully designed products that have sold millions. The magic of that small case is his next project, but, like all spells, only he can reveal the secret.

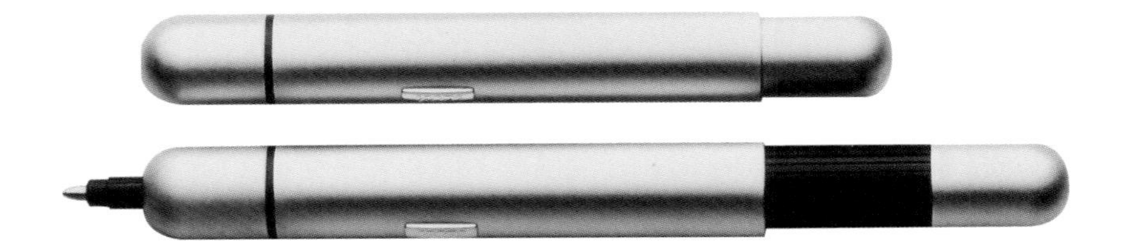

Poesie di luce
Poetry of Light

Paul Cocksedge, nato a Londra nel 1978, ha studiato Industrial Design alla Sheffield Hallam University e nel 2002 si è laureato in Product Design, sotto la direzione di Ron Arad, al Royal College of Art, dove ha incontrato Joana Pinho, la sua attuale "business partner" con la quale nel 2003 ha fondato il suo studio a Londra. Considerato da molti critici "la stella nascente del British lighting design contemporaneo" e molto apprezzato da progettisti di fama internazionale, nel 2001 espone i suoi progetti nella Galleria di Tokyo del fashion designer giapponese, Issey Miyake e nel 2003 il suo lavoro è stato presentato nello Spazio Krizia di Milano dal lighting designer tedesco Ingo Maurer, durante il Salone Internazionale del Mobile. Le sue "creazioni luminose" hanno partecipato a mostre di design in prestigiosi musei, come il Victoria & Albert Museum e il Design Museum di Londra. Nel 2003 ha vinto, con la lampada NeON, il premio internazionale "The Bombay Sapphire Prize" e nel 2004 è stato selezionato tra i 4 finalisti per il premio "Designer of Year", promosso dal London Design Museum.

Paul Cocksedge ha iniziato i suoi "esperimenti luminosi" durante i suoi studi al *Royal College of Art* di Londra e, seppur giovanissimo, è uno dei designer inglesi più apprezzati nel settore del *lighting design*. Affascinato soprattutto dalle qualità mutevoli della luce, le sue sperimentazioni partono da alcuni principi scientifici ed esplorano gli infiniti e sorprendenti effetti luminosi che si producono nell'incontro della luce con differenti forme, materiali, superfici. Certamente significativi, nel suo percorso creativo e professionale, sono stati gli incontri e le relazioni con alcuni designer di fama internazionale, come Ron Arad e Ingo Maurer, che per primi hanno riconosciuto e promosso le sue capacità e il suo talento. Paul si definisce un *lighting designer* non convenzionale, infatti il suo progettare la luce non è guidato, come nella maggior parte dei casi, dalla funzione, ma piuttosto dalla volontà di aggiungere passione ed emozione alla sua "invenzione luminosa". I suoi *lighting pieces*, autoprodotti e realizzati in serie limitata da artigiani locali, hanno sempre qualcosa di misterioso e magico, sono interpretazioni poetiche delle molteplici possibilità di dare forma e significato alla luce, seguendo un percorso personale in cui si combinano senso dell'ironia, ingegno tecnologico e libera creatività. Paul inventa semplici dispositivi che producono spettacolari giochi di luce in cui l'utilizzatore ha quasi sempre un ruolo centrale. Il suo interesse principale è per il processo più che per il risultato, come in ogni esperimento scientifico, che lo si intraprende perché si è alla ricerca di qualcosa, perché si seguono delle intuizioni, ma il risultato non è affatto predeterminato. Per questo Paul solitamente filma i suoi esperimenti ed il filmato è parte integrante del progetto finale quando viene presentato al pubblico.
La luce è, per Paul Cocksedge, uno dei "materiali" più stimolanti e performativi a disposizione di un designer che ha un approccio sperimentale al progetto: è un elemento alchemico che genera infinite e

inaspettate reazioni combinato con altri elementi naturali ed artificiali. Basti pensare a *Bulb*, un vaso luminoso che nasce dalla collaborazione di tre elementi naturali, l'elettricità, l'acqua e un fiore, e che produce un effetto sorprendente, quasi magico: la sorgente luminosa posta alla base del vaso di vetro, riempito d'acqua, si accende quando viene inserito il fiore e l'acqua svolge la funzione di lente che proietta e amplifica la luce. Oppure la lampada *Watt?* che, con ironia, gioca con le proprietà conduttive della grafite della matita, richiedendo all'utilizzatore di unire due linee di un disegno di un circuito elettrico su un foglio di carta per accendere la luce. Come ha scritto Ron Arad, è un oggetto che "dà un significato del tutto nuovo al semplice gesto di accendere e spegnere la luce" e "il concetto dell'intensità luminosa che cambia a seconda del disegno o del messaggio è affascinate e artistico". Ed ancora *NeON*, una delle sue più interessanti installazioni luminose, realizzata con numerosi e affusolati recipienti di vetro fatti a mano riempiti di gas naturale e caricati di corrente elettrica, sospesi nel buio, nel quale il colore del gas diventa vivido. Ed infine *Styrene*, il progetto con il quale Paul si è reso noto al pubblico e ha iniziato la sua carriera di *lighting designer*: un esempio di come oggetti comuni e senza valore possono trasformarsi in affascinanti "sculture di luce", pezzi unici che rivelano il naturale mistero insito in ogni materiale e il fascino della sua trasformazione a contatto con il calore. *Styrene* è il risultato casuale del processo di fusione di bicchierini da caffè "usa e getta" in polistirolo trasformati in forme organiche, vitali e sempre diverse che entrano in relazione con una sorgente luminosa. Tutte queste creazioni, pertanto, sono "poesie di luce" più che apparecchi di illuminazione, sono visioni e materializzazioni della natura magica e simbolica di un elemento, la luce, reale quanto impalpabile, che da sempre ha attratto e stimolato la fantasia e l'ingegno dell'uomo.

Bulb, vaso-lampada in vetro e metallo, 2003. L'effetto luminoso è prodotto dall'interazione tra elettricità, acqua e fiore
Bulb, glass and metal vase-lampshade, 2003. The patterned lighting effect is produced by interaction of electricity, water and a flower

Paul Cocksedge was born in London in 1978 and studied Industrial Design at Sheffield Hallam University. In 2002 he graduated in Product Design, under Ron Arad, at the Royal College of Art where he met Joana Pinho, his current 'business partner' with whom he opened his studio in London in 2003. Considered by many critics as 'the rising star of contemporary British lighting design' and highly considered by internationally renowned designers, in 2001 his products were exhibited at the Tokyo Gallery of the Japanese fashion designer, Issey Miyake.
In 2003, his work was presented at the Spazio Krizia in Milan by the German lighting designer Ingo Maurer during the International Furniture Fair. His 'luminous creations' have been shown in design exhibitions held in famous museums such as the Victoria & Albert Museum and the Design Museum in London. In 2003 Cocksedge's lamp, NeON, won the international 'The Bombay Sapphire Prize' and in 2004 he was chosen as one of the four finalists for the 'Designer of Year' sponsored by the London Design Museum.

Paul Cocksedge began his 'luminous experiments' while studying at the Royal College of Art in London. Even though he is very young, he's one of the most admired English designers in the field of lighting design. Especially fascinated by the changing quality of light, his experiments are based on a series of scientific principles and explore the endless and surprising luminous effects that light creates when it comes into contact with different shapes, materials and surfaces. His creative and professional career has certainly been influenced by his friendship and acquaintance with several internationally renowned designers such as Ron Arad and Ingo Maurer who were the first to recognise and endorse his skills and talent. Paul calls himself an unconventional lighting designer. In fact, when he designs light, he isn't inspired by function, as is often the case, but by his desire to add passion and feelings to his 'luminous creation.' His lighting pieces, self-produced in limited series by local craftsmen, are always mysterious and magical; they are poetic interpretations of the possible, multiple forms and meaning of light. He follows his own inclinations and combines a sense of irony, technological resourcefulness and free creativity. Paul invents simple designs that produce spectacular light shows in which the user is always centre-stage. He's chiefly interested in the process rather than the result, as in any scientific experiment; in general experiments are carried out to find something, to follow one's hunches, and the end result is not a foregone conclusion. So Paul normally films his experiments and the film is an integral part of the final project when it's presented to the public. Paul Cocksedge considers light to be one of the most stimulating, performing 'materials' available to a designer who has an experimental approach to design: it's an alchemic element that creates endless, unexpected

Watt?, esperimento luminoso realizzato con metallo, carta, matita e grafite, 2003
Watt?, lighting experiment made from metal, paper, pencil and graphite, 2003

Bombay Sapphire Light, lampada realizza con vetro, Bombay Sapphire & Tonic e raggi UV, 2004 (foto Martin Langfield)
Bombay Sapphire Light, lampshade made from glass, Bombay Sapphire & Tonic, UV light, 2004 (photo by Martin Langfield)

Styrene, tazze di polistirolo trasformate con il calore in paralumi-sculture, 2002-03
Styrene, polystyrene cups transformed by applying heat in lampshades-sculptures, 2002-03

reactions when it's combined with other natural and artificial elements. Take *Bulb* for instance, a luminous vase with three natural elements, electricity, water and a flower. *Bulb* creates an amazing effect, an almost magical effect: the light source at the bottom of the glass vase full of water turns on when a flower is put in the vase and the water acts as a magnifying lens that projects and amplifies the light. Or the *Watt?* lamp that uses irony to play with the conductive properties of the graphite in a pencil: to turn on the lamp, the user has to join two lines in a drawing of an electrical circuit on a sheet of paper. In the words of Ron Arad, it's an object that 'gives a whole new meaning to the simple act of turning a light off and on' and 'the concept of the intensity of light that changes according to the drawing or the writing is fascinating and artistic.' Another example is *NeON*, one of the most interesting light fixtures made out of a series of slender handmade glass tubes full of natural gas, hanging in the dark, which becomes bright when electricity passes through. Finally, *Styrene*, the project which made Paul a household name and kick-started his career as a lighting designer: an example of how cheap, everyday objects can be turned into attractive 'light sculptures,' unique pieces that reveal the natural mystery in every material and how fascinating it is to watch it change when it comes into contact with a heat source. *Styrene* is the astonishing result of a fusion process of 'disposable' polystyrene vending cups transformed into different organic, vital forms that come into contact with a light source. So, all these designs are 'light poetry' rather than lamps, they are visions and materialisations of the magical and symbolic nature of an element, the light, as real as it is fleeting; an element that for centuries has attracted and inspired the imagination and mind of man.

Rinnovarsi ancorati alla propria cultura
Renewal Based on One's Own Culture

Nato a Carimate nel 1967 e laureatosi al Politecnico di Milano, Carlo Colombo ha collaborato con numerose aziende tra cui Cappellini, Flou, Moroso, Zanotta, Poltrona Frau, Poliform, ecc, vincendo numerosi premi tra cui il "Tokyo, The designer's of the year" nel 2004 e l'ElleDecor International Design Award nel 2005.

Quanto è importante la conoscenza della storia dell'architettura e del design, nei suoi progetti?
Penso che la conoscenza storica sia importante in qualsiasi professione, per un architetto o un designer è fondamentale. Tutti i miei progetti sono totalmente permeati da quelli che riteniamo siano le icone o i maestri dell'architettura. Da Asplund ad Adolf Loos, da Tessenow a Gropius, da Mies a George Nelson, da Castiglioni ad Arne Jacobsen senza dimenticare le forti influenze dal mondo dell'arte: Kazimir Malevic', Piet Mondrian, Donald Judd, Andy Warhol.
Naturalmente le influenze storiche non sono passive ma si evolvono e modificano anche l'approccio ai progetti, contaminano tutti i miei lavori. Gli anni '70 sono per varie ragioni molto importanti per il design italiano e per l'arte italiana: Kounellis, Fontana, Fabbri, Pomodoro hanno avuto una risonanza internazionale in quegli anni e quindi mi hanno fortemente influenzato.

Quali sono i valori che definiscono il marchio Made in Italy e che ancora oggi ne determinano il successo? Si ritiene parte di questo successo?
Penso che il successo del design Made in Italy, nasca da una cultura di progetto e di qualità dei manufatti che è insita nella storia italiana. La storia del nostro paese è ricchissima di opere indiscutibilmente rappresentative, basta visitare una qualsiasi città; mobili, gioielli, oggetti, questa qualità è confluita e ha determinato il successo contemporaneo del Made in Italy.
I valori che influenzano e classificano il successo appartengono alla nostra storia: cultura del gusto e senso della bellezza, cura e sofisticazione nei dettagli, qualità artigianali elevate, tradizione ed eleganza.
Spero vivamente di essere parte di questo successo ora e nel futuro.
Fare nomi di architetti e designers è molto difficile poiché molti sono i personaggi che ritengo determinanti e rappresentativi, solo tre i nomi indicativi: Achille Castiglioni, Joe Colombo, Giò Ponti.

Quali le aziende con cui sente di aver costruito un sodalizio nella direzione più propria del Made in Italy?
I tempi sono un pò cambiati, non è sempre facile trovare un'azienda con la quale poter costruire un percorso comune: per feeling mi sento molto legato a Cappellini, Poliform, Zanotta, Flou, Antonio Lupi, Ycami.

Quali sono i contributi che lei apporta a un'azienda nel momento in cui le viene commissionato un progetto-prodotto o la direzione artistica?
Un design semplice e rigoroso, ma fresco e sofisticato. Indubbiamente la conoscenza radicale e precisa del mercato del mobile moderno di design. Una chiara visione degli obiettivi di prodotto e conseguentemente una ricerca sulle forme, colori, materiali. Un'approfondita analisi sull'esposizione mediatica della collezione, sui canali e i modi di trasferimento al mercato, un'operazione di marketing sul prodotto in riferimento al mercato. Un sostanziale supporto all'inserimento del prodotto o della collezione nel catalogo dell'azienda di riferimento.

Le Aziende di successo italiane, consentono ancor oggi a un designer di esprimersi o sono solo orientate a soddisfare regole del mercato?
Le aziende da lei citate hanno diverse connotazioni e valori: con alcune si può progettare molto liberamente, altre hanno delle specifiche di progetto ben determinate. Il mercato comunque conferma e consacra in maniera primaria il successo di un prodotto, bisogna quindi tenerlo sempre in considerazione.

Il ruolo del marketing all'interno di un'azienda limita, appiattendo, le possibilità espressive del progettista o ne definisce i limiti costruttivi per condurlo al successo?
Credo fortemente nel marketing se questo è sviluppato con intelligenza, cultura e capacità. Penso possa essere la carta vincente di un'azienda del mobile o di qualsiasi altro settore. Un esempio su tutti: Tom Ford è (è stato) il più grande uomo marketing, nel mondo del fashion, degli ultimi 15 anni ed ha portato al successo un marchio prestigioso, ma al tempo, completamente appassito. Una straordinaria operazione di marketing.

Sirius, lampada
Sirius, lamps

Tender, lavello Hi-max, Antonio Lupi
Tender, sink in by Hi-max, Antonio Lupi

Baia, bath, Antonio Lupi
Baia, vasca da bagno, Antonio Lupi

Nella ricorrenza dei Cinquanta anni del Compasso d'Oro, qual è oggi il suo significato e quale il ruolo dell'ADI, associazione a tutela e diffusione del design?
Forse il premio Compasso d'Oro ha perso un po' lo smalto di un tempo, dovrebbe essere molto più importante con una risonanza mediatica più estesa. Ritengo l'ADI un'associazione fondamentale per la diffusione del design italiano, dovrebbe con il supporto più sostanziale delle aziende aiutare maggiormente operazioni culturali e giovani designers.

Quali sono i prodotti che per la loro storia e per le scelte di progetto ritiene più riusciti?
Non mi piace molto il termine minimalismo, mutuato erroneamente dall'arte. Non penso a Fronzoni o Silvestrin come ad architetti minimalisti. Ultimamente adoro il Barocco e il Rococò. Ritengo che le contaminazioni siano la fonte da cui sgorgano le migliori idee e i migliori progetti. Come dicevo le contaminazioni sono determinate dalla cultura e quindi ti permettono di essere sempre innovativo ed originale, può sembrare un controsenso ma non lo è.

La sua capacità di progettare qualsiasi oggetto le ha consentito di fare una vasta esperienza in molti campi della produzione. Quali saranno i prossimi?
Rinnovarsi rimanendo ancorati alla propria cultura e al proprio passato: questo l'ho scolpito nella mia mente. Penso sempre più all'industrial design in senso lato da una parte, ed all'interior design, dall'altra. Alla luce di ciò, sto portando avanti alcuni progetti, tutti molto motivanti, personalmente sono molto soddisfatto.

Leaf, sedia, Moroso
Leaf, chair, Moroso

Sistema Sintesi, Poliform
Sintesi System, Poliform

Carlo Colombo was born in Carimate (1967) and he was gradueted at the Politecnico di Milano. He has worked with numerous companies including Cappellini, Flou, Moroso, Zanotta, Poltrona Frau, Poliform, etc. He won numerous awards including "Tokyo, The Designer's of the year "in 2004. "ElleDecor International Design Award" in 2005.

How important is the history of architecture and design in your projects?
I think that historical knowledge is important in any profession, but for an architect or a designer it's absolutely essential. All my projects are so permeated by the people we consider architectural icons or masters: Asplund, Adolf Loos, Tessenow. Gropius, Mies, George Nelson, Castiglioni and Arne Jacobsen. And we shouldn't forget artists either: Kazimir Malevic', Piet Mondrian, Donald Judd and Andy Warhol. Obviously historical influences are not passive; they evolve and even modify your approach to projects. They influence all my work. The seventies were, for a variety of reasons, very important for Italian design and Italian art: Kounellis, Fontana, Fabbri and Pomodoro became international names and they influenced me enormously.

What continues to contribute to its success? Do you feel part of this brand success?
I think that the success of Made in Italy depends on a design culture and on the quality of the product that is inherent in Italian history. Our history is full of undeniably representative works. Just visit any city: furniture, jewels, objects, this quality has come together and determined the contemporary success of Made in Italy.

Madia Link, Poliform

Domino, tappeto, Paola Lenti
Domino, carpet, Paola Lenti

The values that influence and describe this success belong to our history: cultural taste, sense of beauty, attention to detail and sophistication, extremely talented craftsmanship, tradition and style.
I sincerely hope I'm part of this success, now and in the future.
Naming architects and designers is very difficult, because I think many people are important and influential. I'll give you three names: Achille Castiglioni, Joe Colombo and Giò Ponti.

Which are the companies you feel you've built up a working relationship with, in the Made in Italy development?
Times have changed, it's not always easy to find a company you can create a feeling with: I've got this type of relationship with Cappellini, Poliform, Zanotta, Flou, Antonio Lupi and Ycami.

What do you bring to a company when you're commissioned a product-project or become the artistic director?
A simple and rigorous, but new and sophisticated design as well as a radical and precise understanding of the modern design furniture market.
A clear vision of the product targets and therefore research on form, colour and materials.
An in-depth analysis of the media coverage of the collection, how to put the items on the market, a marketing study of the reference models on the market.
A substantial contribution in helping to insert the product or collection in the company's catalogue.

Do successful companies give designers a free handin designing or do they focus more on market rules?
Each of those companies has different characteristics and values. Some let you design freely, others have very well established programmes.
It's above all the market that endorses and consecrates a product's success. So you always have to bear it in mind.

Does the role of a company's marketing division hamper a designer's creative potential or does it give a designer strict margins within which to design a successful market and consumer product?
I am very much in favour of marketing if this is done intelligently, skilfully and sensibly. I think it can be the ace in its sleeve for a furniture company or any other sector.
For instance: Tom Ford is (was) one of the greatest marketing men in the world of fashion in the last fifteen years. He made a famous, but at the same time, completely démodé brand, successful. An extraordinary marketing operation.

It's the fiftieth anniversary of the Compasso d'Oro. What does this prize mean today and what role does the ADI, the association for the protection of consumer interests, play today?
Perhaps the Compasso d'Oro has lost some of its shine, it should be much more important and have more media coverage.
I think the ADI is a very important association to promote Italian design. With greater support from Italian companies, it should help young designers more and promote cultural events.

What products do you think have been the most successful when you look at their history and your design choices?
I don't really like the word minimalist, borrowed from the world of art. I don't think of Fronzoni or Silvestrin as minimalist architects. Lately I adore the Baroque or the Rococo.
I think that influences are the source where I get my best ideas and projects. As I said earlier, these are cultural influences and so they allow you to always be innovative and original. It might seem a contradiction, but it isn't.

Your have the ability to design any number of things. This gives you experience in many production fields. What are your next moves?
To renew myself, but remain faithful to my own culture and past. I've got this firmly fixed in my mind. I seldom think of industrial design or interior design these days. I'm working at several projects. I'm very enthusiastic and very satisfied.

Collezione 8C, Sabbattini
8C collection, Sabbattini

Globe, divano, Moroso
Globe, sofa, Moroso

Tecnologia ricettiva
Open-Minded Technology

Matali Crasset è una designer francese, nata a Châlons-en-Champagne nella Francia nord-orientale. Laureatasi nel 1991 presso l'École Nationale Supérieure de Création Industrielle (E.N.S.C.I.), nel 1992 espone il suo progetto di tesi "La trilogie domestique" alla Triennale di Milano, dove incontra Denis Santachiara con il quale lavora per un anno. Tornata a Parigi, lavora con Philippe Starck dal 1993 al 1997. Nel 1998 apre un proprio studio e collabora con numerose aziende, Authentics, Artemide, De Vecchi, Domeau & Pèrés, Domotecnica, Dornbrancht, Edra, Lexon, Orangina, Tefal, Thomson Multimédia. Il suo lavoro abbraccia molte aree del design - dall'industrial design alla grafica, dalla scenografia all'exhibit ed interior design - ma il suo approccio progettuale rimane lo stesso: dare forma a nuovi rituali quotidiani, sviluppare tipologie di prodotto basate su nuovi codici di comportamento, infrangere le regole con spirito ludico ma sempre con discrezione.

Matali Crasset inizia la sua attività di progettista negli anni '90 ed è oggi una dei più interessanti designer della nuova generazione che siano emersi nello scenario del giovane design internazionale. Per sua natura anticonvenzionale e curiosa, abituata a non dare niente per scontato e a infrangere gli stereotipi (si pensi anche semplicemente al suo look and rogino da Giovanna D'Arco, al suo caschetto di capelli neri da cui è nato il suo logo come progettista), ha avuto inoltre due maestri, Denis Santachiara e Philippe Starck, che le hanno insegnato ad apprezzare lo stupore e la poesia della tecnologia, a percorre re e a sperimentare vie progettuali inesplorate, sempre differenti, con senso del gioco e dell'autoironia.
Il lavoro del designer, secondo la Crasset, non riguarda la forma delle cose ma piuttosto la loro tipologia, le relazioni tra i componenti, tra le parti e l'insieme, tra l'oggetto e il contesto d'uso; infatti molti dei suoi progetti sono nuove tipologie di prodotto sviluppate intorno ai concetti di modularità, flessibilità, generosità, ospitalità. La forma evolve dalla tensione intorno a questi concetti. La Crasset interroga gli spazi della vita quotidiana e li trasforma in spazi della mobilità, del cambiamento e della sperimentazione, popolandoli di oggetti che non impongono la loro presenza né la loro funzione, ma sono discreti e consentono a chi li utilizza di modificarli, di adattarli alle proprie esigenze.
Molti dei suoi oggetti nascono dall'osservazione dei rituali della vita quotidiana, sono ospitali e conviviali, portatori dei valori della cura delle cose, del sé e degli altri, poiché questi, per la Crasset, sono valori importanti nella vita dell'uomo.
Il suo approccio progettuale è interessante e innovativo: riflette i cambiamenti della società contemporanea, la comprensione dei nuovi stili di vita, di esigenze da parte degli utenti ancora non totalmente espresse. Spesso il suo lavoro, infatti, proietta e mappa scenari futuri che

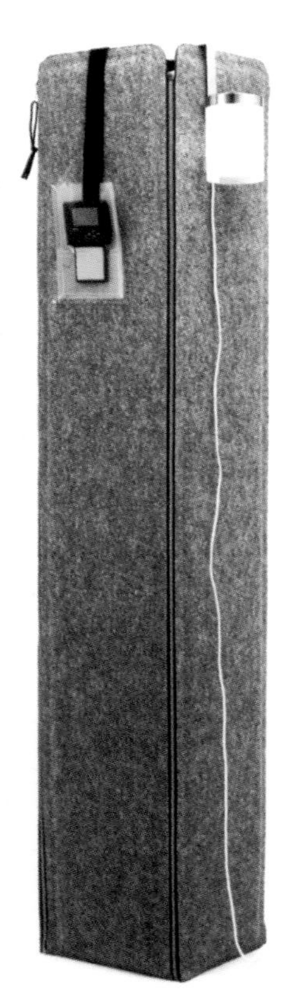

suggeriscono modi alternativi di vivere, caratterizzati dalla presenza di oggetti, con una straordinaria vitalità ed energia, che non sono completamente progettati fin quando non vengono utilizzati. Si pensi a *When Jim comes to Paris*, o *Téo from 2 to 3*, o ancora *Permis de construire*, in cui i concetti di ospitalità, flessibilità, modularità, trasformabilità si coniugano a pieno con l'idea di una progettazione che si completa con l'uso del prodotto.
Se però, da un lato, i suoi oggetti ci danno il benvenuto, sono espansivi, giocosi e pieni di sorprese, dall'altro rispettano la necessità di privacy e riservatezza di cui ogni individuo ha bisogno. La Crasset infatti ama lavorare in una dimensione di limite tra intimità e collettività, tra spazio comune e spazio privato, tra convivialità e privacy. Nel suo mondo questi concetti opposti coesistono e perdono le contraddizioni, proprio come nella vita. In linea con questa sua filosofia, è significativo ricordare una sua affermazione: "*Io infondo disobbedienza in piccole dosi in ognuno dei miei progetti. Credo che l'innovazione venga fuori dalle situazioni di confine*" E infatti i suoi progetti, dal carattere un po' maieutico, ci incoraggiano a riappropriarci dell'autenticità delle cose, dei rituali quotidiani e della libertà dei nostri comportamenti.

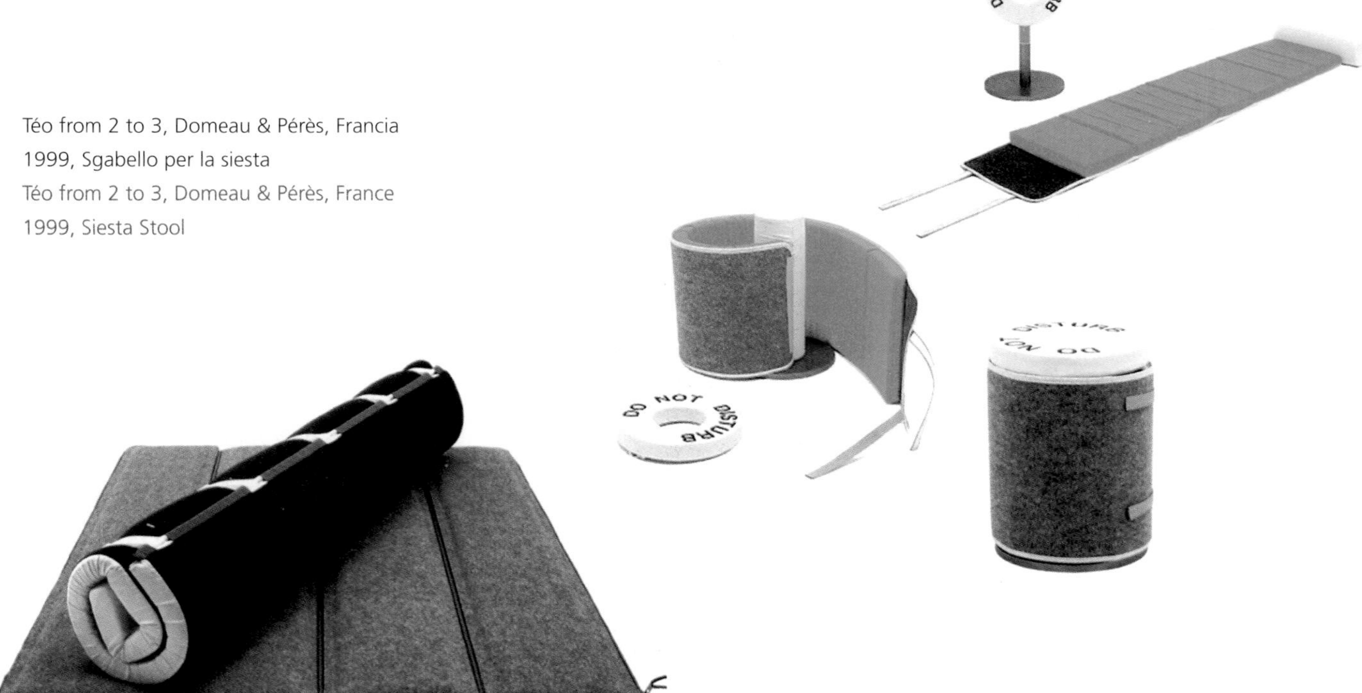

Téo from 2 to 3, Domeau & Pérès, Francia
1999, Sgabello per la siesta
Téo from 2 to 3, Domeau & Pérès, France
1999, Siesta Stool

Matali Crasset is a French designer born in Châlons-en-Champagne in north-east France. She graduated in 1991 at the l'École Nationale Supérieure de Création Industrielle (E.N.S.C.I.). In 1992, her thesis design, Domestic Trilogy went on show at Milan Triennial where she met Denis Santachiara with whom she worked for a year. Back in Paris, she worked with Philippe Starck from 1993 to 1997. In 1998 she opened her own studio and works with many companies, Authentics, Artemide, De Vecchi , Domeau & Pérés, Domotecnica, Dornbrancht, Edra, Lexon, Orangina, Tefal , Thomson Multimédia. Her work covers many areas of design – from industrial design to graphics, from stage sets to exhibitions and interior design - but her design approach never changes: to give form to new daily rituals, to develop product types based on new behavioural codes, to playfully but always discreetly break the rules.

Sunic, Fragance Dragoco Paris,Francia 2002. Diffusore di profumo, cristallo di Boemia soffiato

Sunic, Fragance Dragoco Paris, France 2002. Perfume diffuser, blown Bohemian crystal

Matali Crasset began her career as a designer in the nineties. Today she is one of the most interesting designers of the new generation of young international design artists. She is anticonventional and curious, accustomed to taking nothing for granted and breaking stereotypes (just look at her masculine Joan of Arc style, her bob of black hair – the inspiration behind her designer label). Her two teachers, Dennis Santachiara and Philippe Starck taught her to appreciate the shock and poetry of technology, to experiment and embrace unexplored and diff e rent design methods with a sense of playfulness and self-irony.
According to Matali, a designer's job doesn't involve the shape of objects but their typology, the relationship between the parts, and between the parts and the whole, between the object and the context in which it will be used. In fact, many of her designs are new types of products that have been created based on concepts of modularity, flexibility, generosity and hospitality. Form evolves from the tension these concepts generate. Crasset questions our daily living spaces and changes them into spaces for mobility, change and experimentation, filling them with objects that don't impose their presence or function, but are discrete and allow the user to change them, to adapt them to his needs. Many of her objects are inspired by her observation of our daily rituals: they are hospitable and convivial, re p resentative of the value of caring, for things, for ourselves and for others, because for her, these are the values that matter most in our lives.
Her design approach is interesting and novel: it reflects the changes in contemporary society, her understanding of new lifestyles, of the unexpressed needs of users. In fact, her work often projects the future and maps out future scenarios that suggest alternative ways of living, characterised by objects full of extraordinary energy and vitality, unfinished until they begin to be used. For instance, *When Jim comes to Paris*, or *Téo from 2 and 3*, or *Permis de construire* w h e re the concept

Permis de construire, Domeau & Pérès, Francia 2000. Sofà/gioco per bambini, schiuma ad alta elasticità, rivestimento in cotone o skai
Permis de construire, Domeau & Pérès, France 2000. Sofa/Children's Game, high-resilience foam, cover in cotton or skai fabric

Decompression Chair, progetto finanziato dalla Fondation Intérieur per la XVII Biennale di Interni a Coartai, 2000. Sedia in legno di faggio con estensione gonfiabile in tessuto poliestere
Decompression Chair, project financed by the Fondation Intérieur for the XVII Interior Biennal at Courtai, 2000. Chair in beech wood with inflatable extension polyester fabric

of hospitality, flexibility, modularity and change are a perfect match for her idea of design that is complete only when the object is used.
If on the one hand her objects are welcoming, extrovert, playful and full of surprises, on the other they respect the necessary privacy and reserve that every individual needs. In fact, she likes to work on the fringes of intimacy and society, between public and private space, conviviality and privacy. In her world, these contrasting concepts coexist and loose their contradictory nature, just like life. In keeping with her philosophy, one of her most important statements is: "I infuse disobedience in small doses into each one of my projects. I believe innovation comes from the fringes." Infact, her somewhat maieutic designs, encourage us to re appropriate the authenticity of things, of our daily rituals and the freedom of our behaviour.

Sono solo un meccanico!
I'm only a Mechanic!

Antonio Dal Monte apre le porte della sua casa romana per raccontarci come si riesca ad essere un designer senza esserlo, ma solamente lasciandosi guidare dall'intuito e dalla profonda conoscenza del corpo umano.
La casa di Antonio Dal Monte è un vero e proprio laboratorio domestico. "Qui - ci dice Dal Monte - si realizzano i migliori scafi per barche che siano mai stati realizzati".

"Non sono un designer", ci dice appena entrati, "ma solo un meccanico che modifica ciò che lo circonda a proprio modo".
Ed è proprio vero, tutto ci conferma questa sua attitudine, a partire dal telefonino cellulare che Dal Monte "indossa", trasformato – grazie a delle semplici cuffie da stereo un po' voluminose – in un "telefonino auricolare", fino ad arrivare all'immenso plastico per trenini elettrici perfettamente funzionante, realizzato con cavi in rame, motorini elettrici, elementi di risulta in ferro, plastica, ecc. Protagonista alle Olimpiadi di Atene e Pechino sugli schermi di milioni di Italiani per i suoi commenti e le interviste ai nostri atleti, Antonio Dal Monte è stato per molti anni direttore del Dipartimento di Fisiologia e Biomeccanica dell'Istituto di Scienza dello Sport. Promotore della nascita di questo Istituto (1965), fu il Comitato Medico Scientifico per i Giochi della XVII Olimpiade, svoltisi a Roma nel 1960, che pose le basi per la Delibera di Giunta del CONI in cui si dichiarava di voler "coordinare in un unico Istituto tutte le attività di ricerca scientifica, di didattica, di pubblicazioni, di controllo della validità, attitudine ed abilità degli atleti di interesse nazionale ai fini della loro preparazione olimpica, nonché alla prevenzione e riabilitazione degli infortuni ed all'igiene degli impianti sportivi". In quella occasione, Commissario Ordinatore dell'Istituto fu nominato il prof. Antonio Venerando, allora Presidente della Federazione Medico Sportiva Italiana, che divenne successivamente Direttore dell'Istituto, del quale faceva parte il reparto di Valutazione Funzionale dell'atleta alla cui guida fu nominato il prof. Antonio Dal Monte. Questo minuscolo reparto si è nel tempo sviluppato, divenendo nel 1984 il Dipartimento di Fisiologia e Biomeccanica dell'Istituto di Scienza dello Sport, che fino al 2003 è stato al centro di numerosi ed importanti interventi di carattere scientifico a supporto delle attività tecniche delle Federazioni Sportive Nazionali. Nel 1975 al suo interno venne avviato il I° Laboratorio Mobile dell'Istituto di Scienza dello Sport, che permise di effettuare valutazioni approfondite sugli atleti direttamente sul terreno di gara e, nel 1983, venne inaugurata la Vasca Ergometrica detta "Dal Monte", la più grande ed importante esistente in Italia (fino a qualche tempo fa), in cui simulare e studiare come in una vera e propria galleria del vento in acqua, la tecnica di nuoto dell'atleta piuttosto che la rispondenza dello scafo a determinate sollecitazioni. È all'interno dello stesso Istituto che nel 1984 Dal Monte realizza le ruote lenticolari che, nello stesso anno, permettono a Moser di conquistare l'oro alle Olimpiadi di Los Angeles nella "4 per 100 km". "Fu un'intuizione davvero speciale, che però i

Olimpiadi invernali di Torino 2006. (Foto LaPresse)
The Winter Olympic Games in Turin 2006 (photos by LaPresse)

giudici di gara scambiarono per una semplice trovata pubblicitaria e che perciò ammisero senza fare troppi problemi". Già in laboratorio questa modifica prometteva di far acquisire un vantaggio di 3"/Km, ossia il tempo esatto con cui Moser vinse i propri avversari e che gli permise di aggiudicarsi la medaglia d'oro alle Olimpiadi, appunto. I regolamenti infatti, davano come vincolo il non poter realizzare aggiunte strutturali al telaio o alle ruote, che tra l'altro non potevano avere più di 35 raggi. Ecco allora che Dal Monte pensa di realizzare in fibra di carbonio un "unico grande raggio", vuoto all'interno, a cui applicare lo stesso principio aerodinamico utilizzato per progettare gli aerei, altra sua grande passione. Nel 1987 si inaugura la vera e propria Galleria del Vento dell'Istituto, consentendo a Dal Monte di perfezionare le sue ricerche anche negli sport di terra e d'aria e poco più tardi, sempre per il ciclismo, con il suo staff arriva alla progettazione della rivoluzionaria posizione "a canna di fucile" del ciclista, che modificherà per sempre la forma del telaio del mezzo a due ruote e che, nelle storiche Olimpiadi di Atlanta del 1996, consentirà all'Italia di ottenere due delle medaglie d'oro conquistate, una delle quali da parte di Antonella Belluti. Anche nelle competizioni sportive sulla neve, Dal Monte riesce a rivoluzionare le "regole" modificando la forma del bob che è da lui concepito come un missile, da plasmare attorno al corpo dell'atleta. La stessa straordinaria capacità di osservazione della realtà e conoscenza della medicina dello sport, gli permette di ri-progettare i sedili delle auto FIAT e Ferrari. Durante la sua attività di medico sportivo nei rally infatti, Dal Monte osserva la scomodità dei sedili delle Lancia che mal si adattavano alle differenti altezze degli utilizzatori. L'idea è semplice, la soluzione è strabiliante: un sedile biomeccanico snodabile, in cui poter modificare a

piacere l'altezza del guidatore, intervenendo sulla sua posizione lombare. Altrettanto semplice, ma pur sempre rivoluzionario, è il progetto che recentemente Dal Monte realizza con Elasys per FIAT Idea: retrofit, uno speciale sedile che permette di trasformare in soli tre minuti una semplice autovettura in una mini-ambulanza. Innovazione di prodotto e transfert tecnologico che vanno ben oltre la conoscenza delle leggi della fisica e dell'aerodinamica, ma che traggono in primo luogo l'incipit dalla profonda conoscenza del corpo umano, dei suoi limiti e del comportamento dell'atleta e dei suoi muscoli sotto sforzo. "L'uomo è per me al centro", ama ripetere Dal Monte, " da qui partono tutte le mie intuizioni (...) Non penso all'oggetto, alla sua forma, ma stranamente le due cose collimano" e realizzano quel connubio tanto auspicato tra forma e funzione a partire dalla semplice osservazione della realtà delle cose e soprattutto dell'uomo. Appassionato di volo, oltre che di vela, proprio dagli aerei Dal Monte ci confida di trarre molte delle sue idee, fregiandosi tra l'altro di aver volato più di 2000 ore su diversi tipi d'aerei in tutto il mondo. Con lo stesso spirito di un grande scrittore Richard Bach, riversa la sua passione nell'aeromodellismo prima, nel volo poi, ottenendo in Aeronautica il brevetto di pilota dopo la laurea in medicina: Dal Monte unisce così alla sua passione per il volo, l'attitudine e la passione per la ricerca e ancor oggi, alla splendida età di 75 anni, Dal Monte ama dire di utilizzare il proprio aereo – un Partenavia P-64 del 1966 da lui appositamente migliorato – come un'automobile. "Sono in definitiva un Bosch Pilot", ci dice Dal Monte, "nel senso che atterro su tutte le piste possibili immaginabili, ovviamente in erba, provando ogni volta una grande e serenissima emozione" e, ci promette, "la prossima intervista sarà sui cieli di Roma".

Antonio Dal Monte opened the doors of his house in Rome to tell us how you can be a designer without being a designer, how you can let yourself be guided by intuition and a profound understanding of the human body: his home is really a workshop where Dal Monte tells us that he designs the best boat hulls ever made.

As soon as we're in he tells us, "I'm not a designer, I'm only a mechanic who changes things his own way." And it's true, everything around him backs up this statement, from the cell phone he "wears," transformed – thanks to simple, rather large stereo headphones – "into a cell phone with a headset," to the huge, fully operational model for electric trains built with copper wires, electric motors, iron or plastic leftovers, etc.

A protagonist of the recent Olympic games in Athens and Pechino speaking from the TV screens of millions of Italians as a commentator and interviewer of Italian athletes, for many years Antonio Dal Monte was the head of the Department of Physiology and Biomechanics of the Sports Sciences Institute.
While Dal Monte promoted the establishment of this Institute (1965), it was the Italian Medical and Scientific Committee of the XVII Olympic Games held in Rome in 1960 that laid the groundwork for the resolution by the CONI's Executive Committee that declared it wanted "to group all the teaching, publishing and scientific research activities in a single Institute as well as all activities inherent in testing the validity, aptitude and skills of

national athletes vis-à-vis their preparation for the Olympics and the prevention and rehabilitation of injuries and the hygiene of the sports facilities."
On that occasion, Prof. Antonio Venerando, then the President of the Italian Medical Sports Federation was named Commissioner. Later on he became the Director of the Institute, which included a department for the functional evaluation of athletes. Antonio Dal Monte became head of this department that grew over the years.
In 1984, it became the Department of Physiology and Biomechanics of the Sports Sciences Institute which, up until 2003, oversaw numerous important scientific projects in support of the technical activities of the national Sports Federation. In 1975, the 1st Mobile Laboratory of the Sports

Sciences Institute started its work: it was tasked with the in-depth analysis of the athlete's performance during competitions. In 1983, the Ergonometric Pool, called the "Dal Monte" pool was inaugurated: it is the biggest and most important in Italy (until recently), used for simulations and studies just like a full-scale wind tunnel in the water. It is used to check an athlete's swimming technique as well as the way a hull reacts in certain conditions. In 1984 Dal Monte built the lenticular wheels at the institute. That very year the equipment won Moser a Gold Medal at the Los Angeles Olympics in the "4 x 100km." "It was a true stroke of genius that the race judges took for a publicity stunt and admitted them without much fuss." Even in the laboratory, the changes showed we could gain about 3''/km,

i.e. the exact time Moser beat his competitors by, ensuring him the Olympic Gold Medal. In fact, the regulations said that structural additions couldn't be made to the frame or the wheels which, amongst other things, couldn't have more than 35 spokes.
That's when Dal Monte thought of building a "single, big wheel" in carbon fibre, empty on the inside: he used the same aerodynamic principle employed for aircraft design, another one of his great passions.
In 1987, a real Wind Tunnel was inaugurated at the Institute, allowing Dal Monte to fine-tune his research on ground and air sports.
A little later, again for the world of cycling, together with his staff he designed the cyclist's revolutionary "gun barrel" position that would forever change the shape of the frame of this two-wheel mode and which, in the historical Olympics in Atlanta in 1996, allowed Italy to win two Gold Medals, one by Antonella Belluti. Even in snow sports, Dal Monte succeeded in revolutionising the "rules" by changing the shape of the bob which he designed as a missile to be wrapped around the athlete's body. His incredible ability to interpret reality and his expertise in the field of sports medicine allowed him to redesign the seats of Fiat and Ferrari cars. In fact, while working as the medical rally doctor, Dal Monte noticed how uncomfortable the seats of Lancia cars were; they didn't adapt to the different heights of the drivers. His idea was simple, the solution incredible: a biomechanical, hinged seat that could be altered at will to accommodate a driver's height by intervening on the lumbar position. The project Dal

Monte has finished for the Fiat Idea, the Elasys system, is just as simple, but just as revolutionary. A special seat that changes a normal car into a mini-ambulance in just 3 minutes. Product innovation and technological transfer that go well beyond understanding the laws of physics and aerodynamics, but are based, first and foremost, on the incipit of a profound knowledge of the human body, its limits and the behaviour of an athlete and his muscles under stress.
Dal Monte loves to repeat "I focus on man and this is where all my ideas come from (...). I don't think of the object, its shape, but strangely enough the two things merge" and achieve the required mix between form and function, based on the simple observation of reality and especially of man." A flying and sailing enthusiast, Dal Monte tells us he gets most of his ideas from aircraft, boasting he has flown for more than 2000 hours on different types of planes all over the world. With the same spirit as the great writer Richard Bach, he fuels his passion by building models first and then, with his pilot's licence from when he was in the air force after a degree in medicine, he combines his love of flying with heights and his enthusiasm for research. At the wonderful ripe old age of 75, Dal Monte still loves to fly his own plane – a Partenavia P-64 (1966) which he has improved – like a car. "In actual fact I'm a Bush Pilot," he says, "in the sense that I can land on any possible runway, obviously of grass, and each time I get an immense, peaceful feeling." When leaving he promises us that "the next time we'll organise the interview in the skies over Rome."

Design alla portata di tutti
Design for Everyone

Lorenzo Damiani, nato a Lissone nel 1972, si è laureato in Architettura presso il Politecnico di Milano e ha poi conseguito un Master presso la Scuola Politecnica di Design. Ha esposto i suoi progetti in numerose mostre in Italia e all'estero e ha partecipato, ottenendo premi, a diversi concorsi, tra i quali: "Osram, Verso una Nuova Ecologia della Luce" (Primo Premio, 1996); "Koizumi Lighting Design Competition", Tokyo (Bronze Award, 1998, e Special Prize, 2000); "Compasso d'Oro", XVIII e XIX edizione, Milano (Premio Progetto Giovani, 1998 e Segnalazione, 2001); "Good Design Award", Chicago Athenaeum, 2001; "Young & Design", Milano (Primo Premio, 2001 e 2004). Ha, inoltre, partecipato a varie edizioni del "Salone Satellite" di Milano. Due le mostre personali: "Il Doppio Senso delle Cose", curata da Cristina Morozzi presso la Fiera di Milano nel 2003, e "In-Coerenza", presso la Otto Gallery di Bologna nel 2004.
Ha collaborato con aziende, tra cui: Campeggi, Cappellini, Montin,Firme di Vetro, Acqua di Parma, Abet Laminati, Omnidecor, Coop.

Lorenzo Damiani, nel 1994, inizia le sue prime sperimentazioni progettuali, ideando, attraverso l'incrocio e l'integrazione di più funzioni, oggetti d'uso quotidiano semplici, discreti e ad alto contenuto di innovazione concettuale. La re-invenzione tipologica, l'ibridazione funzionale, la versatilità e trasformabilità non "macchinosa" degli oggetti domestici sono aspetti nodali della sua ricerca progettuale, basata sulla riflessione di nuovi possibili usi delle cose di tutti i giorni e finalizzata al loro miglioramento.
I suoi oggetti "silenziosi", minimali, mai ridondanti nei segni e nelle forme, ma al contempo innovativi e ricchi di senso, "racchiudono il massimo di pensiero nel minimo di materia possibile", per dirla con le parole del filosofo Fulvio Carmagnola. Infatti, per Damiani, l'essenzialità è una parola chiave, non intesa come ricerca di minimalismo formale, ma quale volontà di raggiungere la massima efficacia nel modo più semplice e lineare possibile, innanzitutto a livello concettuale e funzionale, e quindi a livello estetico. Pertanto il suo lavoro progettuale è teso soprattutto a rispondere ad esigenze effettive dell'abitare quotidiano, evitando l'autoimposizione di vincoli volti a mantenere una "coerenza" apparente nelle forme, nei procedimenti, nel linguaggio. Come egli stesso afferma: "La coerenza scaturisce da una libera, costante e tenace ricerca di funzionalità e semplicità nel concepire e nel fare. Ideare, riflettere, sperimentare e realizzare si identificano, nel mio lavoro, come momenti quasi indistinti di un unico processo progettuale. L'intuizione è la scintilla che poi deve essere alimentata con la ricerca. La meta del percorso è l'autentico design industriale, il prodotto utile, bello, funzionale, alla portata di tutti". Infatti, tutti i progetti di Lorenzo Damiani, pur essendo multifunzionali e trasformabili – in alcuni casi arrivando a definire persino nuove tipologie di prodotto – sono sempre

Airpouf, pouf-aspirapolvere ricoperto in tessuto colorato sfoderabile, Campeggi, 2005
Airpouf, pouf-vacuum-cleaner with coloured material slip covers, Campeggi, 2005

caratterizzati da un'estrema semplicità d'uso e mantengono la freschezza e la leggerezza dell'intuizione e dell'idea iniziale.
I suoi oggetti "trasformisti" sintetizzano più funzioni senza diventare complicati, perché nascono dall'osservazione dei bisogni, dei comportamenti e delle capacità degli utenti e dalla sfida costante a rendere migliori e più accessibili le cose comuni che ci circondano nella vita quotidiana.
Si pensi a *Fel3*, il feltrino adesivo a dimensione variabile progettato per la Coop, o a *Sbic*, il bicchiere-svitatappi in policarbonato, o a *Mirror-Bed*, lo specchio che con un semplice gesto diventa letto, o a *Mirror-Table,* il tavolo che si trasforma in specchio da parete, o a *Black Out*, la lampada da tavolo che all'occorrenza diventa una comoda e pratica torcia portatile a batterie ricaricabili, o ancora a *UnoxPiù*, una fusione tra due tipologie d'arredo tradizionalmente distinte, il divano e il tavolo: tutti oggetti versatili che si trasformano e utilizzano attraverso un'interazione semplice, immediata, quasi spontanea, che vivono in totale osmosi con la quotidianità e con l'energia comportamentale degli utenti e che nascono dal "giocare con le sfumature del quotidiano, con l'interstiziale, con il piccolo".
Si tratta, quindi, di un design riflessivo, non vistoso né superfluo, soprattutto utile e auspicabilmente più democratico, che non solo caratterizza l'opera di Damiani, ma accomuna il lavoro di una nuova generazione di giovani designer italiani, che sta emergendo e connotandosi con sempre maggiore evidenza a livello nazionale e non solo. Non è certamente un caso che Damiani, come molti dei designer di questa generazione emergente, abbia partecipato alla straordinaria esperienza collettiva di "Opos", uno dei pochi, se non l'unico vero e

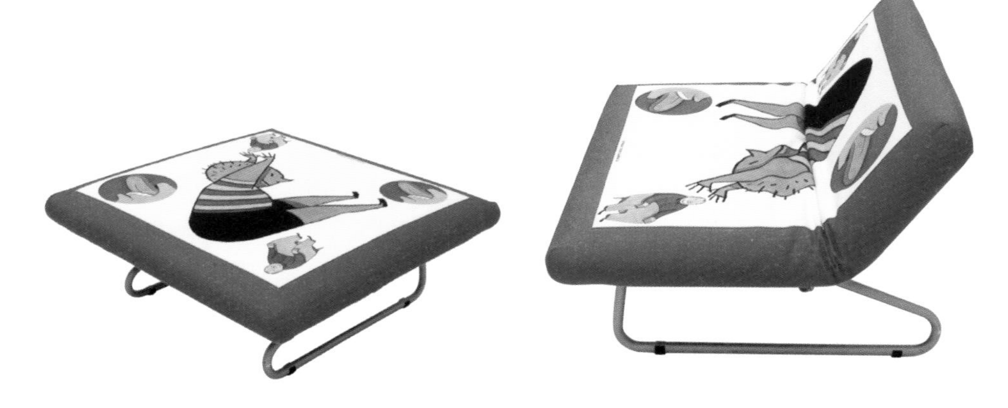

Sbic, bicchiere-svitatappi in policarbonato, prototipo realizzato da MarMax S.r.l., 2005
Sbic, polycarbonate glass cap-remover, prototype by MarMax S.r.l., 2005

Sofàrt, poltrona-sofà-quadro-cuscino, Campeggi, 2003-04
Sofàrt, armchair-sofa-painting-cushion, Campeggi, 2003-04

Black Out, lampada da tavolo-torcia d'emergenza, dotata di batterie ricaricabili, autoproduzione, 2002
Black Out, table lamp-emergency torch, with rechargeable batteries, self-production, 2002

H2O, lavabo interamente in plastica, autoproduzione, 2004-05
H2O, plastic wash-basin, self-production, 2004-05

proprio "incubatore" del giovane design italiano, che da più di dieci anni opera promuovendo, supportando, divulgando l'attività di sperimentazione dei progettisti under 35 dotati di talento.
I giovani designer italiani della "new generation", di cui Damiani è certamente uno dei più interessanti protagonisti, hanno smesso di soffrire del confronto con i "maestri" del design "made in Italy", hanno assimilato i loro preziosi insegnamenti e hanno consapevolmente iniziato a seguire autonomi percorsi d'innovazione, non dimenticando l'elevata qualità concettuale e le valenze etico-sociali insite nella tradizione del design italiano, ma comprendendo a fondo i connotati e i meccanismi dell'attuale scenario della globalizzazione economica, politica e culturale.

Lorenzo Damiani was born in Lissone (Milan, Italy) in 1972. He graduated in Architecture at the Milan Polytechnic and holds a Master's Degree from the Polytechnic School of Design. His works have been displayed in many collective exhibitions, in Italy and abroad, and he has participated and won several competitions including: "Osram, Verso una Nuova Ecologia della Luce" (First Prize, 1996); "Koizumi Lighting Design Competition", Tokyo (Bronze Award, 1998 & Special Prize, 2000); "Compasso d'Oro", XVIII & XIX edition, Milan (Premio Progetto Giovani, 1998 & Special Mention, 2001); "Good Design Award", Chicago Athenaeum, 2001; "Young & Design", Milan (First Prize, 2001 e 2004). He has also participated in various editions of the "Salone Satellite" in Milan. He has had two personal exhibitions: "Il Doppio Senso delle Cose", organised by Cristina Morozzi at the 2003 Milan Fair, and "In-Coerenza", at the Otto Gallery in Bologna in 2004. He has worked with several companies, including: Campeggi, Cappellini, Montina, Firme di Vetro, Acqua di Parma, Abet Laminati, Omnidecor and Coop.

In 1994, Lorenzo Damiani began his first design experiments, creating simple, discreet, everyday objects that were conceptually extremely innovative.
He did this by mixing and combining several functions. The focus of his design research is the typological re-invention, functional hybridisation and "unsophisticated" versatility and transformability of household

Lorenzo Damiani, Cadeau, biscotto circolare da tazzina, concept per la mostra Pappilan, 2003
Lorenzo Damiani, Cadeau, round biscuit for cups, concept for the exhibition Pappilan, 2003

Contenitori del latte compattabili in cartone, design Yeonju Yang, 2003
Foldable Milk Cartons, design by Yeonju Yang, 2003

objects. He concentrates on finding new ways to use, and improve, everyday objects. His minimal, "silent" objects that are never pretentious in shape or design, but rather innovative and full of meaning. To use the words of the philosopher Fulvio Carmagnola, they "capture maximum thought in minimum matter." In fact, essentiality is a key word for Damiani: he doesn't see it as the search for formal minimalism, but as a way to achieve maximum efficiency in the simplest, most linear manner possible, above all from a conceptual, functional, and therefore aesthetic point of view. His designs aim chiefly at satisfying real, everyday needs. He avoids self-imposed limits that would maintain an apparent "coherence" of forms, procedures and style. As he himself says: "Coherence is based on a free, committed and resolute search for functional, simple concepts and design. In my work, invention, reflection, experimentation and creation are almost indistinct stages of a single design process. Intuition is the spark that has to be nourished by research.
The goal is to achieve authentic industrial design, a useful, beautiful, functional product accessible to all." In fact, even if all Lorenzo Damiani's designs are multifunctional and versatile – in some cases he even creates new product typologies – they are always simple to use and never loose the freshness and grace of the initial insight and idea. His "transformistic" objects combine several functions without becoming complicated, because they are based on his observation of people's needs, on the behaviour and skills of users and on the ongoing challenge to improve the objects we use everyday and make them more accessible. Just think of Fel3, the adhesive felt pads in different sizes designed for Coop, or Sbic, the polycarbonate glass/cap-remover, or Mirror-Bed, the mirror that with a simple flick of the hand turns into a bed, or Mirror-Table, the table that turns into a wall mirror, or Black Out, the table lamp that, when necessary, becomes an easy-to-use, practical portable torch with rechargeable batteries, or UnoxPiù, a combination of two usually different pieces of furniture, the sofa and the table. These are all versatile objects that can be changed and used through simple, immediate, almost natural gestures: they fit smugly into our everyday life and the behavioural energy of the users and are inspired by "playing with the nuances of everyday life, with the in-between parts, with what is small." His is a thoughtful design. It is not gaudy or superfluous. It is above all useful and, with any luck, more democratic. These characteristic traits of Damiani's work also symbolise the work of an up-and-coming new generation of young Italian designers, a generation that is increasingly making its mark in Italy and abroad. It's not fortuitous that Damiani – like many designer of this new generation – took part in the incredible collective experience of "Opos," one of the few, if not the only, "incubator" of young Italian design which, for the past ten years, has

UnoxPiù, divano-tavolo, uniformemente imbottito e rivestito in un tessuto resistente alle macchie, Campeggi, 2002
UnoxPiù, sofa-table, upholstered and covered in stain-resistant material, Campeggi, 2002

sponsored, promoted and sustained the experimental work of talented designers under the age of 35. Damiani is definitely one of the most interesting protagonists of young, "new generation" Italian designers. These designers have stopped feeling hurt when compared to the "masters" of "Made in Italy" design: they have assimilated the latter's precious teachings and have consciously begun to follow their own innovative and independent destinies. Without forgetting the high conceptual quality and ethical and social importance intrinsic in the tradition of Italian design, they fully understand the characteristics and mechanisms of the current scenario of economic, political and social globalisation.

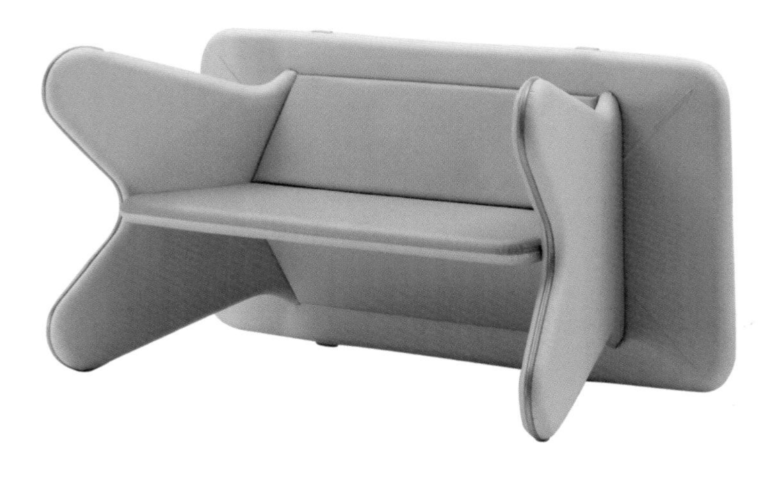

Creatività e alta tecnologia
Creativity and High Technology

Andy Davey è direttore creativo e titolare dello studio TKO Design, da lui fondato nel 1990 a Londra, che, fin dalla sua costituzione, collabora allo sviluppo di nuovi prodotti di grandi compagnie come Alcatel, Honda, Fujitsu, NEC, Sanyo e Sony.
Si è laureato al West Sussex College of Art and Design e ha conseguito un Master in Industrial Design presso il Royal College of Art di Londra. Si occupa di Product Design con un particolare interesse per progetti ad alto contenuto tecnologico: la sua attività di design spazia dai prodotti elettromedicali ai telefoni cellulari, dall'elettronica di consumo alle biciclette, ai giocattoli. I suoi progetti hanno ottenuto premi internazionali, come il giapponese G-Mark Good Design Award e il tedesco IF Award. Ha partecipato a molte mostre in Europa, Stati Uniti e Giappone e nel 2003, affascinato dal virtuosismo tecnologico del design giapponese, ha pubblicato il libro "Detail, Exceptional Japanese Product Design".

Andy Davey è un progettista inglese attento all'innovazione tecnologica, che ha costituito a Londra la società TKO Design, di cui è direttore creativo. Ha un approccio multidisciplinare al design che gli ha consentito di collaborare efficacemente con i team di progettazione interni alle grandi compagnie internazionali, come Alcatel, Canon, Daiko, NEC, Honda, Procter & Gamble, Sanyo e Sony. Ama in modo particolare il Giappone - dove è stato più di cinquanta volte - soprattutto per la qualità del design degli oggetti ad alto contenuto tecnologico, da cui è sempre stato affascinato a tal punto da scrivere un libro intitolato "Detail, Exceptional Japanese Product Design", pubblicato dalla Lawrence King. Ciò che apprezza nel product design giapponese coincide con ciò che caratterizza anche il suo lavoro di progettista: un equilibrato rapporto tra competenze tecnologiche, di design e di ingegneria, una ricerca di precisione e qualità tecnica, cura del dettaglio, essenzialità che, nei prodotti high tech, si traduce anche in facilità, comprensibilità e piacevolezza d'uso.
Andy considera il design una complessa attività intellettuale e creativa volta a trovare nuove e utili applicazioni della tecnologia. Per questo sostiene che il momento presente è certamente quello più eccitante per svolgere la professione del designer: le tante sfide offerte dal rapido e continuo cambiamento delle attuali tecnologie impongono di essere sempre in movimento, di sperimentare, di essere flessibili e capaci di adattamenti, per concepire prodotti che soddisfino i bisogni della quotidianità ma che siano anche attenti alle esigenze delle generazioni future. Il suo modo di intendere il design e la ricerca tecnologica gli hanno consentito di progettare molte tipologie di prodotti, per differenti mercati e per utenze diversificate: i suoi progetti vanno dalle apparecchiature mediche professionali all'elettronica di consumo, dal packaging ai giocattoli. Flessibilità, capacità di ricerca e di collaborazione e professionalità sono i principi su cui si fonda l'attività progettuale di Andy e di TKO, mentre la profonda conoscenza dei trend culturali e tecnologici, di consumo e di mercato ne rappresenta il principale motore

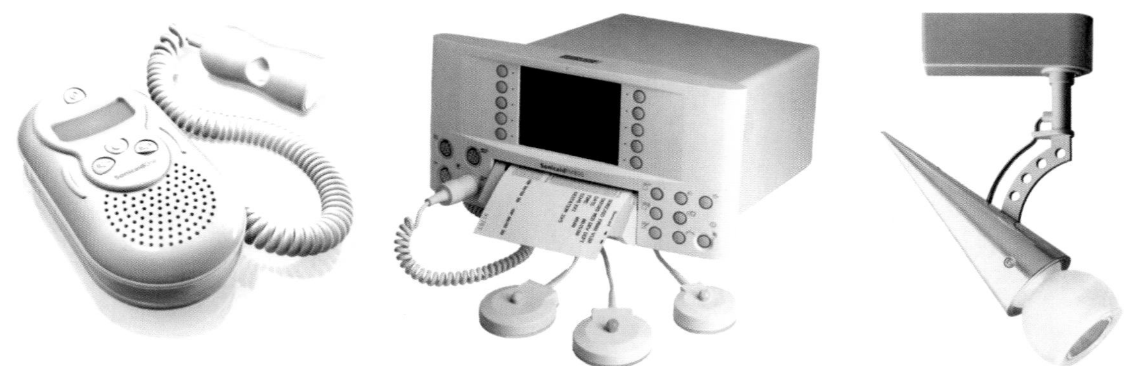

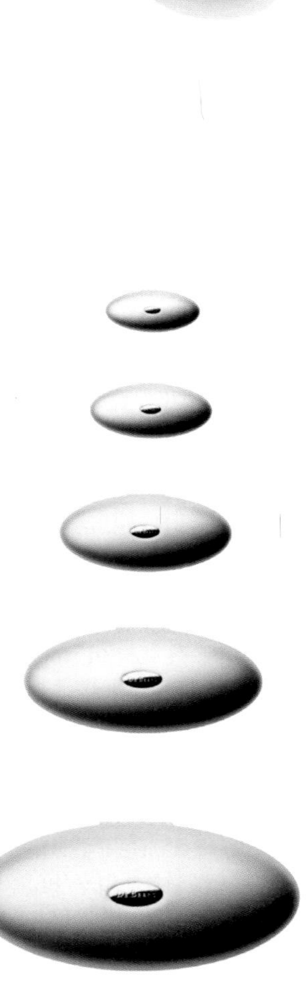

di innovazione. TKO assiste i propri clienti nella concezione e nello sviluppo di nuovi prodotti in cui è importante raggiungere elevati livelli di qualità e affidabilità mediando design e tecnologia. Nella maggior parte dei casi sono aziende orientate all'innovazione, che attribuiscono al design un ruolo significativo per il successo dei prodotti e che in qualche modo condividono con TKO e con Andy la "passione per il futuro". Molti dei progetti di TKO esprimono il grande potenziale del design nel fornire soluzioni innovative ai problemi reali della vita quotidiana attraverso l'incontro con le nuove tecnologie elettroniche e informatiche. Pensiamo, ad esempio, a Sonicaid FM800, un apparecchio per il monitoraggio delle donne in gravidanza, e a Sonicaid One, un rilevatore-visualizzatore del battito cardiaco del feto, progettati per la Oxford Instruments Medical: sono prodotti tecnici professionali che devono soddisfare le esigenze di differenti utenti (medici, ostetrici e gestanti) con caratteristiche e aspettative molto diverse. Devono facilitare e rendere preciso ed efficiente il lavoro del personale medico e, al contempo, avere un aspetto rassicurante e consentire il massimo del comfort alla paziente. Inoltre, essendo apparecchi elettromedicali venduti in tutto il mondo, devono potersi adattare a differenti mercati e a diversi contesti culturali e d'uso. Si tratta di una progettazione complessa di prodotti ad elevato contenuto tecnologico per un mercato globale che TKO risolve con un design rigoroso, essenziale, corretto sotto il profilo ergonomico e percettivo, ma anche amichevole, rilassante, confortevole: gli angoli arrotondati, la forma compatta, la configurazione delle interfacce di input e output che ne facilita l'uso, riescono a sottrarre questi strumenti medicali dal "mondo delle macchine" e ad avvicinarli sempre più al "mondo degli oggetti domestici".

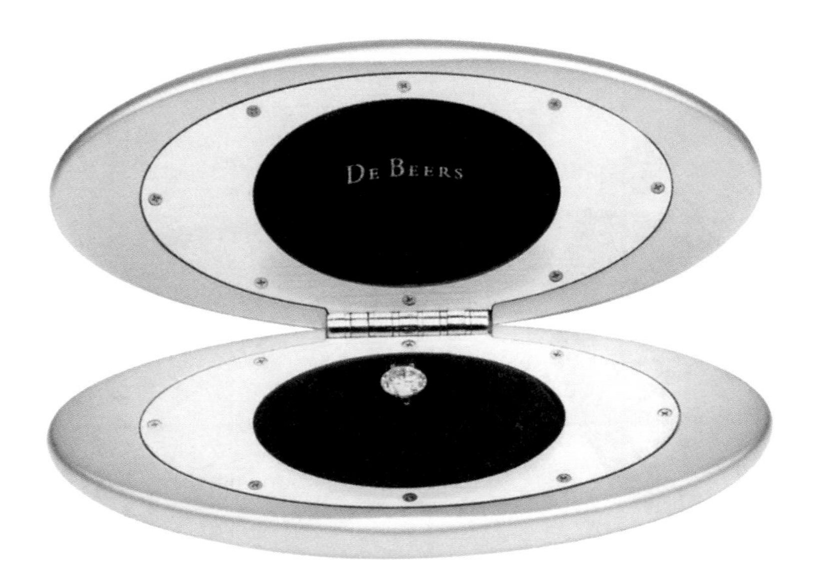

Andy Davey is the creative director and founder of the TKO Design studio. Ever since it was established in 1990 in London, the studio has helped develop new products for large companies such as Alcatel, Honda, Fujitsu, NEC, Sanyo and Sony. He graduated at the West Sussex College of Art and Design and has a Master in Industrial Design from London's Royal College of Art. He is involved in Product Design, especially high tech products: his design activities include electromedical products, cellular phones, consumer electronics, bicycles and toys. He has been awarded international prizes, including the Japanese G-Mark Good Design Award and the German IF award. His works have been shown in many exhibitions in Europe, the Unites States and Japan and, in 2003, fascinated by the virtuoso technology of Japanese design, he has published a book entitled: "Detail, Exceptional Japanese Product Design".

Andy Davey is an English designer who focuses on technological innovation. He founded the company TKO Design in London and is its creative director. He has a multidisciplinary approach to design that has allowed him to collaborate successfully with the in-house teams of designers in important international companies such as Alcatel, Canon, Daiko, NEC, Honda, Procter & Gamble, Sanyo and Sony. He is especially fond of Japan – which he has visited over 50 times – because of his personal fascination with the design quality of high tech objects. He has written a book entitled "Detail, Exceptional Japanese Product Design", published by Lawrence King. What he appreciates most in Japanese product design coincides with the characteristic elements of his own work as a designer: a balanced relationship between technological, design and engineering skills, the search for precision, accuracy and technical quality, attention to detail and essentiality which, in high-tech products, translates into effortlessness, understandability and enjoyment. Andy considers design a complex intellectual and creative activity aimed at finding new and useful applications in the field of technology.
This is why he believes that this is an exciting moment to be a designer: the many challenges brought about by rapid and continuous changes in current technologies means you have to be on the move, experimenting, flexible and capable of adapting in order to be able to design products that satisfy everyday needs, but which also take into account the desires of future generations. His ideas on design and technological research have allowed him to design many different products for different markets and consumers; his projects include professional medical equipment, consumer electronics, packaging and toys. Flexibility, research skills and professional collaboration are the principles upon which Andy and TKO base their design activities.
An in-depth understanding of cultural, technological, consumer and market trends are the driving force behind their work. TKO works with clients to design and develop new products that require the superior quality and reliability that come with design and technology. In most cases they are companies focusing on innovation that consider design as being fundamental to the success of their products and which, in some

ways, share Andy's and TKO's "passion for the future". Many of TKO's products express design's enormous potential to provide innovative solutions to real everyday problems. This is achieved by combining new electronic technologies and computer science. For example, the Sonicaid FM800, a maternal monitor device and Sonicaid One, a visual foetal heart detector, designed for Oxford Instruments Medical. These are professional technical products that have to satisfy the requirements of different users (doctors, obstetricians, pregnant women) with very different characteristics and expectations. They have to facilitate and make the work of professional doctors efficient and, at the same time, look reassuring and provide the patient with maximum comfort. urthermore, as this electromedical equipment is sold worldwide, they have to suit different markets and different cultural contexts. This involves a complex design process of high tech products for a global market, something TKO solves by producing a clean, simple design with good, well-designed ergonomics that are user-friendly, relaxing and comfortable: corners are rounded, the shape is compact and the configuration of the input and output interfaces mean that these medical instruments are not part of the "world of machines" but become much more part of "the world of household objects".

Un laboratorio ideale
An Ideal Lab

Michele De Lucchi, architetto e designer, negli anni dell'architettura radicale – cui si è avvicinato grazie a Ettore Sottsass jr e Adolfo Natalini – è stato tra i protagonisti di movimenti come Cavart, Alchimia e Memphis. Dal 1990 ha affiancato alla progettazione di oggetti industriali, per aziende come Artemide, Dada, Kartell, Matsushita, Mauser, Frau, Compaq, Philips, Siemens, Vitra, e in particolare per Olivetti – della quale è responsabile del design dal 1992 – un proprio spazio di ricerca e riflessione sui temi del progetto, del disegno, della tecnologia, dell'artigianato. È nata così Produzione Privata, piccola impresa che annovera tra i suoi laboratori uno dedicato proprio al ready made. Tra i lavori recenti, i progetti per Deutsche Bank, Deutsche Bundesbahn, Enel, Poste Italiane, Telecom Italia. Allo IUAV di Venezia, oltre all'attività di docenza, dirige il corso di laurea specialistica in disegno industriale del prodotto.

Uno dei laboratori legati a Produzione Privata si occupa di ready made. Perché e come affronta questa tematica progettuale oggi?
Premetto che il ready made è per me un tema bellissimo e di grande attualità,perché è una risposta semplice e chiara, fra l'altro, al problema della sostenibilità e del riciclaggio degli elementi industriali e dell'ecologia in generale. Una risposta divertente e ironica, ma anche saggia e disincantata, e che funziona bene. Usare componentistica oggi è, infatti, l'idea più corretta e più utilizzata nell'industria, che, soprattutto in Europa, sempre più assembla componenti piuttosto che produrli.

È anche un personale omaggio ad Achille Castiglioni?
Assolutamente sì, nel senso che Castiglioni è sicuramente colui che ha usato il ready-made nel design per prodotti di grande diffusione.

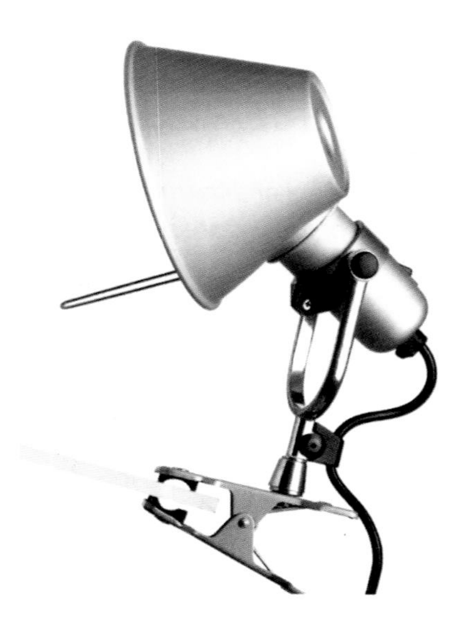

Come si coniuga il ready-made con la tecnologia?
Per rispondere, devo spiegare brevemente il concetto del design per componenti, aspetto che si sottovaluta molto, mentre è una parte cospicua del product design, in particolare nel settore dell'elettronica. Il problema non è tanto di"scolpire" un oggetto quanto di unire pezzi di disparata provenienza. Si inizia perciò da un lavoro di assemblaggio di layout di componenti, ed è spesso la qualità di tale layout che genera un prodotto più o meno interessante. Il tema del ready-made è attuale in questo senso, in quanto permette di progettare utilizzando una componentistica vastissima – che è quella degli oggetti prodotti industrialmente – e contemporaneamente di variare leggermente la logica dell'assemblaggio utilizzando anche cose inaspettate. Il bello del ready-made è proprio costruire l'inaspettato.

In trent'anni di attività ha avuto molti committenti nel mondo dell'industria. Com'è cambiato il mondo produttivo e, di conseguenza, lo spazio del designer?
Sono sicuramente variate tante cose, un po' perché è cambiato il mondo, un po' perché sono cambiato anch'io. In un mondo in perpetua trasformazione – ed è giusto che sia così – bisogna saper affrontare mutazioni continue. Il mio cambiamento professionale è dovuto al rendermi conto che la mia specialità non era tanto quella di disegnare prodotti, architetture, interni, ma di confrontarmi con le industrie, cioè cercare di capirne le esigenze e le problematiche e di paragonarli con quella che per me è una visione "giusta" del mondo. Certamente è un mondo che mi ha sempre più appassionato. Innanzitutto, perché sono convinto che sia l'entità che più spinge lo sviluppo, a cui bisogna però far comprendere che il progresso non è soltanto economico ma anche civile. È un mondo sottoposto a così grandi distorsioni che sono ancora alla ricerca dei parametri chiave per interpretarlo. Comunque, la più grande alterazione viene dal mercato. Il mercato, questa "cosa" che sembrerebbe facile da capire – distinguere cioè quello che si vende da quello che non si vende – è in realtà un grande dilemma, una enorme area buia ulteriormente offuscata dal mondo della finanza. L'approccio finanziario al mondo industriale è deleterio: i tempi della finanza sono diversi da quelli dell'industria: non è possibile pretendere di finanziare un'azienda e di aspettarsi un ritorno economico continuo e costante.

Come si è modificata nel tempo la collaborazione con Olivetti? Cosa significa occuparsi dei progetti di servizi come ha fatto, ad esempio, con le Poste italiane?
Io praticamente devo tutto all'Olivetti. Per ciò che mi ha fatto apprendere, per avermi introdotto nel mondo industriale – i grandi numeri della grande produzione – e suggerito i temi della mia professione. Con l'Olivetti sono diventato "un architetto che lavora per l'industria" e che si occupa di disegno di prodotti, di architetture, di showroom e di identità aziendali. Una grandissima esperienza mi ha aperto molte strade soprattutto nel cosiddetto disegno dei servizi, cioè delle banche, delle stazioni, delle poste e di tutta l'architettura, intesa in senso vasto, per l'industria. Queste entità hanno bisogno di rappresentarsi perché non producono prodotti concreti, bensì un servizio e quindi è il luogo del servizio che caratterizza l'identità dell'azienda.

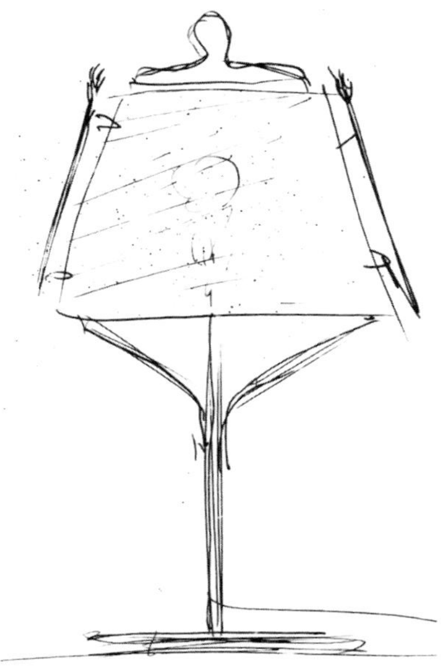

La miniaturizzazione dei componenti è dovuta in particolare allo sviluppo delle tecnologie informatiche, cosa vuol dire per un progettista di oggetti fisici?
Le strade su cui si evolve la tecnologia sono due: la velocità e la riduzione delle grandezze. La miniaturizzazione ha un limite dettato dalle

dimensioni del corpo umano. Un vincolo che non va preso in senso assoluto, in quanto la tecnologia, nella maggioranza dei casi, si sviluppa attraverso un processo di integrazione funzionale di componentistica. Per fare alcuni esempi: realizzare una radio piccolissima non serve per riporla in tasca ma per inserirla in un telefono, il micro computer non va annegato in un anello ma montato in automobile o in un'agenda. Chiaro che mi aspetto un futuro con tecnologia dappertutto. Televisione-computer è il connubio già in atto. Mi domando come sarà la lavatrice-lavastoviglie? Mettere i piatti nella lavatrice deve essere divertente.

Gli strumenti dell'architetto per progettare come sono variati? Come rappresenta le idee? E si può parlare di oggetti, architetture, libri virtuali?
Il vecchio presidente fondatore della Honda si è ritirato dall'incarico per cinque motivi, tra cui il fatto di non essere più disposto a rincorrere il progresso tecnologico e quindi di non sentirsi più capace di capire il mondo. Mi piace sempre disegnare a mano, dopo i miei disegni li scansiono e invio tramite il computer. Non c'è dubbio però che la via più breve dal cervello all'idea è quella che passa per la mano. Sono convinto che il virtuale è un attributo della realtà, non potrà mai sostituirla e nessuno lo vorrà mai. Avremo una realtà più comprensibile per mezzo del virtuale, magari la realtà virtuale servirà a far vivere meglio quella reale.

Dopo Memphis, il suo campo di attività si è progressivamente allargato e ha ampliato lo studio. Qual è la differenza tra lavorare per l'architettura, il product e il visual design e come è organizzato lo studio oggi?
L'obiettivo del lavoro è sempre quello di servire, in senso lato, l'industria. La stessa industria che, motivata da ragioni economiche, è attualmente responsabile del nostro benessere del mondo che noi chiamiamo civilizzato, ha bisogno di elevarsi. In studio riservo a me il coordinamento

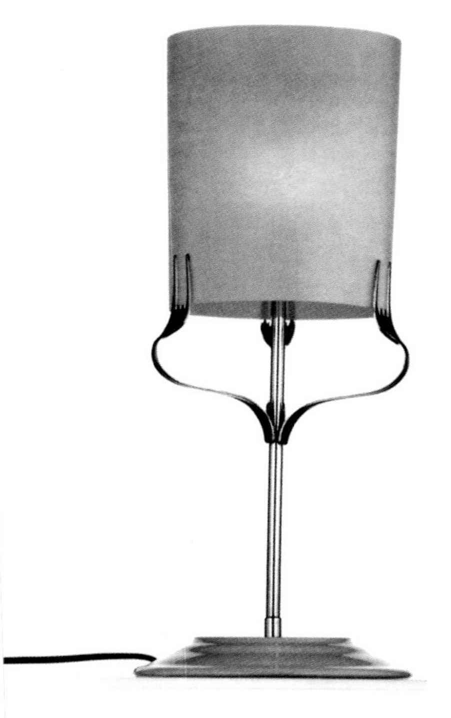

generale dei lavori. Con i miei collaboratori – designer, architetti e grafici – lavoriamo in team, mettendo in pratica un rapporto interdisciplinare. Un metodo tipicamente italiano che andrebbe salvaguardato. Quando all'estero riesco infatti a presentarmi con un'idea omnicomprensiva, non riferita a una singola disciplina, il mio contributo è certamente più sostanzioso e apprezzato.

Alla sua attività professionale lei affianca quella di docente universitario. Come affronta gli studenti e con quali obiettivi?
I destini per gli studenti di disegno industriale sono straordinari, perché l'industria ha tanto bisogno di design, cioè di pensiero. Paradossalmente ha necessità di persone che si dedicano all'azienda per farla crescere. Come gli individui si prendono cura di se stessi anche l'industria ha bisogno di coltivarsi. Non lo fa perché agisce con la mentalità di un cinico alla ricerca di un riscontro immediato, non capendo che la personalità cresce nel tempo se ha la capacità di coltivarsi.

Lei ha affermato "non esiste alternativa all'industria e al consumo" ma anche "più va avanti il consumismo e più abbiamo necessità di romanticismo" esiste la necessità di un "nuovo umanesimo"?
È giusto, tornare all'uomo e alle sue esigenze e farlo crescere. Il grande problema è quello di far avanzare non pochi selezionati ma tutti gli individui, perché il progresso si misurerà sempre sul sostegno della crescita globale del mondo. Per far sviluppare l'uomo è necessario capirne i bisogni, il modo di pensare e insegnargli a distinguere le esigenze vere dalle fasulle. Una lucida analisi delle sensibilità umane interessa molto le industrie, in quanto proprio l'industria deve produrre il necessario per la società. Viviamo in un'epoca in cui l'industria è consapevole di aver bisogno di romanticismo, perché il suo successo è legato solamente alla capacità di generare emozioni. E il romanticismo funziona per l'abilità di stimolare o di toccare l'emotività. Chi compra oggi, infatti, lo seguendo un istinto emozionale non razionale, anzi la razionalità disturba il momento dell'acquisto. Quindi è, per certi versi, un "umanesimo" che non si può rifare all'umanesimo italiano, quello che ha portato al rinascimento, perché riferito alla rilettura del mondo classico e alla ricerca di parametri fissi universali e riproducibili, l'umanesimo che cerchiamo adesso non potrà accontentarsi di regole o di norme, anzi le ripudierà. La regola dell'armonia di Leon Battista Alberti, le proporzioni auree, non funzionano oggi e non funzionerebbero mai, non funzionerebbe nessun adattamento di formule di questo genere alla realtà. Perché stiamo cercando, credo inconsciamente, con sempre maggiore intensità un nuovo tipo di valorizzazione dell'uomo riguardante la sua sensibilità, emotività e forza interiore.

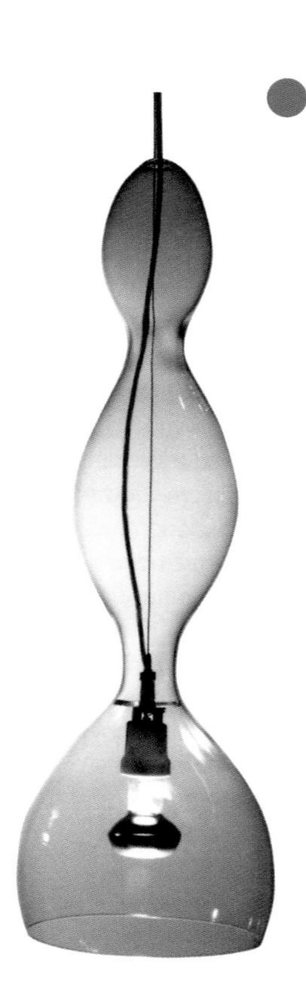

Architect and designer Michele De Lucchi is one of the main figures in movements such as Cavart, Alchimia and Memphis, when radical architecture spread out and he got involved thanks to Ettore Sottsass jr and Adolfo Natalini. Since 1990, he has been working both on designing industrial objects for Artemide, Dada, Kartell, Matsushita, Mauser, Frau, Compaq, Philips, Siemens, Vitra and in particular Olivetti - where he is responsible for design since 1992 -and on carrying out research about project, design, technology and handicraft on his own. That is how Produzione Privata was created: it is a small company where one of the laboratory deals in particular with ready made. Among the recent works, we find projects for Deutsche Bank, Deutsche Bundesbahn, Enel, Poste Italiane, Telecom Italia. Moreover, he is Professor at IUAV in Venezia, where he is also Director of the course in Product industrial design.

One of the laboratory linked to Produzione Privata deals with ready made. Why and how are you concerned with such a project theme today?
I consider ready made a very interesting and up-to-date theme, because it also represents a simple and clear answer to the problem of recycling industrial elements and of ecology in general. It is an amusing but also useful and disillusioned solution and it works well. For this reason, the use of assembling is today the wisest and widest idea realized by manufacturers which, mostly in Europe, more and more assemble components rather than produce them.

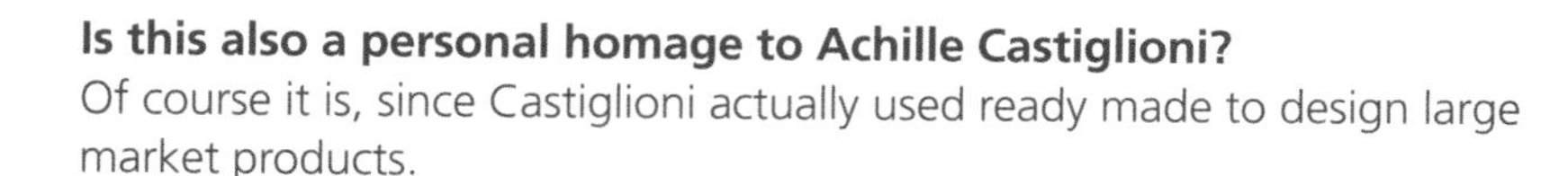

Is this also a personal homage to Achille Castiglioni?
Of course it is, since Castiglioni actually used ready made to design large market products.

How is ready made linked to technology?
First, I need to explain shortly the concept of components design, which is not enough considered, while it represents a very important part in product design, in particular in the electronic field. It has not much to do with "sculpturing" objects, you have to put together parts with different origins. You start, therefore, by assembling parts layouts and often, it is such layout quality to create a more or less interesting product. Ready made is modern because it allows to design by using many different parts - those objects produced by manufacturers - and at the same time to change slightly the assembling logic by using surprising things too. The best feature of ready made is exactly the possibility of creating unexpected things.

During thirty years of activity you have been receiving many orders form manufacturers. How has production changed and consequently the designer role?

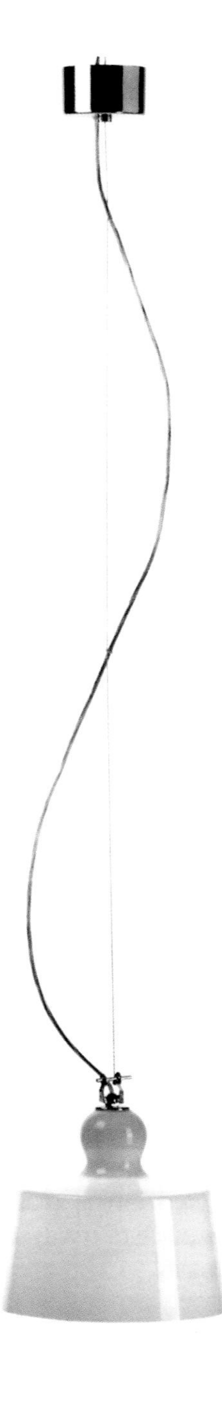

Of course, many things have changed: on the one hand the world has changed and on the other one I have changed too. In a world moving continually - and it is right this way - it is necessary to face more and more transformations. I have changed professionally because I realized that my ability was not mainly the one linked to product, architecture or interior spaces design, as much as the one that let me contact manufacturers and understand their needs and problems by comparing them with my personal idea of the world. Of course, it is a world I am really interested in. First of all because I think that it helps development more than anything else, even though progress must not just be economic but also civil. The world suffers so many distortions that I still need key parameters to understand it. However, the market represents the biggest factor of alteration. And, even though it should just imply a basic difference between what can and what cannot be sold, the market is in truth a big dilemma, a huge dark area even more complicated by the financial world. The financial approach to the world is a negative one: the rhythms of finance are different from those of manufacturers, it is impossible to finance a company and to expect at the same time a constant economic result.

How has your cooperation with Olivetti changed over the time? What does it mean to you dealing with services projects, as for example you did with Poste Italiane?
I owe everything to Olivetti. For the things I learned, for being introduced in the manufacturing world - the big numbers of big production - and for being suggested the themes for my profession. At the Olivetti I have become "an architect working for manufacturers" and dealing with product, architecture, showroom, and company design. It is a very important experience that has given me many possibilities, above all in the so-called services design: banks, stations, post offices and the whole manufacturing architecture. Such realities need to be represented, since they don't produce anything concrete but services. It is then the place where the services are offered that characterizes the company identity.

The miniaturization of components is due in particular to the development of computer technology. What does that mean for a physical objects designer?
Technology develops in two directions: one concerns speed and the other reduction. Miniaturization is limited because of human body dimensions. However, it is not an absolute limit, as technology mainly develops through a process of functional integration of components. For instance: very small radios are not realized for pocket use but as additional components of telephones, or micro-computers must not be useful on a ring but as car or diary devices. I know our future will be a technological

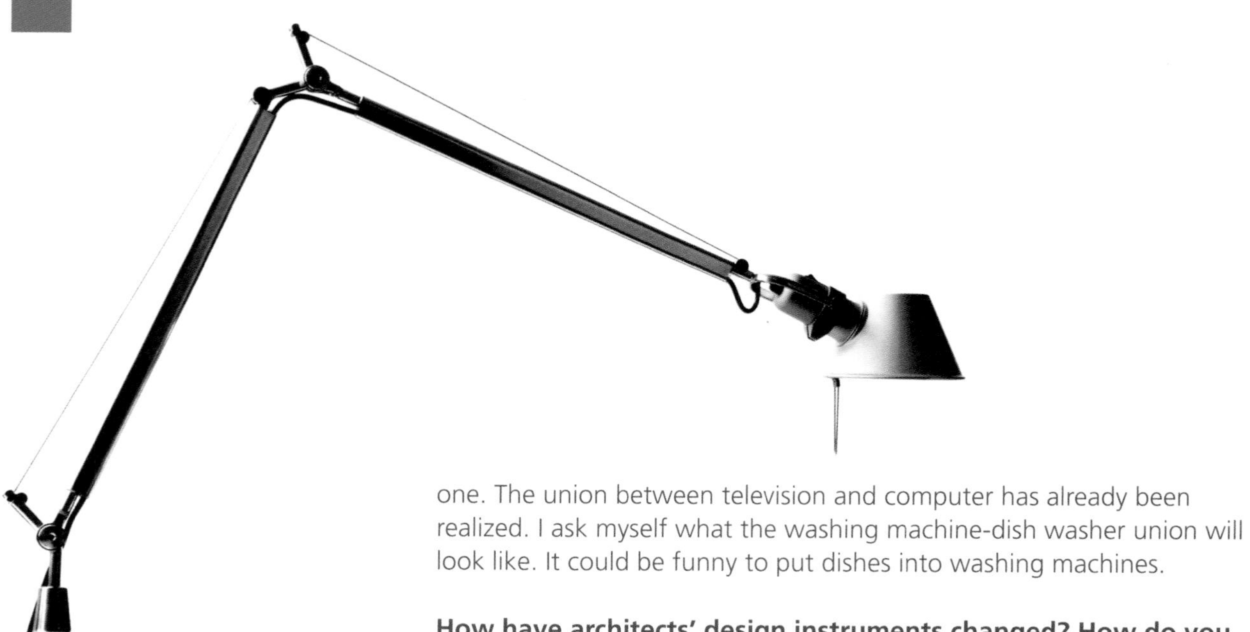

one. The union between television and computer has already been realized. I ask myself what the washing machine-dish washer union will look like. It could be funny to put dishes into washing machines.

How have architects' design instruments changed? How do you represent your ideas? Can we talk about objects, architectures, e-books?

The ex founder-chairman of Honda has retired for five reasons, one of them was his determination not to follow technological progress, connected with his difficulty in understanding the world. I still like to draw with my hands, afterwards I scan my drawings and send them by computer. Undoubtedly, the hands represent the shorter way from the brain to the idea. I think virtuality is an attribute for reality, nobody would like it to take the place of reality. Maybe, reality will be better understood and lived through virtuality.

After Memphis, you have widened your field of activity and enlarged your own studio. What are the differences between working for architecture, product and visual design and how is the studio organized today?

Work has the task of helping manufacturing. Today manufacturing is, for economic reasons, responsible for the civilized world's well-being, but it needs self-improvement. In my studio I am at the head of the activities. I work together with the members of my team - designers, architects and graphic designers - enacting an interdisciplinary relationship. A typically Italian method that should be safeguarded. When I present abroad a comprehensive idea, just not referred to a single subject, my contribution is certainly richer and more appreciated.

Besides your professional activity you are also a professor. How do you relate with your students and which are your aims?

The future of industrial design students could be an interesting one, because manufacturing needs design, that is to say, thought. Paradoxically, it needs people dedicating themselves to the company in order to make it grow. As individuals take care of themselves, the companies need to be cared too. But in truth they look for immediate results and they don't understand that character grows in the course of the time, if they have the ability to care for it.

You affirmed that "there is no alternative to manufacturing and consumption", but even that "the more consumerism grows the more we need romanticism". Do we need "a new humanism"?

It is right to consider man and his needs and to let him grow. The main point is to let everybody grow and not just a few selected, because progress will be always connected to world's global growth. Human development requires a full understanding of man needs and ways of thinking and a clear distinction between the real needs and the false ones. Manufacturers are really interested in a serious analysis of human sensibilities, since they have to produce what society needs. We live in a time where manufacturers know that they need romanticism, because their success is essentially connected to the capability of creating emotions. And romanticism works because it can stimulate and touch sensitiveness. Buyers, indeed, act according to their emotional instinct, not to their reason. This, on the contrary, represents a disturbing factor during purchasing. We do not refer to Italian humanism leading to Renaissance, since this tends to reinterpret the classical world and search for fixed, universal reproducible parameters. We refer now to a humanism that will not be satisfied with rules: it will reject them. The harmony rule by Leon Battista Alberti and the precious proportions don't work today and they will never work. None of these formulations would apply on our reality. We are intensely and maybe unconsciously looking for a new kind of man development regarding his sensibility, sensitiveness and interior strength.

delineo design

Un team di alte prestazioni
A High Performance Team

Delineo design è nato nel 1999 a Montebelluna (Treviso) – nel cuore del distretto Sportsystem – per iniziativa di Giampaolo Allocco che, in seguito a significative esperienze presso aziende e studi di design e comunicazione, ha avviato la struttura che oggi coinvolge, oltre i componenti interni, un gruppo allargato di lavoro. Consapevole dell'importanza di una offerta e di una partecipazione progettuale integrale, che trascorre dal design all'exhibit, alla comunicazione, e del rilievo che la continua ricerca e lo studio, da un lato, e il trasferimento di tecnologie, materiali e procedure fra ambiti diversi, dall'altro, assumono oggi, Delineo vanta collaborazioni con aziende quali Crispi, Briko, Derby, Aprilia, Rossignol Lange, OZRacing, USP, Minardi Formula 1, Carraro Cicli, Gruppo Doimo, Casamania, Kristalia. Fra altri riconoscimenti, lo studio ha vinto la medaglia d'oro premio speciale "Tiziana Mascheroni" 2006 con lo sgabello Bull per Steelmobil.

Crispi, *Carbon Power System*

Delineo – dal latino *delineare* ovvero "disegnare / tracciare" – e *design* – cioè progetto –, due termini non per definire una tautologia ma per porre l'accento su una intenzionalità di lavoro precisa, quella per cui la progettazione è "integrata" e la forma si dà solo in quanto legata alla funzionalità, alla prestazione, alla durata nel tempo e nell'uso. Con sede a Montebelluna, centro dello Sportsystem District, specializzato nella produzione di calzature sportive (circa i due terzi degli scarponi da sci su scala mondiale) e dei relativi materiali e componenti, la struttura ha le sue basi identificanti nella formazione del fondatore, Giampaolo Allocco, che ruota attorno alla progettazione industriale vissuta prima all'interno della "fabbrica" per poi definirsi attraverso gli studi, con il master presso la Scuola Italiana Design di Padova. Seguono le esperienze presso Giacometti e Associati, studio nel quale Allocco si trova a coordinare il team per lo sviluppo del product design; un'occasione che – con clienti quali Benetton Group, Aprilia, Armi Beretta e Fiat e la possibilità di entrare in contatto, attivamente, con le differenti fasi progettuali, dalla ricerca all'industrializzazione – da un lato conferma la complessità del lavoro e dall'altro sottolinea l'importanza dell'operare in gruppo, quale modalità che consente l'incontro di competenze specifiche distinte.
Quando alla fine degli anni novanta inizia l'attività autonoma, Allocco ha già un nome presso alcune realtà del settore sportivo, dalla Formula Uno (Minardi) al mondo dello *snowboard*, e nel 1999 con Delineo design vengono sommati i punti fermi raggiunti: progettazione a 360° unita a specializzazione, quindi lavoro di gruppo, organizzazione e costante aggiornamento. Con "disegno" e "progetto", il terzo termine è team: innanzi tutto quello dello studio, quattro persone con preparazione multidisciplinare, più i collaboratori esterni, specializzati per affrontare fasi, tipologie e casi sempre differenti sia nel campo della *corporate identity* e della comunicazione sia in quello del prodotto. E poi il team allargato che si

crea nel rapporto con l'azienda committente, laddove entrano in gioco esigenze in termini di mercato, performance, tecnologia, e quindi altre figure professionali. Particolarmente significativa in tal senso proprio la lunga frequentazione del settore sportivo e del distretto Sportsystem, cui l'agenzia e il suo titolare – pur con esperienze all'estero – sono legati quasi geneticamente, oltre che geograficamente. Senza forzare una distinzione di modalità progettuale, rimane che per lo sport, oltre la frenesia dei trend da seguire, sono le risposte prestazionali a fare da guida, ancor più che l'ottimizzazione dei costi; di conseguenza ricerche di mercato, obiettivi e briefing hanno una precisione maggiore rispetto ad altri ambiti, per i quali il punto di partenza pare essere l'idea già confezionata in cerca di realizzazione. "Ogni attività sportiva presenta un linguaggio e una logica propri, di cui paiono 'intrisi' quanti vi operano intorno", dice Allocco, "nelle aziende si trovano manager e consulenti che sono anche sportivi

professionisti, tecnici preparati e numerosi artigiani: persone che da sempre costruiscono telai o modellano scarponi, *know how* vivente con cui confrontarsi; e poi gli atleti: spesso gli stimoli arrivano dalle loro esperienze, sono i tester più affidabili". Facendo perno su tale confronto sono nati progetti come Kórebo, bicicletta da triathlon, monoscocca, realizzata in fibra di carbonio per Carraro Cicli, caratterizzata dall'eliminazione del montante inclinato sotto-sella; oppure lo scarpone hard per *snowboard*, per il marchio DSM, con meccanismi e sistemi di chiusura brevettati, un risultato premiato dalle vendite. Più recentemente, poi, Carbon Power per

Crispi, non semplice calzatura ma vero e proprio "sistema strutturale" grazie al quale l'alterazione materica e la sostituzione di alcuni elementi "portanti" consentono di realizzare tre tipologie di scarpone, per soddisfare differenti specialità – telemark, alpinismo, *freeride* – tecnicamente lontane tra loro ma figlie di una stessa storia sciistica e che fino a ieri erano percorse separatamente dai produttori in tutto il mondo. "Un progetto ambizioso risolto con un approccio di industrial design altamente tecnico, in cui è risultata fondamentale la conoscenza storica del prodotto fin dalle sue origini e in cui il confronto con gli atleti ha permesso di definire i 'paletti' chiave per identificare e stabilire prestazioni e variabili da controllare nelle tre specialità". Con la consapevolezza che non sempre è facile trovare imprenditori che credano nel valore del progetto, dall'altro lato c'è la percezione, secondo Allocco, che la selezione causata dai fattori di crisi lasci oggi intravedere una maggiore propensione verso ricerca e innovazione. In questa linea si colloca anche la carrozzina per disabili, per Progeo, azienda giovane che ha saputo fidarsi di Delineo: inizialmente incaricato della comunicazione, il team ha potuto mettere alla prova specializzazione e competenze e intervenire sul prodotto, proponendo l'applicazione di materiali termoformati. D'altronde è negli intenti costituitivi dello studio avanzare nuove soluzioni e, attraverso l'intervento in settori merceologici diversi, contribuire alla "migrazione" conoscenze: "Crediamo sia normale, forse oggi ancora di più, trasferire tecnologie impensate da un ambito all'altro. Se percorriamo la storia, gran parte delle innovazioni arrivano, per esempio, dal campo militare: internet, numerosi

Crispi, *Carbo Power system*

Minardi F1, tuta per i piloti
Minardi F1, pilots' clothing

Carraro, bicicletta *Kórebo* realizzata in fibra di carbonio
Carraro, bicicletta *Kórebo* carbon fibre bicycle

materiali, le considerazioni stesse in termini di ergonomia, studiate inizialmente per i carri armati americani. Come consulenti è nostro compito trovare risposte inedite, nel rispetto della specificità e dell'identità delle aziende". Così, già riconosciuto con inviti e selezioni, e con alle spalle nel 2005 la menzione speciale al concorso Young&Design per la lampada *Simpaty* e nel 2006 la medaglia d'oro premio speciale "Tiziana Mascheroni" per lo sgabello *Bull* (Steelmobil), Delineo design continua a muoversi trasversalmente, ma senza confusione di ruoli, fra product e exhibit design, comunicazione e "cosmetica", fase necessaria per ammortizzare gli investimenti e per posizionare e accompagnare il prodotto nel mercato, fino al cliente "pensando che potremmo essere noi stessi i primi ad acquistare ciò che abbiamo disegnato".

Giampaolo Allocco founded Delineo design in 1999 in Montebelluna – in the heart of the Sportsystem district. Allocco had previously worked for design and communications companies and studios. The company has in-house collaborators as well as a larger team of external consultants. Allocco is well aware of how important it is to provide an integrated design offer that includes design, exhibits and communications, to pursue research and study as well as to ensure the exchange of information, technology, materials and procedures between different fields of learning.
Delineo has worked with many companies including Crispi, Briko, Derby, Aprilia, Rossignol Lange, OZRacing, USP, Minardi Formula 1, Carraro Cicli, Gruppo Doimo, Casamania and Kristalia. The studio won the gold medal special prize "Tiziana Mascheroni" for its Bull stool designed for Steelmobil.

Minardi motorhome, rendering

Carrozzina realizzata per Progeo con materiali termoforanti
Pram designed for Progeo using thermo-moulded materials

Minardi racing car, rendering

Delineo – from the Latin *delineare* i.e. "to design/to draw" – and *design*, two terms used not to define a tautology, but to emphasise a precise work ethic: an ethic in which design is "integrated" and form is based only on function, performance, durability and endurance. The studio is located in Montebelluna, the centre of the Sportsystem District. Specialised in the production of sports shoes (it makes about two-thirds of the world's ski boots), materials and components. The company ethics are those of its founder, Giampaolo Allocco; he first started to learn about industrial design in a "factory" and then in school and university with a post-graduate degree at the "Scuola Italiana di Design" in Padua. He worked with Giacometti and Associates, a studio where Allocco coordinated the product design team. His clients included the Benetton Group, Aprilia, Armi Beretta and Fiat: his work here gave him the opportunity to actively be involved in the various design stages, from research to industrialisation. On the one hand, this proves how complex the work was, but it also emphasises the

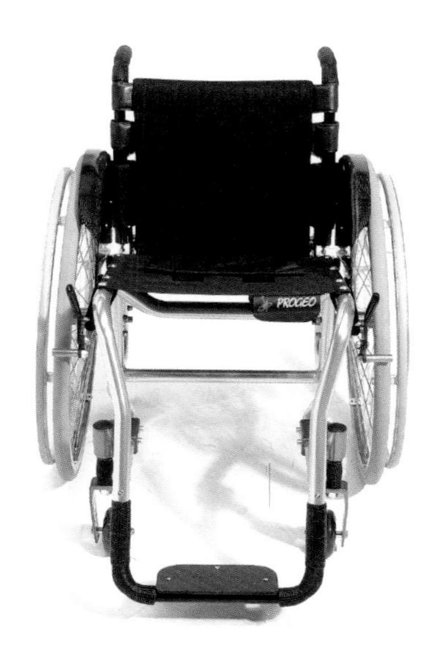

importance of team work as a way to merge different skills and expertise. At the end of the nineties, Allocco branched out on his own. He had already made a name for himself in certain sports, for instance Grand Prix racing (Minardi) and the world of snowboarding. In 1999 with Delineo design, he combined his experiences: all types of designs, including highly sophisticated ones, teamwork, organisation and constant improvement. After "design" and "project," the third word in the trilogy is *team*: it refers to the studio team, four people all with multidisciplinary backgrounds, and external collaborators specialised in certain fields who tackle issues and projects that are always different. They include projects on corporate identity, communications and products. Then there is the enlarged team set up with the client: this team tackles issues such as the market, performance, technology and therefore includes other professionals. The studio's extensive experience in the world of sports and the Sportsystem

District is particularly important; the agency and its founder – even if work has been carried out abroad – are genetically as well as geographically linked to this local reality. Without wanting to distinguish between design methods, the fact remains that in the world of sports, apart from having to follow momentary trends, performance is a very important issue, even more important than cost saving. Therefore, market research, goals and briefings are more important than in other fields in which developments seem to be based on a readymade idea waiting to be produced. "Every sport has its own style and logic which seems to 'infuse' those who work in it" says Allocco, "in certain companies there are managers and consultants who are also professional sportspersons, experienced technicians and many craftsmen: people who have always built shells or shaped boots, living know-how you work with. And then there are the athletes: often you get ideas from their experiences and they are the most reliable testers." This sort of joint effort produced *Kórebo*, a triathlon, monocoque carbon fibre

bicycle made for the company Carraro Cicli that doesn't have a oblique frame under the saddle, or the hard boot for snowboards under the brand name DSM, with patented mechanisms and closing systems that sold like wildfire. Recently, they have designed Carbon Power for Crispi, not a simple shoe but a "structural system." This system means that by changing materials and replacing certain "load-bearing" elements it's possible to produce three types of ski boots that can be used in different sports – telemark, ski mountaineering and freeriding. Although these sports are technically different they are all offshoots of the same world of skiing and, up till yesterday, were made separately by producers all over the world. "An ambitious project that exploited a highly technical industrial approach. The history of the product from its early beginnings proved to be invaluable. Our contact with the athletes allowed us to establish the key 'areas' needed

to identify and define performance and the variables that have to be kept under control in these three specialties." Allocco is well aware that it's not easy to find entrepreneurs who believe in design. On the other hand, he senses that the crisis has led to more people being interested in research and innovation. The wheelchair for the disabled, designed for *Progeo*, is part
of this philosophy. This is a young company that trusted in Delineo. Initially charged with a communications project, the team was allowed to put its expertise and skills to the test and intervened in the design of the product, proposing the use of thermoshaped materials. The studio wants to propose new solutions and contribute to the "migration" of knowledge by intervening in sectors that produce different commodities. "We believe it's normal, increasingly so today, to transfer technology from one sector to

Merchandising per Oz Racing, azienda produttrice di cerchioni per automobili
Merchandising for Oz Racing, a company that produces rims for cars

Minardi F1, livrea della macchina da gara e abbigliamento dei piloti Minardi F1
Minardi F1, colours of the racing cars and the clothing worn by the pilots

another. If you look at history, most innovations have come from the military: internet, numerous materials, ergonomic considerations initially studied for American tanks...
As consultants, out task is to find novel solutions, while respecting the specific nature and identity of a company." Delineo design is proud of its awards and projects. In 2005, it obtained a special mention in the Young&Design competition for its lamp, *Simpaty* and in 2006 won the gold medal special prize "Tiziana Mascheroni" for the stool (Steelmobil). Without confusing the roles, it continues to work in all fields of products and exhibit design, communication and "cosmetics".This phase is necessary to pay back its investments and to position and accompany the product on the market in order to ensure it reaches the client, "fully aware that we could be the first to buy what we've designed."

La straordinarietà del quotidiano
The Extraordinary of Everydayness

El Ultimo Grito è uno studio creativo, fondato a Londra nel 1997, specializzato in industrial e interior design, costituito e diretto da Roberto Feo e Rosario Hurtado, un duo di designer spagnoli che, trasferitisi a Londra negli anni '80 per studiare design, hanno scelto questa città per vivere e per intraprendere la loro professione. Roberto Feo è nato nel 1965, si è laureato e ha conseguito un Master in Industrial Design al Royal College of Art di Londra, dove dal 1999 insegna presso il Design Products Department. Rosario Hurtado è nata nel 1966, si è laureata in Industrial Design alla Kingston University di Londra e attualmente insegna presso il Design Department della Goldsmith University. Feo e Hurtado, come El Ultimo Grito, hanno sviluppato progetti per numerose aziende, tra le quali Hidden, Mathmos, Punt Mobles, Metalarte, Wireworks, Nola, Lavazza, Moroso, Griffin, Abet Laminati. Molti loro prodotti hanno ricevuto premi e riconoscimenti a livello internazionale, alcuni sono anche entrati in collezioni permanenti di prestigiosi musei.

Feo e Hurtado di El Ultimo Grito sono considerati "spiriti liberi" nella nuova generazione di designer: non amano scendere a compromessi con il sistema produttivo e commerciale, spesso scelgono l'autoproduzione perché desiderano seguire tutto il processo di sviluppo dei loro prodotti, dal concept alla scelta dei nomi con cui verranno presentati al pubblico, e si autopromuovono partecipando a concorsi, mostre e fiere internazionali.
Come sostiene Ron Arad, non sono molti i giovani progettisti che, come Feo e Hurtado, hanno un atteggiamento vitale e senza compromessi nei confronti del sistema-design e certamente la loro scelta di vivere e lavorare a Londra ha rappresentato "un salutare carburante per la loro creatività".
El Ultimo Grito riflette progettualmente sui temi della contemporaneità, nella convinzione che "il design è l'interfaccia attraverso la quale facciamo esperienza del mondo che ci circonda" e che il ruolo del designer non è dare forma ai prodotti di consumo, ma identificare consapevolmente che cosa abbia ancora senso progettare oggi e per il futuro. Un modo di intendere e praticare il design, che si potrebbe definire "design critico", al contempo militante e ironico, che fonde in modo originale impegno e humour, sempre attento a cogliere la straordinarietà del quotidiano, ciò che rende eccezionale e unica una situazione ordinaria.
"É difficile definire il nostro modo di fare design", spiegano Feo e Hurtado, "le idee che guidano il nostro lavoro derivano da diverse fonti e da differenti aree di interesse, e questo si vede nei nostri progetti. Noi non facciamo design per un contesto ma usiamo il contesto per generare le idee di progetto: il nostro lavoro si nutre di pane, formaggio, caffè, di vicinato, cinema, odori, fumetti, di canzoni, di suoni e rumori, colori, del

mondo che ci circonda".
A volte l'ispirazione per i loro progetti deriva dalla sperimentazione delle qualità tattili e costruttive dei materiali, altre volte dalla riflessione sulla multifunzionalità degli oggetti e molto spesso dall'osservazione dei gesti quotidiani, come appendere il cappotto e riporre il giornale arrotolato. Nel loro design l'idea è comunque l'elemento più importante, emerge sempre con forza nel prodotto finale e nei nomi carichi di humour che attribuiscono ai loro oggetti. Proprio quei nomi bizzarri, come *Don't run we are your friends!* per una lampada a sospensione, o *Mind the Gap* per un tavolino-portariviste, o ancora *What goes down.... must come up* per un contenitore della biancheria, rendono i prodotti autonomi dal processo di creazione e da chi li ha progettati, conferiscono loro identità e costruiscono le storie di cui diventano protagonisti insieme agli utilizzatori finali. Il design è quindi, per il duo anglo-spagnolo, un modo per raccontare storie di vita quotidiana, fatte di cose semplici che invitano a "consumare meno e creare di più". I loro oggetti hanno sempre una forte personalità e, pur essendo soluzioni minimali ed economiche per la vita di ogni giorno, sono caratterizzati da una grande carica espressiva che stimola la creatività degli utilizzatori. Si pensi al portarotoli di carta igienica Brain storming, un oggetto "pelle e ossa", fatto di "materia minima" ma con una spiccata identità, che racconta, nel suo diventare anche portariviste, una comune e quotidiana abitudine di tutti coloro che amano leggere e fare progetti per la propria vita nella stanza da bagno. Questo e molti altri prodotti firmati da El Ultimo Grito evidenziano come, combinando gli insegnamenti della corrente minimalista del design inglese con la forza espressiva del design spagnolo, Feo e Hurtado sono riusciti a trovare insieme, all'interno dello scenario del design contemporaneo, un percorso creativo autonomo e originale - da essi definito ironicamente "Razionalismo barocco" - che connette liberamente "minima materia" e "massima espressione".

Pet shirts, progetto di contenitori a forma di animali domestici, sponsorizzato da Castlefield Gallery, Manchester 2003
Pet shirts, project of containers in form of pets, sponsored by Castlefield Gallery, Manchester 2003

What goes down.... must come up, contenitore per la biancheria da lavare realizzato in acciaio e tessuto, prodotto da Hidden, Olanda 2000
What goes down.... must come up, laundry bin made in stainless steel and fabric, manufactured by Hidden, Netherlands 2000

Founded in London in 1997, El Ultimo Grito is a creative studio specialising in industrial and interior design. It is directed by Roberto Feo and Rosario Hurtado, a Spanish designer duo who moved to London in the eighties to study design and then chose to live in the city and start their career there. Roberto Feo was born in 1965. He graduated and mastered in Industrial Design at the Royal College of Art in London where he has been teaching in the Design Products department since 1999. Rosario Hurtado was born in 1966. He graduated in Industrial Design at Kingston University in London and currently teaches at the design Department of Goldsmith University. Feo and Hurtado, as El Ultimo Grito, have designed for many companies including Hidden, Mathmos, Punt Mobles, Metalarte, Wireworks, Nola, Lavazza, Moroso, Griffin, Abet Laminati. Many of their products have won international prizes and awards and some are now in the permanent collections of prestigious museums.

The two designers of El Ultimo Grito, Feo and Hurtado, are considered the "free spirits" of the new generation of designers. Slow to compromise with the productive and commercial system, they often choose self-production in order to follow their products through the entire production chain, from the concept to the choice of the product's market brand name. They self-promote by participating in international competitions, exhibitions and fairs. Ron Arad believes there aren't many young designers who, like Feo and Hurtado, have such a dynamic and uncompromising attitude towards the design system and obviously their decision to live and work in London was "a invigorating boost for their creativity." El Ultimo Grito studies the design aspect of contemporary themes, convinced that "design is the interface through which we experience the world around us" and the role of the designer is not to give form to consumer products, but to knowingly identify what is still worth designing today and in the future. We could call this way of conceiving and practising design, "critical design." It is also a militant and ironic type of design that gives an original twist to the words commitment and humour and is always careful to capture the extraordinary aspects of everyday life, that quid that makes an

What goes downÖ. must come up, contenitore per la biancheria da lavare realizzato in acciaio e tessuto, prodotto da Hidden, Olanda 2000
What goes downÖ. must come up, laundry bin made in stainless steel and fabric, manufactured by Hidden, Netherlands 2000

Good Morning Moneypenny, attaccapanni realizzato in polipropilene e giornali, autoprodotto da EUG, UK 1999
Good Morning Moneypenny, coat rack made in polypropylene and newspapers, manufactured by EUG, UK 1999

The revolution will not be televised: a simple tshirt can become a powerful tool, progetto Design Against Trend Project@ TRICO, Tokyo 2000
The revolution will not be televised: a simple tshirt can become a powerful tool, project Design Against Trend Project@ TRICO, Tokyo 2000

ordinary situation exceptional and unique. Feo and Hurtado explain that it's difficult to define their way of designing. The inspirational ideas behind their work come from many different sources and different areas of interest, but are easily recognisable in their products. They don't specifically design for any particular context, but use the context to create the ideas for the project. Their work draws on bread, coffee, neighbours, films, smell, cartoons, songs, sounds and noises, colours and the world around them. At times, inspiration for their projects springs from experiments on the tactile and constructive qualities of materials or from reflecting on the multifunctionality of objects or again, very often inspiration comes from observing everyday gestures, like hanging up your coat or putting down a rolled-up newspaper. The most important element in their design is the idea. It always emerges forcefully in the final product and the humorous names they choose, for instance Don't' run we are your friends! for a ceiling lamp or Mind the gap for a small table for magazines or What goes down ... must come up for a linen holder. These rather odd names split the products from the creative process and the designer: they give them an identity and a background where the products themselves become the protagonists along with the final users. For the Anglo-Spanish duo, design is a way to tell real life stories made of simple things that invite you to "consume less and create more." Their objects always have a strong personality and even if they are minimal and economic solutions for everyday life, they are bursting with expressivity and this stimulates the users' creativity. For instance, the toilet paper holder Brain Storming, a "skin and bone" object made of "minimal matter" but with a strong identity: when it turns into a magazine holder, it tells a story of the daily habits of all those people who like to read and plan their lives in the bathroom. This and many other products by El Ultimo Grito prove how, by combining the minimalist teachings of English design with the expressive force of Spanish design, Feo and Hurtado have together been able to find in the panorama of contemporary design, an original and independent creative path – they ironically define as "Baroque rationalism" – that freely associates "minimal matter" and "maximum expression.

dante ferretti

"In ogni pellicola realizzata insieme, Dante mi ha regalato qualcosa di inestimabile, un universo vivente...Non so descrivere ciò che provavo mentre lo osservavo costruire una serie di palazzi tibetani in Marocco per Kundun, o quando camminavo attraverso la sua ricostruzione del vecchio quartiere di Five Points a Cinecittà, per Gangs of New York, ogni volta assistevo a un miracolo che si ripeteva...E' difficile immaginare cosa avrei fatto senza di lui."
(Martin Scorsese da Ferretti l'Arte della Scenografia, Electa)

"In every film we did together, Dante always produced something priceless, a living universe... I can't describe what I felt when I watched him build a series of Tibetan buildings in Morocco for Kundun, or when we walked together through the old Five Points district in Cinecittà for Gangs of New York, it was a miracle every time... I can't possibly imagine what I'd have done without him."
(Martin Scorsese, Ferretti l'Arte della Scenografia, Electa)

Scenografie al top
The Best in Stage Sets

Forse la maniera più consona per introdurre un personaggio come Dante Ferretti, sarebbe quella di elencare tutti i premi e i riconoscimenti che ha ricevuto per il suo lavoro fino ad oggi. Bene, per poterlo fare non basterebbe lo spazio a disposizione. Sono davvero tanti. Tra tutti, però, le otto nomination all'Oscar, vinto poi nel 2004 con The Aviator di Scorsese, vale la pena ricordarle: per la scenografia e l'arredamento, candidato insieme alla moglie Francesca Lo Schiavo: 1989 - Le Avventure del Barone di Munchausen (Terry Gilliam), 1990 - Amleto (Franco Zeffirelli), 1993 - L'età dell'Innocenza (Martin Scorsese) 1994 - Intervista con il Vampiro (Neil Jordan), 1997- Kundun (Martin Scorsese), 2003- Gangs of New York (Martin Scorsese), 2004 – The Aviator (Martin Scorsese) e anche una per i costumi ancora con Kundun.

Incontro il Maestro nel suo studio a Cinecittà. E' a Roma da pochi giorni: l'Hollywood Film Festival lo ha premiato come *Best Production Designer of the Year*. L 'ultimo anno e mezzo, invece, ha vissuto a Londra, dove ha seguito la realizzazione di un film. Fra pochi giorni si trasferirà nuovamente negli Stati Uniti, dove è residente, anche se la sua base è Roma, e ogni volta, dice, ci torna volentieri. La vita dell'architetto scenografo Dante Ferretti è affascinante quanto lui. Il suo modo di raccontare i suoi trascorsi incanta e rapisce. Appare calmo, riflessivo, meticoloso. Racconta di quando, da piccolo, amava trascorrere il suo tempo nello studio del grande scultore e amico Umberto Peschi. Dante Ferretti aveva 13 anni e lui una cinquantina quando si conobbero e, a suo dire, fu la sua gran fortuna. Lo studio, una piccola soffitta, si trovava a Macerata, città natale di entrambi. Peschi aveva lavorato molto a Roma, dove era venuto in contatto con numerosi gruppi futuristi diventando amico di Prampolini, Balla e Depero. Lavorava il legno e creava delle sculture informali di forte impatto, ma in realtà, per vivere, realizzava le decorazioni ad intaglio per i mobili di produzione artigianale e non; lavorava anche per il padre di Ferretti che aveva una piccola fabbrica di mobili. Proprio all'interno del laboratorio creativo di Peschi, Dante Ferretti subisce il fascino di questo design artigianale, come lo definisce, che si discosta totalmente da quello del periodo. Sente spesso nominare architetti come Del Debbio, Adalberto Libera, Gio Ponti, Giulio Arata e altri ancora. Da questo artista impara cosa è il design e le varie correnti ad esso legate. Sarà proprio Peschi ad incoraggiarlo a seguire la carriera di scenografo e a spingerlo ad andare a studiare a Roma. Un contatto, anche se avvenuto in giovane età, che non lascia Ferretti indifferente. Ancora oggi considera l'Architettura dagli anni 20 ai 40 e l'Art Déco le basi della sua formazione, avvenuta proprio presso lo studio dello scultore maceratese e riconosce che le sue creazioni scenografiche ne sono fortemente influenzate. Basti pensare, ad esempio, a quelle progettate per *Titus* (Julie Taymor, 1999), o quelle per *Gangs of New York* e *Aviator*.
La scenografie curate da Ferretti sono numerosissime, tanto per citarne

Titus di J. Taymor -bozzetto del film, sullo sfondo il Palazzo della Civiltà del Lavoro all'Eur, Roma scenografato con dei drappi neri, 1999
Titus by J. Taymor – sketch of the film. In the background, the Palazzo della Civiltà del Lavoro in the EUR district in Rome with black drapes, 1999

altre: *Salò e le 120 giornate di Sodoma* (Pier Paolo Pasolini, 1975), *Prova D'Orchestra* (Federico Fellini, 1979), *La Città delle Donne* (Federico Fellini, 1980), *Il Nome della Rosa* (Jean Jacques Annaud, 1986), *Casinò* (Martin Scorsese, 1995), *Ritorno a Cold Mountain* (Anthony Minghella, 2004), *Black Dahlia* (Brian De Palma, 2006), senza contare tutto ciò che ha realizzato per il teatro, sia di prosa che lirico in tutto il mondo e sorprende non poco la sua dichiarazione che in realtà il momento creativo non arriva facilmente. Racconta che i suoi progetti migliori sono nati un quarto d'ora prima di presentare la proposta iniziale e che lui fondamentalmente è una persona pigra: una persona pigra che deve lavorare. Pur avendo a disposizione un anno, comincia a pensare ad un progetto sempre a ridosso della scadenza. E' interessante ascoltarlo mentre racconta come si sviluppa la fase progettuale di un lavoro. Dante Ferretti parte necessariamente dal periodo storico di riferimento, ma ci tiene a sottolineare che la peculiarità del suo metodo sta proprio nell'interpretazione personale a seconda delle esigenze del film. Nelle sue ricostruzioni scenografiche non copia, o comunque non è sua intenzione farlo. Procede secondo un metodo preciso: immagina come un architetto del periodo in cui sarà ambientato il film, progetterebbe edifici, mezzi di trasporto, arredi, oggetti, ecc. La presenza di qualche "errore" scenografico è, secondo Ferretti, l'indicazione di una corretta progettazione: la ricostruzione pedissequa appare addirittura troppo finta e altera il risultato finale del lavoro.

Il Nome della Rosa di J.J. Annaud, ricostruzione delle scale della biblioteca ispirate all'opera di M.C. Escher, 1986
The Name of the Rose by J.J. Annaud: reconstruction of the library stairs inspired by the works of M.C. Escher, 1986

Grandi bozzetti a colori e modellini dettagliati sono gli strumenti di rappresentazione preferiti per presentare un lavoro. Ferretti non ama i rendering che secondo il suo parere rimangono piatti, comunque bidimensionali e non riescono a chiarire la volumetria degli spazi. Quando si incontra con il regista ed espone le sue idee, la cosa principale è che il progetto sia facilmente comprensibile in modo che non si creino equivoci in fase di costruzione.
Ciò che stimola la sua creatività è il soggetto del film, è affascinato dalle storie, più che dall'ambientazione o dal periodo storico, ha la grande capacità di saper spaziare, di non preferire un periodo piuttosto che un altro, l'importante è che sia qualcosa di stimolante, magari nuova in modo da potersi reinventare ogni volta. Poi, fatto un film, tutto viene archiviato e si è pronti per ricominciare. Ferretti non ha legami particolari con ciò che ha realizzato, niente ricordi nostalgici, il prodotto finito si mette tranquillamente da parte. Scopro inoltre che finite le riprese Dante Ferretti non segue il montaggio, tranne rari casi in cui vanno aggiunte delle scene virtuali alle costruzioni e quindi è necessaria la sua presenza (come ad esempio per l'ultimo film di Tim Burton, *Sweeney Todd,* un musical dalle tinte thriller che uscirà a dicembre negli Stati Uniti, per il quale ha seguito la post produzione) ma va direttamente alla prima proiezione. Sull'uso del virtuale Ferretti non ha dubbi e *Sweeney Todd* ne è un esempio calzante: un tempo la scenografia virtuale rappresentava il 75% del totale mentre il 25% era scenografia costruita; oggi è l'esatto contrario anche perché gli attori non sono facilitati ad interpretare un ruolo se la scena non esiste (perché aggiunta virtuale in post produzione). Per quest'ultimo film di Tim Burton sulla Londra Vittoriana, Ferretti si è trasferito nella capitale inglese per un

Le avventure del barone di Munchausen di T. Gilliam - il corridoio della luna, bozzetto, 1989
The Adventures of Baron Munchausen by T. Gilliam – the corridor of the moon, sketch, 1989

anno per seguire interamente i lavori, le ambientazioni sono state tutte costruite da maestranze del posto. Niente location o adattamenti di cose esistenti, tutto è stato progettato fin nei minimi dettagli e ricostruito in teatro, e mentre lo racconta gli si illuminano gli occhi; un impegno di circa 20 settimane di preparazione e 14 di riprese. I continui spostamenti portano Ferretti a lavorare con maestranze di tutto il mondo, ma la riconoscenza verso quelle italiane, le poche rimaste, è grande. Nel caso di *Gangs of New York,* è stato proprio lui a convincere il regista e la produzione a realizzarlo a Cinecittà a Roma, servendosi là dove necessario di aiuti esterni per sopperire ad alcune mancanze e comporre un team di qualità. Purtroppo, secondo il suo punto di vista, sono sempre di meno i professionisti in questo campo. Un tempo si passava l'esperienza lavorativa da padre in figlio e gli artigiani riuscivano a tramandare il proprio mestiere. Oggi i giovani non sono più tanto interessati a svolgere lavori di questo tipo. Anche all'estero esiste una grande professionalità così come in Italia; in più negli Stati Uniti, la genialità sta nel poter comporre il team di lavoro con professionisti singoli che lo scenografo sceglie a seconda delle loro capacità, mentre l'affitto degli teatri di posa è a parte. In Italia è diverso si lavora con gli stabilimenti cinematografici che offrono la squadra di artigiani completa. I film di cui si occupa Ferretti hanno ambientazioni completamente ricostruite e validi artigiani sono la garanzia per la buona riuscita del lavoro. Si costruisce di tutto: intere città, borghi, porti, interni di ogni genere, e tutti gli arredi e l'oggettistica. La progettazione degli interni e dell'arredamento, in particolare, è curata meticolosamente da Francesca Lo Schiavo sua moglie e suo braccio destro da venticinque anni. Quando si conobbero faceva già l'arredatrice di interni, poi, una volta sposati, per non rischiare di separarsi

The Aviator di M. Scorsese, ricostruzione dello studio del capo della Pan Am Juan Trippe, 2004
The Aviator by M. Scorsese: reconstruction of the office of the director of Pan Am, Juan Trippe, 2004

The Aviator di M. Scorsese, Grauman's Chinese Theater realizzazione, 2004
The Aviator by M. Scorsese, Grauman's Chinese Theatre, 2004

The Aviator di M. Scorsese, bozzetto, 2004
The Aviator by M. Scorsese, sketch, 2004

spesso e per lunghi periodi, ebbero l'idea di lavorare insieme. Fu in occasione de *La Pelle* di Liliana Cavani nel 1980, che fecero la loro prima esperienza insieme sul set. Subito dopo con *E la nave va* di Federico Fellini. Un vero successo: il feeling era forte anche sul lavoro. Da allora va avanti questa stretta e lunga collaborazione. La stima reciproca e il completarsi a vicenda fortificano il rapporto, Ferretti imposta il lavoro iniziale e Francesca Lo Schiavo segue tutta la parte dell'arredamento fin nei minimi dettagli. Oltre alle scenografie cinematografiche e teatrali, Ferretti si è occupato di numerosi interventi di allestimento. Uno tra gli ultimi realizzati è quello per la nuova facciata del Palazzo del Cinema di Venezia in occasione dell'ultima mostra del Cinema. Per comprendere l'installazione che Ferretti ha proposto per l'occasione, bisognerebbe, come giustamente sottolinea il Maestro, aver visto *Prova D'Orchestra* di Federico Fellini, il film *più politico che sia mai stato fatto in Italia...* Avevano già cominciato le costruzioni per *La Città delle Donne*, quando Fellini dice a Ferretti di interrompere i lavori per fare prima un altro film. Nella sceneggiatura iniziale, davanti al grande buco nel muro, Fellini aveva posizionato una ruspa, fu Ferretti a dargli l'idea di utilizzare la grande sfera di acciaio che aveva visto in un film americano proprio la sera prima. Una sorta di segnale che nel film è un monito: stare attenti, perché da un momento all'altro può sempre succedere qualcosa, un segno che riporta tutti in riga... Secondo Ferretti nell'utilizzare la stessa immagine per l'ultima Mostra del Cinema di Venezia ha lavorato più come comunicatore che come scenografo. Prima di andare, vorrei carpire informazioni sul suo prossimo impegno. Riesco solo ad avere qualche notizia a riguardo: si tratta del nuovo film di Scorsese le cui riprese cominceranno a breve nel Maine in America. Si chiamerà *Shutter Island* e sarà ambientato negli anni '50. Di più non riesco a scoprire, Ferretti, da vero professionista, è riservato e come migliore tradizione cinematografica vuole non svela nulla prima di cominciare le riprese.

Perhaps the best way to introduce a person like Dante Ferretti would be to list all the prizes and awards he's won during his lifetime. Well, to do that I'd need more space. There are so many. But it's worth remembering the eight Oscar nominations and the statuette won for Martin Scorsese's film The Aviator*: for Best Art Direction, candidate with his wife Francesca Lo Schiavo: 1989 –* The Adventures of Baron Munchausen *(Terry Gilliam), 1990 -* Hamlet *(Franco Zeffirelli), 1993 –* The Age of Innocence *(Martin Scorsese) 1994 –* Interview with the Vampire *(Neil Jordan), 1997-* Kundun *(Martin Scorsese), 2003 -* Gangs of New York *(Martin Scorsese), 2004 –* The Aviator *(Martin Scorsese) and Best Costume Design, again for* Kundun.

I met the *Maestro* in his office in Cinecittà. He'd just arrived in Rome after receiving the *Best Production Designer of the Year* Award at the Hollywood Film Festival. For the last 18 months he's been living in London where he's working on a film. In a few days he'll go back to the States where he's a resident, even if his home base is Rome and he says he's always happy to come back.
The life of the architect/set designer Dante Ferretti is as fascinating (and charming) as he is. I'm mesmerised by the way he talks about his life and work: he looks calm, thoughtful and thorough. He starts by telling me how he loved to spend hours in the studio of his friend, the great sculptor Umberto Peschi: he was 13 years old and Peschi was about 50 when they met and that, he says, that was a stroke of luck. The studio, a small attic, was in Macerata, the two men's hometown. Peschi had worked for a long time in Rome where he had met many futurist groups and made friends with Prampolini, Balla and Deplero. He worked in wood, creating striking informal sculptures. However to earn a living, he did inlay work for artisans or industrial furniture makers; he also worked for Dante's father who had a small furniture factory.
It was inside Peschi's creative workshop that Dante became fascinated with what he calls artisanal design – so different from mainstream art. And it was here that he often heard the names of Del Debbio, Adalberto Libera,

Gio Ponti, Giulio Arata, etc. Peschi taught him all about design and the different trends it inspired. Peschi also encouraged him to become a set designer and go and study in Rome. Even if he was very young, this friendship was to influence him for life. He still considers the architecture of the 20's to the 40's and Art Deco as being at the centre of his training which took place in the studio of the sculptor from Macerata. Ferretti admits that his set designs were strongly influenced by Peschi and his work. For instance, his designs for *Titus* (Julie Taymor, 1999) or for *Gangs of New York* and *The Aviator*.
Ferretti has created so many set designs, the following are just few: *Salò* or *The 120 Days of Sodom* (Pier Paolo Pasolini, *1975*), *Orchestra Rehearsal* (Federico Fellini, *1979), City of Women* (Federico Fellini, *1980), The Name of the Rose (*Jean Jacques Annaud, *1986), Casinò (*Martin Scorsese, 1995), *Return to Cold Mountain (*Anthony Minghella, *2004), Black Dahlia* (Brian De Palma, 2006). Then there's all the work he's done for theatres and opera houses all over the world, so I'm surpris when he says that creating doesn't come easy. He tells me that his best designs come to him 15 minutes before he has to present the first draft and that basically he's quite lazy: a lazy person who has to work. Even if he's given a year, he starts to think about the project just before the deadline.
Listening to him tell me how a design develops and evolves is captivating. Dante starts with the historical period, but insists that he interprets the period in his own personal way, depending on what's needed. When he

Gangs of New York di M. Scorsese, ricostruzione degli esterni a Cinecittà, 2003
Gangs of New York by M. Scorsese: reconstruction of the outdoor sets in Cinecittà, 2003

Casinò di M. Scorsese, bozzetto dello studio di Sam Ace Rothstein (R. De Niro), 1995
Casinò by M. Scorsese, sketch of Sam Ace Rothstein's studio (R. De Niro), 1995

L'Età dell'Innocenza di M. Scorsese, la casa di Ellen (Michelle Pfeiffer) bozzetto, 1993
The Age of Innocence by M. Scorsese: Ellen's house (Michelle Pfeiffer). Sketch, 1993

builds sets he doesn't copy, or at least not intentionally. He always uses the same work method: he tries to imagine how a contemporary architect would design buildings, transport modes, furniture, objects, etc.
Ferretti believes that a few "mistakes" in the set indicates that the design has been done properly: imitation reconstruction looks too fake and alters the final result. He prefers to use big colour sketches and extremely detailed models to present his works. He doesn't like renderings which he considers are flat, two-dimensional and don't give a true picture of the volume and space. What's important when he meets the director to present his ideas is that his project is easy to understand so that there're no misunderstandings when it's built.
It's the film's plot that excites his imagination: he's fascinated by the stories rather than the setting or historical period. He has a wonderful gift: he can adapt to any period in history and doesn't prefer one to another. What's important is that it's exciting or even different, so he can reinvent himself each time. Once the film is over, he files it all and starts all over again. Ferretti doesn't feel particularly attached to what he's done, there are no nostalgic memories: the final product is put aside. I also discover that Dante isn't involved in the editing, except in very few cases when virtual scenes are added and this requires his collaboration (for example, the post-production of Tim Burton's last film, *Sweeney Todd*, a thriller/musical that will come out in the States in December). He just goes to the first screening. Ferretti has no doubts about virtual sets and *Sweeney Todd* is a perfect

Tutte le immagini sono tratte dal libro: Ferretti, L'arte della scenografia – Electa/ Accademia dell'immagine, 2004
All the pictures are from the book: Ferretti, L'arte della scenografia – Electa/ Accademia dell'immagine, 2004

example. In the past virtual sets were used in 75% of the film while 25% were built: today it's exactly the opposite. One reason for this is that it's difficult for the actors to play their part if there isn't a real set (because it's virtually added in post production). For Tim Burton's last film in Victorian London, Ferretti lived in London for a year to follow the work: the sets were built by local craftsmen. No locations or adaptation of existing places: everything was planned in minute detail and rebuilt. His eyes light up when he talks about all this – about 20 weeks in the making and 14 weeks of shooting.
His travels bring him to work with craftsmen from all over the world, but the ones he admires most are the Italians – the few that are left. When working on *Gangs of New York*, he persuaded the director and production company to shoot the film in *Cinecittà* in Rome. To put together a great team he does use outside labour when necessary.
Unfortunately, he says, there are less and less professionals. Once upon time, expertise was handed down from father to son and craftsmen were able to transmit their knowledge. Nowadays young people aren't interested in doing this kind of job. The same kind of professionalism exists abroad. For instance in the States, the trick is to put together a good team of individual professionals chosen by the set designer according to their skills. Hiring the sound stage is separate. On the contrary, in Italy the work is done in film studios which provide a complete team of workers.
The films Ferretti works on have completely reconstructed sets and capable craftsmen ensure excellent results. Everything is built: whole cities, neighbourhoods, ports, all kinds of interiors, furniture and furnishings.
The design of the interiors and furniture is meticulously drawn by Francesca Lo Schiavo, his wife and "right-hand man" for the past twenty-five years. When they met she was already working as an interior designer. After they got married, they decided to work together to avoid being separated, often for long periods of time. The first time they worked together was on Liliana Cavani's film, *La Pelle,* in 1980 and then, immediately afterwards Fellini's film, *And the Ship Sails On*. A true triumph: their entente was just as intense. Since then they have always worked together. The respect they have for one another and their own intimate feelings have strengthened their relationship: Dante establishes the initial approach and Francesca focuses on the furniture, down to the last very small detail. Apart from the film and theatre sets, Ferretti has also worked on exhibition designs. One of the most recent was his design for the new façade of the *Palazzo del Cinema* in Venice during the recent Film Festival.
Ferretti himself says that to understand his design people should be familiar with Fellini's film, *Orchestra Rehearsal*, the *most political film ever made in Italy*... They had already begun work on the sets for *City of Women* when Fellini told Ferretti to stop and work on another film first.
In the first draft, Fellini had positioned a scraper in front of the big hole in

Alcuni bozzetti dei costumi di Kundun di Martin Scorsese (nomination nel 1997)
Sketches of the costumes for Kundun by Martin Scorsese (nomination in 1997)

the wall. It was Ferretti who gave him the idea of using a huge steel ball – seen in an American movie the night before. A sort of sign that became a warning in the film: be careful, because anything can happen at any moment, a sign that brings everyone back to the fold...
By using the same image for the last Venice Film Festival, Ferretti believes he worked more as a communicator than a set designer.
Before leaving, I'd like to ask him about his next projects. He gives me only a few short snippets: filming will soon start in Maine (USA) on Scorsese's new film. It's called *Shutter Island* and is set in the fifties. I can't get any more out of him. Like a true professional, he's keeping mum and, in good cinematographic tradition won't say anything before shooting starts.

bruce fifield

An Interview with

Bruce Fifield è co-fondatore e direttore della sede di Milano di Design Continuum, della quale si occupa, curandone e dirigendone gli aspetti commerciali, seguendo la ricerca creativa, strutturale e analitica dei progetti. In precedenza è stato per più di dieci anni consulente per il design, oltre che per numerosi studi in Europa e in America, per Olivetti a Milano collaborando all'ideazione di vari prodotti per l'ufficio. Dal 1987, data di fondazione di Design Continuum Milano, ad oggi, ha diretto e contribuito a numerose ricerche in campo nazionale e internazionale e realizzato programmi di sviluppo di prodotti e progetti per la strumentazione medicale, apparecchiature diagnostiche, l'informatica e l'elettronica, macchinari industriali e prodotti di largo consumo. Design Continuum è una società con tre sedi nel mondo, Milano, Seoul, Boston che coinvolge centoventi professionisti tra designer, ricercatori, ingegneri, antropologi.

L'attenzione dello studio è particolarmente centrata sulla relazione con l'oggetto. Come studia il rapporto che si genera tra oggetto e utilizzatore che è abbastanza evidente nello strumento sportivo?
Una delle aree più ricche da esplorare e portatrice di novità nel progetto di design dello strumento sportivo è la relazione tra oggetto e fruitore. Ad esempio, nel progetto di pattini da corsa Oxygen abbiamo cercato di risolvere i problemi legati all'indossabilità e al comfort intervenendo sull'apertura e lavorando per alleggerire, quanto possibile, la presenza della plastica in quello che somigliava a uno scarpone da sci: la calzatura è diventata più leggera e, lasciando solo qualche fibbia, abbiamo permesso di far respirare meglio il piede. Analogamente, in un progetto di scarpa per Puma, siamo intervenuti su un meccanismo già esistente, *il disc system* – un disco che racchiude la scarpa senza i lacci – che costringeva a svolgere un'operazione laboriosa quando si andava a chiudere la scarpa, che stringeva anche il piede; l'inconveniente è stato risolto spostando il disco sul lato per consentire uno sgancio più rapido dell'assemblato ed eliminare l'ingombro eccessivo, che era fastidioso sia visivamente che fisicamente all'utilizzatore.

Qual è il processo che porta alla realizzazione di un'idea e come si svolge il dialogo con il cliente?
Molto spesso conviene capire dalle aziende quali sono le aree in cui vogliono essere riconosciute; ad esempio, se il brand è tecnologico saranno interessate a esaltare questo aspetto del prodotto, se invece è basato sul concetto di facilità d'uso, si cercherà di progettare un oggetto con tali caratteristiche e con una tecnologia meno aggressiva verso il consumatore. Quindi, capire le esigenze non corrisposte nell'attuale prodotto e vedere quali sono gli spazi in cui poter intervenire, ma anche comprendere gli elementi di "fastidio" riscontrabili in un oggetto, come ridurli e, soprattutto, come comunicare il vantaggio apportato.

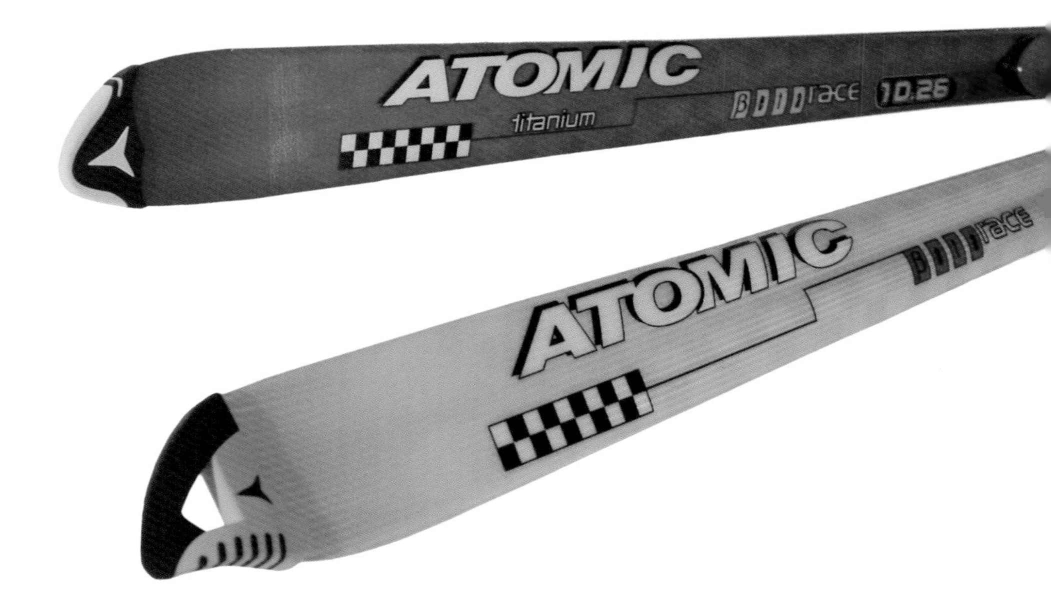

Design Continuum, *Beta Race*, sci, Atomic, 1998
Design Continuum, *Beta Race*, skis, Atomic, 1998

Design Continuum, *Puma disc*, scarpa con *disc system*, Puma 2000
Design Continuum, *Puma disc*, shoes with a *disc system*, Puma 2000

Nelle scarpe Pump progettate per Reebok l'elemento di innovazione è molto evidente e diventa l'elemento iconografico di riconoscibilità, per cui il prodotto alla fine non è Reebok ma Pump. Questo è risolto attraverso la "meccanicità" dell'oggetto, che è una mezza sfera sulla lingua della scarpa che funzionando da pompa, gonfia aria intorno al piede dando maggiore rigidità e proteggendo la caviglia (il progetto nasce come risposta al settore del gioco del basket e agli infortuni sui legamenti di quella zona del piede). In questo caso, si comprende bene il rapporto tra idea, spazio di opportunità intorno al prodotto e contenuto comunicativo del prodotto stesso.

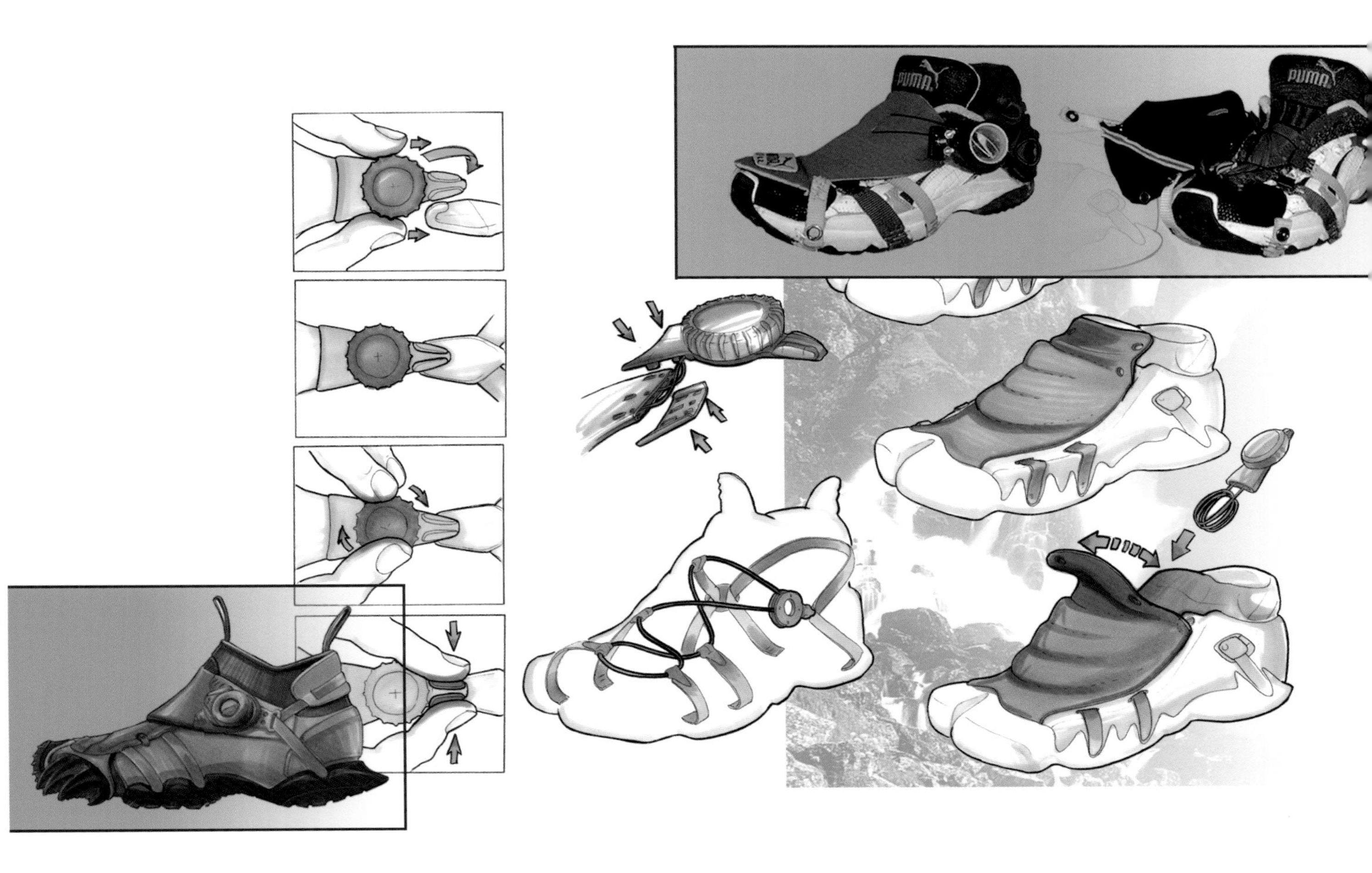

Design Continuum, *Y-tech*, scarponi da ghiaccio, Koflach 1998
Design Continuum, *Y-tech*, high altitude mountaineering boots, Koflach 1998

Design Continuum, *Vision*, occhiali da sole, Zeiss 1999
Design Continuum, *Vision*, sunglasses, Zeiss 1999

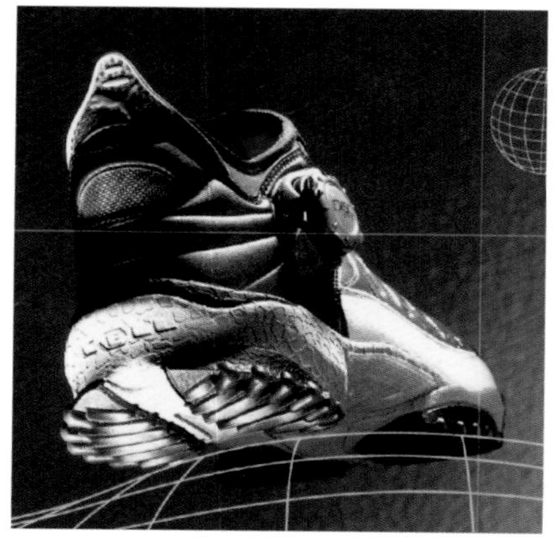

Che ruolo gioca in tutto questo il design strategico?
Il design strategico può aiutare le aziende a riconsiderare il ruolo del design all'interno dell'azienda; le aiuta anche a capire come una maggior comprensione dell'utente, del contesto d'uso, serva loro per rispondere meglio sul mercato competitivo. Serve ad avere una visione più olistica, a comprendere quali sono le caratteristiche che un prodotto deve possedere, scegliere i valori che i consumatori cercano o apprezzano in un prodotto, che cosa il consumatore è disposto a pagare di più e a comprare prima di altro. Per un'analisi di questo tipo, nei meeting decisionali molto spesso esigiamo che siano coinvolti sia i responsabili della produzione, che il marketing e il product management e, alle volte, anche il manager director.

Esiste, e in che misura, una corrispondenza tra design sportivo e materiali e tecnologie?
L'interesse per i materiali e le tecnologie innovativi, e in particolare nelle attrezzature sportive, è stata al centro degli sviluppi degli ultimi dieci anni, a volte in modo sproporzionato; sicuramente questo è un fattore che può creare opportunità per l'azienda, anche nei confronti dei competitors.
Ma la presenza di "tecnologie e materiali" non presuppone sempre un loro appropriato utilizzo; infatti, vediamo come in diversi campi l'enfasi su questi aspetti finisca per discreditarli quando viene generata un'illusione di performance, dando l'idea cioè di qualche vantaggio che in realtà non esiste. Al contrario, per esemplificare, in un nostro progetto di racchetta da tennis la scelta di un elemento in fibra di carbonio – una balestra che agisce per spingere meglio il movimento dell'oggetto –, è legato alla prestazione fisica dell'oggetto: senza un materiale di questo tipo sarebbe stato molto difficile ottenere l'effetto desiderato.

Le attrezzature sportive, pensiamo alle scarpe, sono allo stesso modo un oggetto tecnico e un prodotto di consumo, soggette al cambio della moda. Come gestite la componente dello "stile", anche nel dialogo con il marketing delle grandi brand?
Il nostro non è un approccio al design come *styling*, ma cerchiamo di capire qual è il beneficio in valore d'uso apportato al progetto, che può comprendere anche l'estetica del prodotto. Se il vantaggio è quello di una nuova performance, questo deve essere ben compreso per trovare le regole per costruire, pensare e comunicare l'oggetto. Esiste anche la questione dell'adeguatezza del design: un prodotto che verrà utilizzato in campo agonistico dovrà essere esteticamente aggressivo, se lo stesso verrà utilizzato in città bisogna valutare quanto tale aspetto possa essere adeguato o piuttosto imposto. Alcuni brand poi non sono associabili a certi costumi, in tali casi è necessaria una riflessione sul posizionamento del marchio e dell'offerta dell'azienda: questa è la differenza tra progettare un

prodotto slegato o allineato con le comunicazioni aziendali e le aspettative del consumatore.

Ad un certo punto è parso come se il design dello sport influenzasse altri settori per cui oggetti di uso tecnologico quotidiano assumevano un'estetica quasi sportiva, persino gli elettrodomestici.
Non so se è così, o al contrario. Sicuramente l'estetica di tutti gli oggetti trova spunti in altri oggetti, bisogna capire qual è lo scenario d'uso; io uso la parola inglese *attitude*, l'atteggiamento che un prodotto deve avere, e questo va deciso già all'inizio perché è molto importante capire i fattori di influenza visiva che uno immagazzina inconsciamente e come questi possono influire sulla lettura del prodotto.

L'innovazione nello sport non è solo sinonimo di tecnologia ma anche di creatività, per esempio le cosiddette attività sportive *free style* hanno creato un'estetica, un *lifestyle*. Lì gli attrezzi vengono ripensati, se non disegnati appositamente.
Lo sport è un'attività fisica, per cui qualsiasi attività fisica che si presti ad un "confezionamento" è un terreno fertile per ideare nuovi articoli sportivi: questo è, alla fine, il business che ruota intorno allo sport. Ciò è legato anche alle tendenze di consumo e agli stili di vita. Nel caso della

Design Continuum, *The Pump*, calzatura da basket, Reebok, 1989
Design Continuum, *The Pump*, basketball shoes, Reebok, 1989

bicicletta, ad esempio, per anni il mercato ha spinto alla ricerca della leggerezza; poi è spuntata la *mountain bike*, che è pesantissima, ma interpretava un altro utente con un'idea diversa del suo utilizzo, quindi è stato ideato il prodotto perché si è capito che rappresentava un'opportunità (anch'io da giovane pedalavo nei boschi perché era piacevole, ma nessuno ha disegnato una bicicletta apposta). Lo stesso vale per lo *snow board* dove c'è l'introduzione di una nuova tipologia di prodotto, ma la stessa operazione può servire ad aumentare il livello di interesse per un'industria in difficoltà, nel momento in cui viene pensato un nuovo modo di fare la stessa cosa. Questo innesca anche una rinnovata attenzione nel settore, con la produzione di altri tipi di oggetti vicini a questa attività.

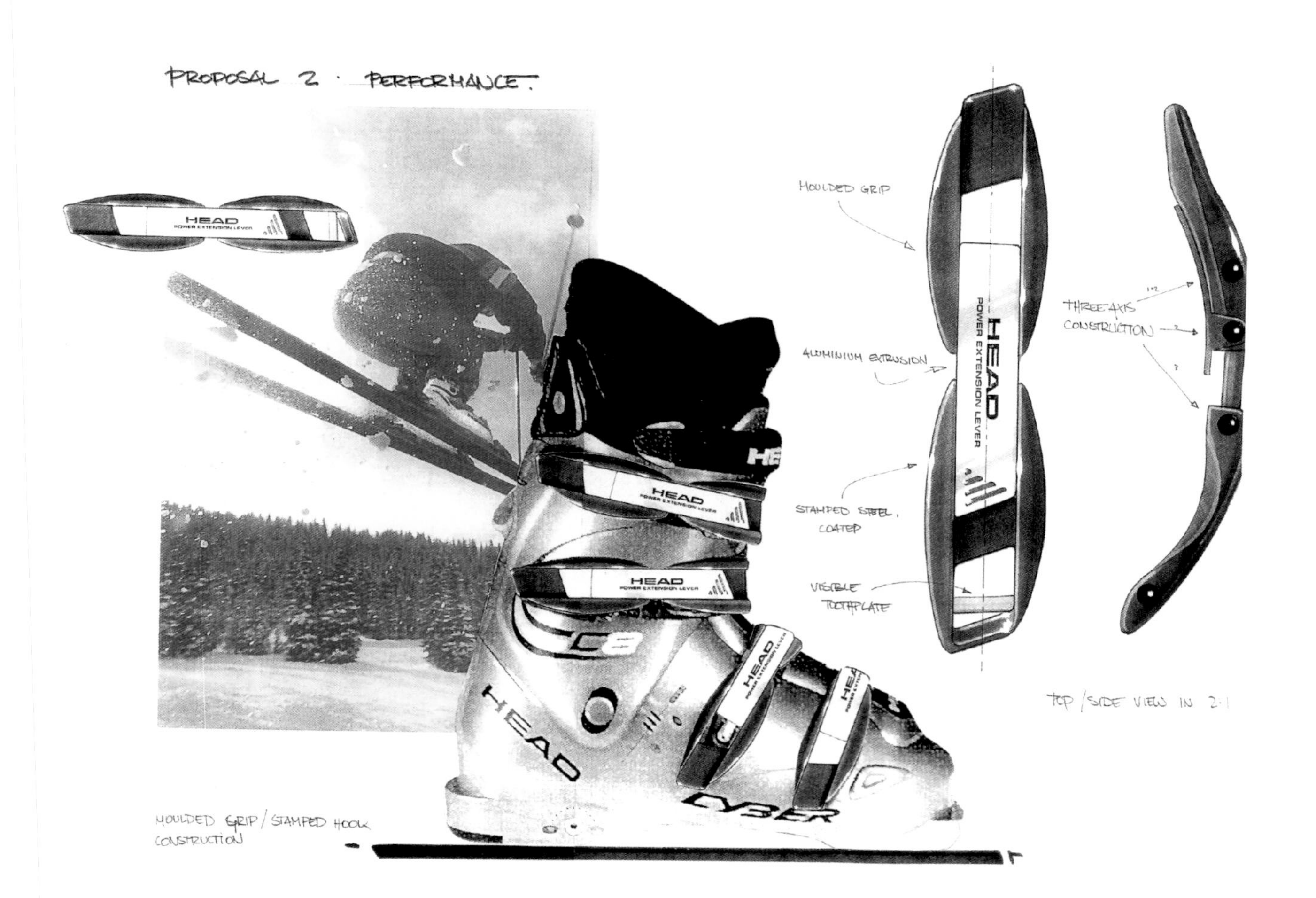

Design Continuum, *Cyber*, scarponi da sci, Head 2000

Design Continuum, *Cyber*, ski boots, Head 2000

Bruce Fifield is the co-founder and director of the Milan office of Design Continuum. He organises and oversees the commercial side of the business by keeping a close watch on the creative, structural and analytical research carried out in the projects. A design consultant for ten years, he also worked on numerous studies in Europe and America for the Milan branch of Olivetti and took part in the development of several office products. From 1987, when Design Continuum Milan was founded, to the present day, he has directed and contributed to several national and international studies as well as drafting product development programmes for medical equipment, diagnostic apparatus, computer science and electronics, industrial machinery and mass consumer products. Design Continuum has three branches in Milan, Seoul and Boston. It employs 120 professional designers, researchers, engineers and anthropologists.

The studio focuses in particular on the relationship with the object. How do you study the relationship between the object and user, a relationship that is fairly obvious when we talk about sports gear?

One of the most interesting aspects to study, the one that brings with it the most design novelties, is the relationship between the object and the user. For example, when we worked on the Oxygen speed skates, we tried to solve the problem of making them comfortable and wearable. We worked on the opening and tried, wherever possible, to reduce the amount of plastic in what looked like a ski boot: the skate became lighter and by leaving only a few buckles, we let the foot breathe better. Similarly, when we worked on a shoe for Puma, we changed an existing mechanism, the disc-system – a disc that closes the shoes without using laces – which was difficult to use when you wanted to close the shoe, as well as putting pressure on your foot; we solved the problem by shifting the disc to one side to make it quicker to unhook the shoe and eliminate the excess bulk which was visually and physically annoying for the user.

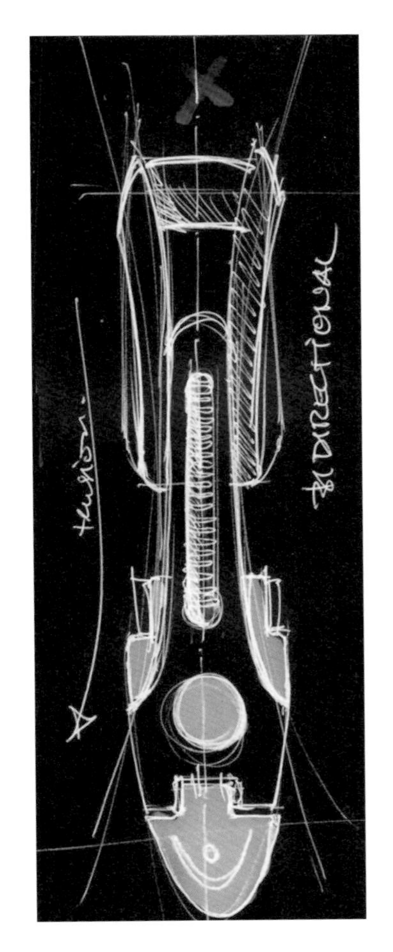

How do you develop an idea and how do you work with the client?

Very often it's good to understand how the company wants to be recognised; for example, if it's a technological brand, they1ll want to emphasise that aspect; if instead it focuses on easy use, we'll try and develop a consumer-oriented project with these characteristics and less aggressive technology. Then we have to understand what the product doesn't deliver and see where we can intervene, as well as understanding the "irksome" elements of an object, how to eliminate them and, above all, how to communicate the improvements we've made. The novel element in the Puma shoes for Reebok was very obvious and became a recognised iconographic element, so in the end the product wasn't

Design Continuum, *Roc-loc*, casco per ciclisti, Specialized 2000

Design Continuum, *Roc-loc*, bicycle helmet, Specialized 2000

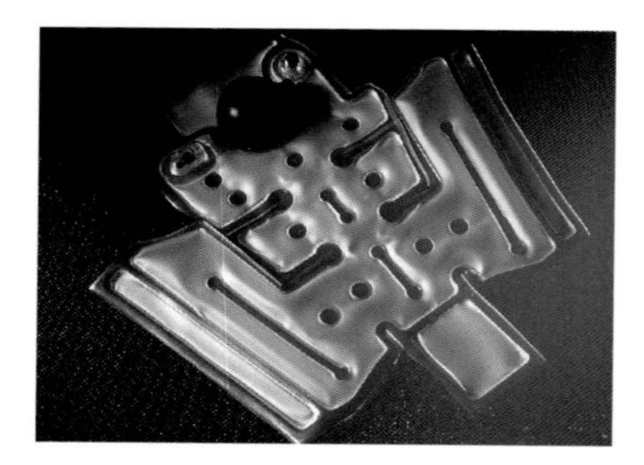

Design Continuum, *The Pump*, sistema di gonfiaggio, Reebok, 1989

Design Continuum, *The Pump*, inflatable airsystem, Reebok, 1989

Reebok but Pump. We solved this problem using the "mechanical" traits of the object, a half sphere on the tongue of the shoe that acts as a pump, blowing air around the foot: this provides greater firmness and protects the ankle (the aim of the project was to solve problems in the basketball field and the injuries that involved this part of the foot). In this case, it's easy to see the relationship between the idea, the window of opportunity provided by the product and the communicative content of the product itself.

What role does strategic design play in all this?
Strategic design can help companies reconsider the role of design in their own company; they show how understanding the client and context better means they have an edge in a competitive market. It provides a more holistic view and it helps to understand what characteristics a product should have, the values that consumers are looking for or appreciate in a product and how much more the consumer is ready to pay to buy this product rather than another.
To carry out this analysis, we ask for production managers, the marketing department and, sometimes even the managing director to be part of the decision-making process and attend meetings.

Is there a link between sports design and materials and technology and to what extent is this important?
Innovative technologies and materials, especially for sports gear, have very much been at the centre of attention in the last ten years, sometimes even excessively; this is certainly a field that can create opportunities for a company, also vis-à-vis other competitors.
But the presence of "technologies and materials" doesn't mean they're always used the right way. In fact, in several fields, the emphasis placed on this aspect ends up by discrediting them when they don't deliver what's expected of them in terms of performance, giving the impression they can deliver advantages that they can't.
On the contrary, for instance, in one of our designs for a tennis racket we chose a carbon fibre element – a clip that enhances the object's movement – that is linked to the physical performance of the object: without this type of material it would have been extremely difficult to achieve the results we wanted.

Sports equipment, for instance, shoes, are both a technical object and a consumer product, affected by changes in fashion. How do you deal with the question of "style" when you work with the marketing departments of famous brands?
We don't consider design as styling, we try to understand the added value of the design and this might include what the product looks like. If

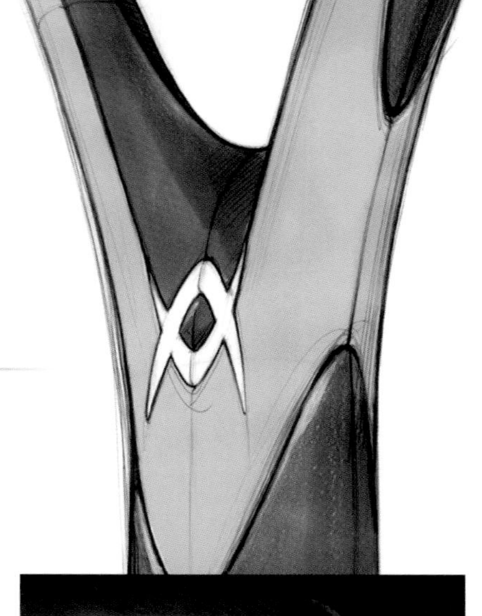

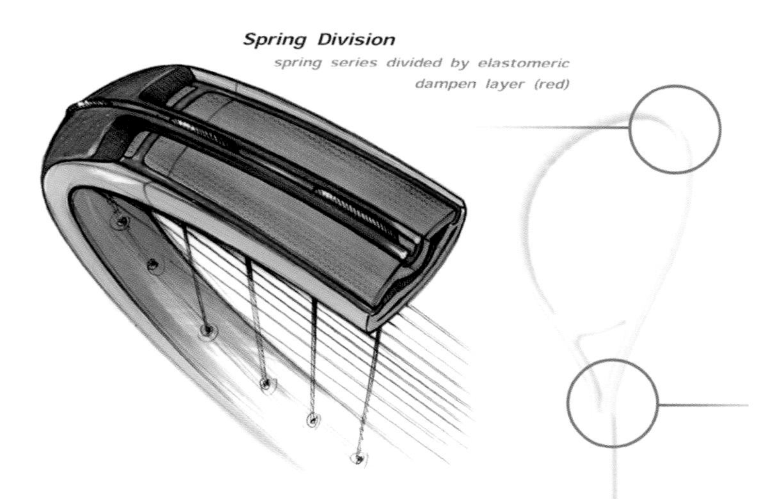

Design Continuum, *Oz-One*, pattini in linea, Oxygen, 1998
Design Continuum, *Oz-One*, inline skates, Oxygen, 1998

Design Continuum, *Cool Wave*, borraccia termica, Campingaz 1998
Design Continuum, *Cool Wave*, thermos, Campingaz 1998

what we aim for is better performance, than this has to be properly understood so that we can find a way to create, design and communicate the object. There's also the question of the appropriateness of design: a product used in an agonistic sector has to be aesthetically aggressive, if it's to be used in the city we have to assess whether this is sufficient or rather an imposition. Some brands can't be associated with certain customs; in some cases, we have to think about repositioning the brand and the company's products. This is the difference between designing a product that is either in line or separate from company communications and consumer expectations.

At a certain point it seemed that sports design influenced other sectors; everyday technological objects, even household appliances, had almost sporty aesthetics.
I don't know if this is what happened or if it's the other way around. Of course, the aesthetics of all objects might inspire that of other objects. You have to understand where it will be used, I use the word, *attitude*. Products have to have an attitude and this has to be decided immediately because it's very important to understand the factors that visually influence a person's unconscious and how these factors can influence the way people assess the product.

Innovation in sports is synonymous with technology and creativity, for example, the so-called free-style sports activities have created an aesthetics, a lifestyle. In this field, equipment is redesigned, if not designed, specifically for these sports.
Sports involve physical exercise, so any physical activity that can be "packaged" is an opportunity to invent new articles: in the end, this is the sports industry.
It's linked to trends in our lifestyles and consumer patterns. Take the bicycle. For years the market looked for lightness and then up popped the mountain bike which is very heavy, but was perfect for a user who wanted to use it differently. So the product was designed because the opportunity was there (when I was young I used to bike in the woods and it was very pleasant, but no-one had designed a bicycle specifically to do that). The same is true for the snowboard which involved introducing a new type of product. Finding a new way of doing things, could increase people's interest in an industry that is going through some pretty tough times. It refocuses people's attention on the industry by manufacturing new objects that can be used in these sports.

alex gabriel & willielke evenhuis

Geometrie luminose
Luminouse Geometries

Alex Gabriel, nato a Ingolstadt in Germania nel 1976, e Willeke Evenhuis, nata a Steenwijk in Olanda nel 1973, si sono laureati in 3D-Design alla Academy of Fine Arts di Arnhem in Olanda, dove dal 2003 sono "assistant professors". La loro unione professionale avviene nel 2002 in seguito alla partecipazione ad un progetto di YD+I – Young Designers+Industry, un'organizzazione olandese che promuove la collaborazione tra giovani e industrie innovative. Per il progetto YD+I, sia Alex che Willeke hanno lavorato con l'azienda belga Materialise, leader nella prototipazione rapida, sperimentando le potenzialità formali e prestazionali delle tecniche 3D-printing nello sviluppo di prototipi di lampade. Quindi iniziano il lavoro in team, realizzando, con la "stereolitografia" e la "sinterizzazione laser", una collezione di lampade caratterizzata da forme complesse e organiche e da giochi virtuosi di pieni e vuoti. Hanno vinto il "Design Plus Award 2004" in occasione di Ambiente a Francoforte e il premio "Interior Innovation Award 2004" alla IMM-International Furniture Fair di Colonia.

Alex Gabriel e Willeke Evenhuis sono due giovani designer che, uniti dalla passione per gli strumenti software di 3D-Design e per le nuove tecnologie di Prototipazione Rapida (RP), hanno aperto nel 2003 uno studio ad Arnhem in Olanda e hanno sviluppato insieme una collezione di lampade, *RP-Lamps*, in cui la luce esalta e completa le complesse e virtuose strutture tridimensionali realizzate con le più avanzate tecniche di *Selective Laser Sintering* (SLS) e *Stereolithography* (SLA). La RP è una tecnologia per realizzare prototipi fisici da disegni virtuali in 3D, attraverso un processo di stampa tridimensionale: viene definito il design di un oggetto con un programma di modellazione 3D, poi il modello virtuale viene suddiviso in strati di spessore micrometrico (circa 0,2 mm.) e mandato ad una macchina che lo stampa in tre dimensioni, ovvero lo costruisce fisicamente strato dopo strato, solidificando, attraverso un raggio laser, polvere di poliammide (SLS) o resina epossidica (SLA). Questa tecnologia esiste da una quindicina di anni, ma finora veniva utilizzata soprattutto nel settore aerospaziale, automobilistico e medicale.
Recentemente si sono estesi i suoi campi d'applicazione, è entrata nel mondo del design e viene sperimentata dai progettisti anche per lo

"Rapid Prototypintg", collezione
"Rapid Prototypintg", collection

Konko, *Capelo*, *Tenilo*, lampade realizzate in poliammide con la tecnologia della prototipazione rapida, 2002-2003
Konko, *Capelo*, *Tenilo*, lamps made from polyamide with rapid prototyping technology, 2002-2003

sviluppo di complementi d'arredo (lampade, sedie, tavoli, ecc.) e di oggetti d'uso quotidiano. Consente di ridurre i tempi e i costi di sviluppo di un prodotto in quanto elimina la necessità di fare gli stampi e soprattutto permette di passare rapidamente dall'ideazione alla produzione. Rende possibile, senza costi aggiuntivi, un'ampia personalizzazione del prodotto ed elimina la fase di stoccaggio. La RP sta rivoluzionando non solo il modo di concepire e realizzare i prodotti di design, ma l'attività del designer nel suo complesso, avvicinando sempre più il progettista al produttore. Le lampade di Alex e Willeke hanno forme complesse ed organiche, che sembrano quasi impossibili da produrre perché sono realizzate da un pezzo unico senza giunzioni: le nuove tecnologie SLS o SLA consentono al designer un'enorme libertà espressiva e formale e lo stimolano a sfidare, con virtuosismi progettuali, le geometrie che regolano la crescita delle forme naturali, finora irriproducibili artificialmente.
Alex e Willeke prendono ispirazione, per le loro creazioni luminose, dalle culture locali e dalle etnie di molti paesi del mondo, ma al contempo chiamano le loro lampade con nomi in Esperanto - *Faruno*, *Konko*, *Supersigno*, *Capelo*, *Tenilo* - per sottolineare il carattere internazionale di questo nuovo metodo di produzione tipico di una società, di una cultura e di un'economia post-industriale e globalizzata. Queste lampade, realizzate completamente in poliammide, sembrano fragili pur essendo molto resistenti, in quanto le loro superfici sono disegnate in modo molto minuzioso, come si trattasse della texture o del pattern di un organismo vegetale o di un tessuto o di un merletto fatto a mano, per creare particolari giochi di trasparenze, luci ed ombre, vuoti e pieni. Nei loro progetti - realizzati in stretta collaborazione con la società belga *Materialise*, uno dei principali centri europei di servizio per la prototipazione rapida - Alex e Willeke cercano e riescono a trovare un'efficace mediazione tra aspetti apparentemente contradditori: decorazione e funzionalità del prodotto, influenze delle culture orientali e occidentali, qualità artigianale e tecnologie industriali avanzate. Con le nuove tecniche di RP, riescono infatti a sperimentare contemporaneamente: un materiale, la poliammide, che diffonde la luce con alte prestazioni; un

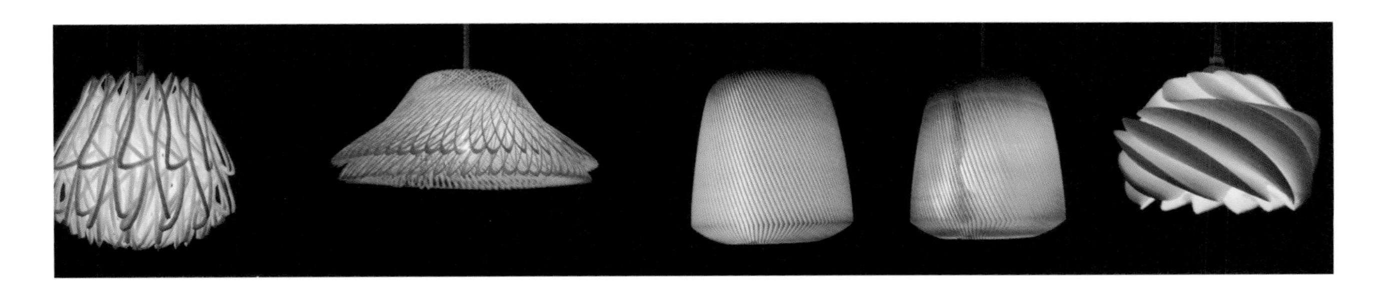

vocabolario estetico-formale nuovo, libero da vincoli tecnico-costruttivi e frutto di una loro personale ricerca; un efficiente sistema di produzione industriale, che consente però di realizzare una serie variata o anche un pezzo unico.
Come altri giovani designer che hanno avviato questa sperimentazione, credono nelle grandi potenzialità e nel fascino di queste nuove tecnologie che stanno progressivamente annullando la tradizionale dicotomia "naturale-artificiale".

Alex Gabriel was born in Ingolstadt in Germany in 1976, while Willeke Evenhuis was born in Steenwijk, The Netherlands, in 1973. They graduated in 3D-Design at the Academy of Fine Arts *in Arnhem in The Netherlands where they have been assistant professors since 2003. Their professional collaboration began in 2002 after they participated in a project by* YD+I – Young Designers+Industry, *a Dutch organisation that sponsors co-operation between young designers and innovative industries. For the* YD+I *project, Alex and Willeke worked with the Belgium company,* Materialise, *a leader in the field of fast prototyping, experimenting the new formal and functional potential of* 3D-printing *techniques in a series of lamp prototypes.Then, they started to work together and designed a lamp collection, using 'stereolithography' and 'laser sintering.' The lamps had complex organic shapes and virtuous juxtapositions of empty and solid spaces. They won the* 'Design Plus Award 2004' *at the Environment in Frankfurt and the* 'Interior Innovation Award 2004' *at the* IMM-International Furniture Fair *in Cologne.*

Alex Gabriel and Willeke Evenhuis are two young designers who, with a common passion for 3D design software and the new technologies of Rapid Prototyping (RP), opened a studio in 2003 in Arnhem (The Netherlands). Together they have designed a lamp collection entitled *RP-lamps*, in which light highlights and completes the complex and virtuous three-dimensional structures created by using the most advanced techniques of Selective Laser Sintering (SLS) and stereolithography (SLA). RP is a technology that creates physical prototypes from virtual 3D drawings using a three-dimensional printing process: the design of an object is defined using a 3D modelling programme; then the virtual model is divided into micrometric layers (approx. 0.2mm) and sent to a machine that prints it in three-dimensions; in other words, it physically rebuilds it layer after layer, making it solid by using a laser, polyamide powder (SLS) or epoxide resin (SLA).This technology has been around for about fifteen years, but up to now has chiefly been used in the aerospace and automobile industries and medicine. Recently, it's also been used in other fields: it's now used in the world of design and has been experimented by designers even to make furniture (lamps, chairs, tables, etc.) or everyday objects. It reduces the costs associated with developing a product because it eliminates the need for moulds and, above all, it means that industry can move directly from the idea to production. At no extra cost, it can personalise the product and it eliminates the need for stock. RP is revolutionising not only the way in which we create and produce design objects, but all the stages of a designer's work, bringing the designer and producer closer together. The lamps designed by Alex and Willede have complex, organic shapes; they almost seem impossible to produce because they are made of a single, seamless piece. The new SLS and SLA technologies allow the designer incredible expressive and formal freedom

Super Signo, lampada realizzata in poliammide con la tecnologia della prototipazione rapida, 2002
Super Signo, lamp made from polyamide with rapid prototyping technology, 2002

Tenilo, lampada realizzata in poliammide con la tecnologia della prototipazione rapida, 2002
Tenilo, lamp made from polyamide with rapid prototyping technology, 2002

Faruno, lampada realizzata in poliammide con la tecnologia della prototipazione rapida, 2003
Faruno, lamp made from polyamide with rapid prototyping technology, 2003

"Rapid Prototypintg", collezione
"Rapid Prototypintg",collection

and inspire him to use his virtuoso designs to challenge the geometries that govern the development of natural forms that were impossible to reproduce artificially so far. Alex and Willede draw their inspiration for their luminous creations from the local culture and ethnic tribes of many countries; at the same time, they give their lamps names in Esperanto – *Faruna, Kanka, Supersigna, Capella, Tenila* – to emphasise the international nature of this new production method typical of a post-industrial and globalised society, culture and economy. These lamps are made exclusively of polyamide. Even though they look fragile, they are very resistant, because the surface is designed very carefully, as if it were the texture or the pattern of a vegetal organism, a piece of fabric or handmade lace; this gives it special transparencies, light and shadow, empty spaces and solid areas. Their projects are produced in close cooperation with the Belgium company *Materialise*, one of the main European centres for rapid prototyping. Alex and Willede have tried and succeeded in finding the right compromise between ostensibly contradictory aspects: decoration and functionality of the product, the influence of western and eastern cultures, artisanal quality and advanced industrial technologies. The new RP techniques makes it possible for them to simultaneously experiment: a material, polyamide, that spreads ultraperforming light; a new aesthetical and formal style, free from technical and design constrictions and based on their own personal research; an efficient industrial production system that, nevertheless, allows them to produce serial variations or just a single piece. Like other young designers who have started this type of experimentation, they believe in the great potential and in the fascination that these new technologies inspire, technologies that are gradually eliminating the traditional 'natural-artificial' dichotomy.

stefano giovannoni

Design Supermarket

La figura di Stefano Giovannoni emerge nella scena internazionale del design contemporaneo per i numerosi prodotti divenuti emblematici grazie alla forte carica espressiva e allíoriginale linguaggio: si ricordano lo sgabello Bombo per Magis, la saliera Lilliput o lo scopino Merdolino per Alessi.
Attraverso la sua produzione si legge la volont‡ di sperimentare tale linguaggio alle diverse scale, passando dallíarticolo da regalo al complemento diarredo fino allíallestimento diinterni. Un linguaggio in cui alle leggi del duro contrasto, o delle rigide connessioni, e al tema delle decorazioni indifferenti al supporto, tipico del design anni Settanta ed Ottanta, si contrappone la connessione lenta, curva e mai incidentale, il passaggio continuo ed armonioso tra una verticale ed uníorizzontale.

Nel panorama internazionale dei designer contemporanei Lei rappresenta un caso di estrema coerenza e riconoscibilità, sia nell'uso del linguaggio formale sia dei materiali. Ci racconti come è giunto alla identificazione di un codice espressivo individuale, attraverso quali esperienze, e quanto è forte in lei il senso di una coerenza e di una continuità? Vede nel termine "ludico" un elemento riduttivo dei contenuti dei suoi prodotti?
Io e Guido (il designer Guido Venturini ndr.) ci siamo formati alla facoltà diArchitettura di Firenze in clima post-radicale. Nostro maestro fu Remo Buti,minimalista e concettuale. Nostri riferimenti culturali furono la filosofia dell'immaginario e del desiderio di Deluze e Guattari, le teorie del consumo edella merce di Baudrillard e la no-stop city degli Archizoom.Proprio per una reazione al nostro padre maestro, dopo aver assimilato il minimalismo, capimmo che ci stava un po' stretto e cercammo di superarne ilimiti a favore di un linguaggio meno esclusivo ma più aperto ed inclusivo, intermini di comunicazione, verso quelle nuove tribù di consumatori, soprattutto le nuove generazioni, estranee fino ad allora a quel fenomeno elitario da intellettuali che era il design. Designer ed architetti continuavano a sforzarsi di insegnare al pubblico quali case dovessero abitare o di quali oggetti dovessero circondarsi, mentre il nuovo consumatore sapeva benissimo cosa voleva e dovevamo partire piuttosto dai suoi desideri. Il ludico non fu altro che il bisogno contemporaneo per i numerosi prodotti divenuti emblematici grazie alla forte di sdrammatizzare una relazione fra l'uomo e gli oggetti che era stata fino ad carica espressiva e all'originale linguaggio: si ricordano lo sgabello Bobo per allora drammatica. Gli oggetti erano status symbol o style symbol di cui ci Magis, la saliera Lilliput o lo scopino Merdolino per Alessi. Nato a La Spezia nel circondavamo per esibire un nostro status sociale o culturale. 1954, fa parte di un gruppo di architetti-designer italiani accomunati da un Negli anni '90 questo tipo di ostentazione divenne kitsch per cui sentivamo il percorso formativo e critico che, alla

fine degli anni Ottanta, li ha portati alla bisogno di circondarci di oggetti buoni, che creassero con noi un feeling diretto ribalta: tra le esperienze strutturanti: la facoltà di architettura di Firenze negli e non oggetti che si sostituivano a noi per rappresentarci. anni Settanta, il Bolidismo (ultimo ismo del Novecento), la Domus Academy (ed Ho sempre ritenuto una grossolana banalizzazione la definizione di "oggetti il contatto con personaggi centrali del design internazionale, vedi Philppe Starck) giocattolo", che la stessa Alessi diede di quei prodotti che stavano piuttosto in la passione per i fumetti, o per la science-fiction. Fondatore con Guido Venturini bilico fra il cinismo della merce e la poesia dell'immaginario.

Il linguaggio dei suoi prodotti, definito anche neo-organico ha contribuito al loro successo in un momento storico, gli anni Novanta, in cui, anche in altri settori, si sentiva l'esigenza di riferirsi ad un codice più formale. Sappiamo anche che l'epoca post-industriale ci ha abituati ad una simultaneità di manifestazioni culturali secondo la quale è possibile la convivenza di codici formali diversi. Pensa che il linguaggio sperimentato attraverso i suoi oggetti possa considerarsi esaurito o crede che possa ancora essere indagato al fine di verificarne altre declinazioni? Come risponde alle critiche che vedono nello spirito fumettistico dei suoi oggetti un fenomeno di banalizzazione e di gadgettizzazione del design?
Non ho mai considerato il linguaggio formale un segno caratterizzante del mio lavoro e ho sempre parlato di design supermarket o di design della comunicazione e della merce. Né ho mai parlato di design neo-organico ed in periodi differenti ho disegnato prodotti che non hanno nulla a che vedere con quel linguaggio (vedi tutta la famiglia Girotondo, il divano Marlon, il Tivù, l'appendiabiti Bridge, la lampada Twoo). Direi piuttosto che determinate forme sono funzionali alla tecnologia di stampaggio delle materie plastiche. Ho sempre visto l'approccio monodirezionale ed ideologico al linguaggio come uno dei limiti del lavoro di tanti miei colleghi e stimo Philippe Starck perché è uno dei pochi

che ha saputo superare quei limiti nei quali si stava egli stesso chiudendo alla fine degli anni '80. Preferisco l'aspetto strategico su quello linguistico e mi interessa lavorare in modo molto eclettico elaborando strategie differenti per le diverse aziende. Queste differenze sono evidenti se confrontiamo il mio lavoro per l'Alessi con quello per la Magis o all'interno della stessa Alessi fra l'acciaio e la plastica. Il punto di forza nuovo del mio ultimo progetto, che riguarda l'ambiente bagno, è quello di far coesistere approcci linguistici differenti per le diverse famiglie di prodotti: le ceramiche sono dei sassi rotondeggianti, i rubinetti e gli accessori in metallo dei cilindri tagliati secchi, i mobili dei parallelepipedi molto geometrici.

Vorremmo che ci raccontasse i retroscena delle esperienze fondative fatte nell'ambito aziendale Alessi quale, per esempio, il workshop Family Follow Fiction. Ci piacerebbe sapere fino a che punto la coerenza linguistica dei prodotti finali fosse guidata e pianificata e attraverso quali vincoli? Sembra che per la prima volta un'azienda fosse riuscita a coinvolgere competenze disciplinari diverse quali sociologi, filosofi ecc. alla ricerca di nuovi contenuti comunicativi del prodotto. Quanto di questo è avvenuto realmente? Possibile immaginare che l'Alessi abbia palesato per prima una strategia, compresa oggi anche da molti altri, tendente a coinvolgere emotivamente il fruitore di un prodotto, per spingerlo all'acquisto attraverso uno studio attento del suo contenuto comunicativo?
Tutto partì nel 1988 con il Girotondo. Lo presentammo come un book di una cinquantina di progetti. Tutti prendevano spunto da forme estremamente basic caratterizzate dalla sagoma dell'omino ripetuta serialmente. In quel momento i best seller Alessi erano i bollitori di Michael Graves e di Richard Sapper e lo spremiagrumi di Philippe Starck, oggetti molto "design", elaborati da un punto di vista formale ed espressivo. Il Girotondo andava in una direzione diametralmente opposta. Anziché sulla forma o sulla composizione tutto si giocava sull'icona figurativa dell'omino come elemento di comunicazione. Eravamo pienamente coscienti che il recupero del figurativo, da sempre presente nella nostra cultura ma relegato dal design moderno nella sfera del kitsch, sarebbe stato capito ed apprezzato da una più ampia fascia di pubblico, da una ragazzina di 15 anni come dalla sua nonna, ma anche dagli intellettuali più svegli. Il Girotondo fu subito un grande successo. L'Alessi pianificò 5.000 pezzi l'anno, ma il primo anno se ne vendettero 50.000; seguirono i cestini con 100.000 pezzi l'anno e i portatovaglioli con 200.000. I prodotti usciti nel '93 sotto la sigla F.F.F. ne furono la diretta conseguenza(dopo aver vinto una certa resistenza da parte del settore commercialedell'azienda nei confronti della plastica).

La plastica avrebbe, infatti, permesso di pensare prodotti per tutti ancor piùsofisticati in termini emozionali e sensoriali.
La F.F.F. fu in realtà pianificata su quella poetica. Le analisi di sociologi o quant'altro non furono inutili nel senso che ci resero ancora più coscienti di quello che stavamo facendo ma avremmo fatto comunque. Il Lilliput, che in quell'occasione fu il mio progetto più significativo, nacque almeno 6 mesi prima che fossi chiamato a partecipare a quell'operazione.

Partendo da un brief, quali sono le fasi che accompagnano lo sviluppo delle sue idee e la loro traduzione in prodotti, in relazione anche alle nuove tecnologie informatiche? Fa uso direttamente o indirettamente di strumenti di simulazione tridimensionale?
Da quando utilizziamo software 3D il nostro lavoro è sostanzialmente cambiato. In passato lavoravamo in 2D e realizzavamo molti prototipi in resina modificandoli continuamente, aggiungendo o togliendo materiale. Era un lungo processo che ogni tanto si interrompeva laddove l'azienda interveniva con l'ingegnerizzazione. Sei anni fa abbiamo iniziato ad

utilizzare il 3D con una prima stazione di Alias a cui ne seguì presto un'altra. Oggi utilizziamo Alias e Think3 (software di modellazione tridimensionali), realizziamo le superfici di tutti i nostri prodotti interfacciandoci in tutte le fasi progettuali con gli ingegnierizzatori. Spediamo spesso all'estero i nostri file 3D su cui i tecniciintervengono a più riprese, comunichiamo per videoconferenza e realizziamo i prototipi in stereolitografia o prototipazione rapida. Di solito con un primo prototipo ottenuto attraverso un lungo lavoro di limatura preliminare, arriviamo all' 80-90% della definizione del prodotto, e con un secondo prototipo riusciamo ad arrivare al risultato finale, accorciando sostanzialmente i tempi di sviluppo e riuscendo immediatamente a materializzare le intenzioni per poterle comprendere meglio. Personalmente non so usare questi strumenti ma ho collaboratori molto esperti e faccio tanti schizzetti molto piccoli per comunicare con loro.

Per le scelte tecnologiche fa riferimento al know-how dell'azienda o tende a stimolarne l'innovazione? Le è capitato di dover incidere direttamente sulla campagna di comunicazione dei suoi prodotti per farli comprendere meglio?

Quando lavoro con un'azienda da un lato utilizzo il loro know how, dall'altro, quando è possibile, cerco di stimolarne l'innovazione; in realtà la situazione delle aziende è abbastanza arretrata e molto rare sono quelle che riescono a vedere al di là della logica abituale. La

comunicazione è un grosso problema in questo senso, sulla quale ho notato particolare arretratezza in tutte le aziende con cui ho lavorato non comprendendone l'importanza e le potenzialità. Quando affronto un progetto cerco di superare la casualità dell'idea, non mi innamoro mai della prima idea, cerco di esplorare un'area di progetto e di possibilità più ampia possibile. Chiedo giudizi su quello che sto facendo a tutte le persone dello studio e chiedo spesso alle aziende di fare test sul pubblico, per valutare l'impatto di un prodotto o per scegliere fra più opzioni. Faccio continuamente statistiche e previsioni di vendita e studio i grafici che descrivono l'andamento dei vari prodotti. Questo è l'aspetto che più mi diverte del mio lavoro.

Tra gli obiettivi divulgativi della rivista c'è quello di creare uno strumento di riflessione approfondita su temi centrali del design, nell'ottica anche della formazione e della ricerca. Cosa consiglierebbe ad un giovane che decidesse di lavorare in questo settore?
Ai giovani vorrei consigliare di non limitare il proprio orizzonte ad ambiti troppo specifici in senso disciplinare. Sarebbero sempre in ritardo. È invece importante capire che il design è legato a fenomeni culturali più generali in continua trasformazione, alla vita stessa prima ancora che al mondo delle idee. È importante avere un proprio progetto ed una propria visione del mondo.

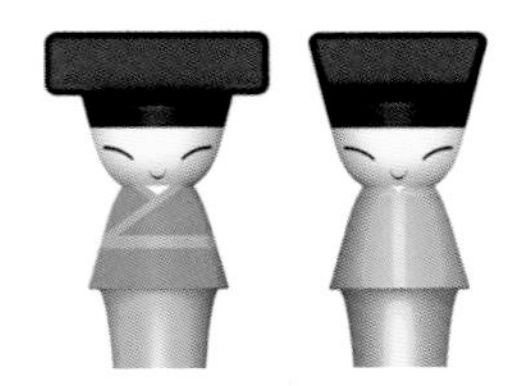

Stefano Giovannoni stands out on the international scene of contemporary design for his numerous products that have become emblematic thanks to their strong expressive charge and their original language: suffice it to think of the Bombo stool for Magis, the Lilliput salt shaker or the Merdolino toilet brush for Alessi. His whole production testifies to his willingness to experiment this language extensively, passing from gift items to furniture complements and interior design furnishings. A language where the laws of sharp contrast and of rigid connections, and the theme of decorations independent of their support – typical of design in the Seventies and the Eighties – are contrasted by a slow, curved and never casual connection, the uninterrupted and harmonious movement between a vertical and a horizontal one.

You represent, on the international panorama of contemporary designers, an extreme example of coherence and recognisability, in your use both of formal language and of materials. Would you tell us how, and through what experiences, you were able to identify this individual expressive code, and how strong your sense of coherence and continuity is? Do you see the term "playful" as simplistic in describing the content of your products?
Guido (Venturini) and I were educated at the Florence Faculty of Architecture in a post-radical climate. Our master was Remo Buti, a minimalist and conceptualist. Our cultural references were Deluze and Guattari's philosophy of the imaginary and of desire, the consumer and market theories of Baudrillard and the no-stop city of Archizoom. Precisely in a reaction against our father/master, after having assimilated minimalism, we realised that we felt constricted and attempted to surpass the limits into a less exclusive language, one more open in terms of communication, towards those new tribes of consumers, especially to the new generations, extraneous up until then to that elite intellectual phenomenon that design represented. Designers and architects continued to force themselves to teach the public which houses they should be living in or which objects should be surrounding them, while the new consumer knew very well what he wanted; we wanted to depart from his/her wishes. The idea of playful was nothing more that the need to play down a relation between man and objects that had, up until then, been dramatic. Objects were status or style symbols with which we surrounded ourselves in order to display our social or cultural status. In the 1990s this type of display became kitsch; thus we felt the need to surround ourselves with objects that created a direct feeling with us and not with objects that replaced us in order to represent us. I have always thought "tool toy" a grossly banal definition that Alessi himself gave those products suspended between the cynicism of merchandising and the poetry of imagination.

The language of your products, defined also as neo-organic, has contributed to their success in a historic moment such as the 1990s in which, also in other sectors, the need to refer to a more female, morbid, tender and protective formal code was being felt. We know also that the post-industrial era has got us used to a simultaneity of cultural manifestations according to which the co-existence of diverse formal codes is possible. Do you think that the language experimented through your objects can be considered exhausted or do you believe that you can still investigate with the aim of verifying other declinations?
How do you respond to critics that see in the cartoon spirit of your objects a phenomenon of trivialisation and a 'gadgetisation' of design?
I have never considered formal language to be something that distinguishes my work, and have always spoken of the design supermarket or of communication or product design. Neither have I ever spoken of neo-organic design; in various periods I have designed products that have nothing to do with that language (the entire Girotondo family, the Marlon sofa, the TV, the Bridge clothes rack, the Twoo lamp). I would say, rather, that certain shapes work better for plastic mould technologies. I have always seen the mono-directional and ideological approach to language as one of the limits of the work of many of my colleagues, and I respect Philippe Starck because he is one of the few who has been able to overcome the limits he had created for himself at the end of the 1980s. I prefer the strategic aspect over the linguistic, and am interested in working in a much more eclectic way, working out different strategies for different manufacturers. These differences are clear if you compare my work for Alessi with that for Magis or, within that for Alessi, between steel and plastic. The new strong point of my latest project on the bathroom environment, is that of bringing together different linguistic approaches to the various families of products: the ceramic pieces are like rounded-off rocks, the faucets and other metal accessories are of straight-cut cylindrical stock and the furniture is made up of very geometric parallelepipeds.
We would like you to describe what went on behind-the-scenes of some of your formative experiences in the Alessi environment such as, for example, the Family Follows Fiction workshop. We would like to know how much the final linguistic coherence of the products was guided and planned, and by means of what constraints. It seems that, for the first time, a firm had succeeded in involving different disciplinary competences such as sociology, philosophy, etc., in the search for the product's new communicative content. How much of this really took place? Is it possible to say that Alessi was the first to reveal a strategy, undertaken today by many others as well, that tends to emotionally involve the end-user of a

product, in order to push him/her towards purchase, through a careful study of its communicative content? It all began in 1988 with the Girotondo. We introduced it as a book of fifty or so designs. All of them took their cue from extremely basic shapes each characterised by the repeated little man shape. At that time Alessi's best selling products were the kettles by Michael Graves and Richard Sapper and the citrus squeezer by Philippe Starck – very "designer" objects from the formal and expressive point of view. The Girotondo went in the diametrically opposite direction. Instead of playing off the shape or the composition, everything worked off the figurative icon of the little man as an element of communication. We were fully conscious that the revival of the figurative, ever present in our culture but relegated by modern design to the realm of kitsch, would have been understood and appreciated by a broader audience, from a young girl of 15 up to her grandmother, but by the most acute intellectuals as well. The Girotondo was very successful: Alessi had planned on selling 5,000 pieces per year, but in the first year sold 50,000; the fruit baskets followed the next year with sales of 100,000 pieces and the napkin holders with 200,000. The products that came out in 1993 under the name F.F.F. were the direct consequence of this (after having overcome a certain resistance against plastic on the part of the firm's commercial sector). Plastic allowed, in fact, for the design of even more emotionally and sensorially sophisticated products for everyone. The F.F.F. line was, in reality, designed on this poetics. Sociological and other analyses were not without their usefulness in the sense that they made us even more conscious of what we were doing, but what we would have done in any case. The Lilliput, which on that occasion was my most significant project, was born almost 6 months before I was called in to participate in that operation.

Starting off from a brief, what phases follow the development of your ideas and their translation into products, in relation also to the new information technologies? Do you make direct or indirect use of three-dimensional simulation?

Our work has changed substantially since we have been using 3D software. In the past we worked in 2D, making lots of resin prototypes and changing them continually, adding or taking away material. It was a long process that was interrupted now and then when the firm's engineers intervened. We began to use 3D six years ago with one Alias station which was soon followed by another. Today we use Alias and Think3 (three-dimensional modelling software) and create the surfaces of all our products by interfacing with the engineers in all the design phases. We often send our 3D files abroad to technicians who work on them repeatedly and communicate with us by video-conference; then we create prototypes in stereo-lithography or rapid prototyping. Usually, with

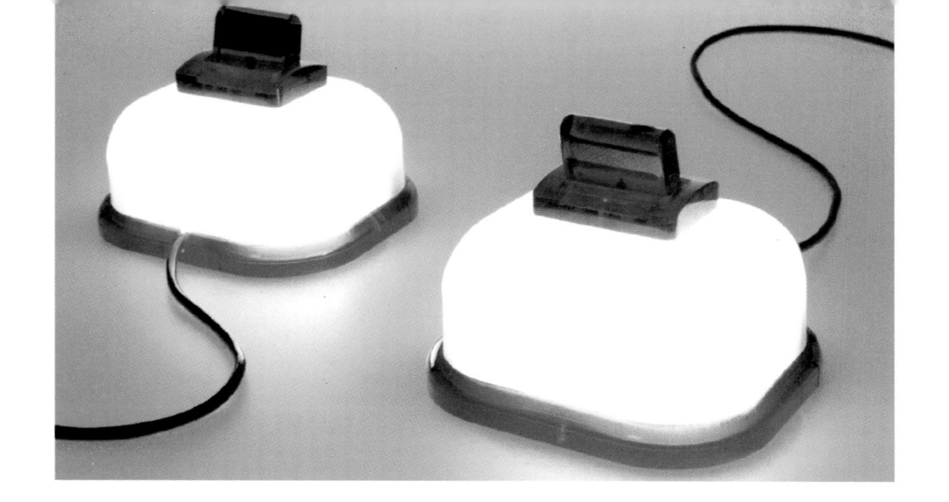

a prototype obtained through a time-consuming preliminary shaping process, we reach an 80-90% defined product, and with the second prototype we are able to get the final result, thus substantially shortening the time needed to develop it and succeeding immediately in foregrounding the intentions to better understand it. Personally I do not know how to use these instruments, but I have collaborated with many experts and make loads of little sketches when communicating with them.

In making technological choices do you make use of the firm's know-how or tend to stimulate innovation? Have you ever happened to impact directly on a communication campaign for your products to make them better understood?
When I work with a firm I use, on the one hand, their know-how and, on the other, and whenever possible, I try to stimulate innovation; in reality, firms are relatively backward and situations in which it is possible to see beyond the logic of habit are rare. Communication is a big problem; and I have noted particular backwardness in all the firms I have worked in their understanding of its importance and potential. In confronting design I try to overcome the chance aspect of the idea, do not let my self fall in love with my first idea, but try to explore the broadest possible area of design and possibility. I ask everyone in the studio for their opinion and encourage the firm to do testing on the public, in order to evaluate the impact of a product and to choose from among many opinions. I am always constructing statistics and sales predictions, and study the charts that show the progress of the various products. This is the most amusing aspect of my work.

One of this journal's informative objectives is to become an instrument for in-depth reflection on central design issues in the context of education and research. What advice would you give a young person deciding to work in this sector?
I would like to advise young people not to limit their horizons to contexts too specific in the disciplinary sense. They will always be behind. It is, instead, important to understand that design is linked to more general cultural phenomena that are in continual transformation, to life itself, well before being linked to the world of ideas. It is important to have one's own project and one's own vision of the world.

alfredo häberli

"Solo" un designer
"Only" a Designer

Nel panorama del design internazionale la figura di Alfredo Häberli emerge soprattutto per la chiarezza progettuale del suo lavoro riuscendo a trovare un legame con il filone più colto, e in qualche modo classico, della storia del design: quello fatto dai grandi nomi come Achille Castiglioni e Enzo Mari (nomi a cui lo stesso Häberli ammette di sentirsi legato). Nel lavoro di Häberli, inoltre, è possibile ritrovare una forma di minimalismo che, lontano da qualsiasi moda, non si ferma alla sola superficie degli oggetti ma investe l'intera ricerca progettuale.

Sappiamo che nel suo studio esiste una sorta di galleria spontanea di oggetti, sia icone del design, sia oggetti di uso comune, quasi uno specchio della propria memoria visiva. Questo sembra significare che la storia del design riveste una grande importanza nel suo lavoro: è vero? Ci sono, in particolare, delle figure o delle correnti di pensiero verso le quali si sente in qualche modo legato e dalle quale si sente stimolato?
Conosco profondamente la storia del design. Non si può non conoscerla: verso il design non si possono avere mezze misure o c'è un interesse oppure no. Durante le mie ricerche e i miei studi, ho incontrato alcuni progettisti molto interessanti così come ho incontrato alcune teorie che mi hanno fatto pensare. Tra i progettisti vorrei ricordarne uno in particolare che fino ad oggi non ha ricevuto, secondo il mio parere, il sufficiente riconoscimento: mi riferisco a Enzo Mari. Il suo ruolo nel campo del design è stato per me essenziale. Ci sono, poi, altri personaggi famosi che considero miei personali punti di riferimento: Jean Prouvé, Renzo Piano, Herzog & de Meuron come architetti, Konstantin Grcic, Jasper Morrison, Björn Dahlström come amici designers, Achille Castiglioni e Giorgetto Giugiaro con i quali ho cominciato a studiare industrial design. Inoltre sono un grande ammiratore di quel design anonimo che, invenzione di ingegneri non conosciuti, diventa la risposta a dei problemi specifici e reali. Ho acquistato oggetti come questi un po' dappertutto nel mondo e, in una forma o nell'altra, si ritrovano dentro i miei progetti. Nei libri, nelle immagini, nella storia trovo sempre degli spunti stimolanti. Quando inizio un nuovo progetto, mi vengono in mente decine di immagini, come in forma di collage, partendo da queste comincio a domandare, a sperimentare, a cercare una verità: sono convinto che progettare voglia dire discutere sempre a lungo su una questione, qualunque essa sia.

Proprio in relazione al suo rapporto con la storia qual è il suo parere riguardo al tema della rivista, e quale pensa sia il significato più giusto da attribuire oggi all'affermazione less is more? E soprattutto esiste un qualche legame con la sua ricerca progettuale?
Sono particolarmente d'accordo con la affermazione less is more: ma non mi interessa il minimalismo quando è solo un dogma formale; mi interessa la riduzione come concentrato di una idea, la sua parte essenziale. Oggi, però, viviamo in una società complessa dove tutto, e in

particolare gli oggetti, è diventato molto complesso. Quindi, accanto all'essenzialità, io cerco di riportare, nei progetti, questa complessità esprimendola attraverso una particolare forma o una particolare concezione di progetto: a volte mi piace pensare che con un prodotto non solo do risposte ma faccio, soprattutto, domande.

I suoi lavori, dai più conosciuti a quelli in qualche modo sperimentali, sembrano pervasi da una chiarezza espressiva che, senza "urli" formali, rivela sempre, forse più nell'uso che ad uno sguardo superficiale, delle piccole ma significative "innovazioni". Come nasce questa ricerca progettuale e quali sono gli input? Su cosa concentra maggiormente la sua ricerca: sui materiali, sulle tecnologie, sul linguaggio?

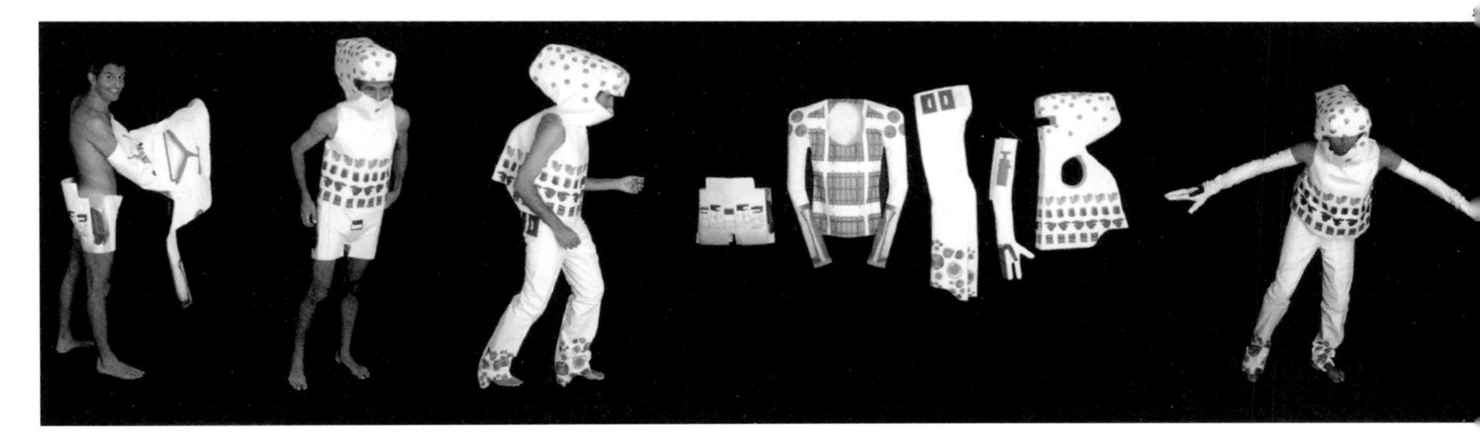

In tutti i progetti, penso ad esempio a Ricreo per Zanotta, SEC o LegnoLetto per Alias, la serie di bicchieri Essence o il servizio Origo per la Iittala, Wing per la Edra, Solitaire per Offecct, Carrara per Luceplan, è l'uso, la funzione ad essere molto importante. Gli studi svolti alla Höhere Schule für Gestaltung di Zurigo mi hanno formato molto proprio in questo senso. A me interessa trovare sempre nuove tipologie di oggetti (Wing, Move it, Tauromachie, Solitaire), fare piccole invenzione. Penso che il linguaggio sia più una forma di pensiero che l'espressione estetica dell'oggetto. Il design per il design non mi ha mai interessato.

Sempre osservando il suo lavoro sembra poter cogliere un filo conduttore che lega le diverse collaborazioni con le aziende. Come sono nati questi contatti? Sono state le aziende a proporsi o viceversa? Nella definizione dei prodotti quanto ha inciso, se esisteva, il brief aziendale, e quanto invece la sua personale intuizione? In sostanza qual é il suo modo di lavorare con le aziende? Il suo contributo si spinge fino alla campagna di comunicazione o si concentra in particolare sul prodotto?
Dopo aver conseguito il diploma come *industrial designer*, ho visitato lo studio di Achille Castiglioni a Milano. Avrei voluto lavorare per lui, ma

quando mi sono proposto, mi ha consigliato, invece, di aprire un mio studio dove iniziare a lavorare in proprio. Ritornato a Zurigo ho deciso di seguire il suo consiglio: ho scritto su un foglio di carta i nomi delle mie aziende preferite e tre anni dopo avevo ricevuto le prime proposte di progettazione. Non ho mai mostrato idee di progetto per iniziare una collaborazione. Ho, invece, scelto le aziende quando si creava spontaneamente un personal feeling. Sono un amante del genere umano ma non mi piace stare con persone alle quali non ho niente da dire: è questa la mia strategia. Oggi i progetti cominciano con una telefonata, a volte con un brief, altre partendo da un certo materiale. Comunque mi piace conoscere l'azienda con la quale lavoro, le sue possibilità produttive, il suo orientamento. Purtroppo oggi succede che tutte le aziende producono tutto! E questo è un grande problema perché manca un carattere forte di immagine aziendale al quale collegarsi, come succedeva invece alle aziende di venti, trenta anni fa. A me piace considerarmi "solo" un designer. Lavoro molte ore, e guadagno a sufficienza con ciò che amo veramente fare: e questo è il massimo. Per degli amici ho, anche, progettato un ristorante a Londra e uno a Zurigo, ma la mia passione resta il design. Invece i designer che fanno gli Art Director, i giornalisti, insomma i designer tutto in uno, a mio avviso rischiano di fare grandi pasticci, fanno confusione: ma la scelta è personale!

Può raccontarci qualcosa sui progetti ai quali sta attualmente lavorando? Si è prefisso delle strategie precise o ogni esperienza è un caso a sè?

Negli ultimi tre mesi sto lavorando a 20 progetti parallelamente: attualmente sto facendo i miei primi progetti di sedie con Alias, Magis e Cappellini. Tutte totalmente diverse, con diversi materiali e diverse tecnologie. Inoltre ho finito un bellissimo progetto: piccole invenzioni per bambini (posate, bicchieri, piatti...) che verranno presentate nel 2003 dalla littala. Sto per riprendere anche dei progetti per la Luceplan. Ma con solo tre collaboratori nel mio studio l'impresa è veramente ardua: mi piacerebbe arrivare a fare meno progetti, concentrandomi solo sui migliori, anche in questa forma di riduzione si trova la vera essenzialità della progettazione!

Nell'attuale panorama dei designer contemporanei è indubbio che lei sia riuscito a ritagliarsi uno spazio dignitoso e assolutamente interessante. Alla luce della sua esperienza, anche se recente, che tipo di suggerimento si sente di dare ai giovani designer che, appena usciti dalle scuole, devono affrontare il mondo professionale?
Pazienza, costanza e soprattutto credere in se stessi. Un giovane designer deve credere molto in se stesso. E per far questo è necessario conoscersi bene, e ancora più importante è cercare di fare veramente ciò che uno sente e pensa. La felicità, poi, arriva da sola.

Alfredo Häberli especially stands out on the international scene of design for the clarity of his work, thus succeeding in finding a link with the more 'cultured' – and somewhat more classic – field of history of design: the one inhabited by great names such as Achille Castiglioni and Enzo Mari (Häberli himself acknowledges a deep connection). In Häberli's work, moreover, one can identify a form of minimalism that, detaching itself from any current trend, does not only cover the object surface, but overwhelms the whole design research.

We know that in your studio there is a sort of spontaneous gallery of objects, both design icons as well as everyday objects, almost a mirror of your visual memory. This seems to mean that the history of design carries great importance in your work: is that true? Are there any particular persons or currents of thought with which you feel somehow linked and which have particularly stimulated you?
I know the history of design very deeply. One cannot help but know it: you can't go half-way when it comes to design: either you are interested or you're not. In my studies and research I have come across some very

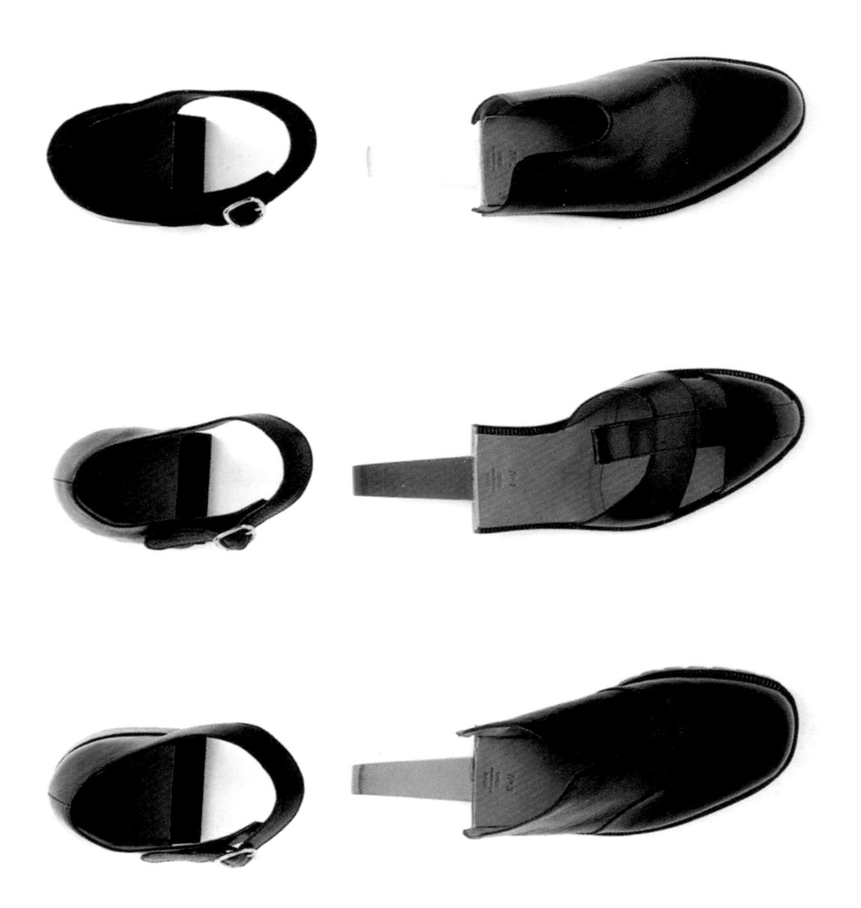

interesting designers, just as I have found some theories that have made me think. Among the designers, I would like to recall one in particular who, in my opinion, has not yet received sufficient recognition: I am referring to Enzo Mari. His role in the field of design has been essential for me. Other famous personages who have been personal reference points for me include architects Jean Prouvé, Renzo Piano, Herzog & de Meuron, and fellow-designers Konstantin Gric, Jasper Morrison, Björn Dahlström; and Achille Castiglioni and Giorgetto Giugiaro, with whom I began my industrial design studies. I am also a great admirer of that anonymous inventiveness of unknown engineers that becomes the design response to real and specific problems. I have picked these objects up all over the world and, in one form or another, they find their way into my designs. I am always finding interesting stimuli in books, images and history. As I begin a new project, dozens of images come into my mind, as if in a sort of collage; and from these I begin to wonder, experiment and search for a truth: I am convinced that designing always means discussing the issue for a long time, whatever it is.

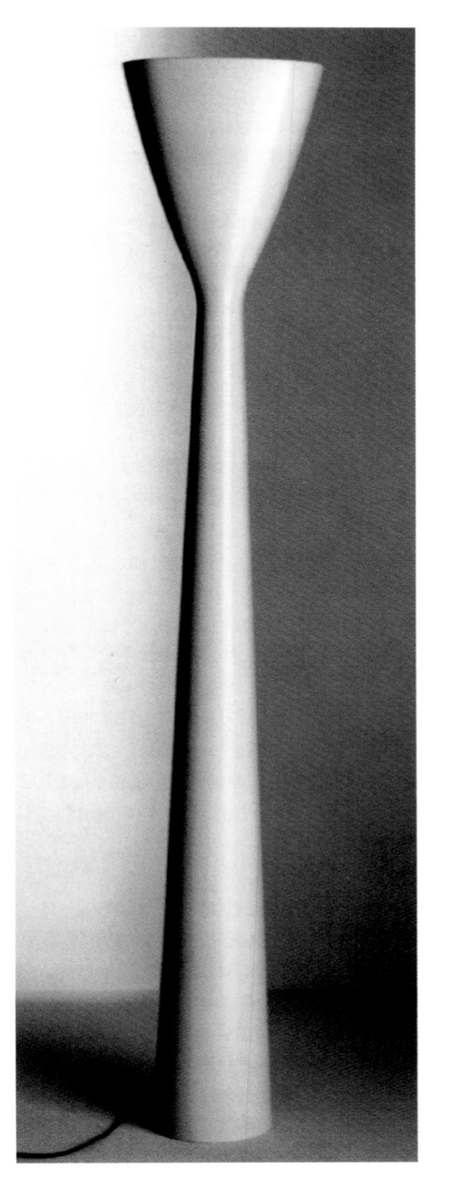

Precisely with respect to history, what is your opinion on this review's theme, and what do you think is the most correct meaning to attribute today to the statement "less is more"? And, above all, is your design approach somehow linked with it?
I am particularly in agreement with the statement "less is more", but I am not interested in minimalism solely as formal dogma. I am interested in reduction as the concentrate of an idea, its most essential part. Today, however, we are living in a complex society where everything, and particularly objects, has become very complex. Therefore, alongside that essentialness I try to carry this complexity over into the products themselves. I also try to express it through a particular form or design conception: at times I like to think that with a product I provide not only an answer but also a question.

Your works, from the best-known to those most experimental, seem to be permeated with an expressive clarity that, without a lot of formal "shouting", always reveal , perhaps more in their use than their surface aspect, small but significant "innovations". Where does this design approach come from and what input did it have? What do you concentrate on most in your research: materials, technologies, languages?
In all my designs - I am thinking, for example, of Ricreo for Zanotta, SEC and LegnoLetto for Alias, the Essence series drinking glasses or the Origo cutlery for Iittala, Wing for Edra, Solitaire for Offecct, Carrara for Luceplan – the most important thing is their use, their function. My studies at the Höre Schule für Gestaltung in Zuroch trained me precisely in this sense. I am interested in finding newer and newer types of objects (Wing, Move it, Tauromachie, Solitaire), and in making little inventions. I think that language is more a form of thought than the aesthetic expression of the object. Design for design's sake has never interested me much.

In observing your work it seems that all your collaborations with various manufacturers are subtly linked. How did you make these contacts? Did they come to you with proposals or was it the other way around? How much impact, if any, does the company requirements have on the definition of the products, and how much your own intuition? How do you work with the manufacturers? Does your contribution extend into the advertising campaign or is it restricted to the product?
After receiving my diploma to become an industrial designer, I visited the studio of Achille Castiglioni in Milan. I would have like to work there with him, but when I offered myself he advised me, instead, to open my own studio and begin to work on my own. Once back in Zurich I decided to follow his advice: I wrote down the names of my favourite manufacturers and three years later received my first opportunities to design. I have

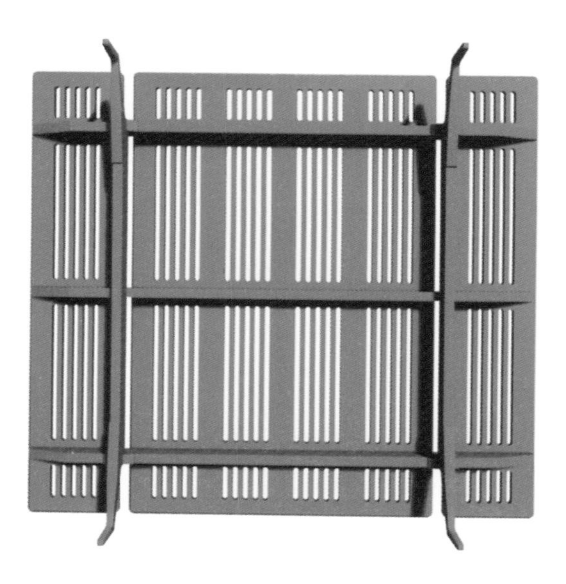

never showed design ideas in order to begin a collaboration; instead, I have chosen the manufacturer based on a spontaneously created "personal feeling". I am a lover of human kind, but I do not like to be with people to whom I have nothing to say: this is my strategy. Today my projects begin with a phone call, at times with a briefing, and others take off from a particular material. In any case, I like to understand the company I am working with, its production possibilities and orientation. Unfortunately, today, it happens that every company produces everything! Which is a big problem, because that strong company profile that you could feel connected to 20 or 30 years ago is missing.
I like to think of myself as "only" a designer. I work long hours and earn enough doing what I truly love to do: and that is the best thing. I did a restaurant project for some friends in London and one in Zurich, but my real passion still lies in design. Designers that are also Art Directors,

journalists -all-in-one designers, in other words - in my opinion risk making a big mess: but to each his own!

Can you tell us something about the projects you are working on at the moment? Do you have any pre-established strategies or is every experience a separate case?
In the last three months I have worked on 20 projects at the same time: currently I am doing my first chair designs with Alias, Magis and Cappellini. They are all completely different, using different materials and technologies. I have also just finished a beautiful project: little inventions for children (cutlery, plates, glasses ...) that will be presented in 2003 by Iittala. I am also about to start again with Luceplan on some projects. But with only three assistants in the studio, it is truly a feat. I would like to get to the point of doing fewer projects but better ones. The true essence of design can even be found in this form of reduction!

You have managed to stake out a well-deserved and absolutely unique place for yourself on the panorama of contemporary designers. Based on your experience, however recent, what advice do you feel you could give to young designers just coming out of school and facing the professional world?
Patience, determination and, above all, belief in oneself. Young designers must believe in themselves, must know themselves well and, even more importantly, must try to do what they truly feel and think. Happiness then follows on its own.

Design come abduzione
Design as Abduction

Ingegnere aerospaziale giapponese, Isao Hosoe lavora da quasi quarant'anni in Italia, come designer di prodotti. Collaborando con Alberto Rosselli, alla fine degli anni Sessanta, approda al design dando il via ad una fertile carriera di progettista. Dal progetto di un aereo a pedali in balsa e polistirolo, come tesi di laurea presso la Nihon University di Tokyo, giunge poi a progettare gli autobus Meteor e Spazio, mobili per Cassina, complementi d'arredo per Tonelli, telefoni per Bosch, e molti altri prodotti emblematici del design internazionale. Con una visione del mondo derivante dal buddismo esoterico, del Mikkyo, sentita come filosofia utile a gestire la complessità del futuro, Hosoe tende oggi a "limitare la presenza di segnali visivi, per favorire segnali di altro tipo". Come afferma Claudia Neumann, nelle sue opere non è possibile leggere uno "stile Hosoe", ma "soluzioni adeguate alle necessità".

Ci sono suoi progetti nati dall'attività di bricoleur?
Diverse cose del mio lavoro possono essere ricondotte all'attività di bricoleur. La mia lampada Hebi, per esempio, non è altro che il risultato di una raccolta, l'avere trovato del tubo flessibile di plastica e altri elementi già pronti. Non ho fatto altro che metterli insieme, dimenticando però la base. Da questa mancanza è nata l'idea di curvare a spirale il tubo per formare la base. L'apparente sfortuna di non avere trovato delle cose può a volte tradursi in una opportunità progettuale. Anche la lampada Tama, sempre per Valenti, è frutto di una raccolta. In un mercatino rionale c'era una bancarella che vendeva dei bidoni, contenitori per l'acqua. Ho pensato subito di metterci dentro una lampadina, ed è diventata una lampada. Ho comprato 3, 4 bidoni e sono andato in azienda. Hanno detto che l'idea delle lampade gli interessava, ma bisognava evitare che tutti gli altri le facessero, e allora abbiamo realizzato uno stampo. Anche questo è bricoleur. Non ho inventato niente, semmai mi sono accorto della combinazione interessante.

Il terzo modo dell'abduzione?
È la follia. Follia come differenza, come estremo, come esclusione, come discontinuità, come periferia anziché centro. Tutte queste condizioni, eventi della vita, sono legate alla follia. Non entrano nella razionalità delle nostre teste, che aspirano all'ordine statico, e non lasciano spazio alle sfumature. La follia obbliga ad uscire da questa sfera razionale.

Definiti i modi dell'abduzione, ci sono oggi a suo parere grandi problematiche legate al progetto di design?
La mia maggiore preoccupazione oggi, pensando al mondo in cui è nato e si è sviluppato il design, riguarda la degradazione del concetto di tempo. La cultura, per mia definizione, è la somma delle nostre esperienze quotidiane integrate nel tempo. Parlo di esperienze d'uso e non di consumo.
Se il tempo comincia a ridursi, quasi a zero, ecco che sparisce la cultura derivata dall'esperienza. Nel design, l'esperienza ha a che fare con i prodotti ed è proprio intorno ad essi che si avverte oggi un forte processo

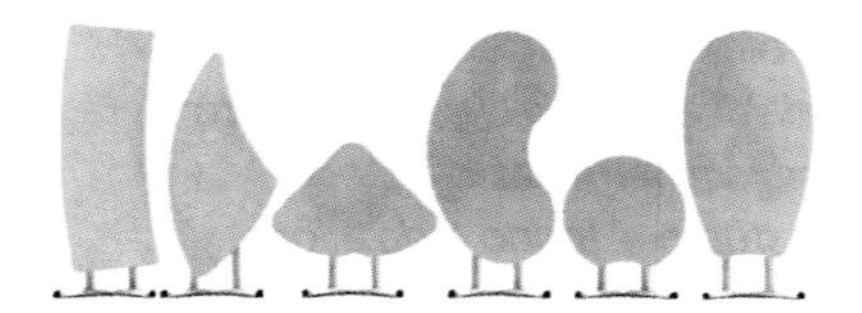

di superficializzazione. La nostra cultura in generale, sta cercando di abbassare il valore delle dimensioni. Dalla quarta dimensione siamo passati alla terza e poi alla seconda, quella della superficie e dell'immagine. Questo schiacciamento dimensionale garantisce la sopravvivenza al sistema contemporaneo: la riproduzione industriale ne risulta semplificata, così come la trasmissione delle informazioni attraverso il web e, naturalmente, il fenomeno si avverte anche nel campo del consumo. Nell'acquisto delle cose, in realtà non si compra l'oggetto nella sua globalità, ma un codice, che poi magari è l'unica cosa ad essere consumata. L'oggetto si consuma prima visivamente e poi fisicamente. A sostenere questa velocità di consumo, c'è la rapidità di sostituzione dell'immagine. Il consumatore ha bisogno di vedere sempre qualcosa di diverso.

Passando alle metodologie di progetto, che importanza riveste nei prodotti la scelta di un materiale?
I materiali sono tutti nobili. La plastica, per esempio, sempre percepita come falsa - finta pelle, finto legno, ecc. - non è mai entrata nel progetto dalla porta principale, ma piuttosto come surrogato. Ad un certo punto, mentre facevo un'analisi dei materiali che ci circondano, attraverso alcuni parametri come ad esempio il peso specifico, mi sono reso conto che era possibile suddividerli in tre grandi gruppi: il primo, composto da materiali derivati da esseri viventi, come alberi o animali; il secondo dalle pietre - graniti, marmi, ecc. - tra cui rientra anche il vetro; il terzo e ultimo gruppo dai metalli, con al centro il ferro, escluse le leghe di alluminio che invece rientrano nel secondo.
In questa classifica la plastica rientrava nel primo gruppo, con lo stesso peso specifico dei materiali provenienti dalla vita. Quindi, una materia considerata il simbolo dell'artificialità si è rivelata essere naturale, perché deriva dal petrolio, che a sua volta ha origine dalla decomposizione di alberi, di animali e dei nostri antenati. Questa scoperta ha rovesciato la mia percezione del materiale, che in seguito ho utilizzato con più interesse.

Infine, Lei svolge un'intensa attività didattica tra diverse scuole di design italiane ed estere. Trova in questo suo ruolo di docente una ragione di stimolo e di arricchimento?
Già da lettore di libri, mi sono reso conto che leggendo per sé la comprensione ha una certa dimensione, leggendo pensando di riuscire a spiegare i concetti ad altri, amplifica questa comprensione, perché di fatto esiste la necessità della traduzione. Quindi insegnare, al di là della retorica, significa imparare. Imparare per organizzare il pensiero. Insegnare è una ginnastica mentale e corporea incredibile.

Isao Hosoe is a Japanese aerospace engineer, For the last forty years in Italy he has worked as a product designer in Italy. His collaboration with Alberto Rosselli at the end of the sixties marked the beginning of a brilliant career in design. His first project was a balsam and polystyrene pedal plane built for his thesis at Nihon University in Tokyo. Later he designed the Meteor and Spazio buses, furniture for Cassina, furnishings for Tonelli, telephones for Bosch and many other emblematic products of international design. With a vision of the world based on esoteric Buddhism, on the Mikkyo, perceived as a philosophy useful to manage the complexities of the future, Hosoe currently tends to "limit the presence of visual signs in favour of other types of signs."
In the words of Claudia Neumann, his works do not have a "Hosoe style," but "solutions that satisfy a need."

Momotaro, sistema per ufficio, Itoki, Japan, 2001. Struttura in alluminio, desk top in legno laminato, bordo in polipropilene
Momotaro, Office system, Itoki, Japan, 2001. Structure in alluminium, desk top in wood and over laminated plastic, with injected polipropilene border

Were any of your products made during activities as a bricoleur?
Quite a few of my designs could be linked to my work as a bricoleur. For example, my lamp, Hebi. It's nothing more than pieces put together: a flexible plastic tube and other available materials. I simply put them together, forgetting about the base. This mistake gave me an idea: to bend the tube to make a base. What seems like bad luck because the right piece isn't found, more often than not turns out to be a blessing in disguise. The Tama lamp for Valenti also comes from one of my treasure hunts. I was in a small marketplace where they were selling big cans, water cans. I immediately thought of putting a bulb inside, and it became a lamp. I bought three or four cans and went to the company. They said they were interested in the lamp idea, but had to avoid everyone else doing it too. So we made a mould. This is bricolage too. I didn't invent anything, in fact all I did was create the right combination.

XLNt, Sacmi, Italia 2002, Forno per la cottura di sanitari
XLNt, Sacmi, Italy 2002, Extra Large New Tunnel Kiln

FMP 270, Sacmi, Italia 1996, Forno per la cottura di ceramiche
FMP 270, Sacmi, Italy 1996, Ceramic Tile Kiln

What is the third abduction mode?
It is folly. Folly as something different, something extreme, something excluded, discontinued, like the suburbs rather than the town centre. All these conditions,real life events, are linked to folly. They aren't part of our rational thoughts which aspire to a static order and they do not provide for nuances. Folly makes us step outside this circle of rationality.

Having defined the abduction modes, in your opinion, what are the main problems linked to design today?
If I think of the world in which design was born and grew, I am concerned today about the deterioration of the concept of time.
I believe that culture is the sum total of our everyday experiences in time. I'm talking about our experiences in using and not consuming things. If

time is reduced to almost nothing, it will wipe away the culture that is based on experience. In design, experience is linked to the products and it is here that we can now see an intense process towards superficiality. Our culture in general is trying to lower the value of dimensions. From the fourth dimension we have moved to the third dimension and then the second, involving surfaces and images. This dimensional levelling out guarantees the survival of our contemporary system; industrial production is simplified, as is the transmission of data through the web and of course this phenomenon is very visible in the field of consumption. When you buy things, we don't actually buy the whole product but a code, which is probably the only thing that will be consumed. The object is first of all consumed visually and then physically. This rapid consumption is maintained because the image changes. A consumer always needs to see something different.

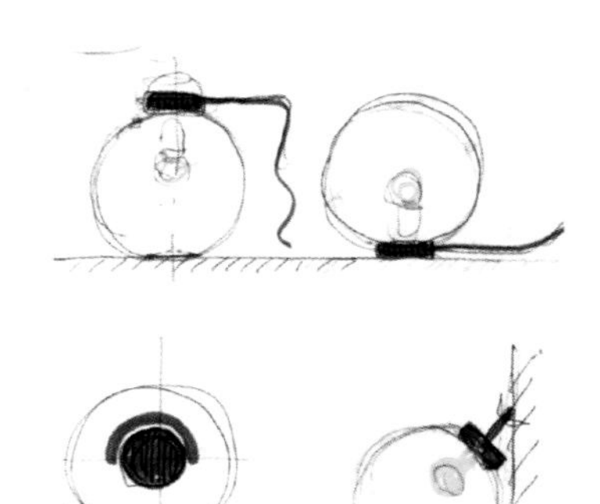

Tama, Valenti, Italia 1975, lampada, sfera in polietilene soffiato, coperchio e maniglia in ABS
Tama, Valenti, Italy 1975, lamp, sphere in blown polythelene top and handle in ABS

Moving on the a project's methodology, how important is the choice of materials?
All materials are precious. Plastic, for example, has always been considered fakefake leather, fake wood, etc. - it has never entered design through the main door. On the contrary it has always been used as a substitute. At one point, when I was analysing the materials that are all around us, using certain parameters, for example their specific weight, I realised that I could divide them into three groups: group one was materials extracted from living organisms, like trees or animals; group two was stones - granite, marble, etc. - including glass; the third and last group was metals, with iron in pole position, apart from aluminium alloys which belong to group two.
Plastic belonged to the first group as it had the same specific weight as materials that came from living organisms. So, a material considered to be the symbol of artificiality was in fact a natural material because it comes from oil, which in turn comes from the decomposition of trees, animals and our ancestors. This revelation completely changed my opinion of this material which I later used with greater enthusiasm.

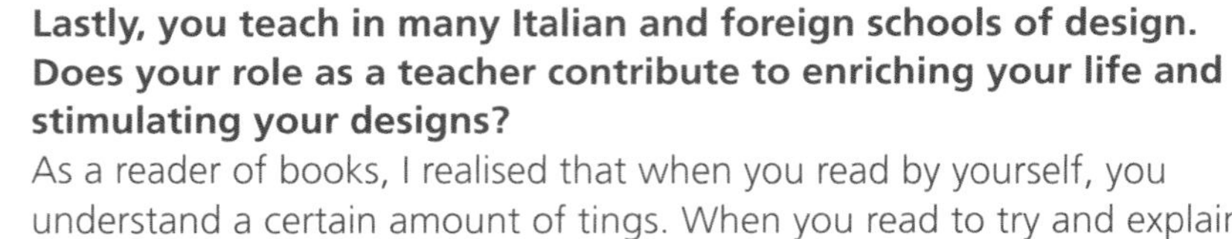

Lastly, you teach in many Italian and foreign schools of design. Does your role as a teacher contribute to enriching your life and stimulating your designs?
As a reader of books, I realised that when you read by yourself, you understand a certain amount of tings. When you read to try and explain concepts to others, your understanding is greater because in fact you need to translate this understanding. So, without rhetoric, I believe that teaching means to learn. To learn to organise your thoughts. To teach is an incredible mental and corporeal exercise.

Vola, Isao Hosoe con Peter Solomon, Luxo Italiana S.p.A., 2000. Lampada in vetro soffiato acidato, metallo cromato, policarbonato, metallo a memoria di forma
Vola, Isao Hosoe with Peter Solomon, Luxo Italiana S.p.A., 2000. Lamp acidized blown glass, chromed metal, polycarbonate, memory metal

Brio, Isao Hosoe con Emilio Cassani, Sacmi, italia 2002, transpallet in ferro
Brio, Isao Hosoe with Emilio Cassani, Sacmi, Italy 2002, steel and fiber glass transpallet

Bio Tables II, Itoki, Giappone 1991, tavoll mobili con struttura e base in alluminio piano in laminato e bordo in PVC
Bio Tables II, Itoki, Japan 1991, mobile tables with laminate tops; PVC border; aluminium diecast base

Lo stile di un designer
A Designer's Style

Tra l'imprenditoria argentina ed il disegno industriale esiste una grande distanza da superare e tale distanza è ancor più evidente se si osserva la relazione tra imprenditore e designer all'interno delle società industriali più mature. Hugo Kogan, pioniere del design argentino e costante riferimento dei giovani disegnatori, è l'esempio più palese di questa realtà. Scultore di vocazione, Kogan inizia la sua formazione nel 1947 e nel 1953 entra a far parte della Philips Argentina come designer junior. L'Argentina di quegli anni è un Paese in pieno processo di industrializzazione ed in cui le industrie si dedicano essenzialmente al Ready Made. È in questo clima che nasce uno dei prodotti più importanti ed innovativi di Kogan: l'accendino elettrico da cucina Magiclick, *grande successo commerciale dal 1968 in poi, per l'azienda Aurora. Nel 1985 insieme a Blanco, Dujovne e Leiro, Kogan partecipa alla creazione del Corso in Disegno Industriale presso la Facoltà di Architettura di Buenos Aires. Attualmente è impegnato in progetti in ambito industriale e commerciale e nella consulenza internazionale.*

Qual è la situazione attuale del design e quale il ruolo del designer in questo momento critico per la società argentina? Pensa che si possa parlare di disegno sudamericano?
Nel nostro Paese, in particolare in questi ultimi dieci anni, si è notevolmente ridotto il numero di industrie che si avvalgono di designer e ciò è dovuto al tipo di mercato al quale queste intendono rivolgersi e al tipo di prodotto e alla quantità di produzione che intendono gestire. Esistono comunque piccole isole dove l'attività del disegno industriale ha ancora continuità come ad esempio nel caso di aziende che hanno coraggiosamente formato all'interno della loro struttura uno staff di progettazione e sviluppo di prodotti. L'attività di questi gruppi di designer interni è però discontinua e da un lato l'abbassamento della domanda di servizi, dall'altro la sua discontinuità ha avuto una forte influenza sul gran numero di professionisti che si sono associati a disegnatori grafici o architetti, per lavorare in aree limitrofe alla disciplina, ingrandendo così il campo di azione e lo sviluppo professionale. Il designer, così come il medico o l'ingegnere, ha oggi una priorità: sopravvivere grazie al lavoro per il quale si è preparato tutta la vita, che ama svolgere e allo stesso tempo mantenere alta la dignità come professionista e come persona. Posso assicurare che non è poco. In definitiva penso che il professionista dovrebbe portare avanti il suo ruolo senza perdere di vista le sue illusioni, il rispetto per chi deve usare i suoi prodotti e lavorare continuamente ed intensamente per diffondere la professione. La comunicazione, l'informazione e la massiccia ed intensa pubblicità si sono internazionalizzati portando avanti il consumo di prodotti omologati ai paesi industrializzati e la realizzazione di progetti ed idee il cui mercato è il mondo. Questa situazione fa sì che le grandi e medie aziende

sudamericane, si trovino obbligate a seguire questi parametri. Sempre che questo continui nel tempo, e non vedo alternative, il designer sarà colui che, dipendendo dal mercato, globalizzerà i prodotti ed i gusti estetici. L'aspetto oggi più evidente è la nascita di un polo di produzione tessile vincolato alla moda. Nella misura in cui questa struttura produttiva si consoliderà, con molta probabilità vedremo emergere uno stile ed una tendenza di carattere nazionale e sicuramente regionale. Penso che per far sì che le alleanze internazionali siano professionali e commercialmente attive, queste debbano portare inizialmente benefici economici. Culture di varie provenienze, forme di relazioni e abitudini diverse, altri tempi e interpretazioni dei compromessi, devono conciliarsi e ciò comporta grandi sforzi, pazienza e dedizione da entrambe le parti. In questo modo ad esempio, ci siamo confrontati con il nostro "parceiro" brasiliano: prima abbiamo fatto affari, e con il passare del tempo, siamo diventati amici. Credo e pratico le alleanze da tanto tempo e generalmente queste "unioni" hanno procurato affari, hanno allargato il mio sguardo e creato amici.

Che cosa pensa del designer come imprenditore e come autoproduttore?

La situazione che ho raccontato ha portato molti designer alla ricerca di inserimento in un mercato che permetta di lavorare e vivere del proprio lavoro, sviluppando così una forte attività intorno alla produzione di progetti propri in forma individuale o in gruppo. In tanti casi i professionisti sono autoproduttori, in altri hanno creato imprese che lavorano tanto nel mercato esterno quanto in quello interno, una forma positiva quella di confrontarsi con una situazione complessa e con poche possibilità, ma quello che è triste è che professionisti altamente qualificati non abbiano trovato le adeguate opportunità di lavoro per sviluppare la loro professione in America Latina.

Stand Pampers

Quali sono i suoi ultimi lavori e quelli in corso? Quale lavoro di professionisti internazionali o nazionali le interessa oggi?
L'azienda di capitali di origine francese J.C. Decaux, ci ha dato l'incarico – insieme a Silvia Hirsch e Reinaldo Leiro – della progettazione e lo sviluppo della segnaletica della città di Buenos Aires. Altro progetto, appena completato tra l'altro, è stato la realizzazione della nuova immagine e della comunicazione del Banco BAC con sede in USA, Centro America e America Latina, in seguito alla vincita di un concorso internazionale. Abbiamo poi disegnato e sviluppato la segnaletica ed il layout per le 120 stazioni della metropolitana di Buenos Aires.
Da sempre mi attrae il lavoro degli architetti, in particolare dei sudamericani. Oggi il mio interesse è aumentato, trovo che nel lavoro di questi architetti ci sia una forte influenza della cultura nazionale che si radica profondamente nelle loro opere.

Quale è il suo rapporto con la formazione nell'area del design?
Penso che il trasferimento dell'esperienza e delle conoscenze sia di grande importanza ed avere la possibilità di farlo proprio su chi non ha ancora cominciato l'attività professionale o che è all'inizio, soddisfa le mie aspettative.
In qualità di professore al Corso post laurea di Gestione Strategica di Design GED, il mio compito è di sensibilizzare i professionisti, architetti e designer, ad affinare la propria visione strategica attraverso la programmazione rigorosa e controllata delle varie fasi del progetto.

Come vede il futuro del disegno industriale in Argentina ed il suo in particolare?
L'Argentina è conosciuta storicamente come produttrice ed esportatrice di prodotti di base, con un basso valore aggiuntivo: grano, carne, lana, petrolio, gas. Questa cultura è portata avanti dallo Stato sia per pigrizia che per ignoranza, ma anche per interesse e per le tendenze politiche che si sono susseguite. Suppongo che questa debba essere una delle ragioni per le quali non ci siamo industrializzati nel momento in cui ciò era ancora possibile, prima della concentrazione dell'informazione e della conoscenza.
Credo che l'attività industriale si concentrerà all'interno di nicchie che le grandi corporazioni lasceranno libere. È qui che ci sarà spazio ed esigenza per la capacità creativa e strategica non solo da parte dei designer, ma anche dal "nucleo intelligente" di queste aziende.
Qualche anno fa Hèlene, mia moglie, mi domandò che cosa avrei fatto una volta arrivato all'età in cui si pensa che ci si debba dedicare al golf. Io ho risposto che volevo dedicarmi al design.
Adesso, che è arrivato il momento e lo sto facendo, è un vero piacere.

A broad gap exists between Argentine entrepreneurship and industrial design; this gap is even more apparent if one considers the relationship between entrepreneurship and designers in more advanced industrial societies. Hugo Kogan, a pioneer of Argentine design and a rock-solid point of reference for young designers, is an obvious example. A sculptor by vocation, Kogan began his career in 1947 and in 1953 joined Philips Argentina as a junior designer. At the time Argentina was becoming an industrialised nation and industries were focusing on Ready-Made. This is when Kogan designed one of his most important and innovative products: the electric gas lighter, "Magiclick." From 1968 onwards, the lighter was a big commercial success for the Aurora company. In 1985, with Blanco, Dujovne and Leiro, Kogan launched the Industrial Design Course at the Faculty of Architecture in Buenos Aires. He is now involved in industrial and commercial projects and international consultancy.

How is industrial design faring in Argentina at the moment? What role do you think designers should play at such a critical time for Argentine society? Do you think we can talk about Latin American design?

In Argentina, especially in the past ten years, many industries have decided not to use designers. This has been influenced by the type of market they are dealing with and the type and number of articles they are producing. There are small islands of activity where industrial design still survives, for instance, companies that have courageously employed staff in a product design department. The work these in-house designers do is quite

Palina parcheggio
Parking small pole

Parchimetro
Parking tool

Progetto per Telecom
Telecom Project

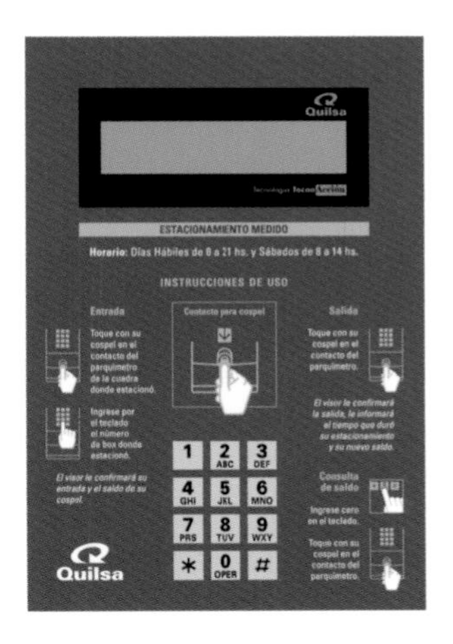

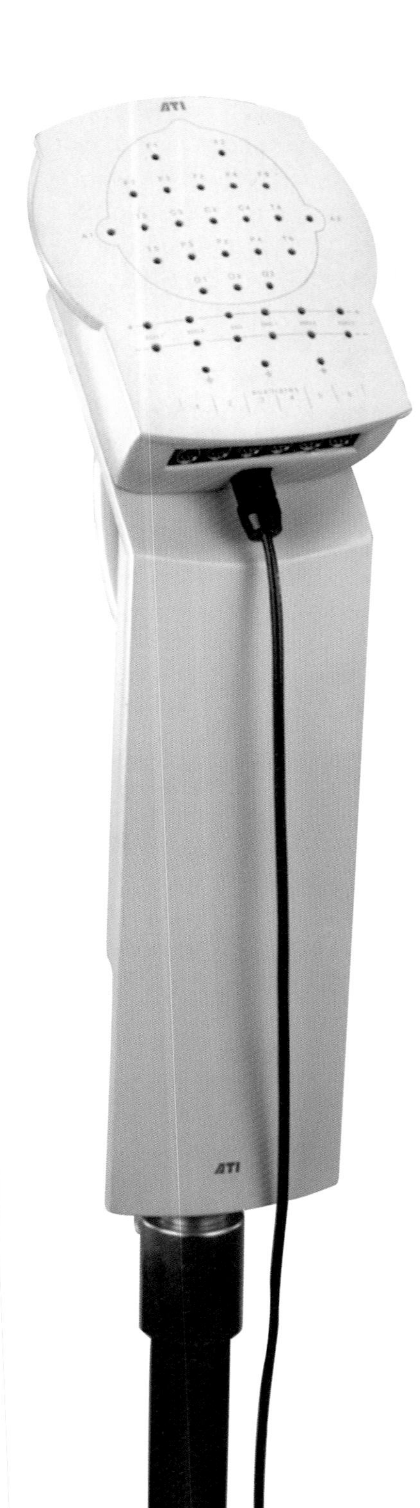

piecemeal and discontinuous. On the one hand, the limited demand for services and, on the other, this discontinuity, has impacted on many professionals who have started to work with graphic designers or architects in other, similar fields. This has widened their scope and provided opportunities for professional growth. The priority for designers, or doctors and engineers is to survive doing the work they have trained for all their life and which they love to do. They also have to keep up the good name of the profession and maintain their dignity as people. I can assure you that is no easy task.
In short, I think that designers should continue to work without loosing sight of their aspirations, without loosing respect for the people who use their products and continue to work hard to promote the profession. There has been an internationalisation of communications, information as well as the powerful and intense publicity campaigns that are currently distributed; they promote the consumption of products similar to the ones produced in industrialised countries and projects and ideas that are sold on world markets.
Big Latin American companies are forced to follow these parameters. If this trend continues in the future, and I don't see it changing, then it will be designers – who depend on the markets – who will globalise products and aesthetic tastes. One important example is the textile industry that now follows fashion very closely. If things go on like this, it's very likely that we'll see a style and trends that are national and certainly also regional.
I think that for international alliances to be professional and commercially dynamic, they have to produce economic benefits. We have to reconcile different types of culture, different interpersonal relationships and customs, different work rhythms and the way we compromise; this involves a lot of energy, patience and dedication on both sides. This is how we tackled our Brazilian "perceiro": first we did business together, then as time passed, we became friends. I've been in alliances for quite some time now and I think that in general these "unions" have improved my business, widened my horizons and I've found new friends.

What do you think of designers who also work as entrepreneurs and do a certain amount of self-promotion?
Given the current situation, many designers have tried to find a place in the market that allows them to work and live thanks to what they do. This means that many have designed and produced products themselves, either individually or in groups. In many cases, they have produced the articles they have designed, others instead have established companies that work abroad as well as in Argentina. Having to deal with a complex situation that provides very few opportunities has acted as a stimulus. What's sad is that highly qualified professionals haven't been able to find suitable work opportunities to develop their profession in Latin America.

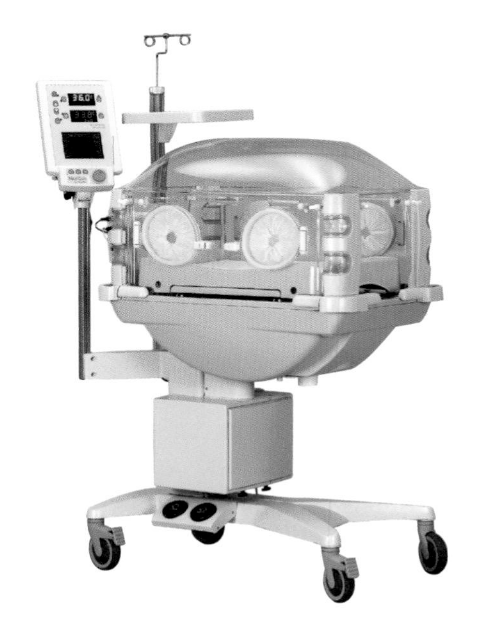

Microfono
Microphone

Incubatrice
Natal-care

What are your latest projects and what are you working on now?
The French investment company J.C. Decaux has commissioned me – together with Silvia Hirsch and Reinaldo Leiro – to design and develop the road signs for the city of Buenos Aires. Another project that we've just finished is the new logo and communications campaign for the BAC Bank with branches in the USA and Central and Latin America. This was a job we were given after winning an international competition. We have designed and developed the road signs and layout of 120 subway stations in Buenos Aires.

What's your opinion of how design is taught?
I think that communicating knowledge and experience is extremely important and to be able to convey this to people who haven't started to work yet, or are just starting, gives me tremendous satisfaction.
As a teacher of a post-graduate course in the strategic management of GED design, my task is to highlights certain issues for professionals, architects and designers, to fine-tune their strategic vision by teaching them how to apply a strict, organised programme to the various stages of design.

How do you see the future of industrial design shaping up in Argentina, and your future in particular?
Historically, Argentina was famous as being a producer and exporter of raw materials, with a very low added value: wheat, meat, and wool, oil and gas. The State continues to promote this image, through ignorance and laziness. But it also does it for its own gains and is influenced by the political trends that have taken place in this country. I suppose this is one of the reasons why we didn't become an industrialised country when the chance was there, before information and knowledge fell into the hands of a select few. I think that industry will exploit the small niche areas left vacant by big corporations. This is where our creative and strategic skills will probably be needed and develop; they'll be needed not only by designers, but also by the "intelligent core" of these companies.
A few years ago, Hèlene, my wife, asked me what I thought I'd do when I was old enough to retire and start to think about playing golf. I replied that I wanted to focus on design. Now that I'm doing just that, it's a real pleasure.

Atto di riduzione
Making Less More

Ritualità, apertura mentale, senso della misura sono i suoi strumenti progettuali. Il suo lavoro contribuirà a ridefinire i concetti di bagno e cucina all'interno dello spazio domestico. Non più ambienti di servizio ma luoghi con le proprie necessità estetiche e funzionali.
Per lui la definizione di minimalista è riduttiva: ricerca da sempre l'essenza formale, la purezza delle linee, l'astrazione.
Grande stimolo nel suo lavoro è la curiosità. Trasmessa dal suo maestro Achille Castiglioni. Un vezzo: la predilezione per matita e righello.

Quando si frequentano gli studi dei giovani "Re Mida" del design contemporaneo si finisce per porsi le stesse domande, avanzare le solite questioni, girarle idealmente al nostro interlocutore ancor prima di incontrarlo per poi avere risposte insoddisfacenti o molto lontane da quelle previste. Già, perché forse quelle previste sono già scritte sui libri di storia del design, sono già state ascoltate in numerose conferenze (dite la verità, quante volte vi è capitato in determinate occasioni di anticipare la coerenza argomentativa dei grandi maestri, di sapere già dove sarebbe andato a parare il discorso di un Enzo Mari, un Vico Magistretti, un più schivo Angelo Mangiarotti...), sono il portato di solismi progettuali altissimi e per questo irripetibili, perlomeno in quei termini. In questi algidi studi ci si sente parlare di arredamento che si riappropria della definizione di ambiente (sia ben chiaro, ben lontano da quell'habitat dell'intorno domestico teorizzato e preconizzato da Joe Colombo), di sistemi, collezioni, famiglie di oggetti. È vietato ormai, oltre che diseconomico, cercare l'immortalità con il pezzo unico, innovativo e destabilizzante. Bisogna innovare

senza esagerare, battere il record della contemporaneità, della frontiera con il futuribile alla maniera di Sergej Bubka, di un solo centimetro alla volta (si prega di allontanare ogni facile ironia sui compensi o sulle Ferrari in palio). È curioso che a parlare in questi termini, ovviamente senza citare la metafora sportiva, sono vari protagonisti del design, pur in ambiti diversi. Tre nomi su tutti: Alberto Alessi quando afferma di lavorare in una "zona di confine", in una

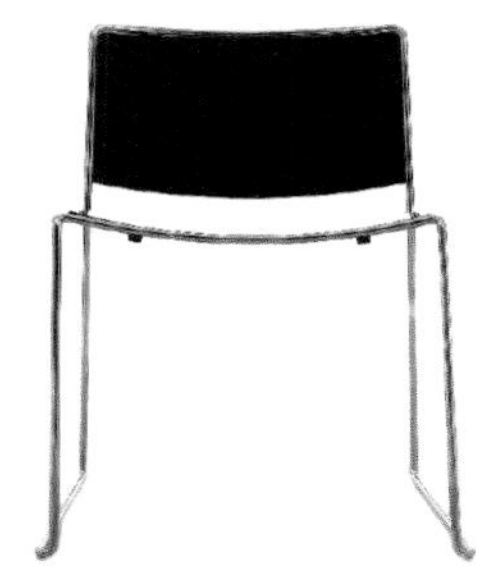

striscia utopica del progetto che sta tra l'esistente, e quindi accettato dal mercato e il non esistente, e quindi l'incognito. Navigare, anzi *surfare* su questa linea, sulla cresta di questa onda è il compito dell'operatore estetico, del art director, di chi, in poche parole, decide della produzione di un'azienda. Non proprio in questi termini ma sicuramente in linea con una certa idea della contemporaneità svelata e regalata al progetto a piccoli passi è Antonio Citterio, pur inventore di nuove tipologie dell'abitare e indiscusso termometro di una produzione di avanguardia. Infine, in buona, ideale compagnia, Piero Lissoni, che proprio su questa linea di confine sa muoversi sapendo di farlo. Parlando della produzione Boffi, del suo lavoro di "Barra del gusto", di art direction per la collezione bagno, per esempio, si esprime in questi termini. "È da anni che stiamo cercando di uscire dall'arredamento e trasformarlo in ambiente. Potevamo anche presentarci con alcune soluzioni con larghissimo anticipo ma poi abbiamo capito che è sufficiente – e necessario (ndr) – uscire in anticipo". La paura dell'imitazione da parte di altri è scongiurata dall'impossibilità di ricreare una sensazione, un ambiente, appunto, solo copiando dei singoli pezzi. Ecco che ritorna il concetto di famiglia, di collezione, di sistema, che abbandona il design del solismo (anche se i pezzi singoli poi sono tutti molto validi e innovativi) e si avvicina a un progetto più vicino alle modalità architettoniche che a quelle arredative.
Non è un caso che i progettisti menzionati stiano sbilanciando il loro operato dalla parte delle realizzazioni architettoniche. Si può tradurre come campo di applicazione delle idee più che punto d'arrivo per nuovi singoli prodotti.

Le immagini sono tratte dalla mostra "GeoDesign", a cura di Stefano Boeri, Lucia Tozzi, Stefano Mirti, Torino 2008
The images are from exhibition "GeoDesign", by Stefano Boeri, Lucia Tozzi, Stefano Mirti, Torino 2008

FoodDesign, Workshop, Arabeschi di Latte, Peter Lang, Avatar Architettura

È poi bandita la parola stile, perché a Lissoni non si può parlare di un suo personale stile. È stato da tempo superato dalla ritualità: come non intendere lo stile come sovrastruttura passiva, dettata dal progettista e la ritualità come libero arbitrio, come sempre diversa appropriazione del consumatore finale di una serie di oggetti? Di un sistema? E proprio qui sta il punto.
L'eclettico accostamento di pezzi, la colta e collezionistica scelta di manifesti del contemporaneo non può e non deve più essere la sola via all'appagamento estetico; tralasciando un ovvio, anche se pur legittimo, risvolto commerciale (l'azienda che crea arredi "chiavi in mano" si appropria di grosse fette di mercato e non vive solo su best seller del proprio catalogo) il progettista viaggia per noi, recepisce con indubbia sensibilità ispirazioni e dettami del momento, anche da altri ambiti che non siano solo quelli progettuali e comunica nelle forme e nelle sensazioni di una collezione questa ritualità.
È ovviamente un processo progettuale che tiene conto della storia aziendale, delle modalità di produzione, che cita e deve alla mimesi una buona parte del proprio essere. Fatto sta che poi che nel caso di Lissoni, come per altri maestri del contemporaneo, le linee levigate e gli angoli rastremati di una nuova sedia, anzi serie di sedute per Thonet; il nuovo ridottissimo sistema di rubinetti per Boffi; il tavolo con campata impossibile o la libreria risolta da un minimo dettaglio di giunto per Porro o le sedute per Kartell identificano una "mano", una tendenza, una linea di progetto, troppo sbrigativamente definita come minimale e forse meglio identificata come progetto per riduzione, dove il meno è ancora più e forse qualche cosa d'altro.

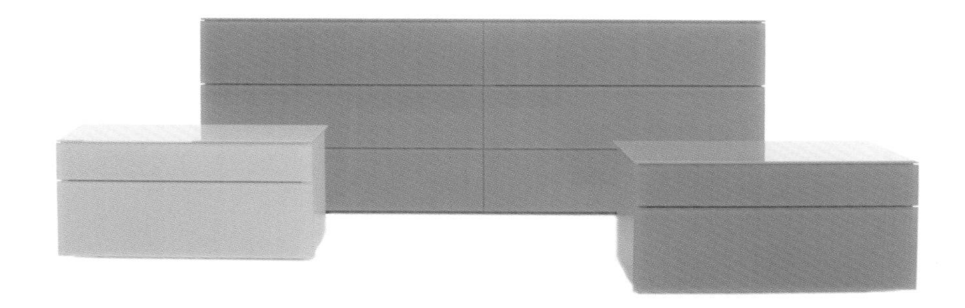

Rituality, open-mindedness and sense of proportion are his design tools. His work has contributed to the redefinition of the concept of kitchens and bathrooms inside the house. No longer facilities, but places with aesthetic and functional needs of their own. Defining his a minimalist is simplistic: he has always sought for formal essence, line pureness, abstraction. Much of his work is triggered by his strong curiosity. Which he has inherited from his master - Achille Castiglioni.
A quirk: his predilection for pencil and ruler.

When you visit the studios of the young "King Midas" of contemporary design you start asking yourself the usual questions on the usual subjects; you start going over these questions in your own mind even before you meet the person. You end up getting disappointing answers or answers

that are totally different to what you expected. Perhaps because the ones you expect have already been written in books on the history of design or delivered in numerous conferences (be honest, how many times have you anticipated the argumentative coherence of the grand masters or thought you knew what Enzo Mari, Vico Magistretti or even the much shyer Angelo Mangiarotti were going to say...). These answers are the result of highly individual design ideas, individual and therefore unique, at least under those conditions. In these cool, frosty studios you hear talk of interior design being once again considered an environment (just to be clear, it's still a far cry from the domestic habitat theorised and predicted by Joe Colombo), a system, a collection, a family of objects.
It is forbidden, as well as anti-economical, to try and find immortality in the design of a unique, innovative and destabilising object. You have to innovate without exaggerating, beat the record of modernity, of the frontier with speculation – a little like Sergei Bubka – one centimetre at a time (please let's try and avoid easy irony about fees or the Ferrari to be

won). It's strange that the people who say these things, of course without using the sports metaphor, are the protagonists of different fields of design. Three examples will suffice: Alberto Alessi, when he says he works "on the fringes," in a utopian corner of design located between what exists – and therefore accepted by the market – and the non-existent and therefore the unknown.
To work, or rather to surf this aspect, the crest of this wave, is the task of the person responsible for aesthetics, the art director, in short, the person who decides what a company produces. In a slightly different way, Antonio Citterio supports the concept that modernity should be revealed gradually by design; he is an inventor of new ways of living and the unquestioned thermometer of avant-garde design. Finally, in good, ideal company, Piero Lissoni, who has knowingly espoused this borderline concept. When he talks about his work for Boffi, his work for the "helm of good taste," his art

direction for the bathroom collection, he says: "For years we've been trying to put interior design aside and talk about an environment. We could have done this a long time ago, but then we realised that all it takes – and all that's needed – is to be one step ahead of others." There's no danger of being copied, because it's impossible to recreate a feeling, an environment, merely by copying individual pieces. Again, we find the concept of family, of collection, of systems that forsake the idea of solo design (even if each piece is always very successful and innovative) and become a project that is closer to architecture than interior design.
The designers I've mentioned all veer towards architecture. I chose them on purpose. Architecture is considered a place in which to exploit their

ideas rather than each new product. The word style has been abolished, because it's impossible to talk about Lissoni's own personal style. For some time now style has been replaced by rituality: it's impossible not to consider style as a passive superstructure dictated by the designer and rituality as a question of free will, as the way in which each consumer determines how objects will be used. This is the point. The eclectic combination of objects, the refined and collector-like choice of ways to illustrate what is modern cannot and must not be the only way to achieve aesthetic pleasure, neglecting the obvious, albeit legitimate, question of how commercial the product is (a company that produces "all-inclusive" interior design has a large market share and doesn't survive only thanks to the "best-sellers" in its catalogue). The designer travels for us; with his own sensibility he absorbs the inspiration and dictates of the moment, even those in other fields; he designs and

communicates these rituals in the shapes and flavour of a collection. Obviously this design process is influenced by the history of the company and its production methods; it cites and owes to mimesis much of its existence. For Lissoni – and for other great contemporary masters - the smooth lines and tapered corners of a new chair, or a series of chairs, for instance for Thonet, or the very streamlined taps and fittings for Boffi, or the table with an impossible span or the bookshelf with the barest amount of detail for Porro or the chairs for Kartell, all represent a "personality," a trend, a design project. We shouldn't hastily define them as minimal. Perhaps we could say that they are designs "through reduction," in which less is even more or perhaps even something else.

ross lovegrove

La natura come materiale
Nature as a Material

Ross Lovegrove è una delle firme più affermate del design internazionale, uno dei nomi cui si guarda per capire, in anteprima, in quali direzioni si muoverà il mondo del design. Uno stile unico, ispirato alle leggi del riduzionismo di forme, materiali e dimensioni.Più che un designer dice di considerarsi un "biologo evoluzionista". Un designer eclettico che ha progettato di tutto, dai walkman alle poltrone d'aereo, dalle sedie alle lampade e che ha sempre caratterizzato i suoi progetti da una forte innovazione.

Una stella del design contemporaneo che si muove verso un design sostenibile ed etico.
Un profilo originale quello di Ross Lovegrove, designer inglese nato nel 1958 a Cardiff in Galles, con alle spalle un master al Royal College of Art di Londra, importanti collaborazioni con Frog Design e Julian Brown, e un ampio catalogo di prodotti di grande successo. Un esempio di coerenza linguistica e concettuale, nella cui opera è difficile leggere operazioni autoreferenziali o forzature formali, emerge invece una grande capacità di controllo tecnico ed un approccio al lavoro di designer proprio del ricercatore e dello sperimentatore. Un vero *industrial designer*, sia per formazione – la sua laurea con questa specializzazione al politecnico di Manchester – sia per professione – molteplici e variegati sono i settori merceologici e produttivi in cui si è cimentato. Un designer con un forte senso etico della professione, che vede l'utente, con l'insieme dei suoi bisogni materiali e immateriali, al centro dell'attenzione del progettista. Dichiara infatti che: "l'oggetto deve essere acquisito dall'utente e non solo acquistato", il disegno dell'oggetto deve cioè provocare un processo di appropriazione. Lovegrove, con i suoi progetti, trasmette un profondo senso dell'essere contemporanei, attraverso l'uso di nuovi materiali e di tecnologie sperimentali, ma anche per mezzo dell'ottimismo e di una grande fiducia in un futuro migliore.
Una figura, quella di Lovegrove, che ha contribuito al successo, a partire dagli anni Novanta, del design anglosassone, ma che rispetto ai suoi colleghi, altrettanto noti, rappresenta un caso singolare.
Con la sua opera sembra infatti controbilanciare l'eredità di un design che si è sempre mosso a cavallo tra tradizione e trasgressione. Nei suoi prodotti sono numerosi i riferimenti colti e di memoria, riconducibili a tecniche o a emblemi della cultura e della tradizione del suo paese.
Ha dichiarato più volte di essere affascinato dall'artigianato, sia quello inglese delle sellerie e dei lavori in cuoio, sia quello africano, di cui possiede un'ampia collezione. Riferibili a questo interesse sono alcuni progetti da lui sviluppati, come le borse della linea *Coachline*, disegnate per l'azienda inglese Connolly, noto fornitore di rivestimenti in pelle per le carrozze reali, ma anche le numerose citazioni

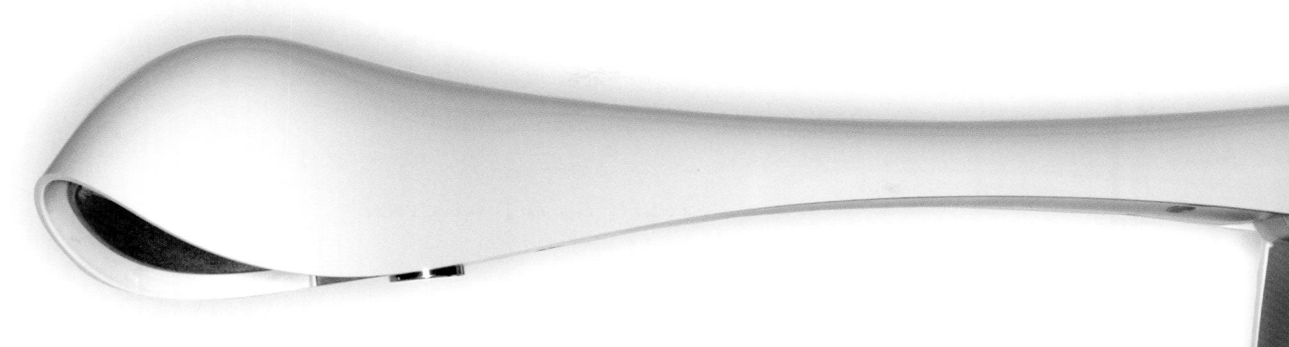

morfologiche tra cui per esempio la *White-Bone-Chair*, disegnata per l'italiana Ceccotti, nella cui articolazione strutturale è chiaramente visibile il riferimento alle tradizionali mazze da cricket. Tra gli aggettivi qualificativi utilizzati con frequenza per descrivere il suo lavoro è difficile non incontrare i termini "organico" e "seduttivo", nelle diverse declinazioni: "nuovo organicismo", "seduttività organica", "organica essenzialità", ecc. Effettivamente una parte consistente della sua produzione progettuale è facilmente associabile, per affinità linguistica e per evocazione iconica, a forme e strutture del mondo vegetale e in generale organico.

In questo approccio è chiaramente rintracciabile un lavoro sviluppato in continuità con quelle espressioni dell'arte, del design e dell'architettura che in passato hanno trovato nella natura, e nei suoi codici di crescita dei riferimenti forti. Parliamo di artisti come Henry Moore – dichiarato ispiratore – di Lovegrove, dell'*art noveau* o *dell'organicismo scandinavo*, ma anche di tracce di questi filoni stilistici nell'opera di Eames o dei connazionali Robin e Licienne Day. Organico per Lovegrove significa naturale, qualcosa che contiene intrinsecamente i principi dell'eleganza e della semplicità. Organico significa mediazione, ricerca di forme che rendono spontaneo il rapporto con gli oggetti, che facciano compiere gesti istintivi come: sfiorare il bordo di una lampada per accenderla, o schiacciare un oggetto soffice e carnoso e ritrovarsi a scattare una fotografia. Naturale significa poter attingere ad un immenso repertorio di forme, di strutture morfologiche generate da adattamenti millenari a forze e fenomeni della natura. Significa anche poter progettare con i materiali della natura, o applicare le leggi di crescita proprie di strutture molecolari organiche, a materiali e oggetti artificiali. Lovegrove attraverso la sua opera ha dimostrato la reale fattibilità di questi assunti. Oggetti come la lampada fungo *Agaricon* – il cui nome significa appunto fungo in greco – o i famosi sistemi *Solar Bud* e *Pod lens*, lampade da sospendere o da infilzare nel terreno, ispirate di nuovo alle sagome dei funghi o ai baccelli dei fiori, rappresentano una modalità originale di trasferire modelli formali della natura nell'artificiale.

Ma fortemente innovativo risulta anche il tentativo di lavorare con la natura come materiale. Nei progetti *Plantable Table Leg* o *Lugg Bicycle System*, il bamboo è chiamato a svolgere funzioni strutturali in sostituzione dei tubolari metallici. Nel primo caso, la canna di bamboo, integrata con giunti in biopolimero, si offre come sostegno alternativo per piani e tavoli, restando impiantata nel terreno. Nel secondo, il bamboo si integra e partecipa al telaio strutturale di una bicicletta. Lovegrove, nel suo recente libro Supernatural, individua nella "natura come materiale" uno degli scenari di innovazione più probabili e

Biolite Eon, Yamagiwa, lampada da tavolo, aperta, 2004
Biolite Eon, Yamagiwa, table lamp, opened, 2004

interessanti del futuro. Geometrie delle ramificazioni, griglie e strutture molecolari, e dinamica dei fluidi sono alcune delle leggi di crescita, di movimento e di sviluppo della natura che interessano il designer.
A quest'ultimo aspetto dell'organico sono riferibili progetti di grande successo. L'*Alessandri Office System*, per la Hermann Miller, nel quale le geometrie degli alveari sono trasferite ed utilizzate come tema strutturale/decorativo per disegnare i piani in polimero trasparente dei tavoli per ufficio; oppure il sistema di scale a chiocciola *DNA Staircase*, sperimentato nel suo studio come sistema modulare in fibra di vetro rinforzata, ispirato, come si evince anche dal nome, alle spirali tridimensionali del DNA; per concludere con il progetto di tavoli per la Cappellini, *Alluminium Liquid Table*, nel cui disegno delle gambe, è evocato il disegno delle colate dei fluidi.
Ma è analizzando con maggiore attenzione i suoi prodotti, guardando al di la delle forme, o leggendo le sue testimonianze che si scoprono aspetti dell'opera di Lovegrove altrettanto interessanti.
Oltre all'organicismo sono infatti diversi i temi ricorrenti nella sua opera, tra questi la costante tensione verso l'innovazione tipologica, perseguita in maniera forte e audace. Una innovazione che guarda alla soluzione di problemi ma che denota un'approfondita riflessione sul rapporto tra oggetto e contesto. Si pensi al già citato *Alessandri Office System*, un sistema di mobili che comprende anche componenti architettoniche, mettendo in stretta connessione il pavimento

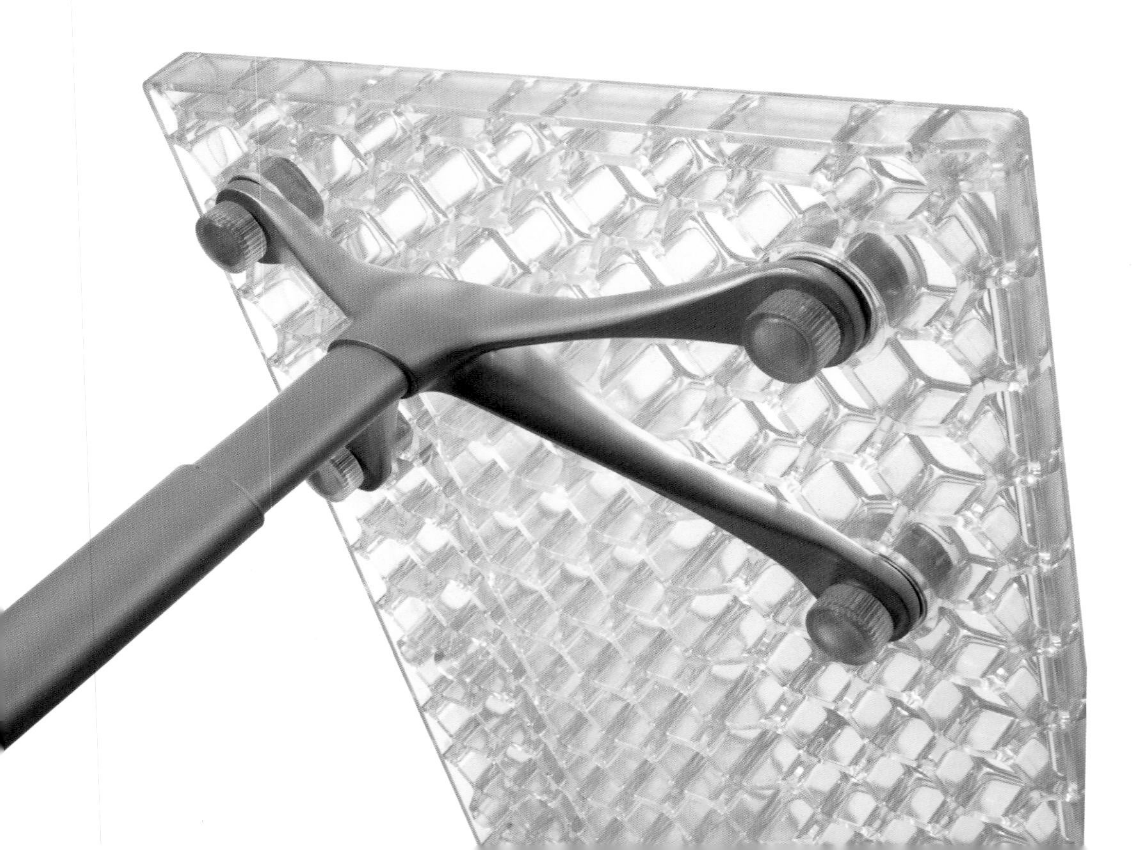

Biolite Eon, Yamagiwa, lampada da tavolo, aperta, 2004
Biolite Eon, Yamagiwa, table lamp, opened, 2004

Alessandri Office System, Herman Miller, sistema di mobili per ufficio, USA, 1995-2000
Alessandri Office System, Herman Miller, office furniture system, USA, 1995-2000

Bd Love bench, Bd Ediciones de Disëno, panchina in polietilene, prodotta per stampaggio rotazionale, Spagna, 2000-2003
Bd Love bench, Bd Ediciones de Disëno, polyethylene bench, produced by rotational moulding, Spain, 2000-2003

galleggiante che si offre al passaggio di cavi – ma scherma anche le onde elettromagnetiche – con il sistema dei tavoli e dei contenitori; o ancora all'integrazione mimetica delle lampade *Pod lens*, nelle chiome di cespugli e arbusti. Il trasferimento tecnologico è un altro tema portante del lavoro di Lovegrove. Sentito come una consuetudine metodologica che guarda, scruta, indaga e curiosa in altri settori alla ricerca di trasferimenti fertilizzanti, la *Cross-fertilizing* è la modalità forse più naturale per un progettista che frequenta diverse tipologie merceologiche. In questa direzione è leggibile il suo interesse per il packaging, ed i tentativi di trasferirne materiali e geometrie su prodotti con diversa destinazione d'uso. Emblematico in tal senso è il progetto della poltrona e dello sgabello *Air One* e *Air Two* per Edra, in cui il polipropilene espanso, utilizzato in alcuni imballaggi termoisolanti, è trasferito nel progetto di sedute per esterno/interno, leggere e dall'esperienza tattile innovativa. Infine, ma non ultima, la ricerca verso la condizione limite dei materiali rispetto alle caratteristiche fisiche. Tra queste, per esempio, la trasparenza, che va letta come ricerca della purezza totale, resa sempre più possibile dall'abbandono nella produzione di energia dell'uso di combustibili fossili; ma anche la resistenza meccanica e strutturale, per cui la natura è chiamata, attraverso le sue architetture molecolari a suggerire modelli che si traducono in maggiore leggerezza e resistenza.

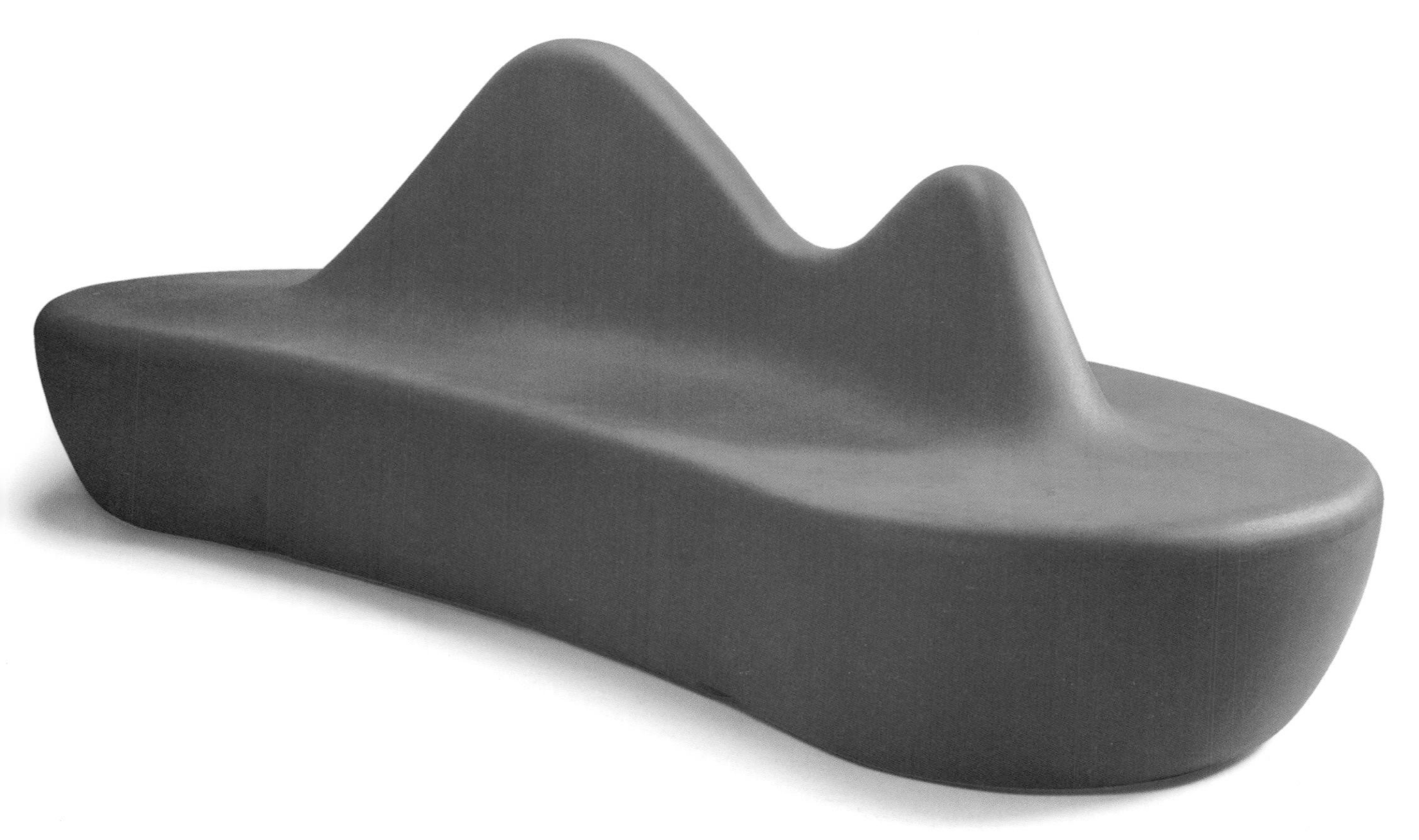

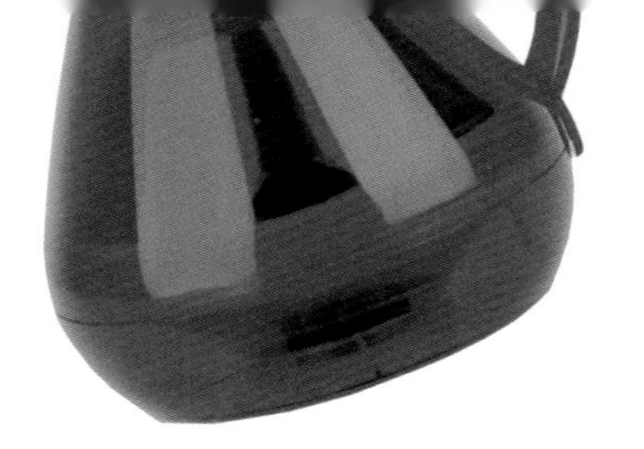

Ross Lovegrove is one of the most renowned figures of international design, one of the names to look at in order to sneak a preview of the upcoming trends in the design world. A unique style, inspired by the laws of reductionism of shapes, materials and sizes. Rather than a designer, he says he considers himself an 'evolutionary biologist'. An eclectic designer that has designed all kinds of products, from walkmans to plane seats, from chairs to lamps, always characterised by pronounced innovation. A star of contemporary design moving in the direction of a sustainable and ethic design.

A rather unusual person, Ross Lovegrove, an English designer born in 1958 in Cardiff (Wales) with a masters at the Royal College of Art in London under his belt and collaborations with Frog Design and Julian Brown as well as being the designer of a wide range of very successful products. An example of stylistic and conceptual coherence, what really emerges are his incredible technical skills and an approach to his work as a designer very similar to that of a researcher or experimental scientist. A real *industrial designer* by trade – he has worked in many different design and production fields – and by training – a degree in industrial design at the Manchester Polytechnic. In fact, he says that: 'the object has to be embraced by the user and not just bought,' in other words, the design has to trigger a process of appropriation. Lovegrove and his projects transmit an intense sense of modernity because he uses new materials and experimental technologies, but also fires his designs with optimism and a sincere belief in a better future. Lovegrove's personality was one of the reasons behind the success of English design, starting in the nineties; but compared to his equally famous colleagues, he's quite unique. In fact, his works seem to offset the legacy of a design that wavered between tradition and transgression. His products are full of cultured, historical references that can be traced back to techniques or emblems of the culture and traditions of his homeland. He's repeatedly said that he's fascinated by craftwork: English saddle-making, English leather goods or African crafts, of which he has a rather large collection. Some of his projects were inspired by this passion of his, for instance, the bags of the *Coachline* collection, designed for the English company Connolly, a famous supplier of leather for the royal coaches. Others include numerous morphological references, for example, the *White-Bone-Chair*, designed for the Italian company Ceccotti, where the structural joints clearly allude to traditional cricket bats. The adjectives that are frequently used to describe his work include words such as 'organic' and 'seductive' and variations on a theme: 'new organicism,' 'organic seductiveness,' 'organic essentiality,' etc. In fact, much of his design production is easily associable – because of its linguistic affinities or iconic evocation – with forms and structures of the vegetal world and, more in general, with the organic world. This approach clearly

Basic Thermos Flask, con Julian Brown, Alfi, thermos trasparente e arancione, Germania, 1988-1990
Basic Thermos Flask, with Julian Brown, Alfi, transparent, orange thermos, Germany, 1988-1990

Bluebelle, Draide Aleph, sedia, 1997-1998
Bluebelle, Draide Aleph, chair, 1997-1998

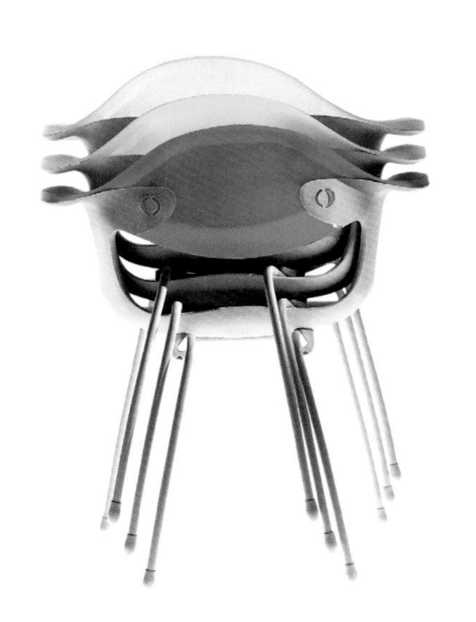

reveals his ongoing research carried out in parallel with those expressions of art, design and architecture that in the past have found intense inspiration in nature, and in its laws of growth. Artists such as Henry Moore – one of Lovegrove's declared inspirers – *art nouveau* or *Scandinavian organicism*, as well as traces of these styles in the works of Eames or his fellow countrymen Robin and Licienne Day. For Lovegrove organic means natural, something that intrinsically contains elements of elegance and simplicity. Organic means mediation, a search for forms that make the relationship with the object spontaneous, that cause people to make instinctive gestures, for instance: to caress the edges of a lamp to switch it on or crush a soft, fleshy object and find you've taken a picture. Natural means being able to draw on a vast repertoire of forms, of morphological structures generated by centuries of adjustment to natural forces and phenomena. It also means being able to design using the materials of nature or apply the laws of growth of organic molecular structures to artificial materials and objects. Lovegrove's work has proved these theories feasible. Objects like the mushroom lamp, *Agaricon* – its name means mushroom in Greek – or the famous *Solar Bud* and *Pod Lens* systems, ceiling lamps or lamps to be stuck in the ground, again inspired by the profiles of mushrooms or flower buds: this is an original way to transfer formal models of nature to something artificial. But his attempt to work with nature as a material is extremely novel. In the projects, *Plantable Table Leg* or *Lugg Bicycle System*, bamboo rather than metal tubes is used as a structural element. In the first case, bamboo cane with biopolymer joints is used as an alternative for tops and tables, even if it remains planted in the ground. In the second case, bamboo is part of the structural frame of a bicycle. In his recent book, *Supernatural*, Lovegrove believes 'nature as a material' is one of the most probable and interesting

Go, Bernhardt Design, sedia in magnesio, USA, 1998-2001
Go, Bernhardt Design, magnesium chair, USA, 1998-2001

Ty Nant, stampo della bottiglia per acqua minerale, Galles, UK, 1999-2001
Ty Nant, mould for a mineral water bottle, Wales, UK, 1999-2001

innovation scenarios of the future. Geometries of ramification, molecular structures and networks, and dynamics of fluids are some of the laws of growth, movement and development of nature that interest this designer. The latter aspect of organics inspired many of his successful projects. The *Alessandri Office System*, for the Hermann Miller company, in which the geometry of beehives are transferred and used as the structural/decorative theme to design the transparent polymer tops of office tables, or the spiral staircase *DNA Staircase*, experimented in his studio as a modular system in reinforced fibreglass inspired, as the name suggests, by the three-dimensional spirals of DNA; finally, the table design for Cappellini, the *Aluminium Liquid Table*, where the design of the legs looks like flowing water. However, if you study his projects more closely and look beyond the forms or read his own version of the story, you can discover other interesting aspects of Lovegrove's work. In fact, apart from organicism, there are a number of recurrent themes in this work including his constant focus on typological innovation, something he pursues ruthlessly and courageously. His innovation concentrates on trying to find solutions to problems, but also reveals an in-depth study of the relationship between object and context. For instance, the aforementioned *Alessandri Office System*, a furniture system that includes architectural elements; this system links the floating floor used to pass cables – but also to screen electromagnetic waves – with the table and storage system. Or the mimetic integration of the *Pad lens* lamp into the tops of bushes and hedges. Technological transfer is another of the main themes of Lovegrove's work. He considers it a methodological habit that studies, examines, researches and delves into other fields to find fertilising transfers; cross-fertilisation is perhaps the most natural method for a designer working in so many different fields. Perhaps this explains his interest in packaging and his attempts to transfer geometries and materials onto products used for different things. His project of the chair and stool *Air One* and *Air Two* for Edra is an emblematic example. The expanded polypropylene normally used in thermo-insulating packaging has been used to design lightweight, indoor and outdoor seats that have a very innovative feel. Last but not least, his research on transparency that should be considered as a research for total purity; transparency becomes increasingly easy to achieve because fossils fuels are increasingly less used. He also focuses on mechanical and structural resistance, so the molecular architecture of nature is used to inspire models that translate into even greater lightness and resistance.

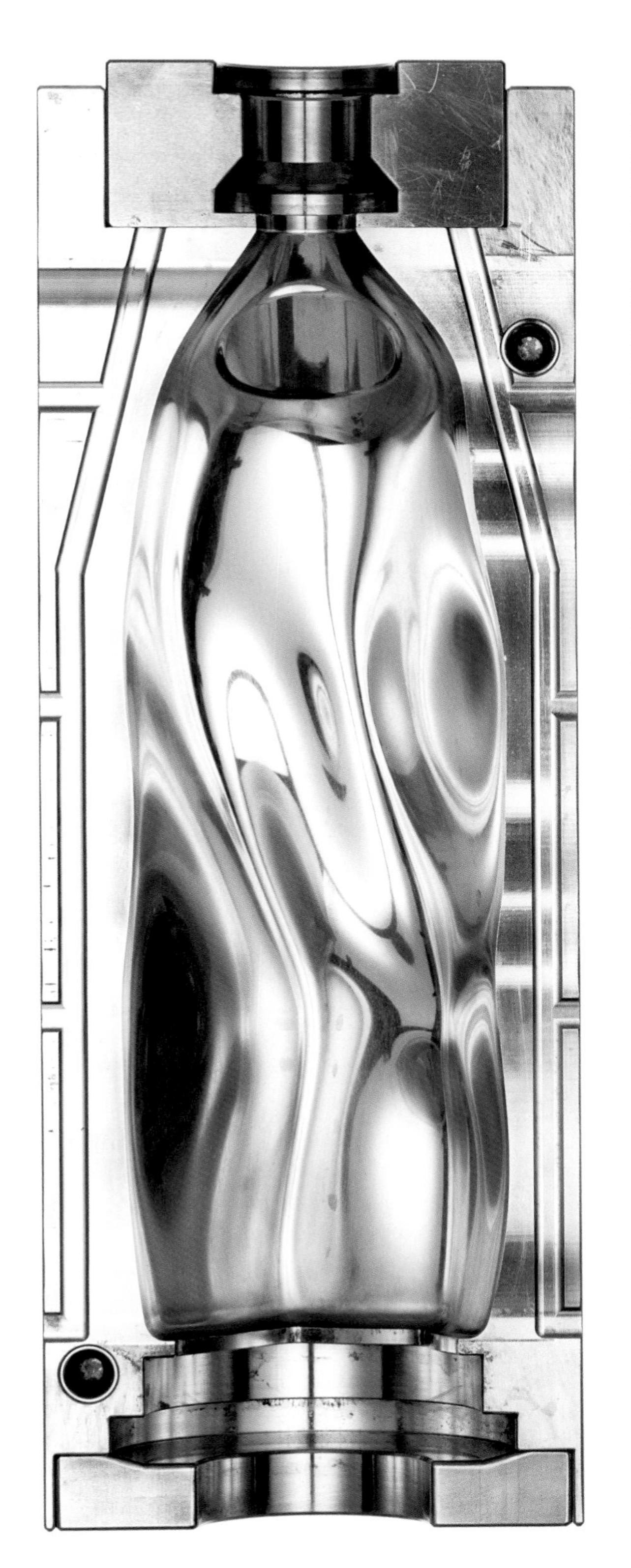
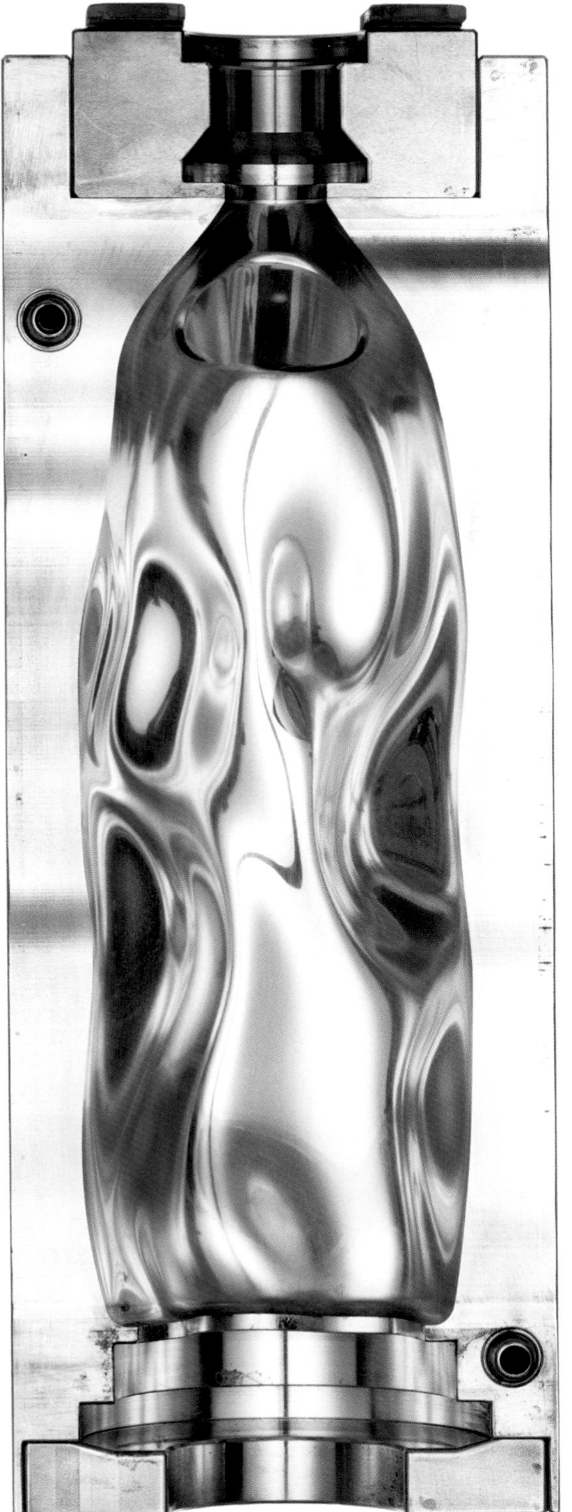

Team Project

MM Design nasce a Bressanone nel 1991 dall'incontro tra progettisti e imprenditori sensibili alle tematiche del design. Si occupa di disegno industriale seguendo anche lo sviluppo tecnico-ingegneristico del prodotto, intervenendo in diversi settori della produzione industriale. Ha collaborato con aziende come Smeg, Hoppe, Lange, Burton, Tefal, Siemens, De Longhi, Illy, Salewa, Dal Bello.
Lo studio ha affiancato all'esperienza professionale anche quella didattica, con docenze presso l'Istituto europeo di design a Milano, l'Accademia di design a Bolzano e vari interventi presso la Facoltà di design e arti dell'Università IUAV di Venezia. Dal 1996 al 1998, su incarico della Camera del lavoro del Vorarlberg in Austria, ha organizzato workshop progettuali indirizzati a dirigenti e quadri d'industria. Inserito in numerose edizioni del catalogo ADI Design Index e in diverse altre pubblicazioni, lo studio ha ricevuto prestigiosi premi e riconoscimenti a livello internazionale, tra cui IF di Hannover, Good Design di Tokio, Red-dot Design di Essen, Intel Design di Milano.

"Il lavoro d'équipe – afferma Gillo Dorfles – costituisce uno dei fattori differenziali tra il design industriale e le altre forme creative": questa la citazione che, non a caso, introduce il sito di MM Design.
Il gruppo, nato a Bressanone nel 1991 dall'incontro tra designer con formazione ed esperienza milanese e imprenditori già attivi in loco, trova nel panorama italiano degli studi di design una particolare collocazione, dal punto di vista geografico e della composizione.
La matrice industriale, già insita nella formazione, si conferma nella propensione esclusiva verso il disegno industriale tradizionalmente inteso, compresa la fase di *engineering*, definitivamente introdotta nello studio dal 1997. Progetto quindi, accompagnato nelle sue fasi, dall'idea all'ingegnerizzazione del prodotto, fino alla produzione. Le specifiche competenze permettono un continuo transfer delle conoscenze, in maniera che la professionalità di ognuno contribuisca a rilevare prospettive sempre diverse.La scelta, infine, di una sede dislocata rispetto ai consueti epicentri del design offre una doppia visione, la possibilità di coesistenza della cultura estetica italiana e dell'impostazione mitteleuropea.Esaminando i lavori di MM Design appare evidente come gran parte dei progetti sia caratterizzata da una forte componente tecnica, che si rispecchia nei molti settori indagati all'interno della produzione industriale: elettrodomestici, macchine da caffè domestiche e da ufficio, arredamento, giardinaggio, macchine utensili, apparecchiature elettromedicali e strumentazioni per il controllo e la misura.
Anche se non mancano incursioni in differenti aree tematiche, soluzioni innovative e miglioramento delle prestazioni rappresentano l'interesse predominante: è proprio in quest'ottica che si inserisce la collaborazione costante con aziende produttrici di attrezzature sportive, italiane e

Attacco da snowboard (rendering-vista laterale)
Snowboard binding (rendering-drawing)

straniere.Nel 1993, quando lo *snowboard* si stava diffondendo in Europa come nuova disciplina, il gruppo statunitense Burton, leader nel settore, contatta lo studio per sviluppare una scarpetta rigida più adatta allo sportivo di provenienza sciistica: il risultato è una forma plastica che fascia il piede, declinata nelle due gamme *Reactor* – primo archetipo dello scarpone da snowboard – e *Shadow*, entrambe con tacco e puntale molto inclinati e adeguati alle nuove tavole strette.
Nel 1995 la collaborazione prosegue con la progettazione dell'attacco *Race*: nato per le competizioni, si avvale dell'utilizzo di alluminio e ABS ed

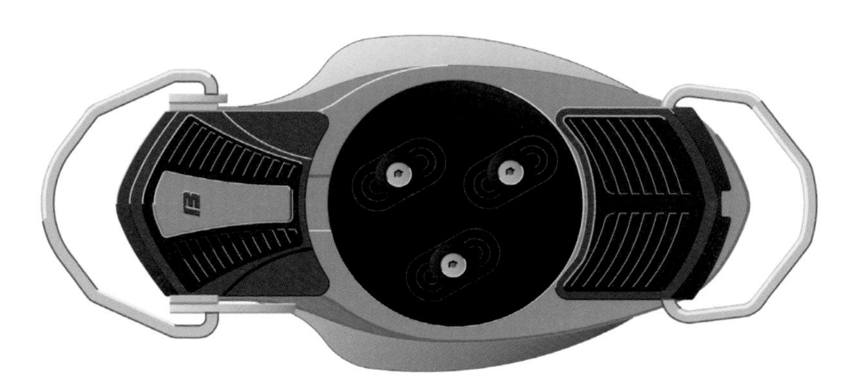

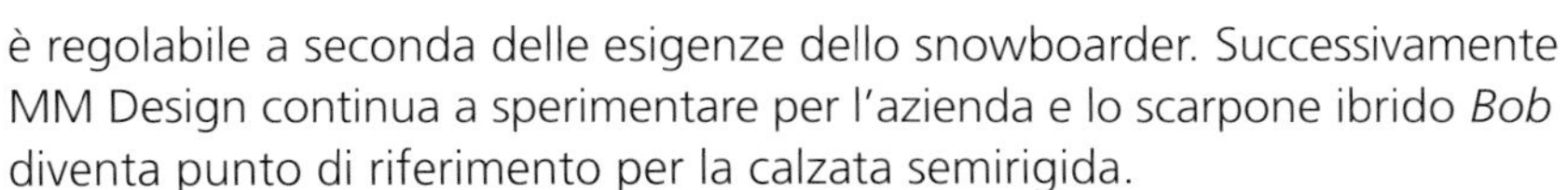

è regolabile a seconda delle esigenze dello snowboarder. Successivamente MM Design continua a sperimentare per l'azienda e lo scarpone ibrido *Bob* diventa punto di riferimento per la calzata semirigida.
Il 1995 è anche l'anno di *XR Race*, un nuovo concept di scarpone da sci studiato per Rossignol-Lange allo scopo di incrementare le prestazioni in gara, analizzando condizioni e comportamenti in situazioni competitive.
Il team continua a confrontarsi con le diverse discipline legate alla neve: nel 1996 è la volta dello sci alpinismo e, insieme all'azienda tedesca Silvretta, viene messo a punto l'attacco *Easy-Go*, in grado di resistere al gelo, alle sollecitazioni meccaniche e agli urti tipici di questo sport.
Per rispondere ai molti requisiti richiesti, nel progetto sono impiegati materiali molto evoluti, dal Delrin alla fibra di carbonio, ottenendo solidità, ergonomia e leggerezza. La costante ricerca di soluzioni tecnologiche e formali innovative si manifesta nel primo scarpone per il *curving*, caratterizzato da una forma "scolpita" sul piede, disegnato nel 1996 per l'austriaca Kneissl-Dachstein, successivamente completato dalla progettazione della leva *DZR:* posta sotto brevetto, nella coppa del mondo 1996-97 sarà ai piedi degli atleti, proprio per le sue caratteristiche prestazionali uniche.
L'attuale rapporto di consulenza con l'azienda Dal Bello, che comprende anche il coordinamento dei prodotti e della grafica, ha portato invece allo scarpone da sci *Proton*: la scarpa, molto fasciata, si qualifica anche per un

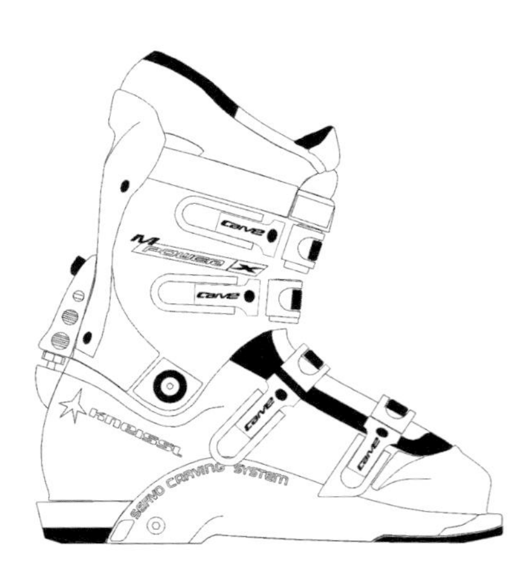

nuovo studio di leve in magnesio e per il gambetto con inserti in carbonio.Lo studio ha affrontato anche altre problematiche lavorando in ambiti affini sempre legati alla montagna: il moschettone in alluminio *Attac*, adatto a percorrere le vie ferrate, è dotato di una sicura perfettamente affidabile e di facile azionamento. L'attrezzo ha ricevuto nel 1999 l'IF di Hannover e il Good Design a Tokyo, ed è stato dichiarato dal DAV (l'organismo alpinistico tedesco corrispondente all'italiano CAI), il più innovativo del settore. Ancora per l'arrampicata, questa volta sul ghiaccio, il rampone *Impact* applica la tecnologia della tranciatura e piegatura del titanio per ottenere un unico pezzo allo scopo di abbattere il peso, condizione imprescindibile nelle situazioni estreme. Come *Attac* anche questo prodotto ha vinto nel 1999 il premio IF. Infine un intervento recente, che ribadisce le capacità e competenze di MMDesign di confrontarsi con progetti complessi, non solo per l'evidente salto di scala, ma anche per la necessità di integrare soluzioni tecniche. Per il battipista *Everest Power* per l'azienda Prinoth sono stati affrontati temi legati al lavoro, e di conseguenza al comfort, traducendoli in sicurezza, comodo utilizzo prolungato, resistenza alle basse temperature, comprensione immediata della consolle comandi. Il risultato è un progetto articolato dove sono stati indagati le teorie sul colore, gli studi ergonomici, il design delle interfacce fino all'impiego di tessuti e materiali tecnologici rispettosi delle severe normative in materia.

MM Design was founded in Bressanone in 1991 by designers and entrepreneurs who valued design. The studio is involved in industrial design and follows all the technical and engineering stages of production, working in different industrial fields. The clients of the studio include companies such as Smeg, Hoppe, Lange, Burton, Tefal, Siemens, De Longhi, Illy, Salewa and Dal Bello. The studio also teaches training courses in various schools including the European Institute of Design in Milan and the Academy of Design in Bolzano. It also gives lectures at the faculty of design and arts at the IUAV University in Venice. Between 1996 and 1998, the Vorarlberg Chamber of Commerce in Austria asked the studio to organise design workshops for industry managers and directors. Featured in several issues of the ADI Design Index catalogue and in many other publications, the studio has won important international awards and prizes, including the IFini Hanover, Good Design in Tokyo, Red-dot Design in Essen and Intel Design in Milan.

The opening phrases on the website of MM Design includes one by Gillo Dorfles "Teamwork is one of the differentiating factors between industrial design and other creative forms." The group was founded in 1991 in Bressanone by designers who had studied and worked in Milan and entrepreneurs already established in the city. Because of its location and organization, it occupies a special place in the panorama of design studios in Italy. The studio's industrial calling was already part of the team's mentality and is confirmed by their exclusive focus on traditional industrial design, including the engineering phase, finally introduced in 1997: design accompanied by the idea of engineering the product all the way through to production. Each person's individual skills contribute to this constant transfer of knowledge, so that their professional capacity contributes to creating continually new ideas. Finally, a delocalised workplace compared to the usual epicentres of design provides dual vision: the possibility of co-existence between the Italian aesthetics and a Central European approach. Most of the projects by MM Design are extremely technical, a reflection of the multiple sectors they focus on in industrial design: household appliances, coffee machines for the home and the office, furnishings, gardening, tools and machinery, electromedical equipment, control and measuring instruments. Even if they have worked in other fields, their main focus is on innovative solutions and the improvement of performance. Their ongoing collaboration with Italian and foreign companies that produce sports equipment confirm this approach.
In 1993, when snowboards began to become popular in Europe, the leading American group Burton contacted the studio to develop a rigid shoe more suited to sportspersons with a skiing background: the result was a plastic form that wraps around a person's foot. Two models were

Kneissl-Dachstein, scarpone da curving
Kneissl-Dachstein, curving boot

Burton, *Reactor,* scarpone da snowbard
Burton, *Reactor,* snowboard shoe

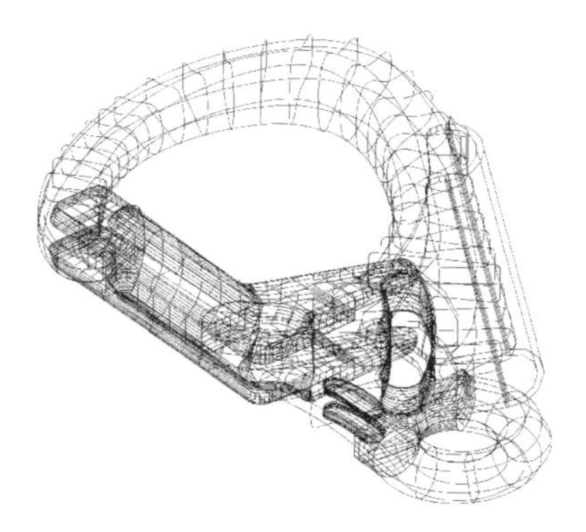

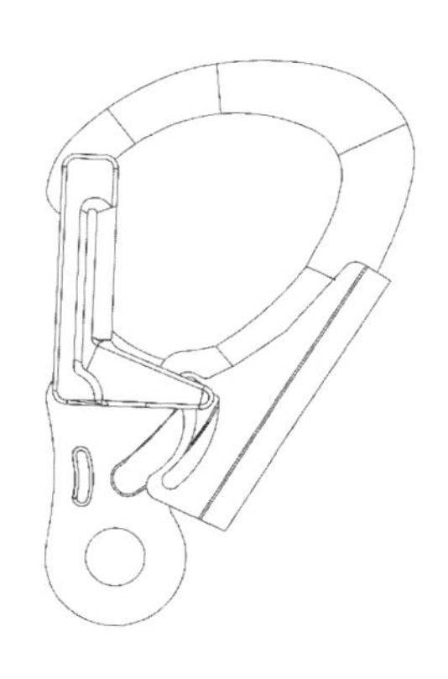

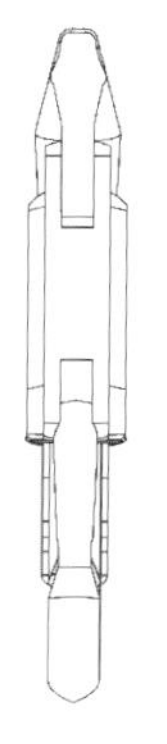

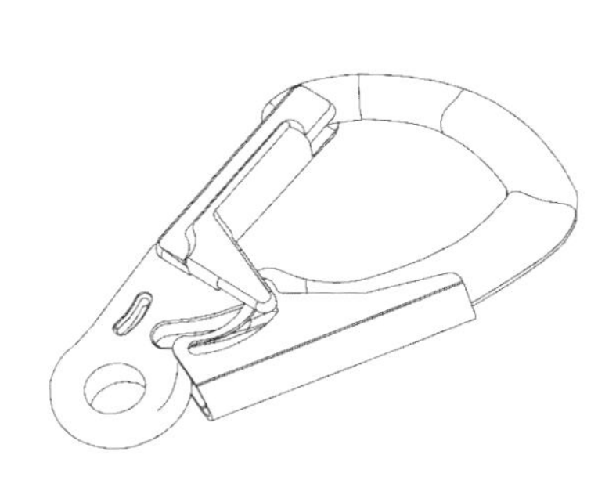

made: the *Reactor* – the first archetype of a snowboard boot – and *Shadow*, both with a very inclined heel and toe, just right for the new, narrow boards.
In 1995, their collaboration continued with the design of the *Race* binding: intended for competitions; made in aluminium and ABS, it can be adjusted according to the requirements of the snowboarder. Later on, MM Design continued to experiment for the company and the hybrid boot, *Bob*, became the ultimate in semirigid boots.
1995 was also the year of the *XR Race*, a new ski boot concept designed for Rossignol-Lange. It was intended to improve competitive performance by analysing the conditions and behaviour of a skier during races.
The team is still involved with other snow sports. 1996 was the year of mountain skiing. Together with the German company Silvretta, they developed the *Easy-Go* binding that didn't freeze and could stand up to the typical mechanical pressure and shocks of this sport. To meet its many requirements, they used extremely advanced materials (Delrin, carbon fibre) to achieve solidity, ergonomics and lightness.
Their constant search for innovative formal and technological solutions can be seen in their first boot for carving; its shape is "carved" around the foot. It was designed in 1996 for the Austian Kneissel-Dachstein and later completed with the DZR lever design. Patented, it was used in the 1996-97 world cup by athletes because of its unique performance characteristics.
Their present contract with the Dal Bello company includes coordinating

Salewa, moschettone da via ferrata: disegni 2D per la realizzazione del prototipo in legno

Salewa, carabiner *Attac*: drawings for the wood protoype

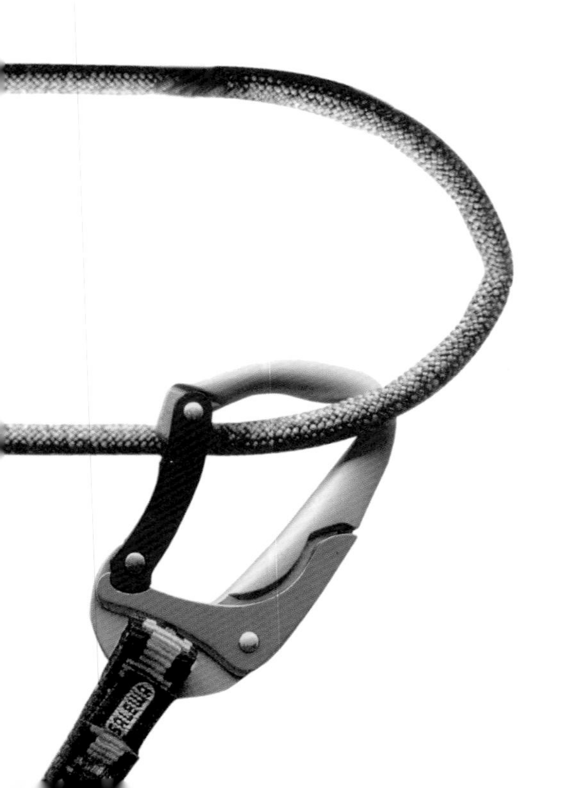

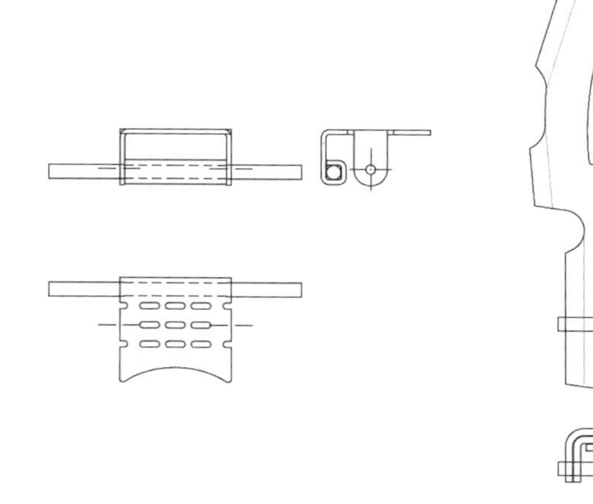

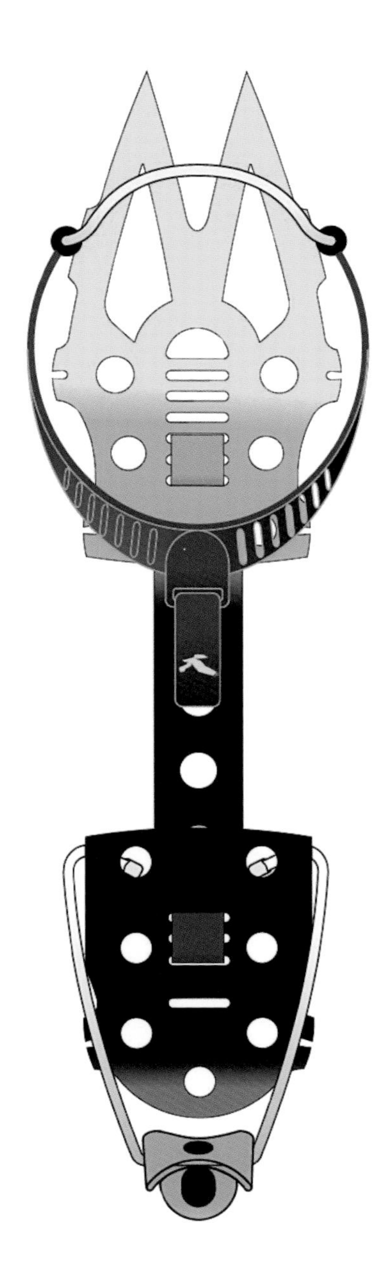

their products and graphics. This has led to the design of the ski boot, *Proton*: the very snug shoe incorporates a new system of magnesium levers and carbon inserts in the leg part. The studio has also tackled other problems in sister sectors, always associated with the mountains: the aluminium carabiner *Attac*, used on rock faces and equipped with a perfectly reliable and easy to use safety catch. In 1999, the clip won the Hanover IF Award and the Tokyo Good Design awards. The DAV (the German Alpine Association) declared it to be the most innovative in its field. Again on the ice, this time for mountaineering, the crampon *Impact* exploited the technology used to cut and bend titanium in order to create a single piece and reduce its weight, something that is very important in extreme conditions. Like *Attac*, this product also won the IF award in 1999. Finally, a recent interview confirmed the skill and expertise of MM Design in tackling complex projects, not only because of their ability to cross-fertilise from other fields, but also because they are able to combine multiple technical solutions. To design the *Everest Power* groomer for the Prinoth company, they had to deal with workplace issues, and therefore also focus on comfort; they had to ensure safety, prolonged easy use, resistance to low temperatures and easy-to-understand keyboards. The result was a complex project during which they studied colour theories, ergonomics, the design of interfaces and even technological fabrics and materials that fulfilled the strict requirements of applicable regulations.

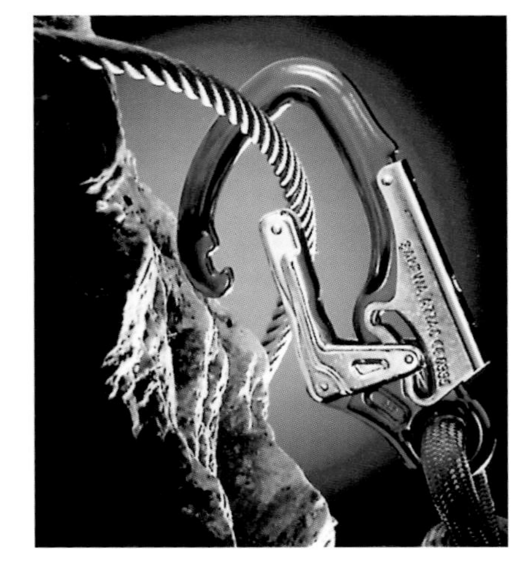

Salewa, *Attac* moschettone da via ferrata e rampone da ghiaccio *Impact*
Salewa, *Attac* carabiner and crampon *Impact*

Spazi fluidi e interni onirici
Fluid Spaces and Oniric Interiors

Fabio Novembre è un architetto visionario, spettacolare e sensuale. I suoi interiors teatrali sono costruiti con quinte avvolgenti dove il "meraviglioso" gioca un ruolo di primo piano.

Novembre propone una visione neobarocca dello spazio costituita da un personalissimo mix di immagini, segni e materiali.
Gli interni riecheggiano forme ancestrali scavate nella materia e rivestite da superfici che ben si adattano alla sinuosità dei raccordi curvilinei. La sua ricerca sembra situarsi in continuità con quella cultura figurativa e architettonica che predilige la linea ondulata e forme geometriche quali la spirale, nonché un certo gusto per la decorazione. Non a caso uno dei rivestimenti più usati da Novembre è il mosaico, un materiale che valorizza, anche cromaticamente, le superfici curve.
Ma la predilezione per la "linea della bellezza" di Hogarth è mischiata ad altri temi forti e suggestivi che Novembre manipola e ripropone liberamente. Come alcune parti del corpo che vengono ingigantite e trasformate nelle dorate braccia ciclopiche che sorreggono il soffitto del *Restaurant Shu* (Milano, 1999) o nelle smisurate gambe di donna rivestite di tesserine vetrose dello *Store Blumarine* (Londra, 1994).
D'altro canto il corpo, in particolare quello femminile, è un tema caro a Novembre che paragona l'architettura a una bella donna: "La si vorrebbe nuda, scultorea nelle sue forme più intime e strutturali". Così, nella discoteca Divina (Milano, 2001) lo spazio vuoto e scuro del locale è circondato da grandi tele illuminate che riproducono dipinti di corpi mitici: i nudi di Ingres (*La baigneuse Valpinçon*, 1808 e *La Grande Odalisque*,1814) di Velasquez (*Venere allo specchio, 1651*), di Giorgione (*Venere Dormiente*,1505)... e nel bar una gigantesca *Origine du monde* (1866) di Gustave Courbet. Gli interiors di Novembre sono anche fortemente caratterizzati dalla realizzazione di patterns in mosaico. Negli showrooms che ha realizzato per la Bisazza le tesserine di vetro sono state utilizzate in modo espressivo: in grandi fasce di triangoli bianchi e neri e per scrivere riflessioni e citazioni (Berlino, 2003); per rivestire pilastri dalle eleganti basi analoghe a quelle dei bicchieri a calice (Barcellona, 2001); in enormi fiori colorati (*Hotel Una* a Firenze, 2003) che decorano la superficie a spirale dell'atrio come in una grande tela di punto a croce; a imitazione della pelle di coccodrillo (*Store Tardini*, NYC, 2000) o nel raffinato rigato del *Bar Lodi* (Lodi, 1998). Vi sono poi i riferimenti acquatici ed una particolare concezione della luce che Novembre utilizza come materiale di progetto in quanto portatrice di ombre. Scrive l'architetto nel suo sito in cui si presenta in veste messianica (Be your own messiah): "La pioggia rimane una delle metafore più ad ampio raggio che si possono adottare".
Un'immagine concretizzata dal grande lampadario a cono rovesciato che illumina la sala centrale del *Café L'Atlantique* (Milano, 1995). Lo sguardo

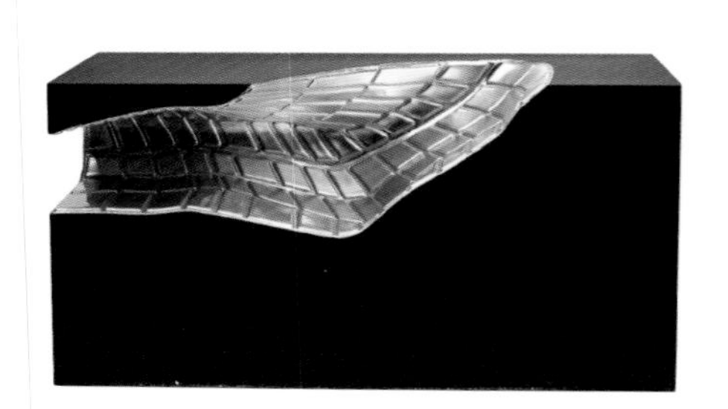

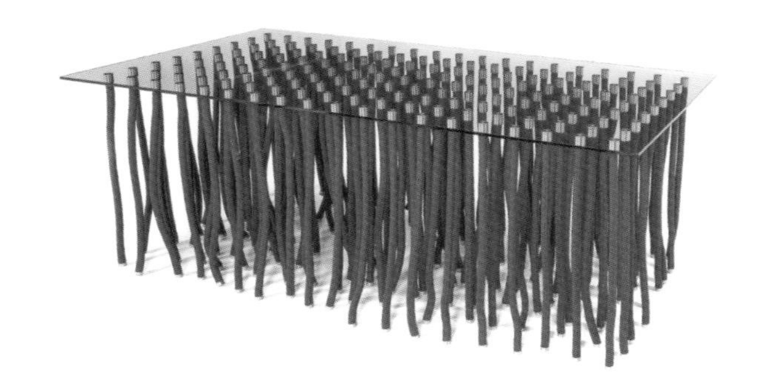

S.O.S. Sofa of Solitude, poltrona e chaise longue, Cappellini, 2003 (foto Settimio Benedusi)
S.O.S. Sofa of Solitude, seat and chaise longue, Cappellini, 2003 (photo by Settimio Benedusi)

Org tavolo, Cappellini, 2001 (foto: Livio Mancinelli)
Org tavolo/table, Cappellini, 2001 (photo Livio Mancinelli)

Store Tardini, New York City, USA, 2000 (photo by Alberto Ferrero)

ironico di Novembre, l'uso della metafora e le suggestioni oniriche si rileggono anche negli artefatti non progettati per contesti ad hoc. Il reperto anatomico è l'elemento predominante della poltrona e della chaise longue *S.O.S. Sofa of Solitude* (Cappellini, 2003): un volume nero scavato dalla seduta vera e propria formata da una struttura dorata in cui si rileggono le impronte della spina dorsale e delle vertebre. Nel tavolo *Org* (Cappellini, 2001) – prodotto in più versioni, colori e dimensioni – il piano trasparente è impostato su una serie di gambe cilindriche di cui la maggior parte è in polipropilene rivestito e non tocca a terra. Tra le centosettanta gambe solo alcune sono in acciaio e hanno funzione strutturale. Il divano multiplo *And* (Cappellini, 2001), è composto di pezzi asimmetrici che si accoppiano a formare una spirale teoricamente infinita; la linea di frusta della *chaise longue Mediterranea* (Pierantonio Bonacina, 1991) ricorda le configurazioni dei nastri srotolati nelle performance di ginnastica artistica, mentre il tappeto *Net* (Cappellini, 2001) – composto da dischi bianchi e neri alternati posti su due file parallele – le cime ordinate sulle banchine dei moli.La ricerca di Fabio Novembre, permeata di elementi onirici, ci ricorda che l'immaginazione e la visionarietà consentono di mettere in scena aspetti della realtà altrimenti inattingibili.

Fabio Novembre is a visionary, spectacular and sensual architect. His theatrical interiors all have embracing wings where "marvels" plays an important role.

Novembre designs Neobaroque visions of space based on an extremely personal mix of images, signs and materials. His interiors echo with ancestral shapes dug out of matter and covered in surfaces that conform perfectly to the graceful shapes of the curvilinear connection points. His research seems to be an extension of that figurative and architectural culture that favours wavy lines and geometric shapes, for instance the spiral, as well as a certain penchant for decoration. It's no accident that mosaic is one of Novembre's favourite finishings, a material that enhances curved surfaces, even from a chromatic point of view.
But his predilection for Hogarth's "line of beauty" is combined with other strong, inspirational themes that Novembre manipulates and freely reproposes. Like certain parts of the human body that are blown up and transformed into the golden, cyclopean arms that hold up the ceiling of the *Restaurant Shu* (Milan, 1999) or the oversize legs of a woman covered in small glass tiles in the *Blumarine Store* (London, 1994).
The theme of the female body is one that is dear to Novembre who compares architecture to a beautiful woman: "I want it to be naked, sculptural in its most intimate and structural shapes." So in the *Divina* disco (Milan, 2001), the dark, empty space of the nightclub is surrounded by huge, illuminated screens that reproduce mythical figures: nude female figures by Ingres (*La baigneuse Valpinçon*, 1808 and *La Grande Odalisque*, 1814), Velasquez (*Venus at her mirror*, 1651) and Giorgione (*Sleeping Venus*, 1505)... and in the bar, a gigantesque *The Origin of the World* (1866) by Gustave Courbet. One of the main characteristics of Novembre's interiors are his mosaic patterns. In the showrooms he designed for Bisazza, the small glass tiles were used in a very expressive way: in big, white and black triangular stripes or to write thoughts and quotations (Berlin, 2003); to cover columns with elegant bases that look like the stems of goblets (Barcelona, 2001); in enormous coloured flowers (*Hotel Una* in Florence, 2003) that cover the spiral surface of the Hall as if it was a huge cross-stitch canvas; as an imitation of crocodile skin (*Tardini Store*, NYC, 2000) or the elegant stripes of the Bar Lodi (Lodi, 1998). Then there are the aquatic references and a particular concept of light that Novembre uses as design material insofar as it creates shadows. On his website, he writes – almost as a messianic messenger (Be your own Messiah): "Rain is still one of the most widespread metaphors you'll ever use." An image that is crystallised in the enormous, upside-down, cone-shaped chandelier in the *Café L'Atlantique* (Milan, 1995).
Novembre's ironic approach, his use of metaphor and the oneiric suggestions are all present in the artefacts designed for ad hoc contexts.

Divina Club, Milano, 2001 (photo by Alberto Ferrero)

Café L'Atlantique, Milano,1995 (photo by Alberto Ferrero)

Bisazza showroom, New York City, 2003 (photo by Alberto Ferrero)

UNA Hotel Vittoria, Firenze, 2003 (photo by Alberto Ferrero)

Sofa vis a vis *AND* nella Hall dell'*UNA Hotel Vittoria*, Firenze, 2003 (photo by Alberto Ferrero)

Bisazza showroom, Berlin, 2003 (photo by Alberto Ferrero)

His anatomic repertoire is the main element of the chair and chaise longue *S.O.S. Sofa of Solitude* (Cappellini, 2003): a black volume dug out of the seat itself with a golden structure showing the outline of a backbone and vertebras. The transparent tabletop of the *Org* table (Cappellini, 2001) – in different colours, sizes and versions – has a series of cylindrical legs most of which are made of covered polypropylene and doesn't touch the ground. Only some of the one hundred and seventy legs are made of steel and are structurally functional. The multiple sofa, *And* (Cappellini, 2001) has asymmetric pieces that when put together form a theoretically endless spiral; the whip line of the *chaise longue Mediterranea* (Pierantonio Bonacina, 1991) recalls the shape of ribbons used by the team gymnasts, while the *Net* carpet (Cappellini, 2001) – made of alternate white and black disks along two parallel lines – is reminiscent of the orderly ropes on the piers of the docks. Fabio Novembre's research full of oneiric elements reminds us that imagination and visionary concepts make it possible to stage aspects of reality that would otherwise have been inaccessible.

Provocare la differenza
Accent the Difference

Esponente di rilievo del design internazionale, Gaetano Pesce, nei suoi quarant'anni di attività artistica, ha dimostrato di avere una costante attenzione per le problematiche socio-politiche planetarie. Emerso alla fine degli anni Sessanta, in piena contestazione, ha aderito in un primo momento al movimento radicale, assumendo poi posizioni autonome. Grande sperimentatore di materiali, soprattutto plastici, è fermamente convinto della capacità degli oggetti di significare. Per questo è possibile leggere le sue opere, di architettura o di design, come esternazioni su temi fortemente sentiti. Dalle opere di denuncia della condizione femminile nei paesi del terzo mondo ad opere impostate sul "mal fatto", sulla incapacità cioè di far realizzare artefatti secondo regole predefinite, fino alla teorizzazione della "serie diversificata", una produzione di oggetti simili ma non identici, indispensabile per conservare la nostra individualità umana. La doppia funzionalità degli oggetti e dell'architettura, l'uso creativo dei colori, le dimensioni politiche dei suoi progetti, la teoria e la realizzazione del "poorly made", la provocazione, l'uso e il miglioramento dei materiali sintetici, la teorica della femminilità nei progetti architettonici e la cultura degli oggetti rendono il lavoro di questo designer importante nel campo del design quanto in quello sociale.

Nella sua lunga esperienza artistica Lei ha frequentato diverse espressioni, dall'architettura al design, alla scultura fino alle rappresentazioni teatrali, pensa che ci possa essere un'etica della creatività?
Nel momento in cui il nostro lavoro si distacca dai bisogni umani, perde la sua ragione d'essere e la parte più significativa della sua etica. Questo non significa dover fare per forza del marketing o chiedere direttamente alla gente quali sono i suoi bisogni, perché esistono invece dei segni quasi impercettibili che li denunciano. Perciò, per un artista, è necessario essere presente nei luoghi in cui queste espressioni emergono in modo più evidente che in altri. In luoghi con un'attitudine estremamente progressista. L'artista tradizionale ha un po' superato i limiti dei bisogni, opera al di là di questi. Per esempio, l'architettura dovrebbe essere un'espressione che serve a vivere meglio senza fare opere di inutile abbellimento o di semplice estetica. Ma vivere meglio non significa vivere più alla moda, ma piuttosto secondo un'idea di servizio. Chiedersi come la gente può vivere in certi spazi, come ha fatto Le Corbusier, quando ha pensato alle Unités d'Habitation. Questo servizio deve essere, in un modo o nell'altro, in sintonia con i bisogni futuri di una società in continua evoluzione. Chiedersi come si può lavorare meglio, come ha fatto per esempio Chyat Jay (il committente della famosa agenzia pubblicitaria progettata da Pesce a New York, ndr.). Quindi si può consentire a qualcuno di lavorare sempre nello stesso posto, ma anche servirlo

Up, poltrona, B&B Italia
Up, armchair, B&B Italia

World Trade Center, progetto, 2002
World Trade Center, project, 2002

affinché un giorno lavori vicino alla finestra, il giorno dopo con un panino, il giorno dopo, se ha un umore che richiede di stare in un angolo isolato, oppure di stare con gli altri, c'è un bisogno che lo conosca.

La lettura di questi bisogni è però attribuibile esclusivamente ad una sensibilità individuale del progettista? Così facendo i bisogni riconosciuti non rischiano di essere sempre e comunque parziali?
Però se osservi la vita che facciamo oggi, non è una vita facile, ma molto problematica. L'informazione ci mette costantemente al corrente di tensioni nel mondo, di tipo economico, politico, minoritario ecc.. La nostra funzione è anche quella di dare alla società delle possibilità, in cui la vita possa avere un aspetto gioioso e sensuale, in cui lo spazio che forniamo ai nostri interlocutori e fruitori è in grado di alleggerire questo peso. Invece di dare spazi austeri, tradizionali, dogmatici e tutto ciò che è tipico di un'architettura maschile e conservativa, bisogna cominciare a pensare che si possono fornire degli spazi con connotazioni piuttosto femminili, che ci aiutano psicologicamente ad affrontare una realtà pesante.

Si è mai confrontato con un utilizzatore di un suo oggetto o di una sua architettura, qualcuno che ha usato i suoi prodotti e che ha vissuto i suoi spazi?
Certamente. Alcuni posti che ho progettato vent'anni fa conservano ancora freschezza e attualità, perché ho cercato di interpretare il carattere delle persone che ci andavano ad abitare, questo non si può fare quando il cliente non lo conosci.

Ma nel caso dell'oggetto industriale il cliente non è conosciuto?
Però c'è sempre la convinzione di non lavorare con una società astratta, ma con una minoranza che apprezza questo aspetto sensuale, tattile dei miei oggetti. Ad esempio prendiamo la presenza del colore negli oggetti. Oggi siamo in un momento in cui il colore è largamente usato, ma se andiamo indietro di trent'anni, l'architettura era bianca, tutto doveva essere bianco. Anche la moda era in assenza di colore. Questo ha provocato una reazione secondo cui il colore è sinonimo di vita, e di forte energia. Ho visto che normalmente di fronte ai miei prodotti si reagisce in modo molto più diretto, toccandoli, perché certi materiali, da me utilizzati, parlano all'aspetto non razionale, non dogmatico delle persone.

Avrà notato che a partire dalla crisi economica del 1992-93 si è ricominciato a parlare di sostenibilità ambientale e in certi casi sembra essere diventata una moda. In questo numero ci chiediamo, tralasciando gli aspetti ideologici, se l'attenzione ecologica degli ultimi anni, ha prodotto una sua estetica, ha avuto cioè degli esiti sul piano dei linguaggi del design, dell'architettura o dell'arte.

World Trade Center, progetto, 2002
World Trade Center, project, 2002

Direi di no. Anche se ho usato degli oggetti riciclati semplicemente perché sono portatrici di memoria. L'ho fatto per sfuggire all'astrazione dando una connotazione precisa. Come nel caso della poltrona e dello sgabello Seaweed (1993), in cui ho utilizzato degli sfridi di stoffa imbevuti di resina. Lo sfrido è il risultato di una produzione, anche quella è una memoria. Comunque, a mio parere, il creativo non deve mai perdere di vista l'aspetto progressista, che giustifica il nostro lavoro. Bisogna tenere presente che il progresso è una cosa fuori discussione. Nel momento in cui una società si avvicina all'idea secondo cui il progresso non è importante, allora decade. Quindi noi abbiamo anche la funzione di tenere sempre l'attenzione puntata sul fatto che il progresso, non solo ci consente di fare una vita migliore e di capire di più, ma giustifica la nostra vita. Questa senza l'idea di progresso si trasforma in una visione estremamente conservativa, che annulla il tempo che passa. La maggior parte delle nostre società europee sono di questa idea, perché hanno vissuto dei momenti forti di progresso, e quindi avendoli già vissuti non sono più orientati ad esso. In altri paesi l'idea di progresso è molto forte come nel Sud America o in Estremo Oriente. Sono dei paesi che devono giocare la carta del progresso perché da questa dipende la loro esistenza. Mentre da noi c'è un benessere che ci consente di mettere il progresso in secondo piano. Ma ne risentiamo, perché la vita qui non è così stimolante.

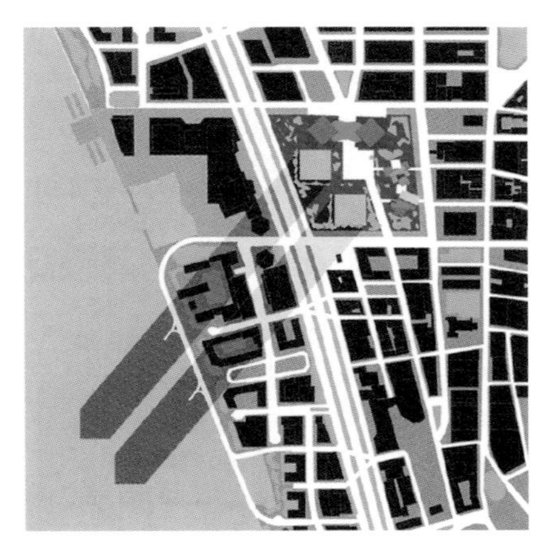

Quindi anche Lei ritiene che non ci sia stato questo esito della sostenibilità sull'estetica.
Va ricordato che molti processi ecologici sono più costosi di quello che comporta innovare in sé. Se si raccoglie il vetro, e si calcola il mezzo e il tempo per il trasporto, quel vetro costerà molto di più. Oppure se si recuperano i resti di carta, devono poi essere macerati, con il risultato finale che la nuova carta è un materiale che costa molto di più, per non parlare dello sbiancamento della carta è fortemente inquinante. Non vorrei che nell'atteggiamento ecologico ci fosse l'effetto moda. Per fare le fondazioni della chiesa della Salute a Venezia ci sono voluti 1.250.000 tronchi di alberi, che corrisponde in pratica ad una foresta. Bisogna allora chiedersi se è meglio avere la chiesa della Salute o avere le foreste. Sono posizioni comprensibili entrambe. Bisogna che ognuno si faccia la propria opinione. Un altro esempio è Guell, il cliente che ha consentito a Gaudì di esprimersi. Nei fatti era un mercante di schiavi, il quale con i soldi guadagnati da questa attività ha consentito a Gaudì di realizzare le sue opere. Chiaro che è indigesto ammettere che quelle opere non ci sarebbero state senza l'attività di Guell. Così come per il lavoro minorile utilizzato da grandi multinazionali dello sport. Bisogna che analizziamo

questa problematica in maniera distaccata, non solo dalla nostra soglia di uomini dell'Europa civilizzata. Certe volte, se si guardano bene queste realtà, e ci si accorge che per i bambini lavorare le scarpe è un'immensa possibilità, rispetto ad altri che non c'è l'hanno, si resta perplessi. C'è molto moralismo dietro le denuncie, che non mi sento di giudicare. In certi paesi ci sono i minorenni che sono sfruttati anche sessualmente. Esiste un turismo del sesso che è orribile, ma ciò contribuisce in parte alla sopravvivenza di una intera popolazione. Bisogna vedere l'economia del mondo. Per noi certe cose sono inaccettabili, per un'altro paese può essere diverso. Direi di fare attenzione a generalizzare. Perché ognuno di noi può giungere ad affermare che un minore che fa delle scarpe va bene, altrimenti l'alternativa è morire di fame. Vedere appunto l'alternativa. L'altra parte cos'è, la miseria totale, o sono le malattie più atroci. È anche vero che in certe situazioni, come l'Afganistan, le popolazioni non sono in grado di scegliere. Direi che una cosa importante da tenere presente è la globalizzazione. Sogno infatti che ci sia un sistema politico globalizzato che è la democrazia. Se fosse un sistema globalizzato sarebbe un vantaggio per tutti. Vorrebbe dire che ogni paese può avere un sistema democratico con la libertà di scelta in cui uno se una donna vuole portare il Chador lo può fare, se vuole essere incatenata dal marito è libera di farlo. Sono fatti suoi.

Lei oggi, è emerso in un momento caldo della storia, in cui era forte la contestazione verso un sistema socio-politico abbastanza repressivo, rigido, fatto di regole. Con i suoi compagni lavoravate per l'abbattimento di queste regole, in nome della libertà di espressione. Rispetto al tema dell'etica qual'è stato il suo percorso. Era più sentito prima rispetto ad oggi? C'è stato qualche episodio o evento che ha inciso nel suo vissuto umano?
Non bisogna dimenticare che in qualsiasi società c'è bisogno di certi mestieri, come di quello che coltiva la terra. Quindi c'è anche la necessità di coprire dei ruoli intellettuali, ma non nell'accezione che ne abbiamo noi nei paesi occidentali. La funzione dell'intellettuale è quella di provocare la contraddizione e quindi di provocare la differenza. Se c'è un consenso per cui alcuni valori sono finalmente raggiunti e condivisi, lì bisogna introdurre un qualcosa che insinui un dubbio, che svolga la funzione ultima di provocare la diversità. Nel momento in cui l'omogeneità prende piede è finita, non c'è più ragione di essere. Quindi vedo il mio mestiere come quello tipicamente dell'intellettuale, nel senso dell'innestare e provocare la differenza. Che è un modo di frammentare la globalizzazione. Cioè nel momento in cui, in un modo o nell'altro, il mondo diventa sempre più piccolo, si uniforma, noi saremo sempre più richiesti a provocare la differenza.

Nobody's Table, tavolo, Zerodisegno. Resine elastomeriche morbide a base poliuretanica
Nobody's Table, Zerodisegno. Soft polyurethane based elastic resins

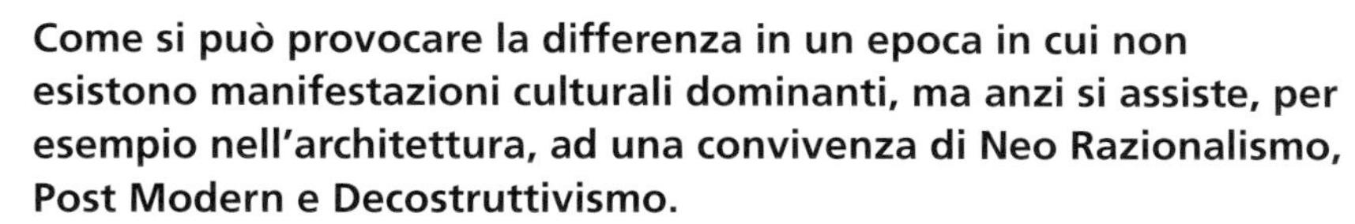

Come si può provocare la differenza in un epoca in cui non esistono manifestazioni culturali dominanti, ma anzi si assiste, per esempio nell'architettura, ad una convivenza di Neo Razionalismo, Post Modern e Decostruttivismo.

Leggevo tempo fa in un articolo secondo cui la nostra epoca è quella degli uccelli solitari, di quelli cioè che cantano ognuno la propria musica. Non è più il tempo delle sinfonie in cui ognuno di noi contribuiva a un progetto. In questa logica degli uccelli solitari ognuno canta a suo modo e provoca qualcosa che in un altro porta ad un desiderio di essere affine. Ma è un'affinità temporanea, non permanente. Il nostro modo di vivere è molto vicino al secondo principio della termodinamica, all'Entropia. In questo c'è una logica molto profonda, che però non è duratura, occupa dei periodi limitati. Quindi l'idea di lavorare per una società omogenea viene meno. Si lavora per delle minoranze che non sono di pelle, non sono di religione, non sono tutta una serie di cose, ma sono minoranze di pensiero di un breve momento. Si è in una situazione dinamica, che muta continuamente e fa cambiare la minoranza.

Ma non ha mai la sensazione di perdersi in questa continua mutazione?

No, perché basta osservare la realtà per ritrovare la propria posizione. Se osservi una realtà che costantemente si evolve addirittura in contradditorio, in qualsiasi momento puoi avere delle letture opposte però ti da il senso di un orientamento. Credo che la scelta di andarmene fuori, non come emigrante, ma a curiosare nel mondo, per cercare di sentirmi bene dappertutto, è stata una cosa per me estremamente importante. Domani sempre di più le popolazioni si mescoleranno. L'idea della diversità che coesiste, è forse alla base della città in cui vivo (New York, ndr.), in cui ci sono verità che convivono, in cui non ci sono confronti, e ognuno ha la sua. Penso che questo sia un modo di vivere abbastanza attuale. La realtà è fatta di mescolamento, non è omogenea, ecco perché spingo verso la presa di coscienza, verso l'idea di un modo di lavorare che è un po' amorale. La morale te la fai costantemente, con una che vale adesso, sapendo che fra dieci minuti ne varrà un'altra, cercando di reagire attraverso l'incoerenza. Perché è quella che ti fa riconoscere dei valori. Però bisogna fare attenzione a un certo modo rigido di pensare, che ha a che fare con uno spirito conservatore, che non ti da la possibilità di capire l'epoca che cambia, lasciando i valori così come sono. Tutte cose che non dovrebbero esserci, in un mondo che ha bisogno di svilupparsi. C'è bisogno di creatività in grado di produrre dei sistemi nuovi di fare le cose, di sistemi che possono consentire alla vita di essere vissuta meglio, questo è importante. Non sono teorie culturali che non servono a niente e servono solo a se stesse.

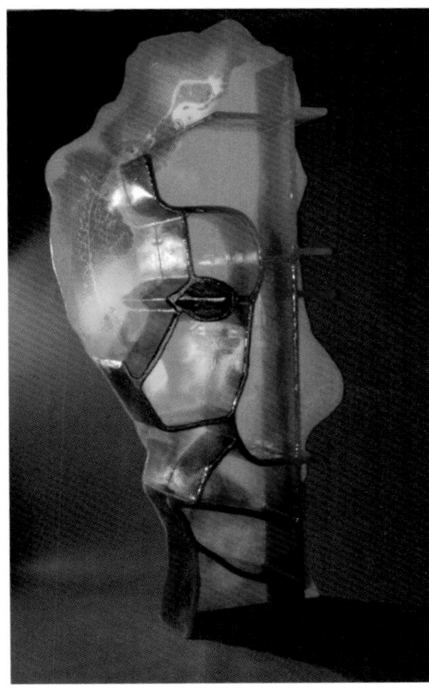

A leading representative of International Design, Gaetano Pesce, in 40 years of artistic activity, has given constant attention to global social and political issues. He emerged at the end of the Sixties, in the midst of the protest era: at first he joined a radical movement, then he took an independent position. Having freely experimented with materials, especially plastic, he is firmly convinced of the capacity of objects to convey meanings. For this reason it is possible to interpret his works, either of architecture or of design, as explicit expressions of emotion-packed issues. From works denouncing the conditions of women in third-world countries to works based on the idea of 'poorly made', that is on the incapacity of having artefacts manufactured according to predefined rules, up to the theory of the 'diversified series', a production line of similar but not identical objects, indispensable for maintaining our human individuality.
The double functionality of objects and architecture, the creative use of colours, the political dimension of his projects, the theory and the practice of the 'poorly made', the provocation, the use and the enhancement of synthetic materials, the concept of femininity in architectural projects and the culture of objects make the work of this designer as important in the field of design as in social contexts.

Rag Lamp, lampada
Rag Lamp, lamp

Nobody's Arm Chair, Zerodisegno

You have used many forms of expression in your extensive artistic experience, from architecture to design, sculpture to theatre – do you think there can be an ethics of creativity?
At the moment in which our work detaches from human needs, it loses its raison d'être and the most meaningful part of its ethics. This does not mean that marketing must perforce ask people what they need; rather there are those almost imperceptible signs that signal them, and the artist must be present wherever these expressions emerge most clearly with an extremely progressive attitude. The artist has traditionally overcome the limits of his needs to operate beyond them. For example, architecture should be an expression that serves to live better without resorting to useless embellishments or simple aesthetics. Living better, however, does not mean more fashionably but rather according to an idea of service, of wondering how people can live in certain spaces, as Le Corbusier did when he designed the Unités d'Habitation. This service must, in one way or another, be in keeping with the future needs of a society in continuous evolution. Wondering how one can work better as, for example, did Chyat Dat [the client of the famous ad agency Pesce designed in New York, ndr.]. Thus someone can be allowed to work in the same place, but also be served in the sense that one day he works by the window, another with a sandwich in hand, and the next in an isolated corner or else together with others, all according to his mood.

Is interpretation of these needs though the exclusive result of the individual sensibility of the designer? If so don't individual needs risk only being partially met?
If you look at the way we live today, it is not an easy life but a very problematic one. Information keeps us constantly in step with the economic, political, etc. tensions of the world. Our function is also to offer society possibilities for a more joyful and sensual life, in which the space we supply to our users and clients is able to lighten their burden. In place of austere, traditional, dogmatic spaces, and everything else typical of a chauvinistic and conservative architecture, it is necessary to begin to think that spaces can be given feminine connotations as well which can help us psychologically to deal with a heavy reality.

Have you ever come face to face with an end-user of an object or architecture you designed?
Of course, some places I designed twenty years ago are still fresh and topical because my intention was to interpret the nature of the people who were to live there; you can't do that when you have never met the client.

But in the case of the industrial product you cannot meet the client.
But there is always the conviction that you are not working with an abstract society, but with a minority who appreciate that sensual, tactile aspect of my objects. Let's take, for example, the presence of colour in objects. Colour is used a lot today, but if we go back thirty years, architecture was white, everything had to be white. Fashion too was essentially colourless. My reaction to this was to make colour synonymous with life, energy. I have seen that people normally react to my products much more directly, they touch them, because certain materials that I use appeal to people's non-rational, non-dogmatic side.

You surely will have noticed that with the economic crisis of 1992/93 the idea of the sustainable environment came to be spoken of again and, in certain cases, to become somewhat fashionable. In this issue we are wondering, aside from its ideological aspects, whether this attention to ecology of recent years has produced its own ethics, in other words whether it has had results on the level of the language of design, architecture and art.
I would say no. Even though I have used recycled objects; but that is simply because they are memory carriers. I did it in order to avoid abstraction, as in the case of the Seaweed armchair and stool (1993), in which I used some resin-soaked scraps of fabric; the scrap was a

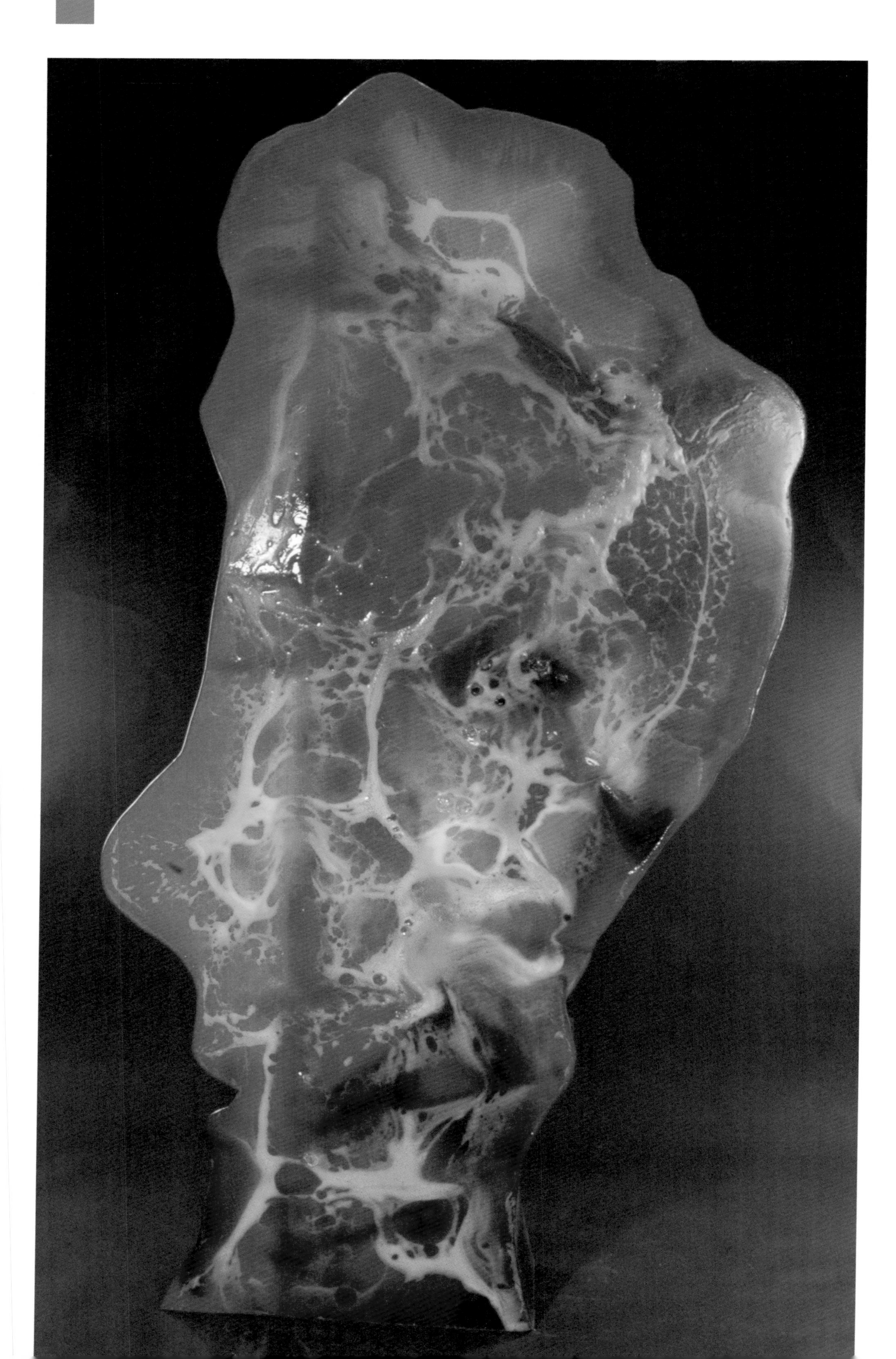

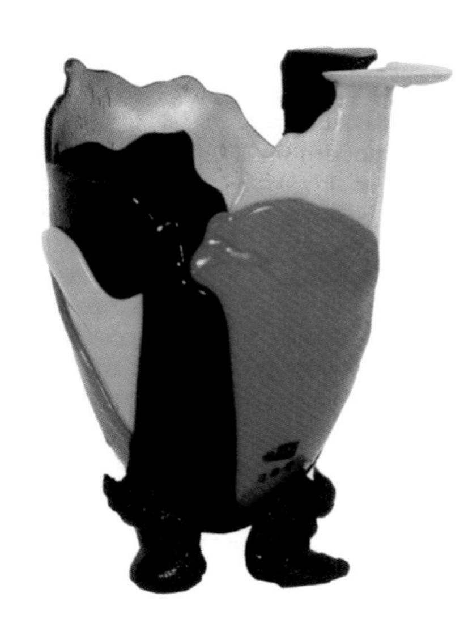

Amazonia, Indian Summer, Pompitu, vasi
Amazonia, Indian Summer, Pompitu, vases

production left-over, and that too is a sort of memory. In any case, I think artists must never lose sight of the progressive aspect of our work which is justified only in this sense. It is necessary to keep in mind that progress is a given. At the moment in which a society starts to think that progress is not important, that is when it falls apart. So we also have the function of keeping attention constantly trained on the fact that progress not only leads to a better life and to greater understanding but it also justifies our lives which, without the idea of progress, would be transformed into an extremely conservative vision that erased the passing time: decline. The majority of our European societies have this idea, because they have experienced moments of massive progress and therefore, having already experienced them, are no longer oriented in that direction. In other countries the idea of progress is very strong, in South America or the Far East, for example; countries where they must play the progress card because their existence depends on it, while we already have already achieved a well-being that lets us to put progress on the back burner. But we are feeling the results now in a life that is no longer so stimulating.

So you too believe that the concept of sustainability has not had an impact on ethics.

We must remember that many ecological processes are more costly than innovation itself. If I collect glass and then calculate the means and time to transport that glass it costs me much more. Or if I salvage paper I then have to process it, with the final result that the new paper is a much more expensive material, not to mention that the bleach used to whiten the paper is a heavy pollutant. I would no want to think that the ecology movement was just a trend. It took trees 1,250,000 to build the Chiesa della Salute in Venice – a whole forest in other words. So one has to wonder whether it would be better to have the church or the forest; both are understandable positions and everyone has to decide for himself. Another example is Guell, the client that let Gaudì express himself. In reality he was a slave trader who, with the money he earned from this activity, gave Gaudì the chance to realise his works. Obviously it is hard to swallow the fact that Gaudi's works would not have been possible without Guell's activities. The same is true for the child labour used by large sports multinationals. We have to examine this issue in a detached way, and not only from the point of view of a European civilisation. Sometimes we get confused when we look more closely at these situations and realise what an extraordinary opportunity it is for some children to work at making shoes while others have no work. There is a lot of moralising going on behind the denouncements that I don't have the heart to judge. In some countries minors are exploited also for sex, in the name of a sex tourism that I find horrifying, and yet this is how these countries are surviving. However, it is necessary to see all this in the

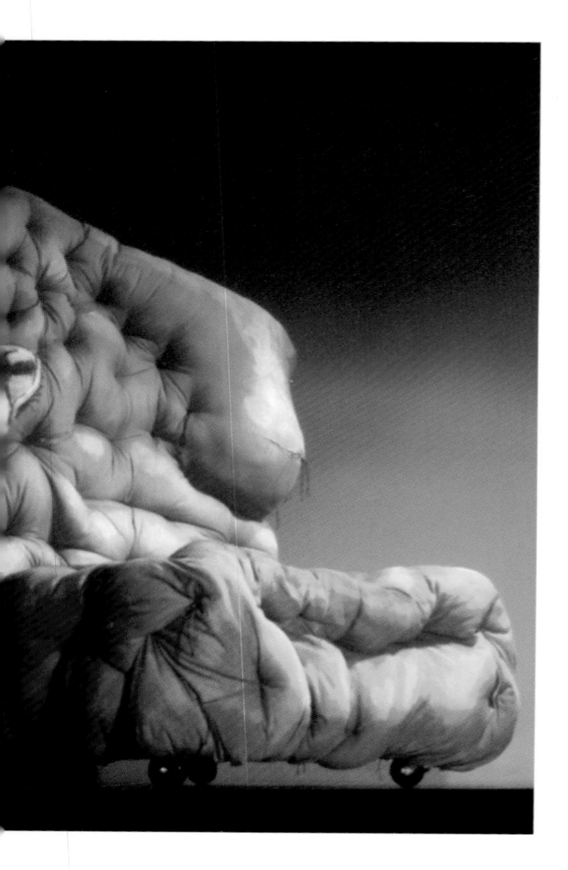

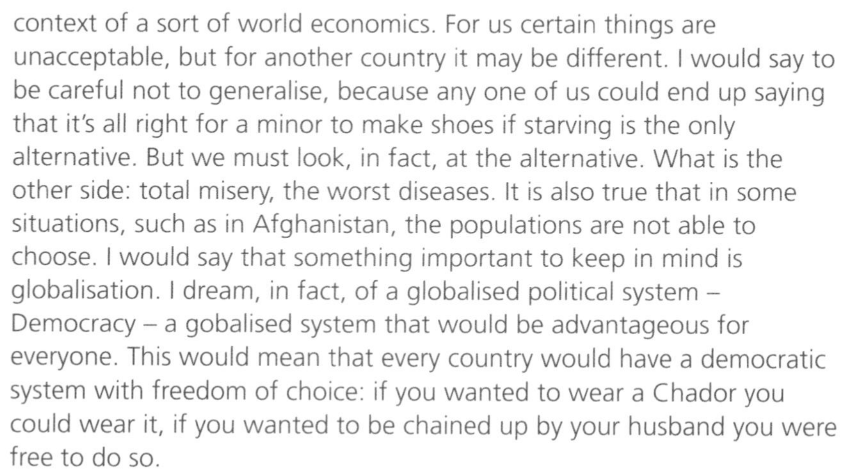

context of a sort of world economics. For us certain things are unacceptable, but for another country it may be different. I would say to be careful not to generalise, because any one of us could end up saying that it's all right for a minor to make shoes if starving is the only alternative. But we must look, in fact, at the alternative. What is the other side: total misery, the worst diseases. It is also true that in some situations, such as in Afghanistan, the populations are not able to choose. I would say that something important to keep in mind is globalisation. I dream, in fact, of a globalised political system – Democracy – a gobalised system that would be advantageous for everyone. This would mean that every country would have a democratic system with freedom of choice: if you wanted to wear a Chador you could wear it, if you wanted to be chained up by your husband you were free to do so.

You made your debut at a very hot moment in history, in which there was heavy protest against a pretty oppressive and rigid socio-political system full of rules. You and your companions worked towards breaking those rules in the name of freedom of expression. In terms of the theme of ethics, what has your pathway been? Did you feel it more deeply before than now? Was there a particular episode or event that had an impact on your human experience?
We must not forget that every society needs certain jobs to be done, like farming for example. Therefore, there is also the need to cover intellectual roles, but not in the way that we in the West understand them. The function of the intellectual is to provoke contradiction and so doing to provoke difference. If there is consensus on some values finally achieved and shared, it is necessary also to introduce something to insinuate doubt, something that performs the function of provoking diversity. When homogeneity takes over that's the end, there is no longer any reason for being. So I see my profession as a typically intellectual one, in the sense that it triggers and provokes difference. There is a way of launching globalisation; i.e. since the world, in one way or another, is getting smaller and smaller, more uniform, we are being asked more and more to provoke difference.

How can difference be provoked in a era in which there is no evidence of a dominant practice; on the contrary, we are witnessing, in architecture for example, the co-existence of Neo-Rationalism, Postmodernism and Deconstructivism?
I read an article some time ago that said that ours was an era of lone birds, those who sing their own song. It is no longer a time of symphonies in which each of us contributes to a project. Within this logic

Dalila Uno, Due, Tre,poltrona, Cassina
Dalila Uno, Due, Tre, armchair, Cassina

each of us sings a separate song in a different way and provokes something that leads to the desire in others for affinity. But it is a temporary affinity, not a permanent one. Our way of living is very near to the second principle of thermodynamics: entropy. There is in this a very profound logic which is, however, not very lasting and which occupies limited periods. So the idea of working towards a homogeneous society is missing. One works for minorities not of colour, nor of religion – not of a whole series of things – but minorities of thought belonging to a brief moment. The situation is a dramatic one that changes the minorities as it mutates.

But don't you ever have the sensation of losing yourself in this continuous mutation?
No, because all I have to do is look at reality in order to find my position again. If you observe a reality constantly evolving in contradiction, at any time you can have opposite interpretations, but it gives you a sense of orientation. I believe that choosing to get out, not as an emigrant but as one curious about the world, was an extremely important thing for me. This is the logic. The populations of the future will mix more and more. The idea of diversity is perhaps the basis for the city in which I live (New York, ndr.) in which various truths co-exist, in which there are no terms for comparison and everyone does his own thing. I think that this is a very current way of life. Reality is made up of mixtures and is not homogeneous; that is why I push for awareness, towards the idea of a way of working that is somewhat amoral. Morality – you make it up constantly, with values that you know will mean something else ten minutes from now, trying to react coherently. But one must be careful of a certain rigid way of thinking that has to do with a conservative spirit, that doesn't give you the possibility of understanding the changing era, that leaves values as they are. All things that should not be, in a world that needs to develop. We need a creativity capable of producing new systems for making things – systems that allow life to be lived better, this is important – not cultural theories that have no purpose and are useful only in and of themselves.

ana mir prieto

Oggetti "per" sentire
Objects to "Feel"

Ana Mir dichiara di essere diventata designer perché ha un ideale: quello di considerare il design una "disciplina democratica". Lo strumento per portare al più vasto pubblico possibile le idee senza nessuna forma di imposizione ma attraverso la naturale interazione che si viene a creare tra oggetto e persona.
Infatti gli oggetti progettati da Ana più che soddisfare una necessità, così come sembra naturale pensare sia compito del design, sembrano metterci davanti ad una questione, quasi ci fanno domande che fino ad allora non ci eravamo posti.

È come se il design visto da Ana più che una pratica di intervento sia una pratica di comunicazione: non offre soluzioni ma, quasi, rivolge proclami. I proclami, nel metterci al corrente della loro "verità", devono riferirsi ad una precisa questione, chiarire il loro contesto di riferimento: e Ana Mir trova questo suo ambito nel "corpo", o meglio, in tutte le interazioni che il corpo può avere e sentire. Ana dice di considerare il design, nelle sue espressioni oggettuali, una seconda pelle: ma questa pelle che lei progetta non è fatta per coprirci e proteggerci, vuole invece scoprirci da tutti i filtri sociali e culturali che la condizione contemporanea ci pone.
E questo già dai primissimi progetti - che la portano immediatamente sotto i riflettori - usando come materia il corpo stesso, o meglio, una parte di esso: capelli e peli. Nascono così Necklace-Earrings - una "parure" di collana e orecchini realizzati, appunto, con capelli umani - e la Hair Disguises Series - piastrelle per il rivestimento e piatti "decorati" con peli pubici.
Una operazione figlia di tutta la dissacrante lucidità del primo "dadaismo", la cui volontà di mettere in crisi modi di pensare consueti - con la pratica dello "spiazzamento" imperniata sull'accostamento di forme e materiali inconsueti - cercava di degerarchizzazione i valori costituiti.
I peli e i capelli di Ana , infatti, sovvertono il privato con il pubblico, il personale con il collettivo, lo "sporco" con il "pulito", il soggetto (corpo) con l'oggetto.
Il suo percorso non si ferma qui; in questa sua modalità Ana assume una condizione che in qualche modo la allontana dalla natura di designer industriale per avvicinarla a quella di artista: al punto che lei stessa dichiara di non apprezzare la produzione in serie che, a fronte degli innegabili vantaggi - la larga distribuzione e i bassi costi - implica delle forti limitazioni concettuali. Per Ana i prodotti della produzione di massa che non possono, per condizione, prevedere rischi, "accettano" di essere ovvi, convenzionali e conservativi.
I suoi oggetti sono, invece, il frutto di auto-produzioni più dirette, spesso semplici, e soprattutto capaci di non mettere troppi filtri tra l'idea e la sua realizzazione: e, poi, poco importa se l'oggetto risulta più costoso e più

Necklace, collana, 1995. Autoproduzione
Necklace, necklace, 1995. Self-production

Chocolate Nipples, cioccolatini, Enric Rovira Xocolater, 2003
Chocolate Nipples, bonbons, Enric Rovira Xocolater, 2003

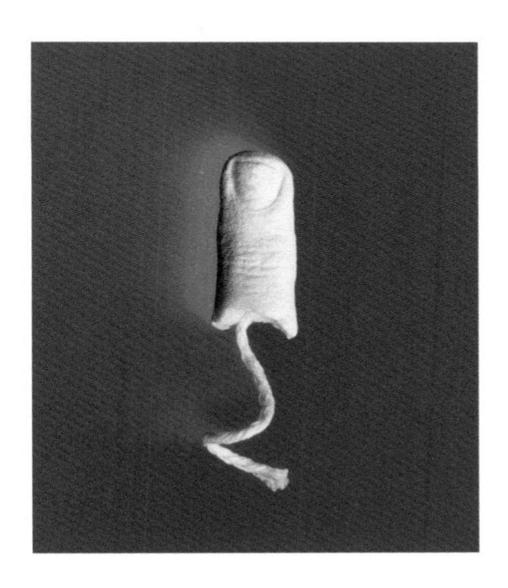

esclusivo.E il cerchio si chiude, preciso come precisi sembrano essere gli oggetti di Ana Mir. Idee, sensorialità e autodeterminazione: oggetti per permettere a tutti di sentire con il corpo quello che la loro mente ha deciso di non prendere in considerazione.Nascono, così, Baño Galapéutico, una sostanza gelatinosa che sostituisce l'acqua con proprietà igieniche e idratanti e che trasforma una pratica quotidiana e "spartana" in momento di stimolazione sensoriale; Kleensex, un lenzuolo colorato di tessuto leggero di polietilene riciclato, ripiegato in pratiche confezioni usa e getta per "proteggere" le prestazioni sessuali occasionali delle prostitute, e non solo, che possono svolgersi nei luoghi più disparati e non sempre puliti; Dedo, l'assorbente interno stampato a simulare un dito; Anal toy, un "utensile" per rapporti anali in Corian; Chocolate Nipples, cioccolatini di puro cacao stampati come capezzoli da sciogliere in bocca ...

Ma gli oggetti di Ana Mir non sono pensati per sentire solo condizioni "estreme"ma anche per vivere la quotidianità da un altro punto di vista: come la chaise-longe Flip Flap che grazie ad un cuscino mobile permette "mille" posture, o Rocking Chair, uno sgabello a dondolo che si "cavalca"; o, ancora, Hypocondriacs, grandi cuscini a forma di pillole in capsula come tonico per i malati di affetto ...

Quello che sembra interessare da Ana non è dunque l'oggetto in se, e forse neanche la relazione che esso instaura con la persona; la cosa più importante, sopra tutto e a discapito di tutto, sembra essere lo "shock" che riescono a dare appena li si comprende, se ne capiscono i presupposti. E mentre, di norma, cerchiamo dal design un amplificazione e un miglioramento delle nostre "prestazioni", gli oggetti di Ana vogliono solo essere uno strumento per affinare la nostra percezione delle più "nascoste" condizioni umane: e non importa se prima di poter effettivamente usare l'oggetto, una caramella, bisogna realizzarci un tavolino, con il suo stampo e il suo colaggio, e poi romperlo in mille pezzettini ... "break before using" ... e solo allora mangiarlo!

Dedo, tampone mestruale, 1994. Autoproduzione
Dedo, vaginal tampon, 2004. Self-production

Kleensex, lenzuolo usa e getta, 2001. Autoproduzione
Kleensex, one-use sheet, 2001. Self-production

Flip Flap, chaise-lounge, Dune NewYork, 2004

Flip Flap, chaise-lounge, Dune NewYork, 2004

Anal Toy, strumento per sesso anale, 2004. Autoproduzione
Anal Toy, tool for anal sex, 2004. Self-production

Hypocondriacs, cuscini, The Original Cha-Cha, 2002
Hypocondriacs, cushions, The Original Cha-Cha, 2002

Hair Disguiser, rivestimento da bagno, Galeria H2O, 1994-'99
Hair Disguiser, bathroom decoration, Galeria H2O, 1994-'99

Baño Gelapeutico, gel detergente, 1999. Autoproduzione
Baño Gelapeutico, cleanser gel, 1999. Self-production

Ana Mir says she became a designer because she has an ideal: to consider design a "democratic discipline." A tool to instil ideas in the widest possible public without any form of imposition, but simply through the natural interaction that takes place between an object and a person.
In fact, rather than satisfying a need (the task one would think design has to carry out), her objects seem to ask us a question, a question unasked up to now.

It's as if Ana considers design as a way to communicate rather than intervene: it doesn't provide solutions but makes statements.
By proclaiming their "truths," these statements have to raise a specific issue and clarify the context they refer to: Ana Mir finds this context in the human body, or perhaps it's better to say, in all the interactions that a body can have and feel.
Ana says that she considers the objective expressions of design a second skin: but the skin she designs is not created to cover and protect us. Instead, she wants to strip away all contemporary social and cultural filters. Ever since her very first designs moved her into the limelight, she has used the body, better still, parts of it: the hair on our head and body. She designed Necklace-Earrings – a parure of necklaces and earrings made of human hair – and a Hair Disguises Series – tiles and plates "decorated" with pubic hair.
This design was inspired by all the desecrating lucidity of early

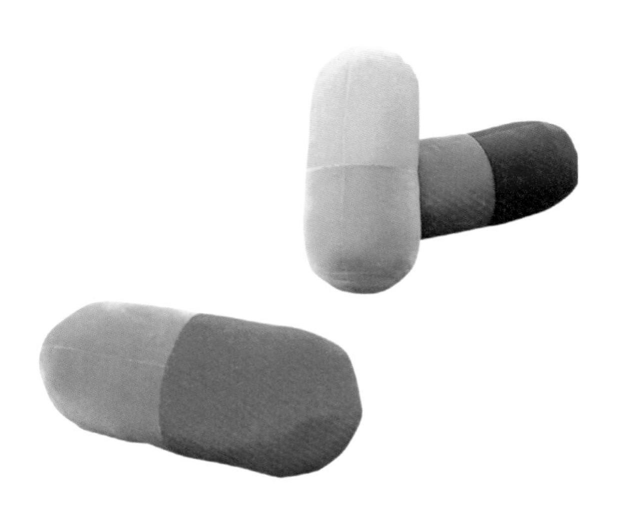

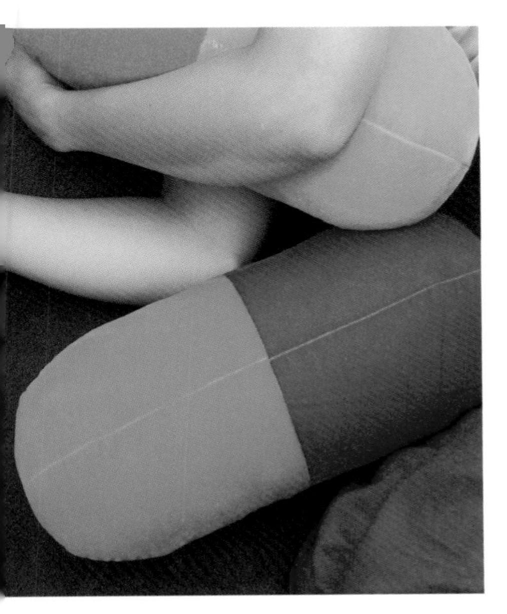

"Dadaism" which wanted to revolutionise normal mindsets – by "taking people by surprise" and combining unusual forms and materials – and try to break down the hierarchies of accepted values.
Ana's hair, in fact, replaces what is public with something private, what is personal with something collective, what is "dirty" with what is "clean," what is subjective (the body) with objects.
But that's not all. In her work, she moves away from industrial design and becomes more of an artist. At one point, she herself admits that she doesn't like serial production which, despite all its advantages – mass distribution and low costs – imposes enormous conceptual limitations. For Ana, mass-produced products cannot, by their very nature, involve taking risks; they have to "accept" that they are obvious, conventional and conservative.
Instead, her objects are directly self-produced, often simple and above all there aren't too many filters between the idea and production: she doesn't care if the product is more expensive and exclusive.
And her work comes full circle, as detailed as the details in her objects. Ideas, sensorial feelings and self-determination: objects that let everyone use their bodies to feel what their mind has decided not to take into consideration. Her work includes Baño Galapéutico, a jellylike, hygienic and refreshing substance that replaces water and transforms an everyday, "Spartan" event into a moment that stimulates the senses; Kleensex, a coloured sheet made of light recycled polyethylene material folded into practical disposable packets to "protect" prostitutes during their sexual encounters that can take place in the most unusual places, places that aren't always clean; Dedo, the tampon shaped like a finger; Anal toy, a "tool" made in Corian for anal sex; Chocolate Nipples, pure cocoa sweets shaped like nipples that melt in your mouth...
Ana Mir's objects are not designed to feel only in "extreme" conditions, she also designs objects that can be used everyday: the chaise longue, Flip Flap, that thanks to its mobile cushion allows you to sit in a "thousand" positions, or Rocking Chair, that you can "ride" or Hypocondriacs, huge cushions that look like capsules (pills) for people in need of affection...
What Ana seems interested in is not the object itself, and perhaps not even its relationship with people; what is absolutely the most important thing for her is the "shock" people feel when they understand what they're for and how you use them. While we generally want design to increase and improve our "performance," Ana's objects are just a tool to heighten our perception of the most "secret" parts of human nature; it doesn't matter if before actually being able to use the object, for instance a sweet, we have to build a table with a mould and glue and then break it into a thousand pieces ... "break before using" ... and only then eat it!

alvaro rioseco

Verso un design globale
Towards Global Design

Alvaro Rioseco, Industrial Designer nato a Santiago del Cile nel 1968 e diplomato alla Universidad Tecnológica Metropolitana di Santiago, è Santiago Design Lab, uno tra gli studi di progettazione e design tra i più affermati in Cile.
Design Lab nasce nel 2003 come studio indipendente, dopo circa dodici anni di esperienza da parte di Rioseco come collaboratore di diversi studi e aziende. Unico e solo componente di Design Lab, Rioseco non è però solo nella progettazione, collaborando da anni con un gruppo di designer che lo affiancano a seconda delle necessità. Capo Progettista per otto anni nel dipartimento di Sviluppo Prodotti alla Virutex-Ilko S.A., un'azienda con sede in Cile che produce utensili e gadgets da cucina distribuiti in tutto il Sud America ed in Europa, D.L. vanta tra i suoi clienti aziende quali: Adidas, Apple, CCU, Enap, Entel, Hewlett Packard, Lan Chile, Lipton, Telefónica e Virutex-Ilko.

Il Cile è un Paese giovane che vive soprattutto grazie alle risorse naturali, non possedendo in realtà una particolare specializzazione in nessun campo, tale da permettergli di emergere nel design piuttosto che in altri settori. Molti accordi di libero scambio ed un economia piuttosto stabile, hanno però fatto sì che il Cile diventasse un buon Paese nel quale investire e nel quale creare nuove opportunità per il design. Dunque, se è pur vero – come osserva Rioseco – che sembra non esistere un "design cileno", questo è comunque un Paese che conserva forte il senso di una visione allargata, capace di cogliere i segnali di un mercato che si muove alla ricerca di prodotti *user friendly* e cioè in grado di rendere più facile, più semplice e più felice la vita di persone che hanno oggi sempre meno tempo. Vi suona familiare? Ebbene, la globalizzazione non riempie con immagini di prodotti solamente i nostri occhi e le nostre menti, ma preoccupa e affligge anche un Paese che, pur con una straordinaria tradizione alle spalle, si sforza di adeguare i propri stili di vita al resto del mondo. "La maggior parte delle cose che vediamo, ascoltiamo, utilizziamo e indossiamo – ci spiega Rioseco – non vengono dalla cultura del Sud America. Mentre sto davanti al mio computer, vedo una bottiglia di Coca-Cola, le mie Luckies, Ronson e Nokia e anche una copia del libro *Funky Business* in lingua spagnola. Non sono nato né negli Stati Uniti né in Europa, semplicemente tutte le cose che mi circondano, così come anche la maggior parte delle persone che incontro, provengono da *fuori* o è stata influenzata dalla televisione, da Internet, dalle pubblicità sulle riviste e dalla musica. Conservare la propria cultura e le proprie tradizioni, comincia ad essere sempre meno importante se paragonato al desiderio di cose migliori, più economiche e più sofisticate che provengono dall'altra parte del mondo". Ora ci sono due aspetti da considerare: uno buono, l'altro un po' meno. Se, infatti, la mancata esigenza di trovare e mantenere il proprio passato culturale da parte degli stessi designer cileni

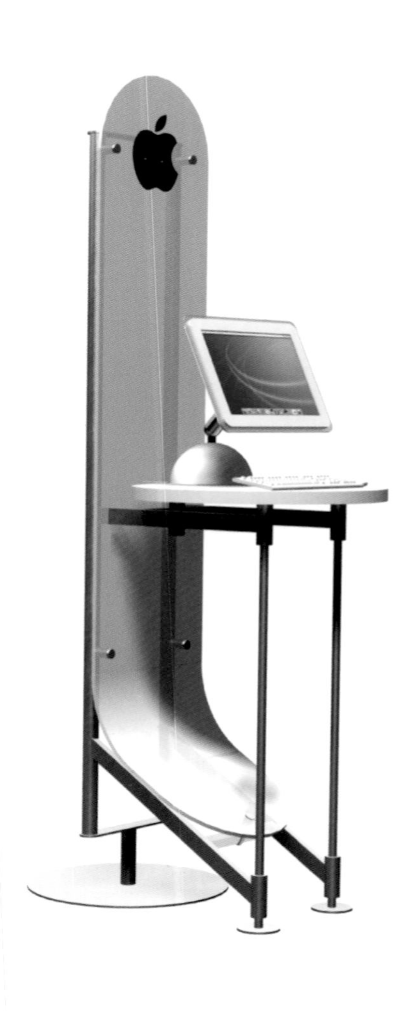

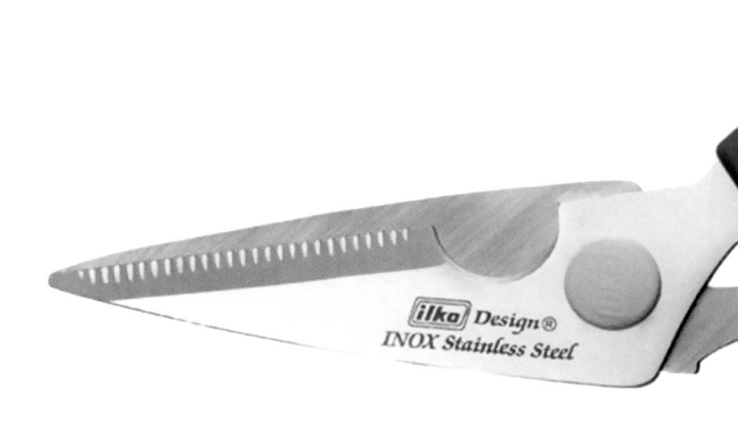

Serie Ilko Design, Virutex Ilko S.A.
Ilko Design Serie, Virutex Ilko S.A.

Lampada Promocional, Apple
Lamp Promocional, Apple

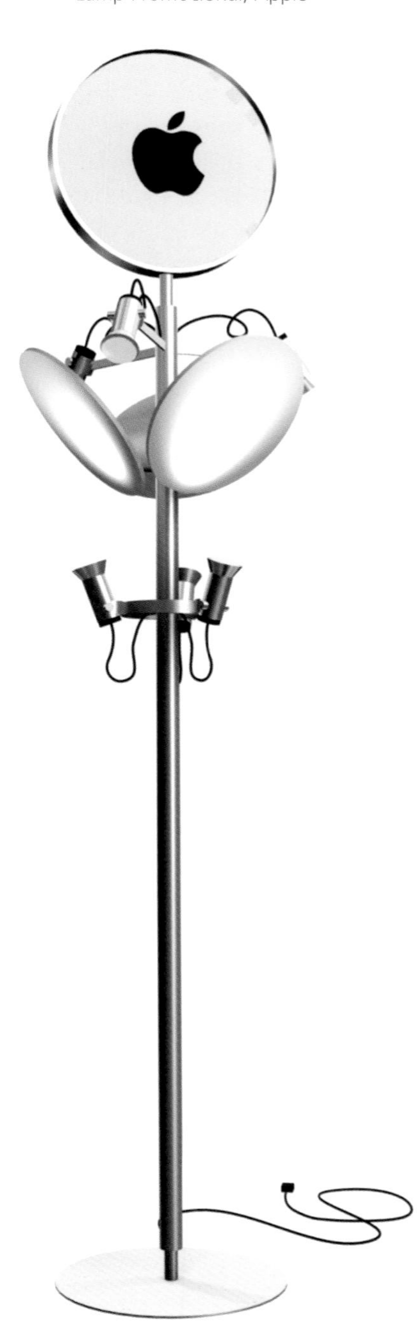

viene meno, essendo sempre più le cose che dall'esterno li influenzano e sempre meno quelle che dell'interno gli appartengono, questo vuol dire che il modo di progettare e le stesse abitudini di questa parte del pianeta, si stanno intimamente avvicinando ad un sistema globale e spiccatamente high tech. Da un lato ciò rappresenta senza dubbio una perdita di valori e di opportunità per questo Paese per emergere dalla massificazione, dall'altra però, questo avvicinamento fa sentire i designer sudamericani migliori e più competitivi e dunque più vicini agli standards dei Paesi leader nella progettazione industriale. "In qualche modo – dice ancora Rioseco – abbiamo acquisito questa conoscenza con la vicinanza. Non credo esistano differenze tra un progettista italiano che lavora per un'azienda brasiliana o un progettista colombiano che lavora per il mercato inglese. Non ora. Non esistono limiti a quello che si può fare se il lavoro viene svolto bene e certamente i linguaggi progettuali si assomigliano sempre di più; ma questo non è per forza un male se si cerca di rispettare la tradizione, le buone idee e l'enorme energia che c'è in questa parte del mondo". In tale ottica, Design Lab è certamente uno tra gli studi più affermati e più rappresentativi di questa filosofia: un design come interfaccia semplice e funzionale per l'utente, realizzato attraverso pochi e semplici elementi capaci di ridurre i margini di errore nella produzione in serie ed al tempo stesso di abbassarne il costo, raggiungendo così il mercato internazionale. Capire un oggetto, è il miglior modo di creare dei legami e il renderlo anche esteticamente corretto e soprattutto funzionale, dunque adatto all'uso per il quale è stato progettato, è tra i principali obiettivi di D.L., che ha spaziato tra vari settori nel campo del design: dal mobile, agli interni, al packaging, non specializzandosi mai in un'unica area progettuale. Questo ha permesso allo Studio, di agire e proporre un design più "globale", che si adattasse meglio al cliente, all'utente, al contesto ed al mercato, pur con tutte le difficoltà derivanti dal lavorare in Cile. Sicuramente il lavoro di otto anni in qualità di capo progetto per Virutex-Ilko, ha rappresentato per Rioseco un momento molto importante non soltanto dal punto di vista della crescita professionale. I suoi prodotti Ilko sono stati infatti anche economicamente un successo. Hanno creato rispetto e fedeltà nei clienti, fornendo una ben definita immagine di questa Azienda, leader nel settore degli utensili da cucina; ma, cosa ancora più importante, ha fatto sì che altre aziende prendessero coscienza delle potenzialità offerte dall'utilizzo del design come strumento per lo sviluppo. Con grande coraggio la Ilko ha avuto la capacità di rinnovare la sua struttura produttiva, creando uno staff di designer interno per lo sviluppo del prodotto ed attraverso l'apertura di filiali nelle principali capitali estere. I materiali e la mano d'opera costano molto in Cile, ma le filiali possono ottenere gli stessi prodotti a prezzi più competitivi, soprattutto se sono cinesi. Gli uffici centrali delle varie sedi secondarie ricevono così gli input di nuovi prodotti dai designer e dai marketing manager in Cile e dalle sedi del Sud America e da qui sviluppano i prodotti secondo concept prestabiliti. Realizzati così i prototipi, quali feedback necessari per la successiva fase realizzativa, la produzione viene effettuata in Cina, cercando di ottenere il meglio in termini di qualità, prezzo e rispondenza ai parametri di design stabiliti dalla Compagnia madre ed effettuando il controllo qualità sui campioni direttamente in Cile. I nuovi prodotti così ottenuti, saranno distribuiti direttamente dalla fabbrica cinese, senza passare per il Cile e il Sud America. Forse tutto ciò è normale per l'Europa o per gli Stati Uniti, ma per il Sud America, e certamente per il Cile, è stato un enorme passo in avanti se paragonato agli standards tradizionali dell'industria. "Credo che questo sia il concetto di design globale che ogni Azienda dovrebbe adottare, almeno in Sud America. Ora – dice Rioseco – il mio lavoro nel campo del design ha preso altre strade...anche perché sono poche le società che sono intenzionate a seguire tale paradigma".

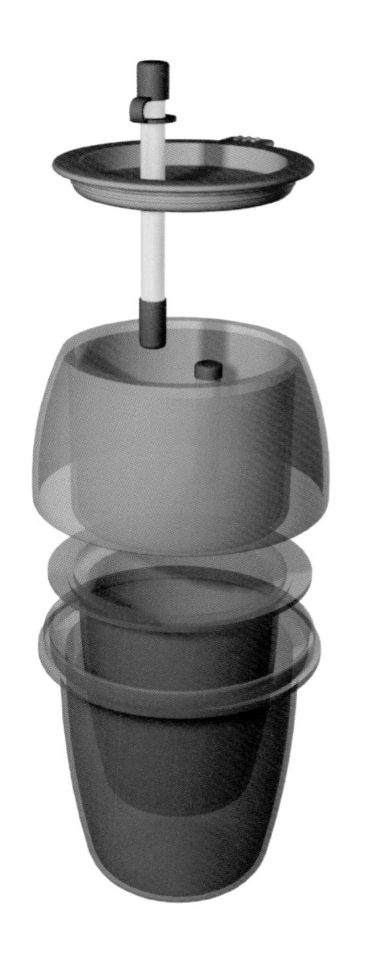

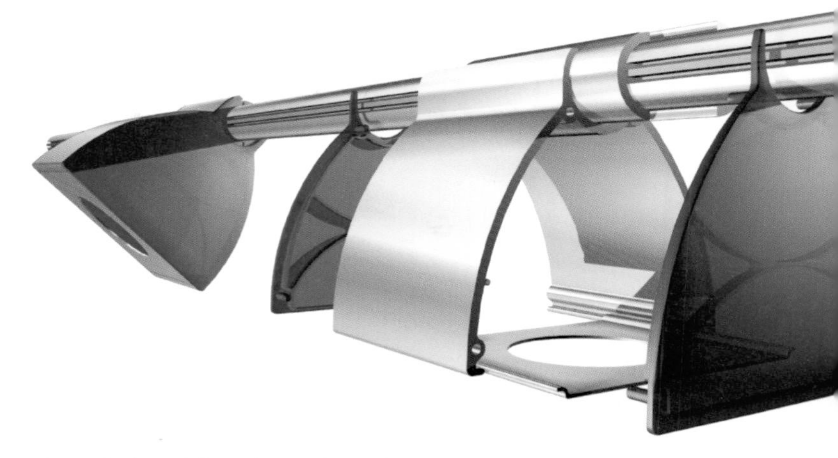

Alvaro Rioseco is an Industrial Designer born in Santiago (Chile) in 1968 who graduated from the Universidad Tecnológica Metropolitana in Santiago. He is the Santiago Design Lab, one of the most well-known project and design studios in Chile.
Design Lab began in 2003 as an independent studio after Rioseco had worked for almost twelve years in a number of studios and companies. He's the only member of Design Lab. But he's not alone in his work. For many years he has worked with a group of designers that he chooses according to the task at hand.
He was Chief Designer for eight years at the Product department of the Virutex-Ilko, S.A., a company based in Chile that produces kitchen utensils and gadgets and distributes them all over South America and in Europe. The clients of Design Lab include: Adidas, Apple, CCU, Enap, Entel, Hewlett Packard, Lan Chile, Lipton, Telefónica and Virutex-Ilko.

Serie Ilko Design, Virutex Ilko S.A.
Ilko Design Serie, Virutex Ilko S.A.

Porta cellulare, Entel Company
Mobile container, Entel Company

Espositore Elementos Mac, Apple Chile
Exhibitor Elementos Mac, Apple Chile

Sistema di illuminazione, Proyecto Company
Lighting system, Proyecto Company

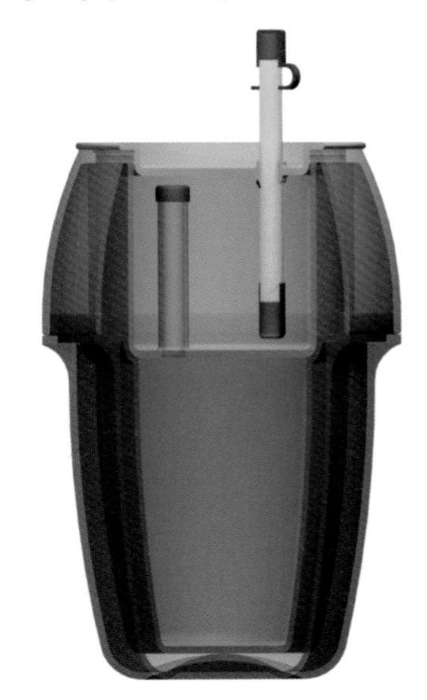

Chile is a young country that survives thanks to its natural resources. It's not really specialised in any particular field that would make it a leader in design or in any other field. Many open market exchange agreements and a fairly stable economy make Chile a country in which it is wise to invest and where it is possible to create new design opportunities.
So, if it's true – as Rioseco states – that there isn't a so-called "Chilean design", Chile remains a country still has a very open mentality capable of interpreting the signs launched by the market towards user-friendly products, in other words, capable of making the life of people who have increasingly less time easier, simpler and happier.
Does that sound familiar? Well, globalisation doesn't only clutter our eyes and minds with images of products, but it influences entire countries which, even if it has developed an incredible tradition over the years, is struggling to adapt to the lifestyles of the rest of the world.
Rioseco explains that "most of the things we see, hear, work with, use and wear don't come from traditional South American culture. Sitting in front of my computer I can see a bottle of Coca-Cola, my Luckies, Ronson and Nokia and a copy of the book *Funky Business* in Spanish. And I wasn't born in the USA or Europe, it's just that all the things that surround me and most of the general population are *foreign* or have been influenced by TV, the internet, magazines or music. Traditional culture happens to be less and less important in favour of better, cheaper and more sophisticated things coming from other sides of the world".
Now, there are two things to consider: one is good, the other a little less. In fact, if Chilean designers no longer feel they need to discover and maintain their cultural background, because its foreign things rather than their own internal ideas that increasingly influence them, this means that that their design patterns and even their customs and habits are becoming more similar to a global, extremely hi-tech system.

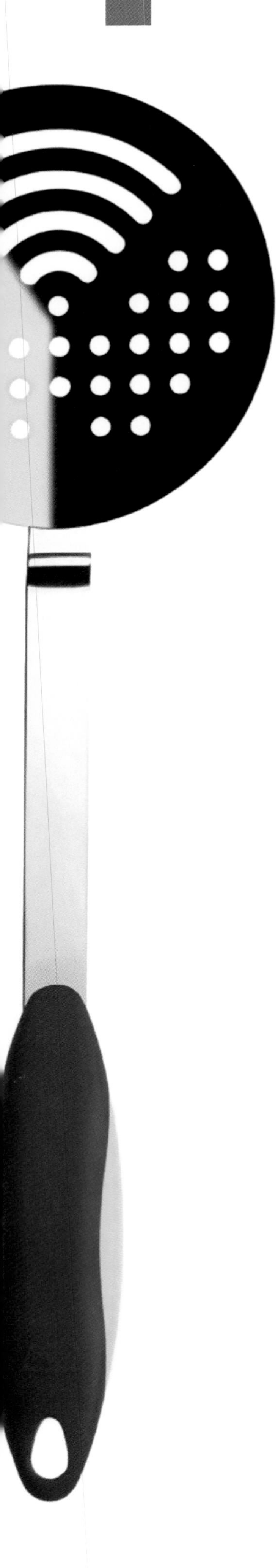

On the one other hand, this undoubtedly involves a loss of values and missed opportunities that this country could exploit to emerge from massification: on the other, however, it makes South American designers feel better and more competitive and therefore closer to the standards of the countries that lead the field of international design. "We have somehow acquired this knowledge through proximity", Rioseco continues, "I think there are no differences between an Italian designer working for a Brazilian company or a Colombian designer working for the English market. Not at this moment. And that is for what I said before. There are no boundaries to what can be achieved if the job is well done and certainly design styles are becoming more similar each day. There is a tradition that has to be respected, but there are also a lot of good ideas and energy on this side of the world". Design Lab is certainly one of the most well-established and representative studios of this philosophy: design as an simple, functional interface for the user, achieved by using a few, simple elements capable of reducing the margin of error in mass production and, at the same time, reducing costs and accessing the international market. Understanding an object is the best way to create a bond with it, make it aesthetically pleasing and above all functional and suited to the use for which it has been designed. This is one of the main objectives of Design Lab. It has been involved in many fields of design: furniture products, interiors and packaging. This has provided the studio with the possibility to act and propose a more "global" design that is more suited to the user, the client, the scenario and the market, albeit with the difficulties that the studio has because it operates in Chile.
For Rioseco, eight years of work as Chief Designer for Virutex-Ilko was an important moment in his life, not only from a professional point of

Serie Ilko Design, Virutex Ilko S.A.
Ilko Design Serie, Virutex Ilko S.A.

view. His Ilko products were an economic success. By providing a well-defined image of the company, the clients respected the products and continued to buy them. Virutex-Ilko is a leader in the field of kitchen utensils. What is even more important, having a brand image made the company realise the potential of design as an instrument for growth. Courageously, the company re-organised its production methods and created a new in-house design staff for its products as well as opening subsidiaries abroad. Materials and handwork are expensive in Chile, but the subsidiaries could get the same products cheaper, especially if they were located in China. The central offices of the various subsidiaries receive the input for new products by the designers and the marketing managers in Chile and the Latin American branches and the products are developed according to the concepts required. Once the prototypes are defined, as a feedback for the next production phase, production is carried out in China in order to obtain the best results in terms of quality and price and to make sure that the design parameters required by the company are fully understood. Only then are quality checks run in Chile. These new products are distributed directly by the Chinese factory without going to Chile or South America first.
Perhaps this is normal in Europe or the States, but not in South America, and certainly for Chile; this is an enormous step forward if you compare it to traditional industry standards. "I think that this is the global understanding of design that every company should adopt, at least in Latin America. At the moment", says Rioseco, "my work in the field of design has gone in other directions because only a few companies follow this paradigm".

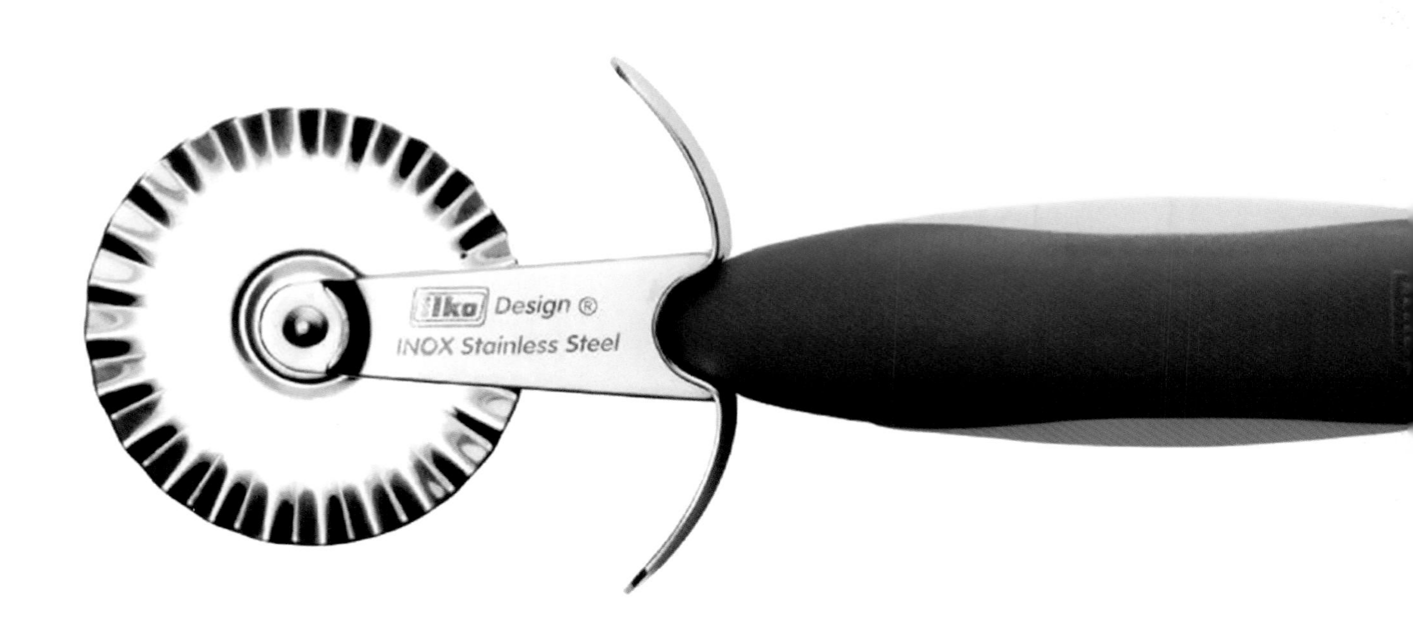

claudio ripol & yenju yang

Design del quotidiano
Everyday Design

Claudio + Yeonju, ovvero Claudio Ripol & Yeonju Yang. Il primo, nato a Barcellona, nel 1977, si è laureato in Industrial Design all'Elisava; la seconda, nata in Korea nel 1978, si è laureata in Product Design alla Myongji University; entrambi hanno frequentato, dal 2002 al 2004, il Master in Design Products al Royal College of Art di Londra, durante il quale hanno iniziato a collaborare sviluppando insieme alcuni progetti. Conseguito il Master, sono rimasti a Londra ed hanno costituito un "product design team" con l'obiettivo di "realizzare progetti innovativi per migliorare la vita quotidiana". Hanno partecipato, ottenendo riconoscimenti e premi, a diversi concorsi, tra cui: "Pergo Flooring Competition", Svezia (2002 e 2003); Helen Hamlyn Research Centre Award, "Design for our Future Selves", Londra (2004); "The 2nd Gifu World Competition", Giappone (2003). Hanno esposto i loro progetti in alcune mostre collettive; nel 2003 hanno partecipato alla "Biennale di Valencia" e nel 2005 al "Salone Satellite" di Milano.

Claudio Ripol e Yeonju Yang hanno costituito a Londra, nel 2004, un "product design team" con l'obiettivo di sviluppare prodotti innovativi che contribuiscano a migliorare la qualità della vita quotidiana. Durante il Master in Design Products al Royal College of Art, hanno potuto sviluppare progetti comuni confrontando i loro differenti approcci culturali e concettuali al design, riconoscendo l'importanza e il valore delle differenze nel lavoro in team. Claudio è spagnolo e Yeonju è coreana; uno è più interessato agli aspetti tecnici, l'altra più ai contenuti estetici del progetto; uno ricerca la complessità insita nelle cose, l'altra ama la semplicità e l'essenzialità. Queste grandi differenze, che hanno implicazioni non solo nel modo di concepire il design, ma anche di interpretare la realtà quotidiana, consentono ai due giovanissimi designer di "lavorare in una sorta di

Bottle Opener, braccialetto-apribottiglie in acciaio inossidabile, design Yeonju Yang, 2003
Bottle Opener, stainless steel bracelet-bottle opener, design by Yeonju Yang, 2003

Snail Desk, scrivania multifunzionale a scomparsa per bambini, sistema brevettato, design Claudio Ripol, 2004
Snail Desk, multifunctional, vanishing desk for children, patented system, design by Claudio Ripol, 2004

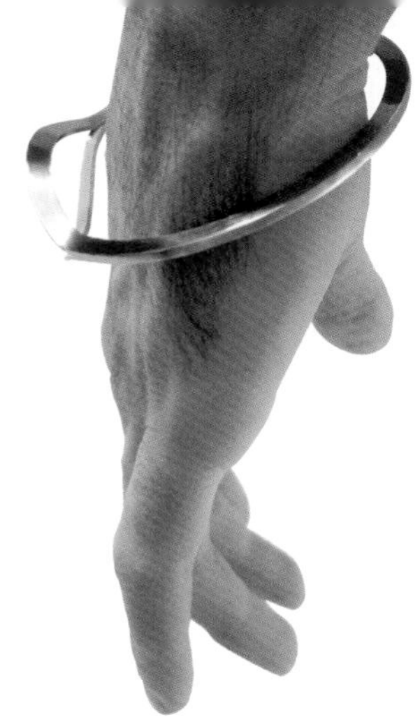

DOT, pavimentazione personalizzabile, terzo premio al Pergo Flooring Competition 2003, design Claudio Ripol e Yeonju Yang
DO, personalised flooring, third prize at the Pergo Flooring Competition 2003, design by Claudio Ripol & Yeonju Yang

simbiosi e di apprendere l'uno dall'altro", come essi stessi affermano. Al di là delle differenze, però, Claudio e Yeonju condividono un obiettivo, che diventa una comune sfida progettuale: migliorare gli oggetti familiari e quotidiani, le cose di uso comune, i prodotti di largo consumo, accrescendone la funzionalità, la fruibilità, l'accessibilità. Entrambi, infatti, guardano e indagano la complessità della vita di ogni giorno con curiosità e desiderio di rinnovamento, partendo dalle piccole cose, dai gesti e dai comportamenti più consueti, dalle abitudini quotidiane, con la consapevolezza che un intervento progettuale migliorativo su un oggetto d'uso spesso dipende dalla qualità di un piccolo e, apparentemente, insignificante dettaglio, senza mai avere la presunzione di trasformare il mondo. La curiosità, la capacità di osservare in profondità e reinterpretare gli atteggiamenti e i piccoli problemi della vita quotidiana sono gli strumenti principali del loro lavoro, attraverso i quali riescono a mediare e a far dialogare la dimensione estetica e tecnica dei loro progetti. Sia gli oggetti progettati insieme, che quelli realizzati da Claudio e da Yeonju individualmente, sono caratterizzati da piccole invenzioni funzionali per migliorarne l'uso o per consentirne nuovi utilizzi: in alcuni casi, si tratta di reinterpretazioni di tipologie di oggetti esistenti, in altri, si arriva alla definizione e allo sviluppo di nuove tipologie con un elevato contenuto di innovazione concettuale. Si pensi, ad esempio, ad alcuni progetti di Claudio, come *Snail Desk*, la scrivania mulfunzionale a scomparsa per bambini, o *Tapator*, il kit per contenere, trasportare e servire ovunque le "tapas"; oppure ad alcuni degli oggetti progettati da Yeonju, come *Foldable Milk Box*, il cartone per il latte compattabile, che consente, con un semplice gesto, di ridurne le dimensioni via via che il livello del contenuto si abbassa, mantenendo così il latte fresco e ottimizzando lo spazio nel frigorifero, o ancora *Lunchbox*, il contenitore compattabile per il trasporto

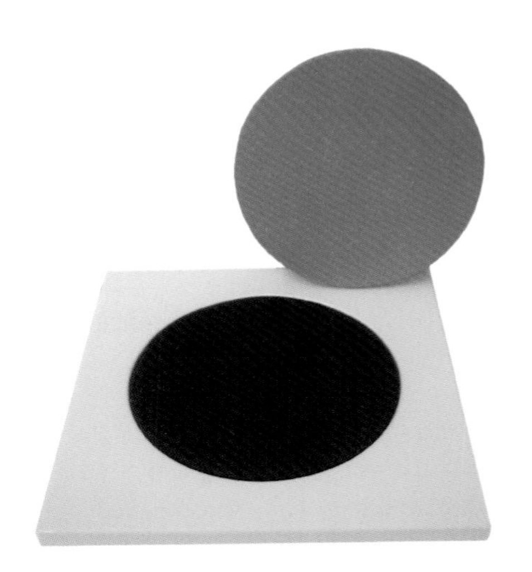

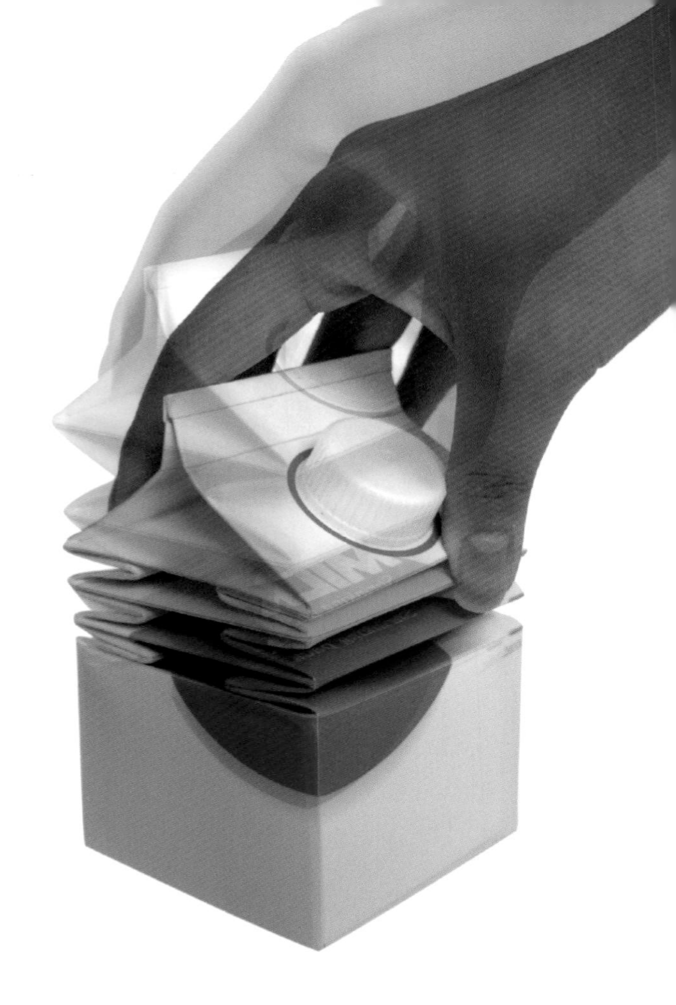

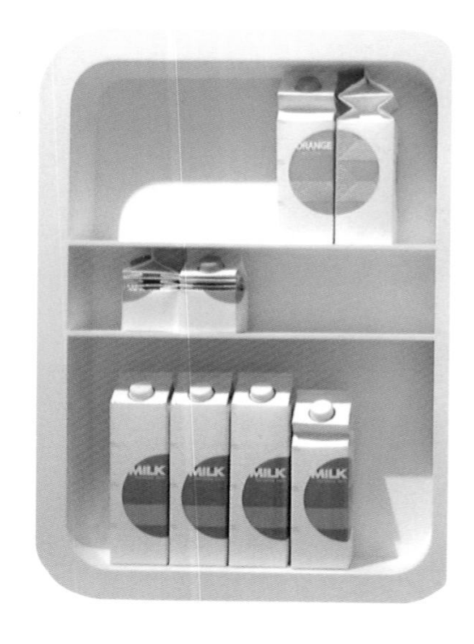

del pranzo. In tutti questi oggetti Claudio e Yeonju rivisitano, migliorandoli, gli usi e le funzioni di tipologie di prodotti di largo consumo del vivere contemporaneo. Mentre, in altri progetti, l'osservazione della quotidianità li porta all'identificazione e alla sperimentazione di nuove tipologie di oggetti stimolati da nuovi comportamenti d'uso, come, ad esempio, in *Food Hanger*, il contenitore-dispenser di cibi secchi (pasta, cereali, biscotti, etc.) da appendere alla parete della cucina e che sostituisce le più tradizionali credenze, progettato da Yeonju, o ancora nel progetto comune *DOT Flooring*, una pavimentazione personalizzabile, che diventa modulo variabile e diversamente attrezzabile, per arredare qualsiasi ambiente domestico. Pertanto, Claudio e Yeonju, pur giovanissimi, rappresentano un promettente esempio di quella nuova generazione di progettisti che sta emergendo a livello internazionale, che ha cominciato consapevolmente "a mettersi in gioco", a riflettere sul senso e i significati del design, a proporre nuove visioni del presente e del futuro, ma anche del proprio mestiere, cogliendo ogni occasione per verificare quotidianamente le ragioni profonde del progettare e che, come sostiene. Andrea Branzi, esprime "un pensiero progettuale che ha spostato il proprio statuto dalla soluzione dei problemi, all'apertura di nuovi paesaggi problematici verso un progetto in ogni caso sperimentale".

Claudio + Yeonju, or Claudio Ripol & Yeonju Yang. Claudio was born in Barcelona, Spain in 1977 and graduated in Industrial Design at the 'Elisava'. Yeonju was born in Korea in 1978 and graduated in Product Design at Myongji University. From 2002 to 2004, they both studied for a Master's Degree in Design Products at the Royal College of Art in London. During the course, they started to work together and designed several projects. Once they got their Master's degree, they stayed in London and started a "product design team" to create "innovative projects to improve everyday life". Both individually and together, they have participated and won several competitions including: "Pergo Flooring Competition", Sweden (2002 & 2003); Helen Hamlyn Research Centre Award; "Design for our Future Selves", London (2004) and "The 2nd Gifu World Competition", Japan (2003). Their designs have been displayed in several collective exhibitions; in 2003 they took part in the "Valencia Biennale" and the 2005 "Salone Satellite" in Milan.

In 2004, Claudio Ripol and Yeonju Yang founded a "product design team" in London to develop innovative products that contribute to improving the quality of everyday life. During their Master's course in design products at the Royal College of Art, they worked on joint projects, comparing their different cultural and conceptual approach to design and appreciating the importance and value of the differences in team work. Claudio is Spanish and Yeonju is Korean; one is more interested in technical issues, the other in the aesthetic contents of the project; one looks for the complexity inherent in objects, the other loves simplicity and essentiality. These differences affect not only the way they see design, but also the way they interpret reality. In the words of these two very young designers, it allows them to "work in a sort of symbiosis and learn from one another."
Apart from their differences, Claudio and Yeonju share a common goal that is also a design challenge: to improve familiar, everyday objects, things we use daily, products of mass consumption and make them more functional, exploitable and accessible. In fact, both designers observe and study the complexity of daily life with curiosity and a desire for renewal, focusing on the little things in life, on ordinary gestures and behaviour, on everyday habits. They are aware that the improved design of an everyday object often depends on the quality of a small, and often insignificant, detail, without thinking that this will change the world. The main tools of their trade are curiosity and the ability to carefully study and re-interpret the behaviour and little problems of everyday life. By doing this, they mediate between the aesthetic and technical dimension of their work, making these two issues dialogue together. The objects they design together and the ones they design individually are characterised by small, functional changes that improve their use or have new uses. In some cases, they re-interpret object types that already exist. In other cases, they invent and develop

Moshi-Moshi, telefono da tavolo, design Claudio Ripol e Yeonju Yang, 2004
Moshi-Moshi, table phone, design by Claudio Ripol & Yeonju Yang, 2004

Lunchbox, premio speciale al Gifu World Design Competition 2003, design Yeonju Yang
Lunchbox, special prize at the Gifu World Design Competition 2003, design by Yeonju Yang

Contenitori del latte compattabili in cartone, design Yeonju Yang, 2003
Foldable Milk Cartons, design by Yeonju Yang, 2003

conceptually new, highly innovative typologies. For example, some of Claudio's designs like the *Snail Desk*, the multifunctional, convertible desk for children, or *Tapator*, the kit to hold, carry and serve "tapas" anywhere, or some of the objects designed by Yeonju, like the *Foldable Milk Box*, which can easily be squashed when there is less milk inside. This keeps the milk fresh and optimises space in the fridge. Or *Lunchbox*, the foldable container to carry lunch. In all these objects, Claudio and Yeonju review and improve the uses and functions of popular, contemporary product types. In other projects, their focus on everyday life leads them to identify and experiment with new types of objects, inspired by new ways to use them like, for example, the *Food Hangar* designed by Yeonju, a dried food dispenser (pasta, cereals, biscuits, etc.) that can be hung on the kitchen wall, replacing the more traditional cupboard, or the joint project, *DOT Flooring*, a personalised floor that can be used in any household: it has interchangeable modules and can be arranged in many different ways.
So even if they're very young, Claudio and Yoenju are a talented example of the new generation of designers that is emerging on the international scene and who have consciously begun to "challenge themselves" to reflect on the meaning of design, to propose new visions of the present and the future, as well as of their own profession. Every day, they take advantage of any chance to review the in-depth reasons for designing. In the words of Andrea Branzi, "design has changed from merely being a way to solve the problem, to dealing with these new, problematic questions using a design that is experimental, regardless."

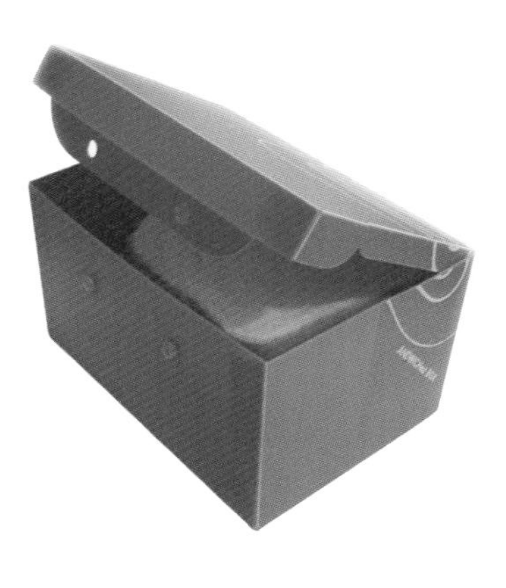

Food Hanger, contenitore-dispenser per cibi secchi, design Yeonju Yang, 2004
Food Hanger, container-dispenser for dry food, design by Yeonju Yang, 2004

Temps, sveglia, design Claudio Ripol e Yeonju Yang, 2004
Temps, alarm clock, design by Claudio Ripol & Yeonju Yang, 2004

(lim)+ = f (design)

Parlare di design con Marc Sadler, designer francese oramai naturalizzato italiano, è parlare di come l'ingegno di un uomo abbia saputo trasformare le occasioni della vita in artefatti straordinari, al limite non solo delle prestazioni, ma anche dell'immaginazione.
Una funzione complessa quella dell'innovazione nel design, che tiene conto di molti fattori: tra cui l'idea, l'estetica, i materiali, il miglioramento della performance.

Alla domanda se si possa parlare di limiti del design o se questo sia ormai fuori controllo – ovvero travalichi i propri confini annettendo a sé campi e discipline un tempo lontani – Sadler non ha dubbi.
No. Non ci sono limiti al design. Sono della vecchia scuola nella quale vigeva il senso dell'esthétique industrielle, dove sono il ragionamento e il buon senso che segnano i confini. I miei migliori progetti infatti, sono nati da un' idea e dal bisogno di migliorare un qualcosa che già esisteva. Il ragionamento ha fatto il resto. L'idea ad esempio dello scarpone da sci Pioneer, realizzato per la Caber nei primi anni '70 e che ha rappresentato una vera e propria rivoluzione nel campo sportivo, è nato dopo un mio incidente sugli sci. Mi resi conto che gli scarponi in cuoio di allora non tenevano bene la caviglia e mi domandai: "perché non possono essere più ergonomici e performanti?". Ecco allora che ne tentai uno (da esporre in una mostra di architettura), realizzando artigianalmente due gusci identici in materiale termoplastico termoformato direttamente nel forno di casa, sviluppando poi il prototipo vero e proprio insieme al signor Caberlotto: uno stampo piano, fatto di due gusci simmetrici (lo scarpone era infatti ambidestro), al cui interno due semisfere venivano a realizzare l'ingombro per i malleoli. Quel primo prototipo non ebbe, in verità, nessuna applicazione concreta, ma servì a farci capire che c'era un mercato enorme pronto a recepire "il nuovo", anche dal punto di vista estetico–formale. Realizzammo così un'intera collezione di nuovi scarponi in termoplastico da portare in fiera in Germania (ISPO), dove tutti gli altri produttori si presentarono con scarponi da sci in pelle nera o al massimo bordeaux. Noi invece, grazie all'uso della plastica, avevamo introdotto il colore. Il successo fu enorme e cominciammo a produrre per tutti i mercati, europei, giapponesi, americani, prodotti sempre uguali all'interno ma differenziati all'esterno per incontrare i gusti e le aspettative degli clienti nelle diverse parti del mondo. Soprattutto in campo sportivo, alla base di ogni progetto c'è un sotto–progetto vicino all'ingegneria, a cui si affianca l'estetica che lavora sul colore, sulla superficie e sul materiale. Per inciso la Caber, piccola azienda di Montebelluna, passò rapidamente da una produzione di 120.000 paia l'anno a 1.650.000 scarponi venduti, scalando rapidamente la vetta fino al 2° posto tra i produttori mondiali.

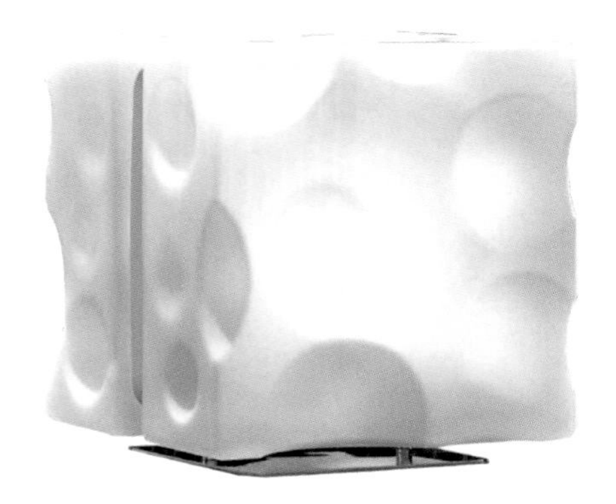

Alla base di ogni progetto c'è dunque un'idea o un avvenimento personale che si trasforma in un'occasione progettuale.
Nel mio caso è proprio così. Ad esempio l'immobilizzatore per il ginocchio realizzato insieme ad una fondazione no–profit di medici americani, nasce da un'idea sviluppata in seguito ad una mia operazione al ginocchio (un altro incidente ....). Questo immobilizzatore di plastica riduce i tempi di recupero post trauma ed è studiato per ridurre il rischio di sclerosi e, pur immobilizzando la parte fratturata, permette all'arto di articolare i movimenti principali.

È stato così, sempre con il signor Caberlotto, quando nacque la LOTTO?
La Lotto esordì con la produzione di calzature per il tennis e solo successivamente entrò nel settore delle calzature e dell'abbigliamento sportivo, in particolare nel calcio (poi nel basket, atletica, pallavolo). Durante i suoi primi 10 anni Lotto si concentrò sul mercato italiano divenendo, entro la metà degli anni '80, uno dei marchi di riferimento nel settore dell'articolo sportivo e, accanto al settore performance calcio e tennis, l'azienda iniziò a proporre calzature e abbigliamento di ispirazione sportiva per il tempo libero. Proprio in questo settore all'inizio facemmo degli errori perché ci ostinavamo a pensare alla scarpa sportiva come ad uno scarpone, ma una cosa avevamo capito: era sull'innovazione, anche estetica, che si basava il successo di un prodotto.

Il compromesso – oggi marketing – e il saper ascoltare, dunque, come uno dei fattori dell'innovazione che spinge al limite l'esthétique industrielle?
Quando ho iniziato a lavorare pensavo di aver capito tutto del design, avendo appreso il senso del binomio (*forma+funzione)*, ma poi con il tempo ho compreso che non era affatto così e che il design si manifesta e si concretizza in molti altri modi. Per Serralunga, infatti, ho realizzato una serie di lampade utilizzando una tecnica oramai largamente in uso in molti settori – il rotational moulding – con un successivo intervento sulla superficie che, utilizzando una macchina speciale ideata e messa a punto per l'occasione (con un carrello scorrevole pilotato da una vite senza fine), viene graffiata dando origine ad una sorta di intreccio sempre diverso. Il *non design* delle forme e delle funzioni è sufficiente se ci sono materiali e/o lavorazioni di superficie forti a supporto del prodotto.

Lei ha lavorato molto per il settore sportivo, dove uno dei fattori chiave dell'innovazione è il superamento dei limiti in relazione alla performance.
Nello sport la ricerca del limite estremo è normale e vale anche per una ciabatta da piscina. Ne è un esempio quella che ho progettato nel 1994

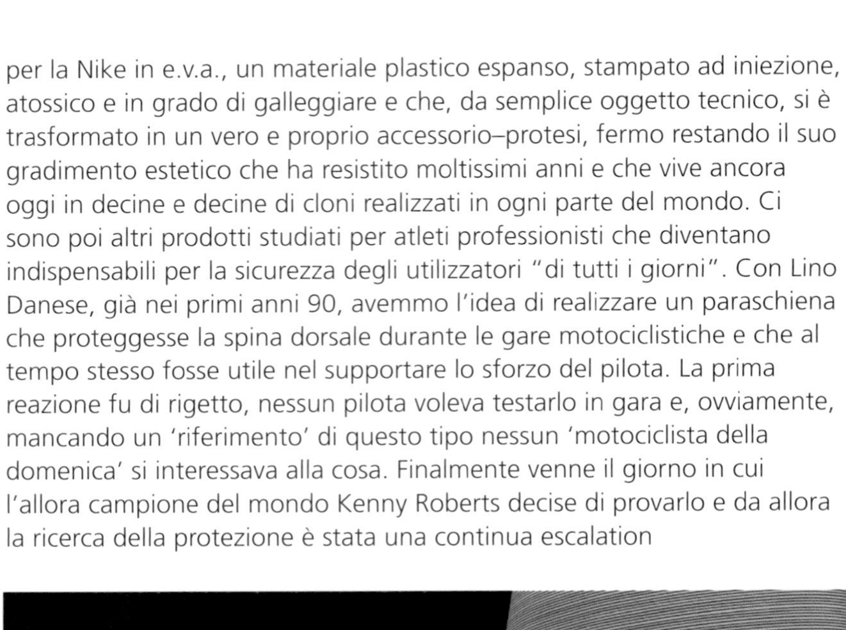

per la Nike in e.v.a., un materiale plastico espanso, stampato ad iniezione, atossico e in grado di galleggiare e che, da semplice oggetto tecnico, si è trasformato in un vero e proprio accessorio–protesi, fermo restando il suo gradimento estetico che ha resistito moltissimi anni e che vive ancora oggi in decine e decine di cloni realizzati in ogni parte del mondo. Ci sono poi altri prodotti studiati per atleti professionisti che diventano indispensabili per la sicurezza degli utilizzatori "di tutti i giorni". Con Lino Danese, già nei primi anni 90, avemmo l'idea di realizzare un paraschiena che proteggesse la spina dorsale durante le gare motociclistiche e che al tempo stesso fosse utile nel supportare lo sforzo del pilota. La prima reazione fu di rigetto, nessun pilota voleva testarlo in gara e, ovviamente, mancando un 'riferimento' di questo tipo nessun 'motociclista della domenica' si interessava alla cosa. Finalmente venne il giorno in cui l'allora campione del mondo Kenny Roberts decise di provarlo e da allora la ricerca della protezione è stata una continua escalation

Abbiamo detto che all'origine di un'innovazione vi è un'idea o un bisogno, intervengono poi il ragionamento e l'estetica. Vi sono altri fattori che entrano nella funzione – se così si può dire – che spingono ai limiti del design?

Il materiale è certamente uno dei fattori che può spingere un designer a superare i limiti prestabiliti del progetto.

Alukit, il sistema cucina e bagno disegnato nel 1993 per Boffi, ebbe

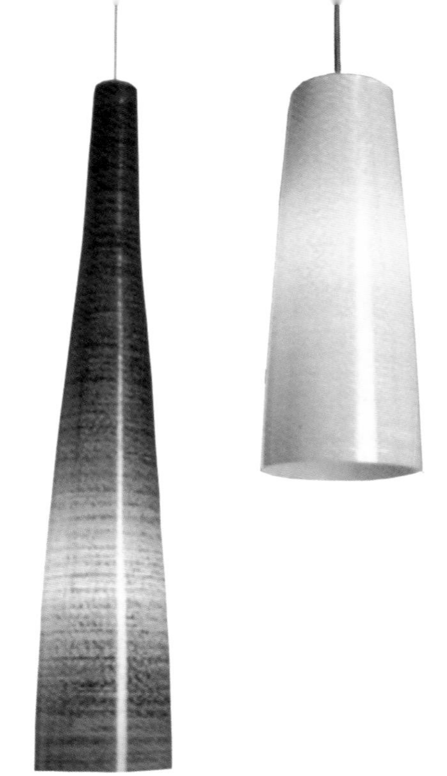

origine dall'idea di realizzare una maniglia in plastica trasparente e portò a realizzare una cucina rivoluzionaria, non solo per l'anta in plastica trasparente (una vera e propria sfida tecnica alla fine vinta dopo molti sforzi e fallimenti), ma anche perché modificava il sistema di stoccaggio e gestione dei semilavorati. Se i sistemi tradizionali sono basati da una serie di "scatole" affiancate in senso orizzontale e verticale e chiuse da un'anta (dove quindi ci sono doppie pareti le une contro le altre), Alukit prevedeva un frame in alluminio da assemblare in sede di montaggio in cui singoli pannelli di truciolare dividono i moduli.
Lo stesso accadde con la Foscarini, dove sulla valorizzazione della trasparenza della fibra di carbonio, fino ad allora utilizzata in prevalenza per attrezzature sportive come sci, mazze da golf, racchette da tennis, ecc. E' questo un materiale robusto che garantisce una resistenza meccanica incomparabile, sul quale ho deciso di sviluppare – oltre a questa proprietà – il tema della trasparenza e della decorazione, in una parola, dell'estetica. E' stato un progetto ambizioso che ha richiesto ben quattro anni di sperimentazioni e prove e che ha portato alla nascita di Tite Mite (poi seguita dalle numerose consorelle), una linea di lampade dove, oltre all'effetto di superficie, stupisce il controllo delle fibre a cui non si chiede, come al solito, di essere rigide, ma di mantenersi costantemente flessibili.

Tite Mite Lite Kite Megalite Gigalite, Foscarini, 2001. Famiglia di lampade in fibra di vetro e di carbonio realizzate con rowing technology, premio Compasso d'Oro 2001
Tite Mite Lite Kite Megalite Gigalite, Foscarini, 2001. Series of lamps in glass and carbon fiber, Compasso d'Oro Award 2001

Lo stesso può dirsi per Tris realizzato per Ideal Standard, un progetto di una sauna–doccia–hammam integrati in un unico box in cui si chiedeva al materiale – un legno evidentemente speciale – di resistere indifferentemente a condizioni di caldo secco, vapore, caldo umido: una vera sfida in cui ho usato il progetto per realizzare un prodotto diverso, trovando il materiale giusto.
A volte – per un motivo o per l'altro – mi capita di pensare ad un materiale e di cominciare ad immaginarne i possibili utilizzi.
Spesso mi scontro con le perplessità e lo scetticismo dei produttori, ma mi è capitato anche di trovare persone lungimiranti attratte al pari di me dalle sperimentazioni e dalla voglia (oltre che dalla necessità) di esplorare nuovi orizzonti, che spesso concretizzano nuovi sbocchi commerciali. Ecco allora che la magia si compie e si crea l'innovazione.
Dirottare un materiale da un settore all'altro è per me una sfida che rende il mio lavoro più stimolante che se dovessi agire solo sulle forme.
In conclusione, se all'inizio ero convinto dell'equazione "forma + funzione = design", con il tempo ho capito che il design è un "valore aggiunto" dai confini assolutamente indefiniti, che si può concretizzare sotto molte spoglie. Quello che ha fatto grande il Made in Italy è stato senza dubbio quella incredibile alchimia che si è creata fra progettisti e imprenditori, i primi pieni di nuove idee, i secondi pronti a recepirne gli input mettendo a disposizione tecniche (e denari) per verificarne la validità.

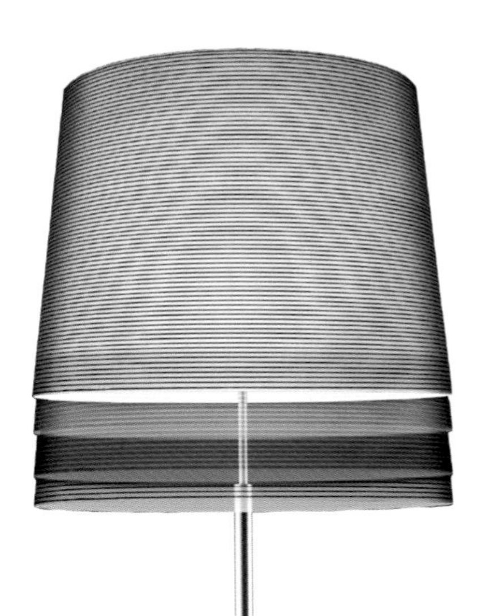

Un incontro tra soggetti pronti a travalicare i limiti di processo e di prodotto, ad innescare quel procedimento che si chiama *transfer tecnologico* e che comunque parte dal ragionamento.
Mi piace ricordare un mio progetto, completamente sconosciuto ai più, che ha generato il miglioramento di un processo produttivo noto: (lo stampaggio di materie plastiche ad iniezione). Allora le macchine erano tutte "in orizzontale", scomode e con grande spreco di spazio. Ebbi l'idea di farle in verticale e fu un'idea vincente.

Un altro progetto in questo senso interessante è, a mio avviso, la Big realizzata per la Caimi Brevetti: una libreria in alluminio estruso di forte spessore, con ripiani in lamiera di acciaio piegata al limite della propria resistenza, con un interasse tra i montanti di 160 cm e sistemi di aggancio invisibili.
Lo stesso "fascino progettuale" può dunque averlo un paio di forbici, un cacciavite, uno strumento per dentista, qualunque oggetto d'uso la cui realizzazione sia influenzata dall'intelligenza umana in tutte le sue molteplici sfaccettature.

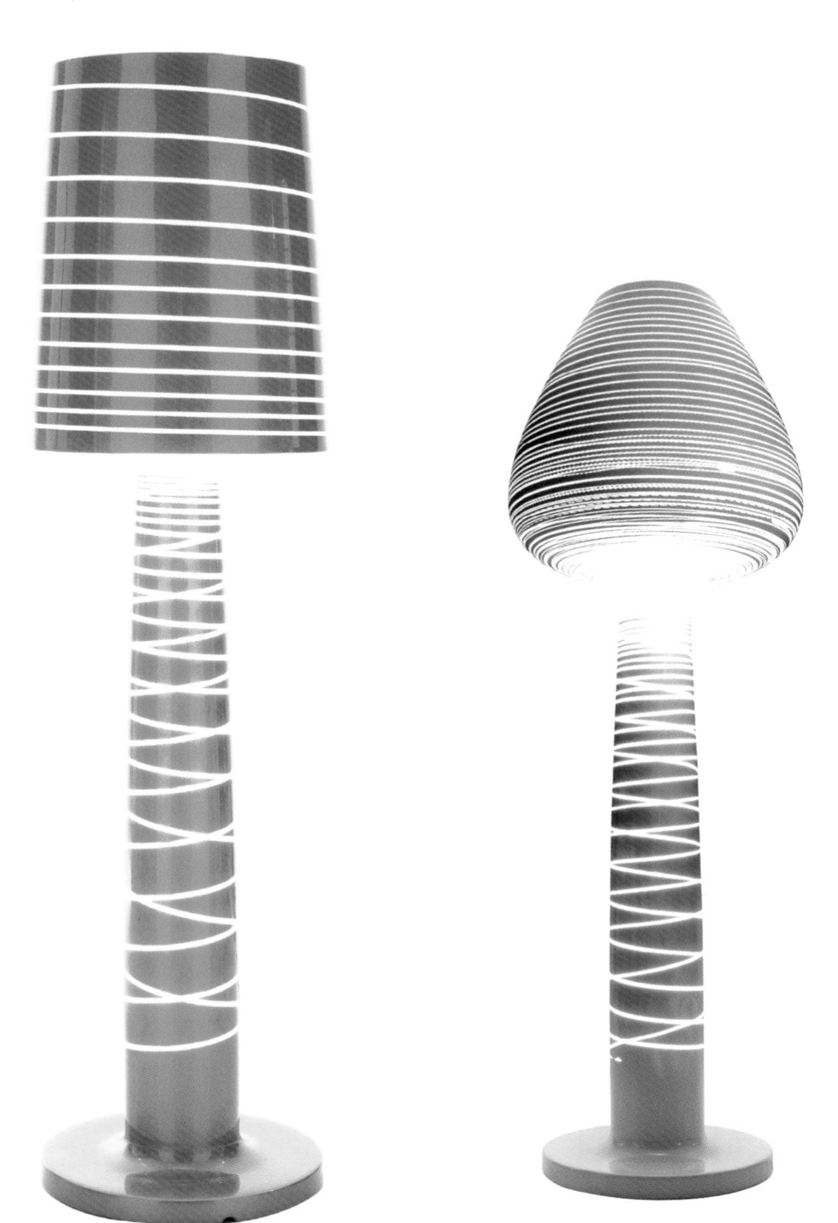

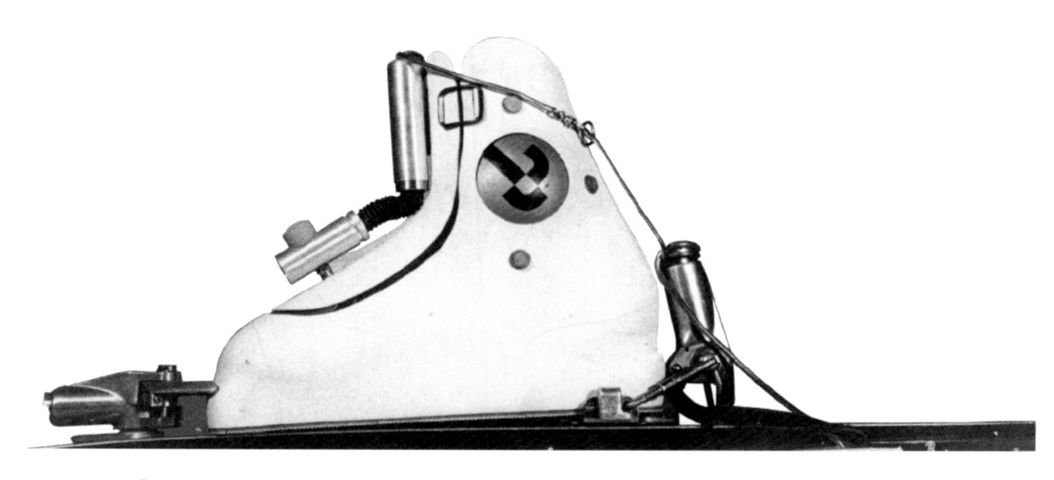

Talking about design with Marx Sadler, French by birth but resident in Italy, means talking about how man's creativity can turn life's opportunities into brilliantly performing and imaginative artefacts. Innovation plays a complex role in design: it has to consider multiple issues including the idea itself, its aesthetics, materials and how to improve performance.

Prototipo di scarpone da sci
Ski boot prototype

Ginocchiera, Dainese
Knee Pro, Dainese

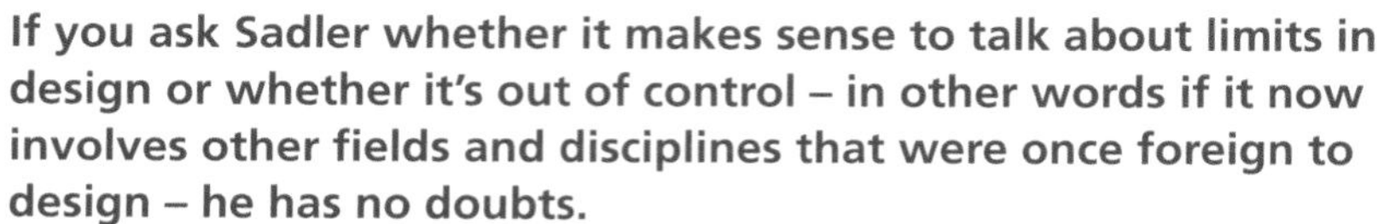

If you ask Sadler whether it makes sense to talk about limits in design or whether it's out of control – in other words if it now involves other fields and disciplines that were once foreign to design – he has no doubts.

No, there are no limits to design. I come from the old school guided by the idea of an *esthétique industriel*, where reason and common sense were our guidelines. In fact, my best projects are based on an idea and the desire to improve something that already existed. Reason does the rest. For example, the idea I had for the Pioneer ski boot made by Caber in the early seventies was a real revolution in the sporting world. The idea came to me after a skiing accident. I realised that leather ski boots didn't grip my ankle properly and so I thought: "why can't they be more ergonomic and perform better?" So I made one (for an architecture exhibition) with two identical shells using a thermoplastic material that I hot moulded in my kitchen oven. Then I developed the real prototype with Caberlotto: one was a flat mould with two symmetrical shells (in fact the boot could be worn on either foot) and two halfspheres inside for the ankle bones. The boot only reached the ankle and to tell the truth never worked, but we discovered that there was a market for innovation and experimentation not only with new materials, but also with processes and techniques. Above all we realised that there was so much we could do to invent new aesthetics. So we produced an entire collection and took it to a Fair in Germany where the other producers came with their black, or at best, purple leather ski boots. Instead, by using plastic we had introduced colour into the equation. What a success! We began to make ski boots for the Americans and the Japanese. Inside they were all the same but outside they were always different to satisfy people's tastes and expectations. Especially in the sports world, behind a product there's another product based on engineering which works with aesthetics that focuses on colour, surfaces and materials. By the way, the small company in Montebelluno, now called Caber, went from selling 120,000 pairs a year to a whopping 1,650,000 and jumped from 10th to 2nd place among worldwide producers.

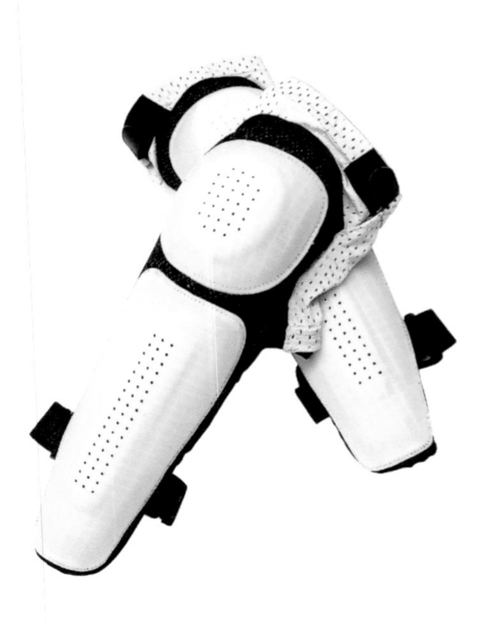

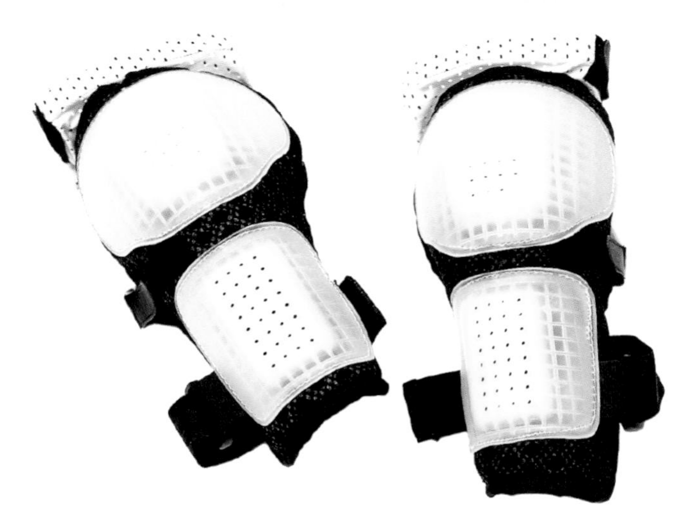

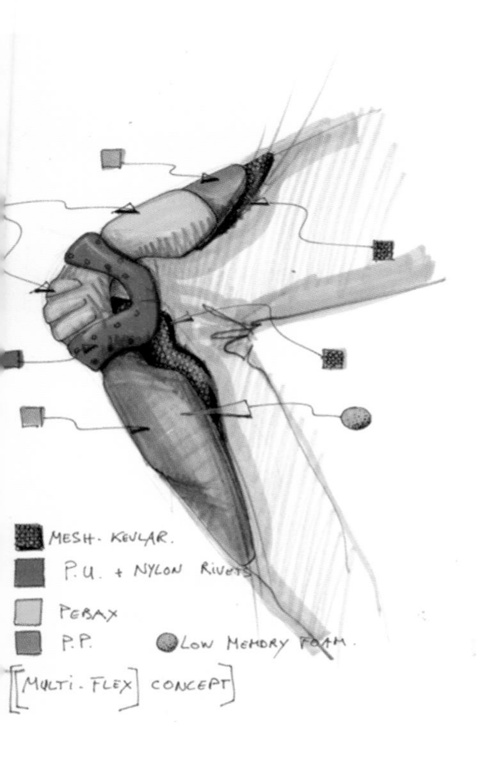

So behind every project there's an idea or a personal experience that then becomes a design opportunity?
In my case, yes. For example, the knee immobilizer developed with a no–profit foundation of American doctors was something I invented after I had knee surgery (another accident...). This plastic immobilizer reduces post–trauma convalescence, avoids sclerosis and rehabilitation and although the fractured bone is immobilised, it allows the limb to perform basic movements.

Did the same thing happen when you founded Lotto with Caberlotto?
When Lotto started it made tennis shoes. Only later did it begin to make sports shoes and clothes, mainly for footballers (but also basketball players, athletes and volley–ball players). In the first ten years Lotto concentrated on the domestic market, but by the mid–eighties it had become a leading brand in clothes for performance sports, football and tennis. Only then did it start to produce sports shoes and clothes for people's free time. At the time we made several mistakes because we persisted in designing sports shoes as if they were ski boots, but we did realise one thing: that a product is successful if it is original in its aesthetics too.

Would you consider listening and compromise – now called marketing – as one of the factors that pushes *esthétique industriel* to the limit?
When I started working I thought I knew all about design because I understood the meaning of the words (*form+function*), but in time I realised I didn't and that when you design you need to focus more on its "skin," on aesthetics and marketing.
In fact, I designed a set of lamps for Serralunga using a technique now widely used in many fields – rotational moulding – but I worked on the surface (the skin) of the object scratching it with a special machine made just for that purpose (with a sliding trolley and a worm). This created constantly different patterns: it wasn't so much a decoration, but an example of how a material could be manipulated in different ways. The *non–design* of form and function is sufficient if there are strong materials and/or work on the surfaces to improve the product.

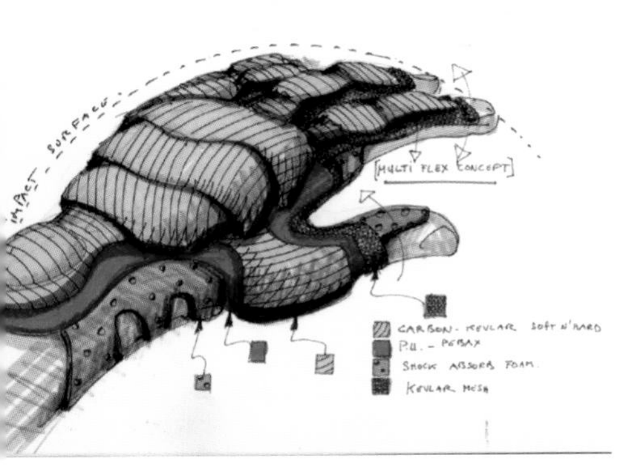

You've worked a lot in the sports sector where one of the key factors behind innovation is to improve performance limits.
In sports, it's normal to push back the limits – even when we design a sandal for the pool. For instance, the one I designed in 1994 for Nike using e.v.a. – a non–toxic sponge plastic, injection–moulded and floatable – which was meant to be a simple technical object but turned

Cavigliera, Dainese
Elbow Pro, Dainese

Wave, paraschiena, Dainese 2002
Wave, back protector, Danese, 2002

Sandalo in EVA, Nike, 1995
EVA slide sandal, Nike, 1995

Big, libreria, Caimi Brevetti, 2004. In alluminio estruso e sistema di aggancio con meccanismo invisibile
Big, bookcase, Caimi Brevetti, 2004. In extruded aluminium with a special coupling system that makes the mechanisms invisible

into a real accessory/prosthesis. People really liked it and it was popular for many years. Now there are thousands of clones all around the world. Then there are other products designed for professional athletes that later become crucial for the safety of "everyday" users. In the early nineties, together with Lino Danese we decided to design a back guard to protect and support motorcyclists during races. At first, people didn't like the idea and no–one wanted to test it during a race. Without this sort of "test" no amateur motorcyclist would have wanted to buy it But one day, we finally convinced the former world champion Kenny Roberts to test it and we never looked back: research on protection grew and grew!

We've said that behind innovation there's an idea or a need, only then do reason and aesthetics take over. Are there are other factors that influence – if this is the right word – that push design to the limit?
Materials are certainly one of the factors that help designers push back the limits of a project. Alukit (the kitchen and bath system I designed for Boffi in 1993) developed from my idea to produce a transparent plastic handle. This led to the design of a revolutionary kitchen not just because the doors were made of transparent plastic (technically a real challenge which I won after many attempts and failures) but also because it changed the way in which the parts were stocked and how the semimanufactured product was handled. Traditional systems use a series of "boxes" stacked vertically and horizontally and closed with a door (with two sides one against the other). Alukit had an aluminium frame that had to be put together when it was installed in the kitchen and had just one piece of chipboard between two units. The same thing happened when I decided to exploit the transparency of carbon fibre for Foscarini. Up till then, carbon fibre had mainly been used for sport equipment like skis, golf clubs, tennis rackets, etc. This material is very strong and provides excellent mechanical resistance. I decided to develop other properties as well: transparency and decoration (in short, its aesthetics). It was an ambitious project that took a full four years of experiments and tests and led to the creation of Tite Mite (and later editions) and a lamp series which, apart from its surface effect, was incredible because the fibres had to be flexible rather than rigid as they normally were. The same goes for *Tris*, a sauna/shower/hammam I designed for Ideal Standard. The material – a special kind of wood – had to withstand dry heat, steam and humidity: a real challenge. I used this project to develop a new product by using the right material. Sometimes, for one reason or another, I discover a material and try to imagine how I can use it. I often come up against the concerns and scepticism of the manufacturers, but I've also come across people with

Alukit, cucina e bagno Boffi, 1995. Struttura in alluminio modulabile e smontabile
Alukit, kitchen and bath, Boffi, 1995. Case removable aluminium structure

vision, fascinated as I am by experimentation and happy to explore new horizons (for practical reasons as well). This often leads to concrete commercial initiatives. I consider redirecting a material from one sector to another is a challenge that makes my work more interesting than if I worked only on form. In short, if in the beginning I believed in the equation "form + function = design," over the years I've understood that design is an "added value" with absolutely undefined borders and comes in many guises. Undoubtedly, what made Made in Italy so successful was the incredible alchemy between designers and entrepreneurs. The former were full of new ideas, the latter were ready

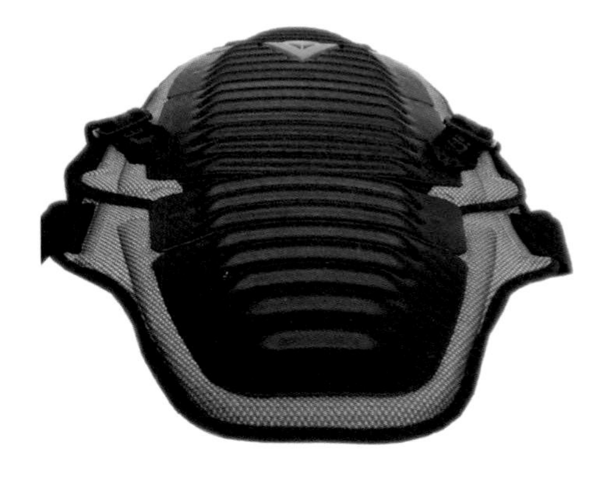

to run with that input and use the necessary techniques (and money) to see if it worked. A meeting of two minds ready to go beyond the limits of production and product and initiate a process called *technological transfer* that, regardless, is based on a mindset. I like to remember one of my designs that hardly anyone has heard of, but which helped to improve a well–known production process (the injection moulding of plastics). At the time, moulding machines were all horizontal: this was inconvenient and wasted a lot of space. I thought of making them vertical – and it worked! In my opinion another interesting example is *Big*, designed for Caimi Brevetti, a solid extruded aluminium bookshelf with steel sheet shelves bent as far as possible, a pitch of 160 cm between the uprights and an invisible joint system. Even a pair of scissors, a screwdriver or dentist's instrument, any object whose design is influenced by human intelligence, can have this "design appeal."

Furti trasversali
Trasversal Theft

La trasversalità, oltre a caratterizzare i prodotti di Matteo Thun, connota anche il suo metodo progettuale. Brillante progettista, dai modi eleganti e raffinati, con un passato glorioso che, nei primi anni Ottanta, lo ha visto cofondatore di Memphis, l'ultimo grande movimento di design italiano del Novecento, e socio di Ettore Sottsass, è oggi a capo di uno studio professionale con oltre 50 collaboratori, che lavora nell'ambito dell'architettura, del design e della comunicazione. Alle iniziali ricerche formali, Thun, oggi associa una particolare attenzione verso gli aspetti immateriali dei prodotti e delle architetture. Coinvolgimento affettivo, esperienza sensoriale allargata, appagamento dei bisogni, sono tutti aspetti centrali del progetto che non distolgono però l'interesse dall'innovazione tecnologica e dalla funzionalità. Nel design, attraverso la sua produzione, rivela di aver superato la questione dell'originalità del segno, passando facilmente dalle citazioni di Mies come per le sedie MT.02 per Brunner, e i lavabi per Rapsel, alle grammatiche ludiche, si confrontino i prodotti per Magis e per Aprica, e neorganiche, tazzina per Illy, e imbottiti per Rossi di Albizzate, fino ad assumere atteggiamenti di understatment con la più recente teoria del "No Design" ben rappresentata dalla collezione di orologi No Logo. Con grande abilità professionale ha inoltre dimostrato di saper gestire sia il prodotto dall'alto valore figurativo, sia la messa a sistema di un'innovazione tipologica. La ceramica, materiale "familiare", sembra rappresentare un filo conduttore della sua opera. Dai famosi prodotti per Memphis, alla tazzina per Illy, ai prodotti per Lavazza e per Rosenthal, fino ai sanitari per Rapsel e Catalano. Un materiale che si è ben prestato come mezzo dalla forte espressività, ma anche come supporto neutro su cui trasferire immagini. Dopo un inizio caratterizzato da un approccio diretto e manuale alla professione di designer/architetto, fortemente orientato verso ricerche linguistiche e sperimentazioni culturalmente avanzate, Matteo Thun è giunto oggi ad una concezione della professione di tipo imprenditoriale, in cui appare chiaro il senso della produzione del progetto come servizio. Da queste pagine racconta il suo punto di vista su temi del dibattito contemporaneo.

L'evoluzione del suo approccio alla professione, che riesce a coniugare la sperimentazione con le specifiche necessità della produzione, è il naturale risultato di un successo professionale o è frutto di una precisa strategia che ha radici nella cultura imprenditoriale di famiglia? Il mio profilo professionale: da un lato é il tipico atteggiamento duplice del gemello. Una parte del gemello é sempre curiosa, attenta alla ricerca artistica e alla evoluzione del proprio linguaggio. L'altra ha le sue profonde radici nella cultura imprenditoriale di una famiglia che da secoli si occupa della produzione di ceramiche e porcellane.

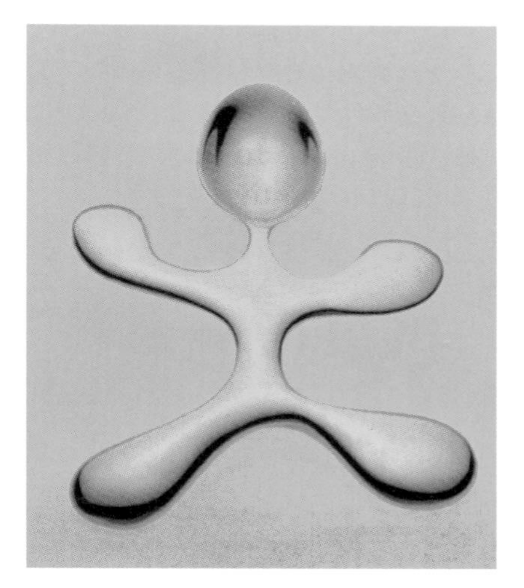

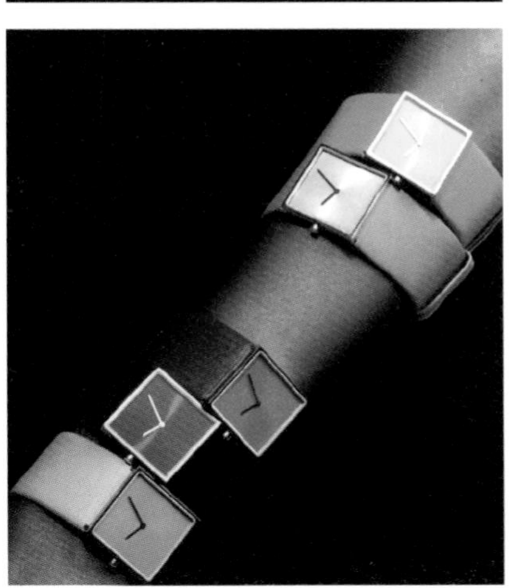

Xelibrì, Siemens 2003

Come ogni impresa che si rispetti il suo studio è molto attento alla definizione e all'aggiornamento della propria immagine.
La comunicazione è anzi un settore forte della sua attività, basti pensare alle esperienze compiute con la Coca-Cola, con Illy e Lavazza. Quali sono secondo lei peculiarità e strategie del progetto di comunicazione oggi, e quali scenari evolutivi prevede?
Lo sviluppo di prodotti moderni si evolve in più direzioni: da un lato un knowv how specialistico su tecnologie di produzioni e materiali, dall'altro lato un'attenzione sempre più mirata alla comunicazione e al marketing.
Il tutto nell'ottica di una profonda conoscenza dei meccanismi delle specifiche aziende al fine di un utile aziendale ottimizzato.

Negli ultimi anni le ricerche teoriche sulle metodologie progettuali hanno identificato nel tema del "trasferimento" un elemento ricorrente, che da pratica spontanea si trasforma in prassi strategica. Parlando di trasferimento ci si riferisce prevalentemente a quello "tecnologico", da un settore merceologico ad un altro. Ma è interessante indagare anche altri aspetti, come per esempio quelli legati al trasferimento di simboli, di icone o di componenti (ready-made). Nei progetti per Illy e per Swatch, sembra che lei abbia lavorato proprio sul progetto di supporti su cui sovrapporre e trasferire immagini o su vere e proprie icone trasferite. Che ruolo assegna oggi nel suo lavoro al tema del trasferimento?
I "trasferimenti": nel nostro studio stiamo lavorando su vari scenari legati al concetto del trasferimento.
Il classico know how transfer, ovvero l'implementazione di know how da un settore merceologico all'altro.
Quello legato alla "serie variata". Cioè l'applicazione di immagini (il termine transfer in questo caso si traduce in decalcomania) sempre alla stessa forma, le posate per WMF, gli orologi Swatch, le tazzine Illy, gli occhiali Silhouette, le tazzine Rosenthal, ecc. I vestiti "decalcomania" sono spesso: "furti trasversali" (un termine improprio usato dallo studio per definire un metodo progettuale che trae spunto dall'arte d'avanguardia. Il dialogo con gli artisti d'avanguardia negli ultimi anni é diventato sempre più difficile. Questo ha portato al metodo di decodifica semantica di fenomeni che giornalmente analizziamo nel mondo dell'arte d'avanguardia per trarre spunti tradotti all'interno dello studio.

Cosa pensa invece dell'esplosione del design etnico che stiamo vivendo in questi ultimi anni? Siamo realmente di fronte ad una crisi profonda del valore semantico degli oggetti del mondo occidentale tale da rivalutare i corredi oggettuali di culture primitive e tribali?

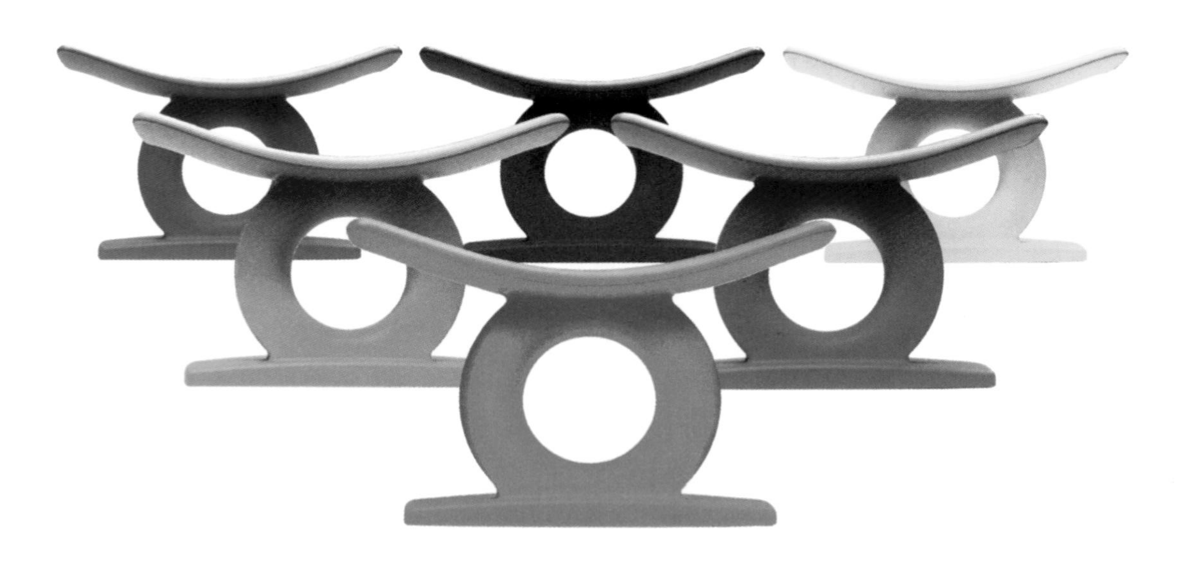

Tam Tam, Magis 2000, sgabello
Tam Tam, Magis 2000, stool

Il boom del design etnico va di pari passo con una profonda crisi del design industriale. Se é vero che all'inizio degli anni Ottanta le ricerche fatte in piccola scala (nel design) hanno influenzato la grande scala (l'architettura), oggi assistiamo ad un fenomeno di polverizzazione stilistica e disintegrazione di un mestiere chiamato design.

La plurisensorialità sembra essere il filo conduttore delle sue più recenti ricerche progettuali? Suono, odore, tatto. Perché oggi hanno assunto il ruolo di elementi centrali nell'esperienza del consumatore?
L'overdose visiva, lo smog visivo al quale siamo stati esposti negli ultimi dieci anni, ha portato alla multisensorialità. Quando l'occhio non ce la fa più subentra l'orecchio, il naso, il tatto, ecc.

Da qualche anno lei si occupa della progettazione di hotel in varie parti del mondo. Grandi architetti come Koolhaas e gruppi di designer come Droog Design hanno invece trovato negli spazi per la vendita, nuovi ambiti di sperimentazione. Pensa che anche nell'architettura per l'ospitalità ci siano spazi per la sperimentazione tipologica, tecnologica e linguistica?
Philippe Starck e Jan Schrager da oltre dieci anni stanno sperimentando nuovi modelli di ospitalità. Soprattutto grazie a loro il nostro ufficio da alcuni anni é in grado di portare avanti una ricerca di nuove forme di ospitalità su una scala globale. Questo grazie a contratti con catene che agiscono worldwide.

Welcome e Lavasca, Rapsel, wc e bidet 2002 e vasca 2000
Welcome & Lavasca, Rapsel, toilet & bidet 2002 & bathtub 2000

MT.02, Brunner 2002, sistema di sedute
MT.02, Brunner 2002, upholstery system

Transversality is the hallmark of Matteo Thun's products and it also defines his design method. Brilliant designer, elegant and refined, with a glorious pas: in the early Eighties, he was the co-founder of Memphis, the last great movement in 20th century Italian design, and partner of Ettore Sottsass. Matteo Thun is today the head of a professional studio, with over 50 staff members, working in the fields of architecture, design and communication. Today he associates his initial formal research with a particular attention for the intangible aspects of products and architecture. Emotional involvement, extended sensorial experience, satisfaction of needs, are all at the core of his projects, which nevertheless do not rule out an interest in technological innovation and functionality. Through his design production, he shows he has overcome the question of the originality of his sign, easily shifting from quotations from Mies, as in the MT.02 chairs for Brunner and in the washstands for Rapsel, to 'playful grammars', as in the products for Magis and for Aprica, to 'neo-organic languages', as in the Illy espresso cup, to padded furniture for Rossi di Albizzate, up to assuming attitudes of understatement with the most recent 'No Design' theory, well represented by the No Logo watch collection. With great professional ability, he has further demonstrated that he can manage both products with a high figurative value, and the implementation of typological innovation. Ceramics, a 'familiar' material, seems to be recurrent in his works. From the famous products for Memphis, to the Illy cup, to the products for Lavazza and for Rosenthal, to the bathroom fixtures for Rapsel and Catalano. A material which has lent itself as a strong means of expression and as a neutral support for images. After a debut characterised by a direct and manual approach to the profession of the designer/architect, strongly orientated towards linguistic research and culturally advanced experimentation, Matteo Thun has today reached an entrepreneurial concept of his activity, clearly considering the project production as a service. In the following pages, he relates his point of view on contemporary issues.

Your approach to the profession has changed: it mixes experimentation with the specific requirements of production. Is this a natural consequence of your professional success or does it depend on a precise strategy that comes from the entre preneurial culture of your family?

My professional profile: on the one hand, the typical double nature of a Gemini.
One trait of a Gemini is to be forever curious, receptive to artistic research and one's own stylistic evolution. On the other hand, I am deeply influenced by the entrepreneurial spirit of my family that for centuries has been involved in ceramics and porcelain.

Like any self-respecting business, your studio is very careful to define and update its image. Communication is an important part of your work, I'm thinking of your collaboration with Coca-Cola, Illy and Lavazza. What do you think are the peculiarities and strategies of a communication project today and how do you see the situation evolving?
Modern products develop in two directions: on the one hand, specialist knowhow in production technology and materials, on the other, increasing attention to communication and marketing. Another important ingredient is a profound knowledge of each company's mechanisms, to be able to optimise companyprofits.

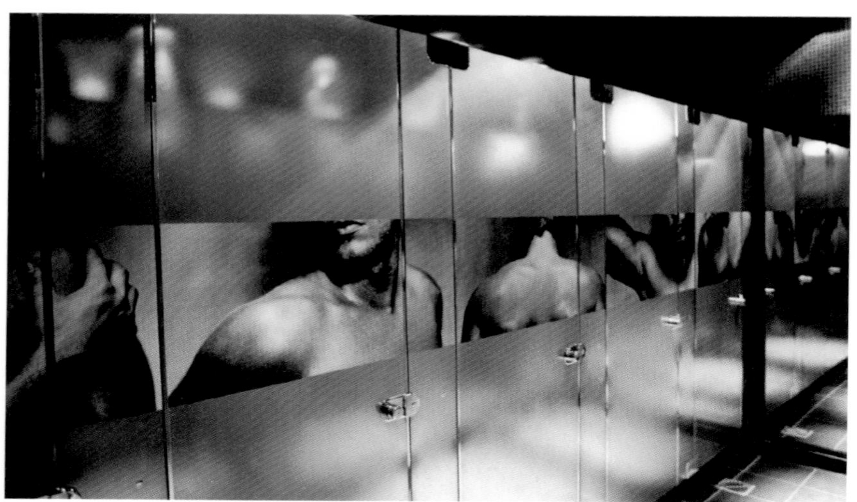

In recent years, theoretical research on design methodologies has discovered a recurrent element: "transfer": once a spontaneous custom, it has now become a strategic procedure. When we talk of transfer we refer mainly to "technological" transfer, from one goods sector to another. But it's interesting to consider other aspects, for instance the transfer of symbols, icons or (ready-made) components. In your designs for Illy and Swatch, it seems that you worked on the materials upon which to superimpose and transfer images, or on transferred icons. What role does transfer play in your work?
"Transfers": in our studio we are working on various scenarios involving transfers. The transfer of classical know-how, or the implementation of knowhow from one goods sector to another. Transfer to the "varied series," in other words, the application of images (the word transfer in this case should be translated with decalcomania) to the same shape, the WMF cutlery, Swatch watches, Illy coffee cups, Silhouette glasses,

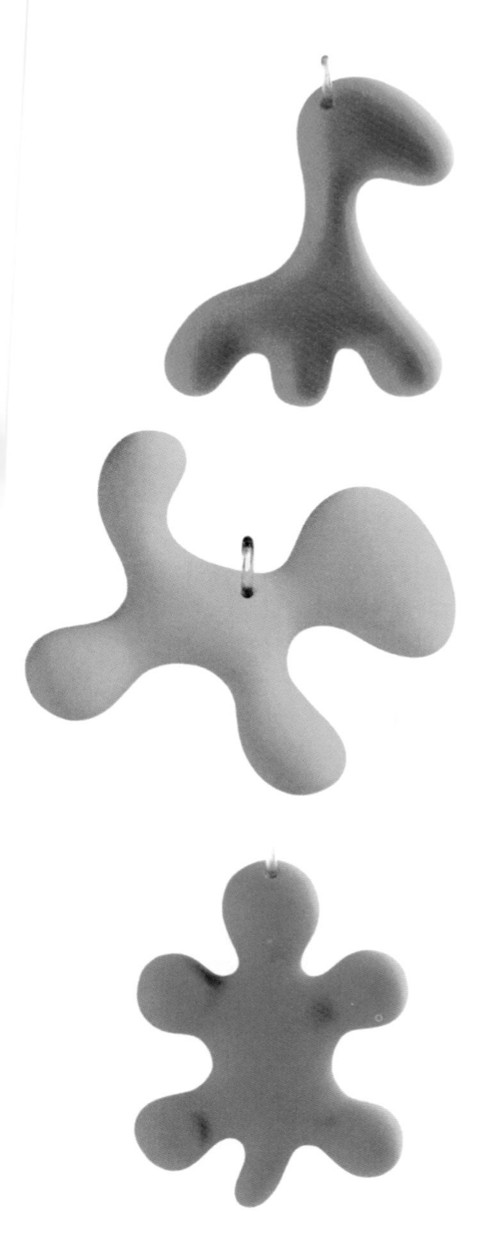

Rosenthal cups, etc. Decalcomania dresses are often "transversal thefts" (a word used out of context by the studio to describe a design method inspired by avant-garde art). In recent years, it's become increasingly difficult to work with avant-garde artists. This has led to a semantic decoding of phenomena of avant-garde art that we analyse daily. The inspiration it provides is then used in the studio.

What do your think of the explosion of ethnic design over the past few years? Are we really facing a serious crisis in the semantic value of objects from the western world? And will this lead us to re-evaluate the cornucopia of objects that characterise primitive and tribal cultures?
The boom of ethnic design is a spin-off of the serious crisis in industrial design. It's true that in the early 80's, the research carried out on a small scale in the field of design did influence large scale design (architecture). Today, however, we are witnessing the stylistic pulverisation and disintegration of a profession called design.

Multisensoriality seems to dominant your more recent design research. Sounds, smells, sense of touch. Why have they become so important to the consumer?
The visual overdose, the visual smog to which we have been exposed for the last ten years has led to multisensoriality. When your eyes have had enough, then your ear, nose or touch, etc. take over.

Lately, you have designed hotels all over the world. Great architects like Koolhaas and groups of designers like Droog Design have ventured into sales and new experimental environments. Do you think that in hospitality architecture there is room for typological, technological and stylistic experimentation?
For the last ten years, Philippe Starck and Jan Schrager are experimenting with new hospitality models. It's thanks to them that in the past few years our studio has been able to work on new forms of global hospitality. This is thanks to hotel chains that operate worldwide.

Collezione Life Toy, Aprica 2001, ciondoli zoomorfici
Life Toy collection, Aprica 2001, zoomorphic pendants

Declinazioni decorative
Decorative Variations

"Siamo qui per creare un mondo d'amore. Viviamo con passione e facciamo del nostro meglio affinché eccitanti sogni diventino realtà."

Sono questi gli slogan con i quali il "*Best Dutch Designer*" Marcel Wanders - Boxtel 1963 - dichiara in poche righe sul sito web, la sua mission professionale. Da queste frasi traspare un approccio apparentemente leggero, ironico e orientato alla sfera emotiva - non a caso gli slogan sono accompagnati da un ironico ritratto del progettista con un naso da clown - ma che di fatto cela un pensiero strutturato, un grande impegno professionale ed una fertile produzione progettuale.
Un talento ed uno spessore quello di Wanders, attestato certamente dai numerosi premi e riconoscimenti internazionali: Rotterdam Design Award, George Nelson Award, l'Alterpoint Design Award, designer dell'anno 2000 del Wired magazine e nel 2002 premio internazionale di design Elle Decor. Product designer, art director, imprenditore, definito nel 2003 "stella favorita del design internazionale" dal Washington Post, nel 1996 disegna per Cappellini, e sotto l'egida del gruppo Droog Design, la Knotted Chair, una sedia divenuta subito icona del design contemporaneo, e che come tale è entrata a far parte dei 100 masterpiece miniaturizzati della Vitra.
Sedia manifesto del programma professionale del progettista, la Knotted Chair è innanzitutto l'evoluzione in senso tecnologico di quella ricerca verso la leggerezza dell'oggetto sedia di pontiana memoria. Non è un caso che una delle prime immagini delle seduta di Wanders, fosse proprio quella di una mano, che dal dito mignolo sospende la sedia, quasi ad emulare l'immagine emblematica della Superleggera sospesa al bilancino.
Una leggerezza ottenuta lavorando sulla resistenza per forma, e cioè attraverso un intreccio – un decoro strutturale – di fibre di carbonio e di rame, rese solidali per mezzo di resine epossidiche.
Un disegno che guarda alla tradizione dei mobili in fibre naturali – midollino, rattan, ecc. – e alle sue tecniche artigianali d'intreccio – richiamate nel nome - ma che si realizza grazie all'innovazione tecnologica dei materiali.
Il nodo, che Gottfried Semper definiva "il simbolo tecnico più antico" e "l'essenza primaria dell'opera d'arte", per Wanders diventa mezzo per attuare l'innovazione tecnologica e per rispondere agli obiettivi della fondazione Droog Design: un mix tra high tech e low tech, tra tecnologia evoluta e artigianato.
Ma nel progetto della Knotted Chair, la teoria di nodi fa affiorare, in modo apparentemente inconsapevole, il tema del decoro, che accompagna l'innovazione tecnologica, ed è sentito come forma di mediazione e d'arricchimento del prodotto. A partire da questo prodotto il decoro diventerà caratteristica originale della produzione progettuale e culturale di Wanders. Vista in quest'ottica, la Knotted Chair sembra addirittura inadeguata ai canoni del design di Droog, che attraverso i suoi prodotti

Droog Design, *Lace*, tavolo in pizzo e resina epossidica, 1997
Droog Design, *Lace*, table in epoxide resin, 1997

Knotted, sedia, Cappellini, 1996
Knotted, chair, Cappellini, 1996

Flowerdining, sedia in metallo, Mooi, 2001
Flowerdining, steel chair, Mooi, 2001

perseguiva la "semplicità e l'assenza di ornamento". Guardando, infatti, a posteriori i primi cataloghi della fondazione olandese, con i suoi tre filoni di ricerca: oggetto artistico, plastica e innovazione sui materiali, ricco di oggetti ironici, sostenibili ed interattivi, la Knotted sembra di fatto denunciare una parziale estraneità.
Ma evidentemente Wanders aveva già avvertito che, anche grazie al suo contributo, il progetto degli artefatti industriali si sarebbe presto orientato verso una ricerca dell'arricchimento percettivo, con una forte rivalutazione dei temi decorativi.
Non è un caso che oggi, a molti anni di distanza da quel prodotto, il designer olandese, con i suoi numerosi progetti, sia diventato il punto di riferimento di quella diffusa tendenza del design contemporaneo che guarda con attenzione alle potenzialità estetiche del decoro e alle sue possibili declinazioni.
Wanders, attraverso il suo lavoro, "*smentisce la favoletta che un buon designer non dovrebbe occuparsi di decorazione*", come afferma Stefano Casciani, e dimostra che molte tipologie di merci, dai nuovi prodotti elettronici agli arredi tradizionali, sono oggi disponibili ad accogliere e a riscoprire il "senso del decoro".
I progetti del designer olandese, evidenziano la completezza di un profilo professionale capace di spaziare dagli imbottiti, ai rivestimenti in mosaico, ai

nuovi lettori e diffusori Mp3, al packaging di profumi, non disdegnando prodotti elettromedicali e per istituzioni pubbliche.
Ma veniamo ad un'analisi di quegli elementi che potremmo definire caratterizzanti la produzione di Wanders, alla ricerca di costanti e di quella coerenza che lega insieme un percorso progettuale. Osservando i suoi progetti è possibile affermare che l'approccio al mondo del decoro non è passivo, di pura e semplice trasposizione, ma è sicuramente articolato, ricco di originali rielaborazioni, e connotato da arditi trasferimenti tipologici.
Se è possibile rintracciare nella cultura dei paesi bassi una propensione alla cura del dettaglio e della miniatura, certamente Wanders dimostra di aggiornare tale tradizione e di calarla nella contemporaneità.
- *Il decoro è anche struttura*. La decorazione utilizzata in senso strutturale è certamente una costante del suo lavoro. A partire dalla Knotted Chair, per passare al tavolino Lace, alle sedie Carbon e Gwapa, fino alla più recente Flower Chair, ma anche alle periferiche elettroniche per HE, il "motivo", reiterato nell'oggetto non è mera e semplice sovrapposizione sulla superficie, ma è trama, struttura e ossatura del prodotto. La decorazione partecipa attivamente alla consistenza del prodotto, lavorando sull'alleggerimento del peso, a cui si associa un alleggerimento visivo. Sono prodotti permeabili alla vista, che riportano la tradizione dell'intreccio ai nostri giorni, in cui i filiformi materiali non sono più rudimentali fibre naturali, ma diventano sofisticati fili di carbonio e di metallo.
- *Il decoro per Wanders non è citazione*, ma è critica rielaborazione fino all'estremo, fino all'esasperazione, con nuovi materiali messi in condizioni limite e schemi strutturali audaci ed inusitati.
Anche il colore partecipa al progetto di rivitalizzazione del decoro. Il nero, il non colore per eccellenza, il colore degli assolutismi, ricorre in molti progetti: dai mobili New Antique per Cappellini, agli oggetti per Mooi, alle componenti elettroniche per HE. All'estremo opposto troviamo il bianco, che evidenzia il "tutto tondo" delle torniture, o emula la carta e l'idea di

Manga, Deer, Diary, rivestimenti del Boutique Sofà, Mooi, 2006 (Foto Edland Man)
Manga, Deer, Diary, fabric for the Boutique Sofà, Mooi, 2006 (Photo by Edland Man)

sfondo universale che essa rappresenta, e su cui è possibile far contrastare il "segno" ripetuto e colorato. Pensiamo alla versione "white" dei mobili New Antique e ai decori del Flare Table per Magis o al Coffee Table per Bisazza.
- *Il decoro è tridimensionale*, ha una sua profondità, un suo spessore ed una densità. A partire dalle torniture della tradizione, rielaborate nelle componenti dei mobili per Cappellini, il designer olandese sviluppa parallelamente alla ricerca sul decoro strutturale una riflessione sulla complessità volumetrica, come nel recente sgabello sfaccettato per Kartell o nella bitorzoluta membrana della lampada Zeppelin per Flos.
- *Il decoro può essere temporaneo e personalizzabile*. Wanders ammette una ricambio, come nel caso del tavolo Flare per Magis, in cui le gambe diventano teche per contenere ed esibire decori personalizzabili, o nel caso del divano Boutique per Mooi, in cui il ri-cambio della tappezzeria è condizione esistenziale ed effimera del prodotto.
- *Il decoro può stupire e sorprendere*. Tra le operazioni che vanno nella direzione dell'eccezionalità si possono ascrivere i progetti sviluppati da Wanders per Bisazza. Progetti che trasferiscono gli studi e le rielaborazioni compiute dal designer sui temi decorativi della tradizione, sulla tipologia del rivestimento mosaico. Quest'ultimo è un sistema combinatorio, che negli ultimi anni si è mostrato aperto a nuove sperimentazioni e a originali trasferimenti linguistici. Pensiamo al repertorio dell'immaginario elettronico, con l'associazione tessera=pixel, o alle fantastiche qualità cromatiche e rifrangenti.
In questo caso Wanders ha rovesciato l'approccio consolidato al tema del rivestimento mosaico bidimensionale, provocando il pubblico con trasferimenti arditi. Il mosaico è sentito da Wanders come una pelle, anche tatuata, capace di aderire alla sinuosità del "corpo artificiale" che ricopre, che nel caso del coffee table diventa rivestimento di un volume organico, e

nella fantasiosa automobile da cartoon perfino carrozzeria.
- *Il decoro deve risaltare per contrastato*. Un'attenta lettura della grammatica compositiva di Wanders ci rivela che egli ha compreso che i ricchi apparati decorativi hanno bisogno di essere controbilanciati da apparati neutri e di supporto, per non incorrere nel rischio dell'invisibilità per ridondanza e dell'annullamento semantico. Ed è attraverso questa lettura che si comprende la ragione per cui il designer fa spesso ricorso a volumetrie semplici, regolari ed assolute, a supporto dei suoi ricchi decori. Solo in questa chiave è possibile leggere molti dei suoi progetti, dai letti ed armadi per Poliform, ai divani per Mooi, che abbinano superfici e volumetrie essenziali a complessi temi decorativi.
Concludendo il decoro, vuoi per tradizione culturale, vuoi per ricchezza e potenzialità sensoriale, rappresenta per Wanders un bacino inesauribile di temi progettuali ed un mezzo per perseguire quella generosità professionale dichiarata nella mission, e che investe il design degli artefatti di una responsabilità sociale: contribuire attivamente alla felicità di chi li usa.

"Here to create an environment of love. Live with passion and make our most exciting dreams come true."

Mathilda, *He*, casse acustica per laptop o lettore Mp3, 2005
Mathilda, *He*, speakers for a laptop or Mp3, 2005

Dream, letto in tessuto, Poliform, 2006
Dream, bed, Poliform, 2006

New antique, sedie e tavoli, Cappellini, 2006
New antique, chairs and tables, Cappellini, 2006

These are the words the *Best Dutch Designer* Marcel Wanders (Boxtel 1963) uses on his website to describe his professional mission. His words betray an ostensibly light-hearted, ironic and slightly emotional approach – in fact the words are accompanied on the website by a ironic portrait of the designer with a clown's nose – but instead mask a well thought-out philosophy, incredible professional commitment and prolific design projects.
Numerous awards and international prizes attest to Wanders' talent and skills: the Rotterdam Design Award, the George Nelson Award, the Alterpoint Design Award, Designer of the Year 2000 for *Wired* magazine and, in 2002, and the Elle Décor international design award.
Product designer, art director and entrepreneur, in 2003 the Washington Post defined him "the most popular star of international design"; in 1996 he worked for Cappellini and under the direction of the Droog Design group, designed the *Knotted Chair*, a chair that immediately became an icon of contemporary design and one of Vitra's 100 miniaturised masterpieces.
The *Knotted Chair* was a manifesto of the designer's professional agenda: first and foremost, it represents the technological evolution of the search for lightweight chairs initiated by Ponti. It's no accident that one of the first pictures of the chair showed it dangling from someone's little finger, almost in emulation of the emblematic image of the *Superleggera* bike

Collezione Me Too, *Little Flare*, tavolo per bambini, Magis, 2004
Me Too collection, *Little Flare*, child's table, Magis, 2004

Stone, sgabello, Kartell, 2006
Stone, stool, Kartell, 2006

hanging from weighing scales.
This weightlessness was achieved by using form to make it robust and solid: the weave - a structural decoration – was made of carbon fibre and copper that was hardened using epoxide resins.
The design winked at traditional furniture made of natural fibres – bamboo, rattan, etc. – and craftsmen's weaving techniques (reference in the chair's name) which could be reproduced thanks to technologically innovative materials.
Gottfried Semper described knots as "the oldest technical symbol" and "the primary source of works of art"; Wanders, instead, used them to achieve technological innovation and reach the results required by the Droog Design foundation: a mix of hi-tech and low-tech, advanced technology and craftsmanship.
However, in the *Knotted Chair* design, this theory of knots seems, almost involuntarily, to recall the decoration that accompanies technological innovation. It is viewed as a way to mediate and enhance the product.
Following this design, decoration became the defining trait of Wanders' design and artistic production. In this sense, the *Knotted Chair* almost seems to fail to meet the canons of Droog Design which wanted its products to achieve "simplicity and absence of ornamentation." In hindsight, the first catalogues of the Dutch foundation, with their three research topics – artistic object, plastics and material innovation, lots of ironic, sustainable and interactive objects - the *Knotted Chair* almost seems the odd man out.
However, Wanders had probably already realised that, thanks to his work, the production of industrial artefacts would soon focus on enriched perception and review decoration and ornamentation.
Many years later, it's not surprising that the Dutch designer and his large body of work has become a focal point of a part of modern design that studies the aesthetic potential of decoration and how it will develop.
In the words of Stefano Casciani, Wanders' work "destroys the myth that a good designer shouldn't care about decoration." It proves that many types of products, for instance, new electromedical equipment or traditional furnishings, are currently ready to welcome and rediscover "a feeling of decoration."
The Dutch designer's works reveal a professional expertise that ranges from upholstered furniture to mosaic finishings, new Mp3 readers and diffusers, perfume boxes and electromedical products for public institutions.
At this point, it's interesting to look at the defining traits of Wanders' body of work in search of the recurrent, coherent elements present in his designs. Looking at his works, we can say that his is not a passive approach to decoration, a pure and simple transposition; it is certainly varied, full of unique re-interpretations and packed with daring typological transfers.
If it's at all possible to identify in Dutch culture a penchant for attention to

Antelope, concept car rivestita in mosaico, Bisazza e Wanders Wonder, 2004
Antelope, concept car covered a mosaic pattern, Bisazza & Wanders Wonder, 2004

detail and miniatures, then Wanders certainly proves that he can update that tradition and apply it to our modern world.
- *Decoration is also structure*. Decoration used as structure is certainly typical of his work. The *Knotted Chair*, the *Lace* table, the *Carbon* and *Gwapa* chairs or the more recent *Flower Chair*. But even in electronic equipment, the "motif" in the object is not merely something stuck on the surface; it is a pattern, the structure and frame of the product. Decoration is an active part of the product's consistency; he works on making it physically as well as visually slightly lighter. They are transparent objects that update weaving and make it modern; the filiform materials are no longer rudimentary natural fibres, but sophisticated carbon and metal fibres.
- *Wander's decoration is not a reference*, but an extreme, exasperated critical re-elaboration, using new materials pushed to the limits and daring and unusual structural designs.
Colour is also used to revive decoration. Black, the non-colour *par excellence*, the absolute colour, is present in many designs: the New Antique furniture for Cappellini, objects for Mooi, electronic parts for HE. At the other end of the scale, white, that highlights the "all-roundedness" of the shavings, or looks like paper; it represents the idea of a universal

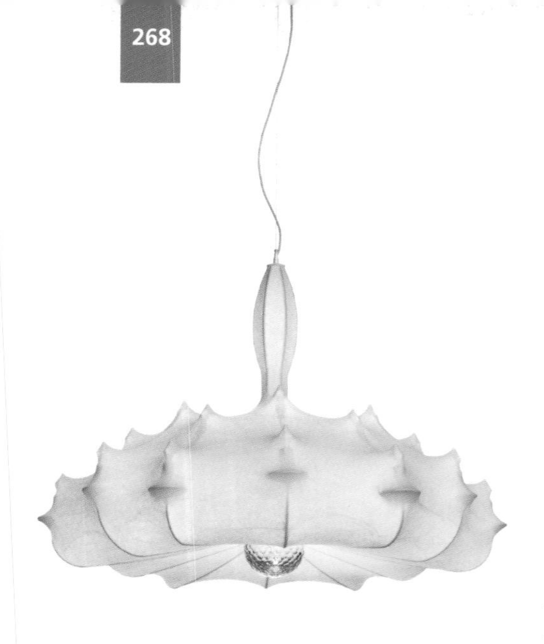

background on which it's possible to repeatedly use coloured "marks" to create contrast. For instance: the white version of the New Antique furniture and the decoration for the Flare Table for Magis or the Coffee Table for Bisazza.

- *Wanders' decoration is also three-dimensional*, with its depth, solidity and density based on traditional shaving techniques and re-elaborated in search of parts for Cappellini's furniture. The Dutch designer also focuses on volumetric complexity as well as structural decoration, for instance, in the recent multipurpose stool for Kartell or the bumpy membrane for Flos' Zeppelin lamp.

- *Decoration can be temporary and personalised*. Wanders admits that change is possible, for instance, in the *Flare* table for Magis where the legs become places to put and exhibit personal items, or in the case of the *Boutique* sofa for Mooi where changing the upholstery is an essential and ephemeral part of the product.

- *Decoration can amaze and surprise*. His most outstanding projects include those developed for Bisazza. These projects involve using his sketches and re-elaborations in traditional decorations or in mosaic finishings.

This is a mixed system which in the last few years has been influenced by new experiments and unusual stylistic transfers. For instance, the repertoire of electronic images, with the combination of tile=pixel, or its fantastic chromatic and reflective tones. In this case, Wanders inverted his traditional approach to two-dimensional mosaic finishings, provoking the public with daring combinations. Wanders considers mosaics like a skin, a tattoo that fits onto the sinuous "artificial body" which in the case of the coffee table becomes the finishing of an organic volume and in the case of the creative cartoon car, a part of the chassis. - *Decoration must stand out in order to contrast*. Studying Wanders' compositional grammar reveals that he fully

understood that opulent decorative patterns have to be counterbalanced by neutral, supporting items in order to avoid running the risk of becoming invisible because of undue excess and semantic annulment. We understand why the designer often used simple, regular and absolute shapes together with his lavish decorations.
This is the only way to interpret many of his designs: the beds and cupboards for Poliform, the sofas for Mooi. They mix simple volumes and surfaces with complex decorative patterns.
In conclusion, either due to his cultural traditions or his heightened senses and extensive expertise, Wanders considered decoration an endless source of design patterns and a tool to achieve the professional generosity declared in his mission statement which makes designing artefacts a social responsibility: to actively contribute to the happiness of those who use it.

Zeppelin, lampada a sospensione, Flos, 2005
Zeppelin, lamp, Flos, 2005

Hotel on Rivington | Thor, New York, 2004

Tappezzeria per divano, Moroso, 2005
Upholstery for sofas, Moroso, 2005

Lute Suites, Ouderkerk aan de Amstel, The Netherlands, 2005

product design | landscape

Uno sguardo sulle tendenze
A Window on Trends

Se c'è qualcosa di caratteristico del design uruguaiano dei giovani emergenti, questo è senza dubbio rappresentato dal "guardare fuori".
La storia formale del design in questo Paese, comincia nel 1998 con l'inaugurazione a Montevideo del Centro di Disegno Industriale: un progetto di cooperazione educativa tra l'Italia e l'Uruguay che porta alla realizzazione del primo centro specialistico in questa disciplina.
Da quel momento in poi, il design diventa una prospettiva possibile per tanti giovani che, attratti dallo studio del design, vedono in questo una possibilità di contrapporsi alla realtà economico-produttiva in piena decadenza che ha fatto pressoché sparire un tipo di tessuto industriale diffuso.
Con il tempo altre istituzioni formative sono nate e si sono sviluppate nell'ambito privato tanto nel design dei prodotti, quanto in quello dei tessuti e soprattutto della grafica. Ma la formazione non è sufficiente a sviluppare le basi per una cultura e per una industria basata sul design. Per questo c'è infatti bisogno che interagiscano tre "attori": l'industria, il mercato, il designer. Nell'ambito del mercato interno uruguaiano, questo tipo di settore non rappresenta una grande attrattiva, dal momento che circa 3 milioni di persone non hanno possibilità di acquisto. Ciò comporta che le industrie hanno poca capacità di produzione e di investimenti tecnologici, e tutto ciò, più il carico fiscale, genera in sostanza costi di produzione molto alti. La mancanza di due dei tre attori (l'industria e il mercato), ha determinato l'ingegnarsi dei designer e di qualche imprenditore alla ricerca di vie alternative per lo sviluppo. Alcune industrie, in particolare nel settore dei tessuti, si sono rivolte essenzialmente alla produzione in funzione dell'esportazione, mentre molti designer si sono dedicati all'autoproduzione o hanno deciso di emigrare. Questo fenomeno dell'emigrazione, molto vivo dagli anni '70 fino alla fine degli anni '80, è stata favorito anche dai problemi politici ed economici, mentre un secondo movimento di emigrazione è ancora presente oggi ed è dovuto in particolar modo alla crisi economica dell'anno 2000; in questo senso la società uruguaiana è considerata dalle "frontiere aperte".
Il settore tessile e della moda in genere, è un ambito in costante rinnovamento all'interno del quale possiamo rintracciare i segni di un'industria preesistente e di una mano d'opera specializzata: dallo sviluppo di prodotti specifici come, ad esempio, il tessuto lavorato a maglia, a quello di marchi dell'abbigliamento da uomo o della moda casual femminile come *Lolita* e *Vichy*, tanto famosi non solo all'interno del Paese, ma anche in Brasile, Spagna e Cile.
La produzione è di tipo misto: una parte viene prodotta all'interno del Paese, il resto all'estero con buona qualità di design e di realizzazione finale del prodotto, ma anche un'attenzione particolare alla grafica, alla comunicazione e alla gestione dei punti vendita. Parallelamente ci sono giovani designer che si dedicano all'autoproduzione concentrandosi su un

Notechdesign, 7Lapis, porta-penne, 2002
Notechdesign, 7Lapis, pens-container 2002

Notechdesign, CD, porta-incenso, 2002.
Notechdesign, CD, incense-container 2002

Notechdesign, Rodovia, porta-oggetti, 2002
Notechdesign, Rodovia, objects-container 2002

target giovanile e avanguardista, partecipando a sfilate e competizioni di moda: Ana Livni e Fernando Escuder,
la firma Carluccio-Manini, tutti laureati nel Centro di Disegno Industriale di Montevideo, ma anche Carlo Silveira i cui vestiti, forti di una grande carica simbolica, si caratterizzano per l'eccesso e la decontestualizzazione attraverso l'uso di elementi come le cerniere e le chiusure.
L'area dei prodotti è a tutt'oggi la meno sviluppata, dal momento che spesso i giovani preferiscono seguire la realizzazione dei loro prodotti, tanto nelle fiere quanto nella stessa loro commercializzazione in piccoli negozi con serie limitate, attraverso l'autoproduzione. Altrettanto forte è la realtà che vede i designer costretti ad emigrare alla ricerca di una crescita professionale all'estero. Così Eduardo Martres, anch'egli laureato al Centro di Disegno Industriale di Montevideo, dopo aver svolto un Master in Disegno Industriale presso l'Università di Essen in Germania, è divenuto product designer per la Philips Design. Lavorando in Giappone, Olanda e Francia nell'area degli elettrodomestici, dal 2002 diviene membro dello staff di progettisti dell'Hewlett Packard's Digital Camera Group – EEUU. Andrés Bluth, laureato al Centro di Disegno Industriale di Montevideo, dopo la laurea studia nella scuola Eina a Barcellona, lavorando successivamente per diverse aziende, principalmente nell'area dei mobili come la *Bivaq*, azienda di mobili per esterni. La sua ricerca, molto particolare, analizza i criteri che connotano l'arredo interno, per applicarli all'arredo per esterni, realizzando prodotti semplici e al tempo stesso funzionali, ma anche eleganti. In sintesi dice Bluth, "la mancanza dei mezzi

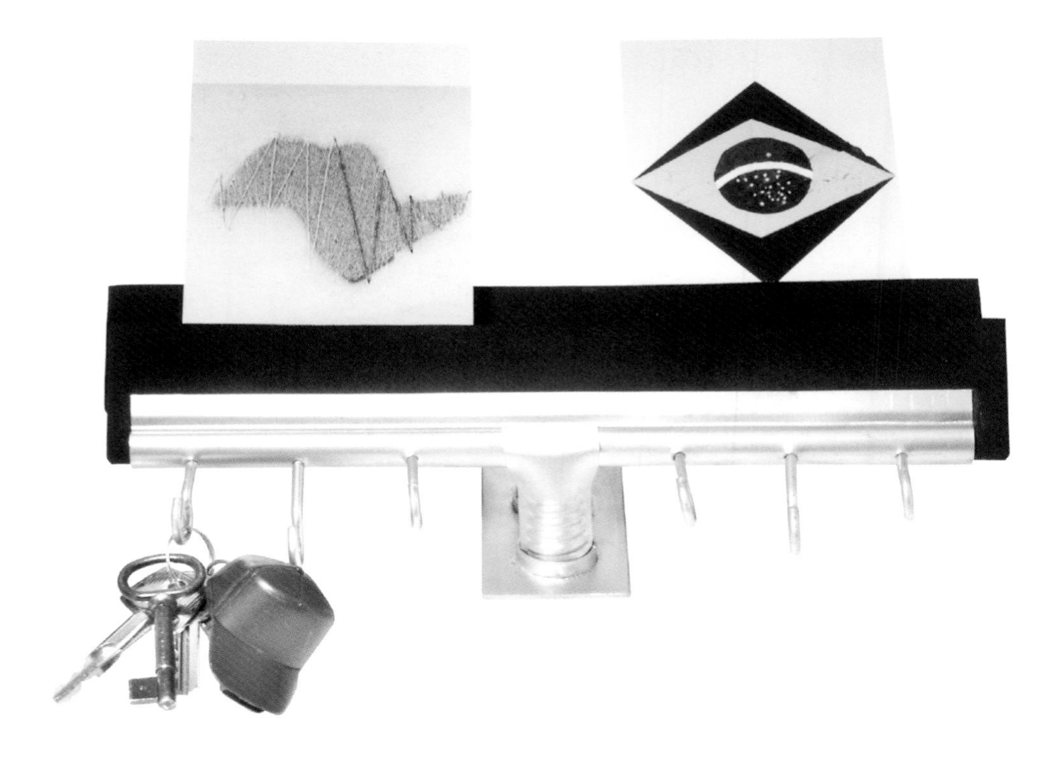

Notechdesign, Corneta, vaso, 2002
Notechdesign, Corneta, vase, 2002

Notechdesign, RPM, orologio, 2002
Notechdesign, RPM, watch, 2002

di produzione ci invita ad aguzzare l'ingegno per risolvere un progetto ed attuare il trasferimento di materiali da un'area di applicazione classica ad un'altra più attuale e comunque fondamentale per lo sviluppo di nuove proposte estetiche".
L'area della comunicazione, grazie all'apporto delle telecomunicazioni e della tecnologia digitale, è fortemente sviluppata, tanto che è facile trovare aziende che lavorino per l'estero come, ad esempio, la giovane azienda *Soho*. La comunicazione via Internet apre la possibilità di un contatto costante con i clienti. L'uso di un linguaggio attento e attuale, insieme ad una semplice e agile grafica, diventano gli elementi più graditi ai clienti. *Soho* nasce nel 1996 da un'idea di Alvaro Anon e Luis Dominguez, e realizza pagine Web e programmazione di vario genere, iniziando ben presto a fornire servizi per banche e aziende internazionali, sviluppandosi

in particolare dal 2001 verso il Cile. In generale i progetti dei giovani designer uruguaiani sono molto diversi tra loro sia per le strategie intraprese che per l'estetica, ma anche per la diversità di travet, obiettivi e prodotti. La vivacità dei designer, unita alla scarsezza di materie e tecnologie all'interno del Paese, ma anche il grande contatto con l'estero, hanno generato una costante ricerca di nuove opzioni che cominciano a costituire una solida base del design uruguaiano. La partecipazione e l'ottenimento di premi in diversi concorsi internazionali lo confermano.

Notechdesign, Construção, vassoio, 2002
Notechdesign, Construção, tray 2002

Una delle particolarità dei disegnatori dei paesi latino americani è la flessibilità e capacità di adattamento alle diverse situazioni. Tale flessibilità è dovuta in parte ai continui cambiamenti delle politiche messe in atto dai governi e alla capacità di risposta alle richieste provenienti dalle più disparate zone produttive.
La *diversità* è senz'altro l'*identità* dei disegnatori di questa parte del mondo i quali, se pur poco conosciuti all'estero, esprimono attraverso i loro progetti la convivenza di una molteplicità di culture, geografie e storie.
I nuovi studi di disegno industriale sono generalmente portati avanti – spesso con un'infrastruttura minima – da professionisti molto giovani ma altamente capaci, che hanno il coraggio di rispondere alla crisi con idee innovative, proposte intraprendenti e autoproduzione. Le difficoltà del vincolo produttivo del ridotto settore industriale, la mancanza di un modello

economico e di una cultura imprenditoriale, volta in particolare alla speculazione finanziaria anziché verso la produzione, hanno dunque contribuito ad indirizzare gli sforzi dei disegnatori industriali verso un'autoproduzione dei loro progetti. Questo comporta il bisogno di prepararsi non solo alla capacità di progettare, ma anche alla possibilità di realizzare e commercializzare questi nuovi oggetti, e apre la strada ad una realtà del tutto nuova e stimolante. In questa ottica è interessante leggere, attraverso una panoramica, i curricula di alcune delle personalità più

rappresentative del design argentino emergente.
Manuel Rapoport e Martín Sabattini, laureati entrambi all'Università Nazionale di Córdoba (UNC), dal 2003 lavorano insieme con l'idea d'interpretare la Patagonia attraverso il design. L'obiettivo principale è quello di progettare e produrre oggetti che riprendano la storia, i materiali e il "saper fare" delle persone del luogo, introducendo nel design i valori estetici e sociali quali strumenti di affermazione della propria cultura. Due le linee parallele attorno cui si sviluppa il loro lavoro: da una parte nuove idee prendono forma attraverso la produzione di oggetti in serie ridotta, venduti personalmente; dall'altra la realizzazione su richiesta di pezzi unici, oggetti esclusivi ed originali. Lo studio si occupa di tutte le fasi di lavorazione, anche se la maggior parte della produzione è data in gestione a terzi, e sviluppa l'idea dal disegno al prodotto finale, compresa la sua vendita.
Fernando Besora, laureato all'Università Nazionale di Córdoba, inizia la sua fase professionale lavorando come free-lance per varie aziende in diverse zone del Paese, realizzando matrici e piccole produzioni. La conoscenza di tecnologie per la lavorazione della plastica e trasformazione della lamiera di ferro, gli permettono di concentrare il suo lavoro su alcuni settori specifici,come quello vinicolo, realizzando diversi accessori e in particolare *racks* per bottiglie. Conoscenza tecnologica, libertà creativa e di movimento sono i suoi punti di forza.
Hernán De Filippis, ottiene nel 2000 il Primo premio nel Concorso Nazionale "Identità: Disegno e Innovazione" organizzato dalla Segreteria dell'Industria, Commercio e Lavoro di Buenos Aires e fonda con Diego López il DDH Studio nel 2002 nella città Mar del Plata. DDH, caratterizzato da un basso investimento economico ma da tanta creatività, nasce in un momento particolare in cui il Paese sperimenta il ritorno alla produzione locale in seguito alla perdita di valore della moneta nazionale. In questo clima, profondamente incerto, si sviluppano i primi prodotti d'illuminazione per la società Cervecería y Maltería Quilmes, importante azienda nel settore delle bibite in Argentina che dà l'avvio ad una linea di oggetti di illuminazione attualmente commercializzata in Mar del Plata, Cariló, Pinamar, Río Negro, Montevideo e Trelew. Attualmente DDH si concentra nello sviluppo di nuovi prodotti in polipropilene.
Daniel Arango e Leandro Strano, sviluppano il proprio lavoro sul comune pensiero che il design non solo partecipi alla costruzione dell'ambiente sociale e culturale ma che collabori al tempo stesso allo sviluppo produttivo della città. Le due collezioni realizzate fin'ora, di circa 15 oggetti ciascuna, sviluppano anche la parte produttiva, chiudendo il ciclo del prodotto e garantendone la qualità. Ecco allora *Nuvó*, una collezione di complementi per il soggiorno e per la sala da pranzo, pensata e sviluppata al fine di attrezzare uno spazio in maniera integrale, lasciando

però la libertà di combinare i prodotti in diversi modi. *Upon*, primo premio alla mostra *Paseo Explanada*, organizzata ogni anno dalla città Mar del Plata, è una serie di attrezzature per l'ufficio, e rappresenta la seconda collezione, nata dall'idea secondo cui gli oggetti, grazie ad una serie di sfumature formali, sembrano galleggiare nell'aria.
María Laura Garcia della *Kit abbigliamento*, una piccola ditta nata nel 2002, con vendita per catalogo, specializzata nella produzione di vestiti per medici, infermieri, farmacisti, ecc. I prodotti realizzati da questa azienda, rispondono alle specifiche richieste del cliente e ricercano qualità nelle "texture", comfort tipologico ed attenzione al servizio post-vendita. Attualmente *Kit Equipos Médicos* è riuscita a trovare un suo posto nel mercato locale come un'alternativa di design nell'abbigliamento e negli accessori medici.
Daniel Esteban Gomis e Guillermo Adrián Chiriello, laureati entrambi all'Università Nazionale d'Architettura di Mar del Plata nel 2000, fondano lo Estudio Z con lo spirito di sperimentare e realizzare prodotti in serie limitata, attraverso l'uso di materiali come gesso, cemento, ceramica e alluminio. *Extensión Z* è uno dei primi progetti: una linea di stoviglie in ceramica con l'idea di ottimizzare l'uso di questo prodotto, migliorando la posizione del centro di gravità del volume dell'impasto.
Il caso di Damián Entrocassi e Diego Reina è del tutto particolare visto il campo di applicazione: macchinari in serie limitata per l'Herxon Ingegneria. Herxon Ingegneria, disegna, realizza e installa macchine per la pesca, la lavorazione fino all'imballaggio dei molluschi, con una particolare attenzione al design.

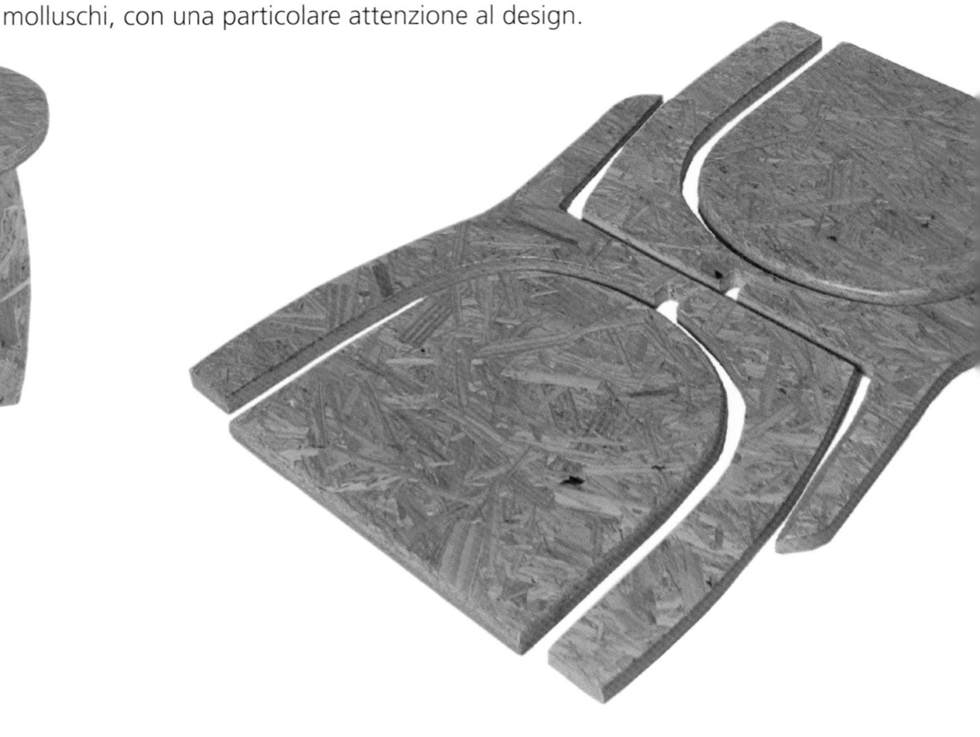

Nodesign, Tangram, sedia
Nodesign, Tangram, chair

Notechdesign, Vai-Vem, vaso, 2003
Notechdesign, Vai-Vem, vase 2003

Young Design in Uruguay: Maximiliano Izzi, Rosita De Lisi, Stella Decarlini
Creativity and Innovation in Argentine design: Hérnan Gustavo De Filippis, Martín Endrizzi, Silvana Arias

Undoubtedly, the one common characteristic of the new, young designers in Uruguay is their ability to "look beyond".
The history of design in Uruguay begins in 1998 with the inauguration of the Centre of Industrial Design in Montevideo: an educational co-operation project between Italy and Uruguay that led to the creation of the first specialist centre in this field.
From that moment on, design became a concrete opportunity for many young people who, attracted to the field of design, saw this as a way to contrast the decadent economic and productive reality of the country that had almost destroyed the national industrial textile industry.
Over time, other educational facilities were established even in the private sector: they offered courses in product design, fabric design and textiles.
But training is not enough to create the basis for a design-based culture and industry. In fact, to achieve this objective, it's necessary for three "actors" to interact: industry, the market and designers. On the domestic market in Uruguay, this sector does not attractive many investors since approximately 3 million people can't afford to buy this type of product.
This means that industry doesn't invest in technological know-how and production. This, coupled with the tax burden, means very high production costs.The fact that two of the three actors are absent (industry and the market) means that designers, as well as a few entrepreneurs who were looking for alternative ways to grow, have had to become creative. Some industries, especially in the textile field, have essentially focused on production for the export market, while many designers have gone into self-production or have decided to emigrate.
Emigration was rife between the seventies and the end of the eighties and the political and economic problems of the country didn't make it any better.
A second wave of emigration is taking place today and is caused by the economic crisis of the year 2000. In this sense, the Uruguayan society is considered to have "open borders".
The textile sector and fashion in general is a constant state of flux.
However, you can still glimpse signs of the former industry and specialised labour: the design of specific products, for example, knitted fabrics, menswear brands and women's casual wear such as *Lolita* and *Vichy* that are famous beyond domestic borders in countries like Brazil, Spain and Chile.
Production is mixed: some is domestic, the rest goes abroad. The design is of good quality, as is the final product.
Special attention is also paid to graphics, communications and outlet management.
However there are also young designers who are involved in self-

production. They concentrate on a young, avant-garde audience and take part in fashion shows and competitions: Ana Livni and Fernando Escuder, the brand name Carluccio-Manini, all graduates of the Industrial Design Centre in Montevideo, along with Carlo Silveira whose strong symbolic designs are characterised by excesses and decontextualisation by the way he uses parts such as zips and fasteners. This is the least developed field because often young designers prefer to control production, not only during fairs, but also when they sell limited series to small shops; so they focus on self-production. The situation in the country itself is another important reason why designers emigrate in order to mature professionally. Eduardo Martres, another graduate of the Industrial Design Centre in Montevideo, went to do his Masters in Industrial Design at Essen University (Germany). After that he became product designer at Philips Design and worked in Japan, the Netherlands and France in the field of household appliances. In 2002, he became a member of the staff of designers at the Hewlett Packard's Digital Camera Group – EEUU. Andrés Bluth, a graduate of the Industrial Design Centre in Montevideo, studied at the Eina school in Barcelona and went on to work for many companies specialising in the field of furniture, for example, the "Bivaq" company that makes outdoor furniture. His very special field of research focuses on the

EHR, attaccapanni
EHR, cloakstand

Manuel Rapoport e Martìn Sabattini, Y Racional, tavolo
Manuel Rapoport and Martìn Sabattini, Y Racional, table

Manuel Rapoport e Martìn Sabattini, Veral, panca o tavolino in legno
Manuel Rapoport and Martìn Sabattini, Veral, bench or wood table

extrapolation of criteria to be applied to outdoor furnishings; he designs simple, yet at the same time functional and elegant products.
In short, says Bluth, "the fact that there aren't any production tools, means we have to be creative when we want to find a solution for a project: we have to transfer materials from a classical environment to a more up-to-date one which, in any case, is vital to the development of new aesthetic proposals".
Thanks to the contribution of telecommunications and digital technology, this field has grown enormously. Now it's easy to find companies that work for foreign clients, for example, the newly created

company, Soho. Web communications makes it possible to be constantly in touch with the client. A modern, up-to-date style and simple, easy graphics are the characteristics most appreciated by clients. Soho was founded in 1996 by Alvaro Anon and Luis Dominguez. It designs web pages and various types of programmes. It quickly began to sell its products to banks and international companies and rapidly conquered the market in Chile.
In general, the products designed by young Uruguayan designers are very different from the point of view of the strategies they use and the aesthetics as well as the different types of labour, objectives and products employed.
The vivacity of the designers coupled with the poor materials and technology present in the country, but offset by their contact with the rest of the world, has given rise to a constant renewal of new ideas that constitute an excellent base for Uruguayan design. This is confirmed by their participation in many international competitions and the fact that they are awarded many prizes.

Manuel Rapoport e Martìn Sabattini
Matero, panca
Manuel Rapoport and Martìn Sabattini
Matero, bench

One of the characteristic traits of designers in Latin American countries is their ability to be flexible and adapt to different situations. This flexibility has developed due to the continuous changes in government policies and the designers' ability to react to the demands of the most varied production fields.
Diversity is undoubtedly the *characteristic trait* of designers in this part of the world. Even if they are not very well known abroad, their products express this combination of multiple cultures, geography and history.
New industrial design studios are generally manned – often with a minimal amount of infrastructure – by very young, but highly qualified professionals who courageously tackle the crisis with innovative ideas, enterprising proposals and self-production. A number of issues have contributed to forcing industrial designers concentrate their efforts on making their own products: the difficulties of the production constraints of a shrinking industrial sector; an economic model that doesn't exist and an entrepreneurial philosophy that is more interested in financial speculation rather than production. This means they have to be prepared not simply to design, but also to produce and distribute these new objects, and this opens new and interesting horizons. Against this background, it's interesting to learn more about some of the most representative new designers in Argentina.
Manuel Rapoport and Martín Sabattini both graduated at the State University in Córdoba (UNC). Since 2003, they have been working together using design to convey the image of Patagonia. Their main aim is to design and produce objects that express the history, materials and "know-how" of the people of that region. Introducing aesthetic and social values in their designs as a way is their way to assert their culture. Their work focuses on two main themes: new ideas that spring to life through mass-produced, limited series that they themselves sell; the production of single pieces, exclusive and original objects, made to order. The studio follows all the production phases, even if most of it is outsourced. The studio also develops the idea, from the design stage to the final product, including sales.
Fernando Besora graduated from the National University in Córdoba and began to work professionally as a free-lance for various companies in different parts of the country: he designed matrixes and was involved in small productions. His knowledge of technologies used in the production of plastics and transformation of iron sheets allowed him to concentrate on a certain number of specific fields, in particular, the wine industry: he designed numerous accessories and bottle racks. His strengths lie in his technological know-how, creative and geographical freedom.
In the year 2000, Hernán De Filippis was awarded first prize in the National Competition "Identity: Design and Innovation" organised by the Secretariat for Industry, Commerce and Labour in Buenos Aires. Together

Lecter, lampada
Lecter, lamp

Manuel Rapoport e Martìn Sabattini
Bigbangbab, lampada
Manuel Rapoport e Martìn Sabattini
Bigbangbab, lamp

with Diego López, in 2002 he opened the DDH Studio in Mar del Plata. Requiring just a small economic investment, DDH abounds in creativity. It opened its doors at a time when the country was tinkering with a return to local production after the devaluation of its national currency. In this extremely uncertain period, they designed their first lighting products for the Cervecería y Maltería Quilmes, an important drinks company in Argentina. This kicked off a whole lighting line currently sold in Mar del Plata, Cariló, Pinamar, Río Negro, Montevideo and Trelew. At present, DDH is focusing on the design of new polypropylene products.
Daniel Arango and Leandro Strano work jointly on the basis that design contributes to the development of society and culture as well as to production growth in cities. The two collections designed so far, each

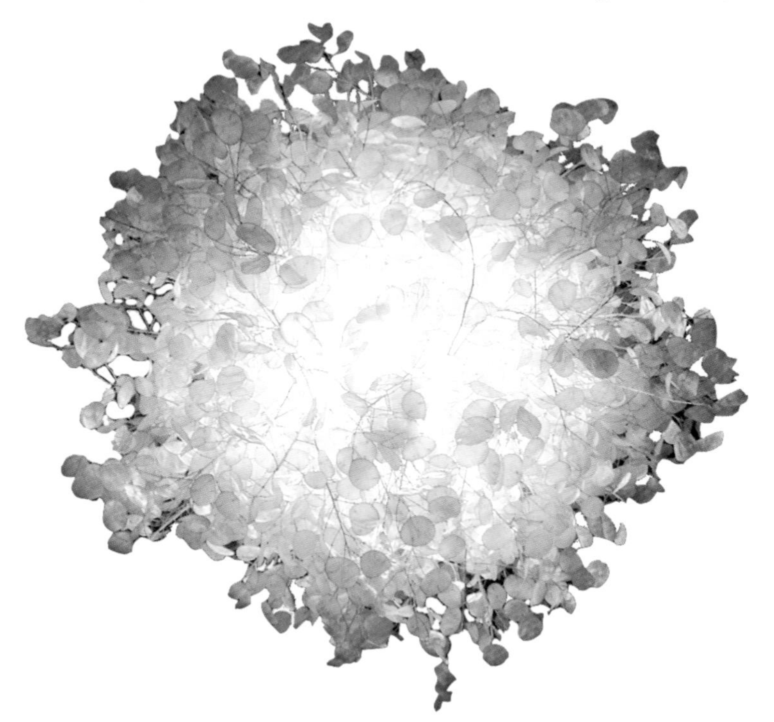

including 15 pieces, have also involved production: this closes the production cycle and guarantees the quality of the product. "Nuvó" is a collection of accessories for the sitting-room and dinning-room. It was designed and produced to furnish these areas in an integrated manner, leaving people free to combine the products as they saw best. "Upon," which won First Prize at the Paseo Explanada Award organised every in Mar del Plata, is an office furniture collection. It's the second collection based on the idea that objects should appear to float in the air thanks to a series of formal nuances.

María Laura Garcia, *Kit clothing*, a small catalogue sales company founded in 2002. it specialises in clothing for doctors, nurses, pharmacists, etc. The company products, tailored to the needs of the clients, pay particular attention to the quality of the *texture*, design comfort and post-sales customer service. At present, *Kit Equipos Médicos* has found its own niche in the local market as a design alternative in the field of medical clothing and accessories.
Both graduates of the National University of Architecture in Mar del Plata in the year 2000, Daniel Esteban Gomis and Guillermo Adrián Chiriello opened the Estudio Z with the idea to experiment and produce limited series of products using materials such as plaster, cement, ceramics and aluminium. *Extensión Z* is one of their first projects: a line of ceramic

dishes based on the idea of optimising the product, improving the centre of gravity of the mixture.
Damián Entrocassi and Diego Reina, is rather special because of the field in which they work: limited series of machinery for the company Herxon Ingegneria. This company designs, produces and installs equipment to harvest, process and package molluscs, paying special attention to design.

VID

Very Important Designer

Nel denso mondo dell'informazione il design ha assunto un ruolo di particolare rilievo: ovunque si parla di design e ovunque un designer fa da opinion-maker o trend-setter. *Che forse la società abbia metabolizzato questa professione, chiamata a definire in maniera consapevole e responsabile il corredo oggettuale? Se si osserva il flusso di merci, materiali e immateriali, appare chiara una proliferazione eclettica e ridondante. Ma allora questi designer, così presenti e considerati, e le loro logiche progettuali, così reclamizzate e desiderate, che peso assumo sulla società quotidiana, dove la creatività appare azione del tutto spontanea, priva di riflessioni e linguaggi codificati? Il design ha realmente ascendente sul mondo materiale, o piuttosto i designer sono solo artefici consapevoli di un meccanismo mediatico, dei semplici vip's?*

Ciò che appare evidente è che, nell'appagamento di tutti gli infiniti bisogni della società contemporanea, il ruolo sociale del designer di matrice funzionalista, come costruttore del contesto materiale, ha trovato una inesorabile dissoluzione in quella spinta, tutta immaginifica e culturalizzata, che trasforma i bisogni in desideri.
Non si tratta di una tendenza dell'ultima ora, ma della conseguenza di un processo di trasformazione del rapporto uomo-oggetto che si è svolto lungo tutto il XX secolo e che ha investito il design di un forte valore comunicativo, manifestando in ogni modo possibile l'importanza della forma su tutti gli altri possibili elementi comunicativi. E con il postmoderno, poi, il valore dell'apparenza ha vissuto anche la perdita anche delle "macronarrazioni", oggettive e sovra-individuali, a vantaggio delle "micronarrazioni" canali espressivi di identità soggettive, permettendo ad ogni singolo oggetto di diventare luogo di

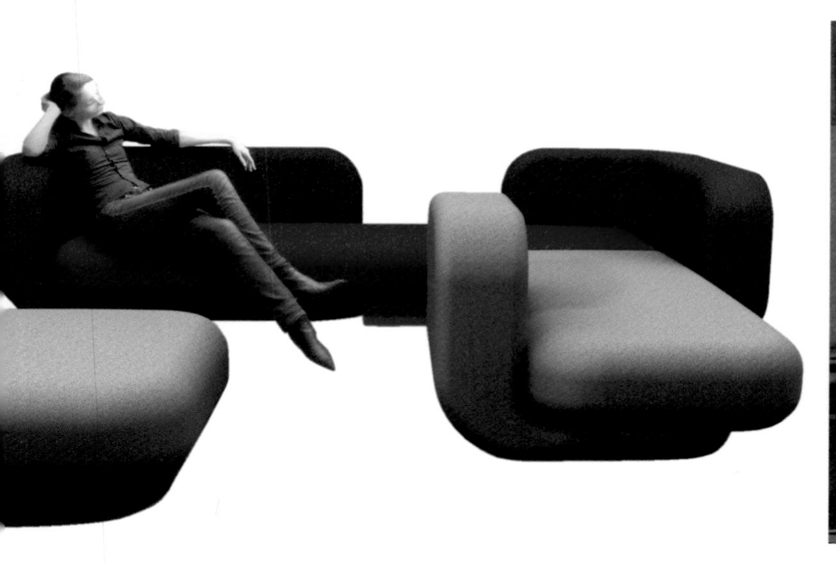

una specifica comunicazione. Si arriva, così, all'attuale società dell'ipermerce dove – come ci hanno a loro tempo preconizzato e descritto Barthes e Baudrillard – il significato degli oggetti è riconoscibile tutto nel loro contenuto simbolico più che nell'uso.
Oggetti riconosciuti e acquistati non tanto per la loro funzione o per il loro contenuto di d'innovazione quanto, più spesso, per il significato che assumo come moderni feticci, da esibire come segni di una condizione, non tanto economica, quanto culturale.
La principale conseguenza è un equilibrio, tra valore progettuale ed estetico, sempre più delicato e labile; e alla continua domanda di nuove "emozioni" i produttori e, con essi, i progettisti sono chiamati ad un ricambio sempre più veloce degli oggetti che si fanno non portatori di funzioni, ma di identità.
Identità che Carmagnola e Ferraresi descrivono attraverso il concetto di "merci di culto"; prodotti, cioè, che racchiudono in sé significati aggiunti, complessi, simbolici, che si rappresentano come diversi da quello che sono, in una vera e propria spettacolarizzazione. E, parafrasando Warhol, questi oggetti diventano molto più che se stessi, diventano "oggetti da pensare", chiavi per la comprensione del nostro tempo, o meglio del loro spettacolo.
Ecco, dunque che il designer, chiamato a costruire questa merce, diventa cerimoniere di un culto che non può più esprimersi solo nel continuum dell'uso quotidiano, ma necessita un suo proprio rito di consacrazione, della sua propria liturgia.
Ecco dunque la necessità della performance mediatica, che dalla spettacolarizzazione dell'oggetto passa inevitabilmente alla spettacolarizzazione del design, cioè, del portato creativo e innovativo delle società. Questo è quanto aveva auspicato, negli anni '80, Jaques Sequela - la

Tom Dixon, *Soft System corner group*, divani, 2005
Tom Dixon, *Soft System corner group*, sofas, 2005

El Ultimo Grito, *Tagged Enviroment*, Elisava, 2004
El Ultimo Grito, *Temporary Showroom for Griffin*, UK, 2003

Tom Dixon, *Wire series*, sedute, 2005
Tom Dixon, *Wire series*, chairs, 2005

Tom Dixon, *Soft System corner group*, divani, 2005
Tom Dixon, *Soft System corner group*, sofas, 2005

Tom Dixon, *Wire series*, sedute, 2005
Tom Dixon, *Wire series*, chairs, 2005

Tom Dixon, *Snap*, lampada, 2005
Tom Dixon, *Snap*, lamp, 2005

Michael Young, *Sticklight*, lampada, Eurolounge, 1997
Michael Young, *Sticklight*, lamp, Eurolounge, 1997

Michael Young, *Dr. James Clinic*, interno, Taipei, 2005
Michael Young, *Dr. James Clinic*, interior view, Taipei, 2005

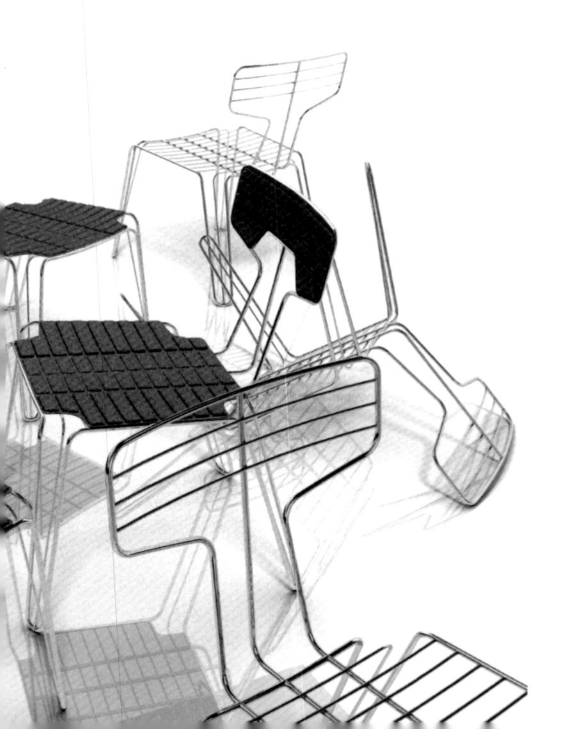

morte della società dei consumi per una società della comunicazione - ma è anche parte dell'eredità warholiana
della "serializzazione" dell'arte, dove la questione centrale era appunto la relazione tra espressione creativa ed espressione mediatica.
Un'eredità che è stata raccolta proprio dal design, a partire dal quello italiano degli anni '70, quando il valore comunicativo degli oggetti era il fine sia dell'atto progettuale che sia di quello del consumo.
È così che il design, fino ad allora dedicato alla decodifica ultima dell'immaginario verso il mondo reale, dell'idea verso la materia, si trasforma in metalinguaggio, non più assoggettato a regole produttive, non più costretto a rispondere a bisogni e necessità ma libero di esprimere la sua creatività, di parlare di storie altre, la cui unica regola è l'idea: e il progetto diventa racconto, l'azione immaginazione, le risposte domande, il significato puro segno.
E il designer si trasforma, diventando di fatto non più progettista di oggetti ma progettista di mondi; portando all'esasperazione quanto era già volontà dei grandi maestri, da Alvar Aalto a Giò Ponti, spogliandosi di ogni "velleità didattica" per assurgere a puro codificatore di segni, come hanno dimostrato Sottsass e Mendini, per arrivare infine a diventare un comunicatore, come ha fatto e continua a fare Phillipe Starck, di stortie fatte da oggetti.
Oggi i nuovi designer, così mediatici e presenti, non sono altro che dei "cantastorie"; forti delle loro possibilità di racconto, che non si accontentano più di singoli viaggi progettuali, di singoli oggetti, ma espandono la loro creatività per costruire sempre nuove storie. I loro progetti diventano spettacoli che, non importa quanto perfetti e strutturati piuttosto che istintivi e viscerali siano, toccano tutte le sfere raggiungibili, dagli oggetti alla grafica, all'architettura agli allestimenti, dagli interni fino alla stessa imprenditoria.
E che non hanno paura di "calcare" tutti i possibili palcoscenici: dal web, alla fiera, alla mostra, alla performance.
I nomi sono molti, ognuno con un loro personale racconto, alcuni durevoli, altri velocemente portati alla ribalta: tutti più o meno consapevoli del loro portato valore mediatico, intorno al quale le aziende, e la società stessa, sono pronte ad investire, scommettere e coltivare.
Prima di tutto su chi ha già una reputazione, quasi sempre costruita attraverso un'esperienza progettuale innovativa fortemente legata all'oggetto: come Ingo Murer e Ron Arad o Konstantin Grcic e Alfredo Haberli.
I primi che hanno puntato su una sperimentazione di materiali e forme capace di sovvertire il senso comune degli oggetti - come le sedute in maglia di acciaio di Ron Arad o le poetiche illuminazioni di Ingo Maurer - ma che adesso sono chiamati per trasformare la sperimentazione in evento, come l'installazione per il Salone del Mobile dove Ron Arad

immagina una "torre infinita" di sedie Tom Vac o quella per la sede dell'Unicef di New York di Ingo Maurer che realizza un immenso fiocco di neve illuminato da milioni di LED. I secondi che grazie ad una personalissima ricerca linguistica – il minimalismo di Grcic e il funzionalismo poetico di Haberli – sono oggi diventati icone del design colto e la loro produzione, sapientemente centellinata, diventa emblema di tutta una collezione aziendale, come le sedute per Alias di Haberli o la Chair-one di Grcic per la Magis.
Ma si investe anche su chi la reputazione deve ancora costruirsela ma è già capace di distinguersi, lavorando sugli eccessi: come Ora-Ito e Satyendra Pakhalé piuttosto che Marti Guixè o i fratelli Bourullec. E mentre Ora-Ito, in questo senso una vera e propria "legenda", è stato capace di distinguersi, conquistandosi il titolo di "hacker del design", presentando sul web, il palcoscenico più affollato ma anche il più diretto, progetti mai commissionati per tutte le più importanti griffe del mondo; Satyendra Pakhalé, che ama autodefinirsi un "nomade culturale" che pratica un "design a memoria", viene osannato come l'esemplificazione dell'avvenuta sintesi tra artigianato e tecnologia, tra oriente e occidente, capace di raccontare un futuro meno ostile, meritandosi già delle personali, da vero e proprio artista, dove gli oggetti vengono allestiti perdendo qualsiasi riferimento alla funzione per esaltare una visione assolutamente immaginifica.
E ancora Marti Guixè che si definisce ex -designer, techno-gastrosof o ancora tapaist; muovendosi con libertà fra arte visiva e performance, con progetti, oggetti ed eventi che mixano antropologia, ironia, gastronomia, concentrandosi sui ritmi, le abitudini, le convenzioni, gli stili di vita realizzando prodotti che creano idee più che oggetti, riflessioni più che valutazione sulle loro possibilità "funzionali"; e, quasi in antitesi, Ronan e Erwan Bouroullec eredi del cosiddetto bel design, creatori di oggetti vere e proprie opere d'arte in serie, distaccati dalla frenetica dimensione quotidiana, capaci di acquistare un'aurea atemporale che li trasforma in oggetti/emblema, e non a caso aziende del calibro di Cappellini e Vitra li inseriscono, senza nessun imbarazzo, tra i cosiddetti grandi maestri.
Ma non sono solo gli altri ad investire sui "designer mediatici"; sempre più spesso, ed è qui il reale cambiamento, essi stessi diventano consapevoli della necessità di "esporsi", di mostrarsi al di là dei loro oggetti. E a partire dal "maestro" di tutti gli show-designer, Phillipe Starck, ecco che c'è chi investe trasformando il proprio nome in un vero e proprio brand, come Karim Rashid o Tom Dixon, e chi invece annulla tutti i riferimenti merceologici e presenta installazioni capaci di stimolare soprattutto la mente, come quelle di El Ultimo Grito.
E se Karim Rashid attraversa un percorso più classico, lavorando per molti brand, per poi investire sulla propria immagine raccontando una personale

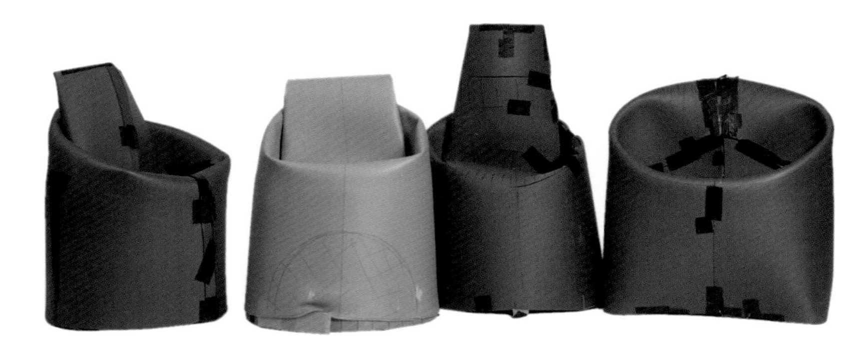

Konstantin Grcic, *DUMMY*, poltrona, Moroso, 2004
Konstantin Grcic, *DUMMY*, chair, Moroso, 2004

Konstantin Grcic, *2-HANDS-2*, bacinella, Authentics, 1998
Konstantin Grcic, *2-HANDS-2*, small basin, Authentics, 1998

Konstantin Grcic, *Chair one*, seduta, Magis, 2003
Konstantin Grcic, *Chair one*, chair, Magis, 2003

visione del mondo e spaziando in tutti i possibili campi dell'industrial design; l'esperienza di Tom Dixon è ancora più consapevole arrivando, già nel 2001, da poco alla ribalta, a fondare un'azienda che porta il suo nome, attraverso la quale, libero dalle dinamiche della produzione, porta avanti la sua personale visione degli oggetti, lavorando con un materiale che lui stesso brevetta, il Provista, ottenuto dall'estrusione di plastica fusa.
Opposto è il lavoro di El Ultimo Grito, per i quali l'idea è l'elemento più importante nel design; traendo ispirazione dalle sensazioni tattili e visuali, il fine è far emergere non tanto un prodotto finito quanto un concetto, arrivando, nelle loro performance con gli stickers, ad annullare del tutto i riferimenti morfologici e funzionali; e da lì nasce un design spontaneo che nega la presenza di un processo produttivo anche quando l'azienda è presente e vigile sul suo risultato commerciale.
E allora, forse, si può concludere che l'ascendente che questo design mediatico ha sulla società è il risultato della più vera smaterializzazione, più di qualsiasi realtà virtuale o comunicazione digitale, perché è la realtà fisica che perde la sua massa, la funzione che non è più nell'azione ma nel racconto e il linguaggio che è solo nell'immagine. E dunque, parafrasando Blonsky e Desnoes, "non è più sufficiente progettare, è necessario dimostrarlo".
E questo, oggi, i designer mediatici lo sanno!

Design currently plays an important role in the crowded world of information: everyone talks about design, and designers become opinion-makers or trendsetters. Has society metabolised this profession called to establish our design dowry in a responsible and conscientious way? The variety of material and immaterial goods points to an eclectic, excess proliferation.
What role do these omnipresent, renowned designers and their famous and coveted design logic play in our everyday lives in which creativity seems spontaneous, with no coded styles or considerations? Does design really have an effect on the material world or are designers just intentional instigators of a media mechanism, just simple VIPs?

It's clear that in order to satisfy the endless needs of modern society, the social role of functionalist designers – as builders of a material context – has inescapably merged with the figurative and cultivated impulse that transforms needs into desires.
This isn't a recent trend. It's the result of a process of transformation of the man/object relationship that took place during the twentieth century. This process attributed a strong communicative role to design, shouting to the four corners of the earth how much more important design was compared to any other possible means of communications. During the post-modern period, appearances also lost objective, collective "macronarrations" in favour of "micronarrations," ways to express subjective identity, allowing each object to become the place of a specific message.

Ingo Maurer, *Pendulum*, installazione per Krizia, 2005
Ingo Maurer, *Pendulum*, installation for Krizia, 2005

Ingo Maurer, *Porca Miseria!*, lampada, 2005
Ingo Maurer, *Porca Miseria!*, lamp, 2005

This brings us to our present society of hyper-goods – envisaged by Barthes and Baudrillard – in which the important thing is the symbolic content of an object rather than its purpose. Objects that are recognised and bought not because they are functional or novel, but often for their role as modern fetishes, to be paraded as proof of a cultural rather than economic state.
The end result is a balance between design and aesthetics, a balance that is increasingly fragile and frail. Given the relentless demand for new "emotions," producers and designers are required to create an increasingly rapid turnover of objects that convey an identity rather than a purpose.
An identity that Carmagnola and Ferraresi describe by using the concept of "cult goods"; products that have additional complex and symbolic meanings, that are portrayed as different to what they actually are, true spectacularisation. Paraphrasing Warhol, these objects become much more than what they really are, they become "objects to be thought," codes to decipher our world, or rather, to understand their exhibit.
So the designer called to create these goods becomes the master of ceremonies of a cult that no longer expresses itself only in the continuum of everyday use, but requires its own rite of consecration and its own liturgy.
This is why they need a media performance: the spectacularisation of the object inevitably leads to the spectacularisation of design, of the creative and innovative talents of society. This is what Jacques Sequela had hoped for in the eighties – the death of our consumer society and

Ingo Maurer, *Porca Cina!*, lampada, 2005
Ingo Maurer, *Porca Cina!*, lamp, 2005

Ingo Maurer, *Koroko*, lampada a stelo, Mamo Nouchies, 1998
Ingo Maurer, *Koroko*, floor lamp, Mamo Nouchies, 1998

Ingo Maurer, *Unicef Crystal Snowflake*, installazione per Unicef a New York, 2004
Ingo Maurer, *Unicef Crystal Snowflake*, installation for Unicef in New York, 2004

Ingo Maurer, *Won-tu-bu 1,2,3*, lampada a stelo, Mamo Nouchies
Ingo Maurer, *Won-tu-bu 1,2,3*, floor lamp, Mamo Nouchies

the advent of a communications society – but it is also part of Warhol's legacy of "serialisation" of art in which the core issue is the relationship between creative expression and the media.
A legacy espoused by design, at least by Italian design, in the seventies when the communicative role of objects was the goal not only of the design process but also of the process of consumption.
Up to then, design had focused on decoding imagery for the real world, ideas versus matter. Afterwards, it became a metalanguage no longer subject to production, no longer forced to satisfy needs and requirements, but free to express its creativity, to illustrate other stories in which ideas reigned supreme: the project became a story, action became imagination, questions became answers and meaning became pure signs.
And designers evolved. No longer designers of objects, but designers of worlds, exasperating the ideas of great masters, from Alvar Aalto to Giò Ponti, shedding every "didactic ambition" in order to become mere decoders of signs, like Sottsass and Mendini, and ultimately to become communicators of stories of objects, like Philip Starcke used to, and still, does.
Today's designers, omnipresent and media-oriented, are nothing but "story-tellers"; bolstered by the opportunity to tell a story, they no longer focus on just one design project, one object, but develop their creativity to write continually new stories. Their projects become shows that, no matter how perfect and structured rather than instinctive and visceral, affect all fields, from objects to graphics, from architecture to exhibits, from interior design to entrepreneurship itself. Nor are they afraid to "perform" on all possible stages: the web, fairs, exhibitions and performances.
Each of these many names has its own story, some last quite a long time, others are quickly shot into the limelight: they are all more or less aware of their media power, in which companies and society are ready to invest in, gamble on and promote.
First of all in those who have a reputation, almost always based on the very innovative design of an object: like Ingo Maurer, Ron Arad, Konstantin Grcic and Alfredo Haberli.
The former gambled on the experimentation of materials and forms capable of inverting the ordinary meaning of objects – like the steel mesh chairs by Ron Arad or Ingo Maurer's poetic lighting. Now they are asked to turn experimentation into an event: Ron Arad's installation for the Furniture Fair where he created an "endless tower" of Tom Vac chairs or Ingo Maurer's immense snowflake lit up by millions of LED for the UNICEF headquarters in New York. Thanks to an extremely personal style – Grcic's minimalism and Haberli's poetic functionalism – the latter have become icons of learned design.

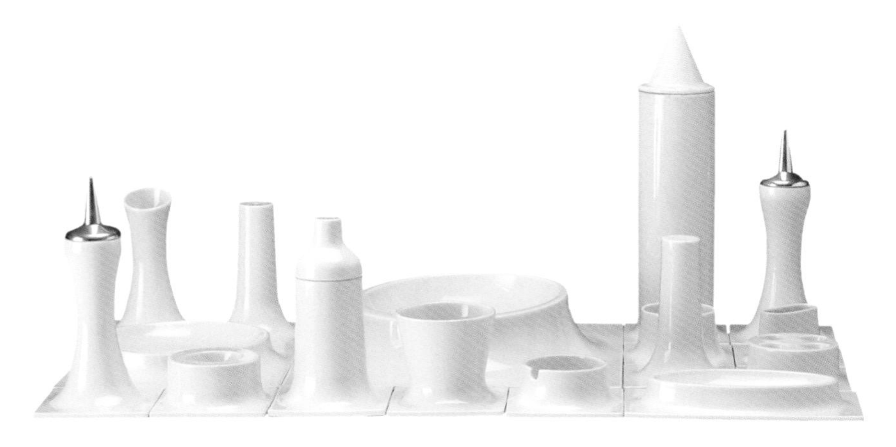

Karim Rashid, *Kissing*, saliera e pepiera, Nambe
Karim Rashid, *Kissing*, salt and pepper, Nambe

Karim Rashid, *Garbo Can*, contenitore, Umbra
Karim Rashid, *Garbo Can*, can, Umbra

Karim Rashid, *Martini Glass Concept*, calice, Bombay
Karim Rashid, *Martini Glass Concept*, glass, Bombay

Karim Rashid, *Morphscape*, set da tavola, Gaia & Gino, 2002
Karim Rashid, *Morphscape*, table set, Gaia & Gino, 2002

Karim Rashid, packaging per *Davidoff Echo Nomad*
Karim Rashid, packaging for *Davidoff Echo Nomad*

Karim Rashid, packaging per *Method*
Karim Rashid, packaging for *Method*

By wisely monitoring production, their products have become the emblem of a company's entire collection: Haberli's chairs for Alias or Grcic's Chair-one for Magis.
But companies also invest in people who still don't have a reputation but are already capable of successfully standing out of the crowd: people like Ora-Ito and Satyendra Pakhalé, Marti Guixè or the Bouroullec brothers. In this sense, Ora-Ito is a real "legend" because he forced people to notice him. He won the title "hacker of design" by putting un-commissioned designs for the most important brands on the web – the most crowded but also the most direct stage in the world. Satyendra Pakhalé, who loves to call himself a "cultural nomad" and practices "design from memory" is praised as the perfect example of the synthesis between craftsmanship and technology, between East and West. He is capable of illustrating a less hostile future and like a true artist has been honoured with solo shows in which the exhibited objects abandon any reference to function in order to glorify an absolutely figurative vision.
Or Marti Guixè who calls himself an ex-designer, techno-gastrosof or "tapaist"; he shifts freely from the world of visual arts to performances with projects, objects and events that mix anthropology, irony and haute cuisine, concentrating on rhythms, customs, conventions and

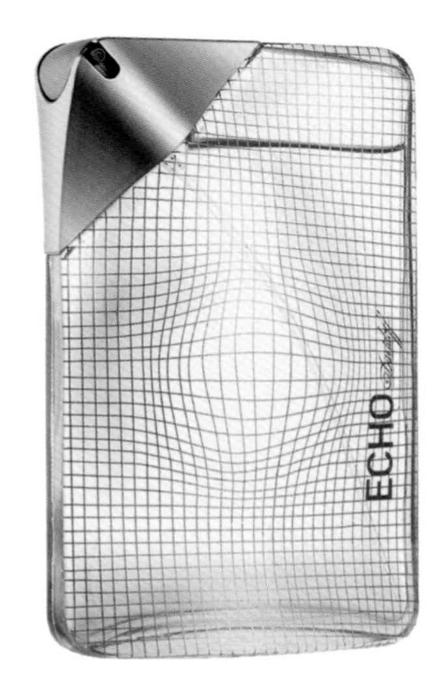

lifestyles, creating products that inspire ideas rather than objects, considerations rather than an evaluation of their "functional" possibilities. At the opposite end of the spectrum, Ronan and Erwan Bouroullec, heirs of so-called beautiful design, creators of serial works of art, disconnected from the frenetic pace of everyday life, capable of assuming an atemporal aura that turns them into emblematic objects.

It's no accident that companies like Cappellini or Vitra shamelessly consider them as being among the so-called great masters.
But it's not just the outside world that invests in these "media designers."
The real novelty is that these designers have become increasingly aware of the need to "be visible," to be seen regardless of the products they design. Philip Starcke is the *maestro* of all show-designers. Then there are those who turn their name into a brand, for instance, Karim Rashid or Tom Dixon, and those who eliminate all references to merchandising and present installations capable of primarily stimulating people's minds, like El Ultimo Grito.
Karim Rashid has a more classical background: first he worked for several brands, then he invested in his own image, illustrating his own personal vision of the world in all possible fields of industrial design. Tom Dixon, instead, was more courageous, establishing his own company shortly after savouring the limelight. Free from the dynamics

Satyendra Pakhalè, *B.M. Hanger*, vasi, 2001
Satyendra Pakhalè, *B.M. Hanger*, vases, 2001

Satyendra Pakhalè, *B.M. Hanger,* stampella, 2001
Satyendra Pakhalè, *B.M. Hanger,* hanger, 2001

Satyendra Pakhalè, *Flower offering chair*, seduta, 2001
Satyendra Pakhalè, *Flower offering chair*, chair, 2001

of production, he sponsors his own personal idea of what objects should look like, working with a material he designs himself, Provista, created by extruding molten plastic.
The work of El Ultimo Grito is quite the opposite. Here ideas are the important element in design; they draw on tactile and visual feelings and aim to create a concept and not a finished product. In their performance with stickers, they eliminated all morphological and functional references: this inspired a spontaneous design that rejects a productive process, even when the company is present and controls the final, commercial result.

Satyendra Pakhalè, *Panther*, multiseduta, Moroso, 2001
Satyendra Pakhalè, *Panther*, multi-chair, Moroso, 2001

Karim Rashid, *Oh Chair – Lipstick*, seduta, Umbra
Karim Rashid, *Oh Chair – Lipstick*, chair, Umbra

Satyendra Pakhalè, *Fish chair*, poltrona, Cappellini, 2005
Satyendra Pakhalè, *Fish chair*, chair, Cappellini, 2005

So perhaps we can end by saying that the influence of media design on society depends on real dematerialisation rather than on any kind of virtual reality or digital communication, because physical reality looses its mass: function is no longer in the action, but in the story and style and these are present only in images. So, paraphrasing Blonsky and Desnoes, "designing is not enough, you have to demonstrate it." Today, media designers are all too well aware of this!

Il tecnico inventore
The Inventor-Technician

Le diverse realtà professionali di progettazione per l'industria, i cosiddetti studi di design, presenti nel territorio regionale del Lazio, hanno configurato negli anni una modalità lavorativa originale e di tipo sistematico, rendendo sempre più riconoscibile la loro attività a livello nazionale ed internazionale.
Riconoscibilità che è dovuta certamente ad approcci progettuali singolari ma anche alla specializzazione settoriale di alcuni di loro e al successo che tali settori stanno riscuotendo sulla scena internazionale. Parliamo per esempio della nautica, nelle sue articolazioni diporto, vela e crociera, che negli ultimi anni ha visto un incremento sostanziale di vendite e di domanda progettuale. Ma anche il settore dell'arredo bagno, molto presente in questa regione, ha seguito lo stesso sviluppo configurandosi come spazio progettuale in cui è possibile fare sperimentazione e innovazione, anche con materiali della tradizione.
Nell'ambito del design per la nautica sono due i professionisti che giocano un ruolo di primo piano sulla scena regionale: Andrea Vallicelli e Giovanni Zuccon. Il primo è autore di prestigiose imbarcazioni a vela tra cui la nota Azzurra, il secondo firma le imbarcazioni della nota holding di cantieri navali Ferretti. Sempre restando nell'ambito della nautica è da citare anche il lavoro dello Studio di Claudio Lazzarini e Carl Pickering con il cantiere Wally, per il quale hanno disegnato l'avveniristica imbarcazione Wally Power, entrata a far parte di numerose scenografie cinematografiche. Ma intorno a queste realtà professionali ormai consolidate, nel Lazio si registra una ampia presenza di giovani designer dei trasporti, prevalentemente nautici che lavorano sulle diverse tipologie di prodotto.

Nel campo del design dell'arredo bagno, Roma ed il Lazio restano le principali aree di riferimento, sia per la presenza dei alcuni designer che firmano da molti anni i prodotti di Teuco, Fabio Lenci e Giovanna Talocci, e di Jacuzzi, Carlo Urbinati, sia per il prezioso contributo di Pino Pasquali alla fase emergente della Agape, sia per un'oggettiva vicinanza al più grande distretto industriale italiano di sanitari in ceramica, quello di Civita Castellana. Recentemente, anche in questo settore si registra un'intensa attività sperimentale di giovani designer che hanno iniziato a muovere i primi passi proprio nel design dell'arredo bagno, ma con ambizioni più alte, tra questi Paolo D'Arrigo, che ha recentemente firmato prodotti per il gruppo Guzzini, Claudio Papa con la sua nota "Pluvia" per Albatros, e lo studio Angeletti e Ruzza di Rieti, che lavora per la GSI, per la Teuco e per la Colombo Design.

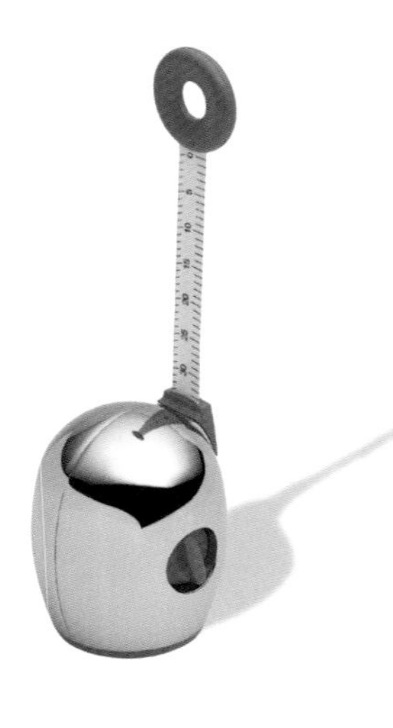

Ma torniamo al discorso introduttivo e cioè alla motivazione per la quale è possibile ascrivere l'attività dei designer del Lazio ad una modalità sistemica.
Un sistema ammette innanzitutto un insieme di relazioni biunivoche tra gli elementi che lo compongono e si struttura con l'obiettivo di

convergere verso un risultato comune.
Le relazioni prime tra tutte. Molti designer romani hanno letteralmente fatto scuola, hanno cioè formato all'interno dei propri atelier profili professionali specifici, che hanno poi cercato e trovato le loro autonomie. Parliamo per esempio della prima composizione dello studio di Fabio Lenci, che vedeva al suo interno la presenza di Carlo Urbinati e di Giovanna Talocci, progettisti questi ultimi che, separandosi, hanno contribuito ad arricchire la scena regionale del progetto di design, con studi specializzati nel disegno di prodotti per l'arredo bagno, ma con un portfolio clienti che spazia dalla Jacuzzi, nel caso di Urbinati, fino alla Teuco e alla Effegibi, per la Talocci. Ma il processo di gemmazione professionale continua a catena, e giovani designer come per esempio Daniele Trebbi, Claudio Papa e Paolo D'Arrigo, rappresentano l'ultima generazione di progettisti nell'arredo bagno, formatasi nello studio di Giovanna Talocci e di Carlo Urbinati.

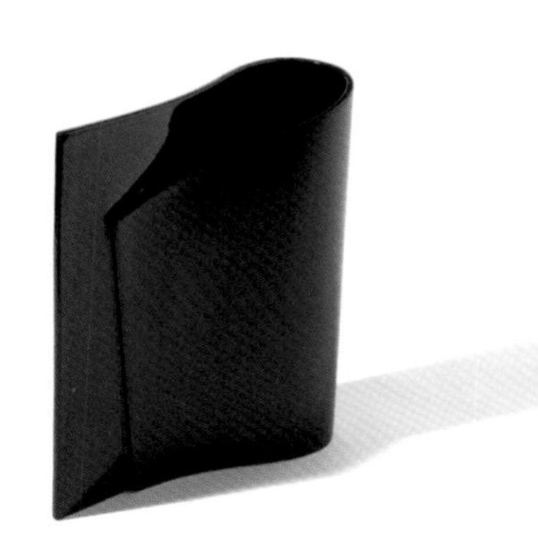

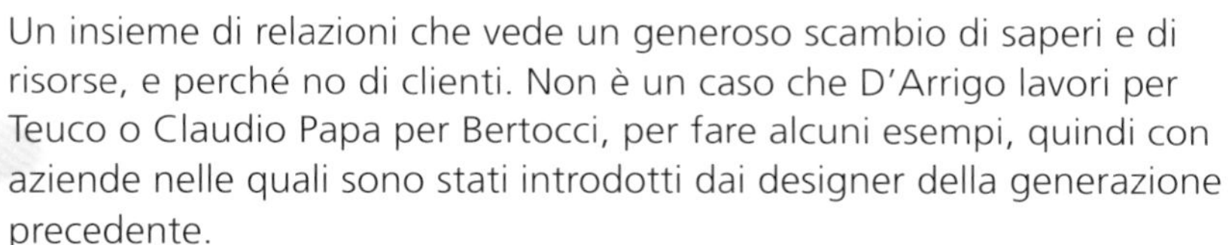

Un insieme di relazioni che vede un generoso scambio di saperi e di risorse, e perché no di clienti. Non è un caso che D'Arrigo lavori per Teuco o Claudio Papa per Bertocci, per fare alcuni esempi, quindi con aziende nelle quali sono stati introdotti dai designer della generazione precedente.
L'obiettivo comune che consolida la tesi di un sistema regionale del progetto di design, sembra essere stato quello di avere tutti contribuito alla creazione di una comunità del design, che cerca costantemente momenti di aggregazione, di scambio e di crescita. Bisogna dare merito

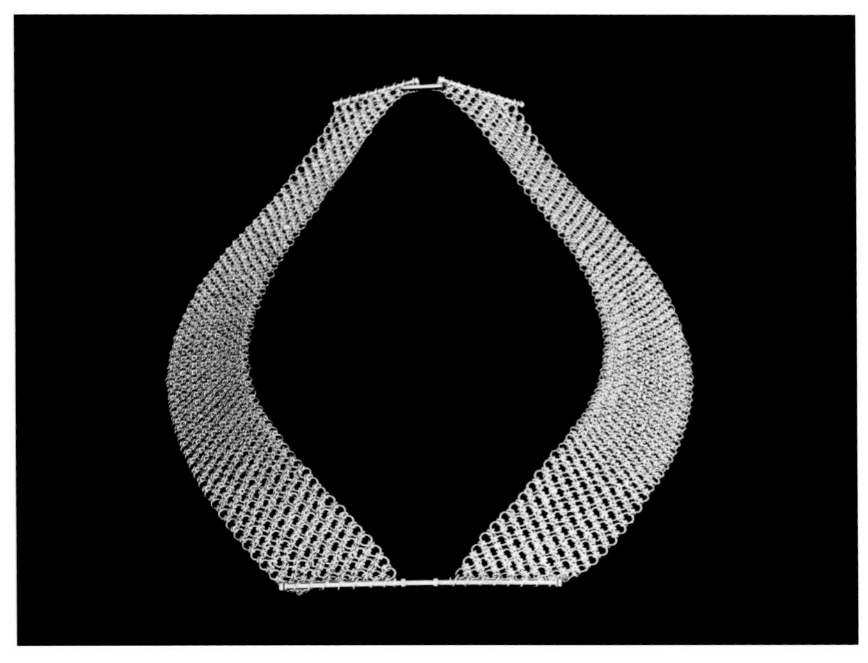

ai designer del Lazio di avere lavorato anche sulla promozione del design di questa regione, organizzando e partecipando a numerose manifestazioni, e dando vita a vicende associative importanti. La partecipazione della Regione Lazio a molte edizioni ad Abitare il Tempo di Verona, ha in lasciato il segno, promuovendo profili professionali divenuti di assoluta notorietà, come per esempio Roberto Palomba, e dimostrando che è possibile fare professione e sperimentazione anche in sistemi produttivi non proprio orientati al design, e non ancora maturi. Ma i percorsi compiuti dai designer del Lazio, per formare una

competenza riconducibile al design sono molto diversi ed articolati. Percorsi che nel caso della prima generazione romana – che corrisponde alla seconda generazione italiana definita da Anty Pansera nel suo "Storia del disegno industriale italiano" – a cui appartengono Fabio Lenci, Antonio Dal Monte e Mario Marenco, nel product design, e Michele Spera, Ettore Vitale nella comunicazione, sono casuali. Tutti loro non hanno avuto una formazione specifica o comune, come era invece avvenuto con i vari Nizzoli o Ponti in altre parti d'Italia. Solo di recente si è configurato nel Lazio, un sistema formativo strutturato nell'ambito del design. I primi designer laziali hanno raggiunto una competenza professionale attraverso un lungo lavoro di autonoma sperimentazione, ed è oggi compito di chi fa ricerca e formazione in questa regione valorizzare questa storia e questo patrimonio.
Ne deriva che i designer del Lazio non sono stati e non sono a tutt'oggi innovatori dei linguaggi, non sono loro a guidare o a cavalcare tendenze stilistiche, sono invece accomunati da un approccio più tecnico e

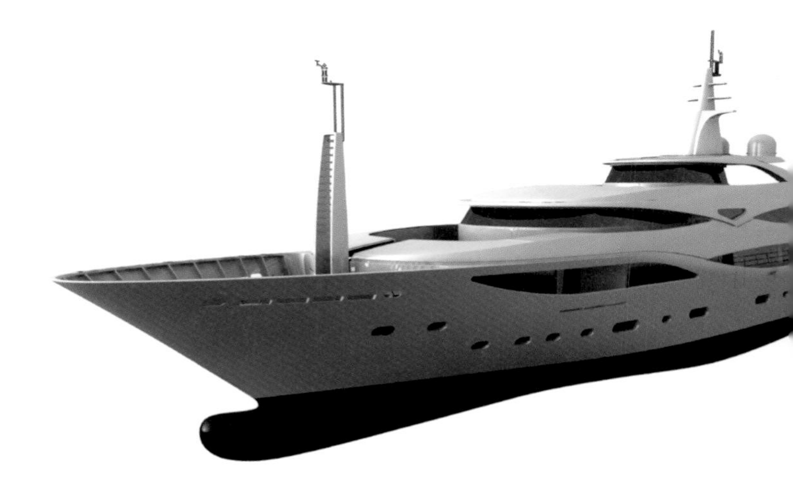

tipologico al prodotto. Quando il gruppo Lenci, Talocci negli anni Ottanta, progettava le prime vasche in acrilico per Virgilio Guzzini e per la sua Teuco, non c'erano modelli da emulare, ma tipologie da inventare, con tutte le difficoltà che questa modalità comporta. Quando un medico come Antonio Dal Monte, capiva che l'analisi degli sforzi e del movimento degli atleti poteva fornire numerosi spunti progettuali sia per il disegno di specifiche attrezzature sportive sia per oggetti legati al corpo, non ultimi i sedili delle automobili, non c'erano analoghi studi in Italia.

Ciò significa che i designer del Lazio, lontani dai distretti del mobile, hanno costruito da pionieri la loro professionalità, cercando di rispondere con la modalità dell'inventore alle richieste che un'embrionale industria gli poneva.
Questo approccio tecnico e tipologico continua nelle giovani generazioni, come una sorta di DNA che viene trasmesso attraverso un passaggio diretto e che contribuisce a rendere originali le diverse realtà del progetto per l'industria, in questa parte d'Italia.

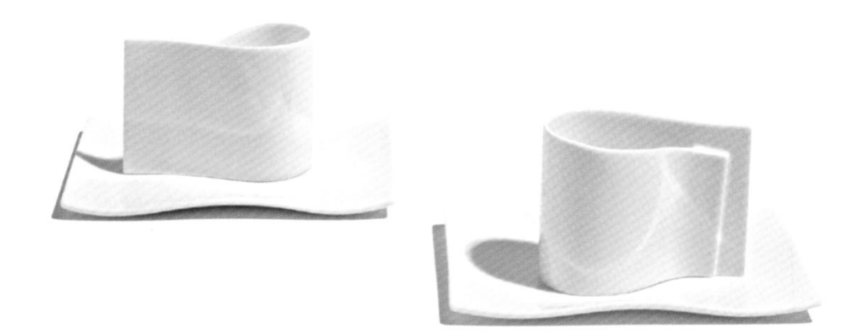

Over the years, the professionals involved in industrial design in the Lazio region, the so-called design studios, have developed a distinctive and systematic work method that has given them visibility and fame both in Italy and abroad.
This is undoubtedly due to their unique design approach, to the specialisation of some studios and to their success on the international market.
The boating industry, for example, including leisure, cruise and sailing boats: in recent years this sector has registered an enormous increase in design demand and sales. Or bathroom design, a growing industry in this region; it is a field in which experimentation and innovation find

fertile terrain in which to grow, even by exploiting traditional materials.
Two yachting design professionals play a leading role in this region: Andrea Vallicelli and Giovanni Zuccon. Vallicelli has designed prestigious sailboats, including the famous *Azzurra*; Zuccon works and designs yachts for the renowned holding company, Ferretti. In this field we should also mention the remarkable work by the Studio of Claudio Lazzarini and Carl Pickering for the Wally shipyards. They have designed the amazing, futuristic boat, *Wally Power*, often chosen to a star in many films. Together with these affirmed professionals, many young transport designers are active in the Lazio region; they focus on a variety of products, mainly in the yachting world.
In the field of bathroom design, Rome and the Lazio Region remain the main reference area for several reasons: the presence of numerous designers who for many years have been designing products for Teuco

(Fabio Lenci and Giovanna Talocci) and Jacuzzi (Carlo Urbinati), the important contribution by Pino Pasquali when Agape was just starting, and the fact that the region is located very near to the largest industrial district in Italy for ceramic bathroom fittings: Civita Castellana. In the past few years, young designers have been very active in this field; they have begun to branch out into the world of bathroom design, but with a more ambitious agenda. Among these young hopefuls are Paolo D'Arrigo who has recently designed products for the Guzzini group, Claudio Papa with his famous "Pluvia" for Albatros and the Angeletti & Ruzza Studio in Rieti that works for GSI, Teuco and Colombo Design. Going back to what we were saying earlier and the reasons why we can

associate the world of designers in the Lazio Region with the idea of an holistic system.

First of all, a system allows a set of biunivocal relations between its component elements and is structured to converge towards a common objective.

Relationships first and foremost. Many Roman designers have been teachers, in other words, they have trained professionals with specific skills in their own ateliers; the latter have then set out on their own. For example, the first professionals in Fabio Lenci's studio: Carlo Urbinati and Giovanna Talocci. When they went their separate ways, they contributed to enhancing the regional design world with studios specialising in the design of bathroom fittings and a portfolio of clients including Jacuzzi (Urbinati), Teuco and Effegibi (Talocci). This professional ramification is endless and young designers, for example Daniele Trebbi, Claudio Papa

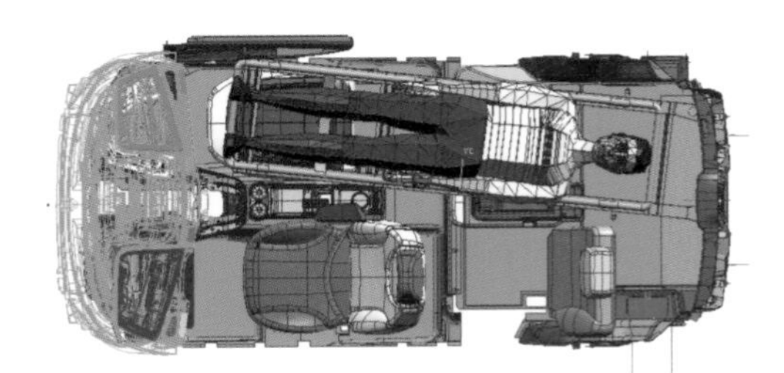

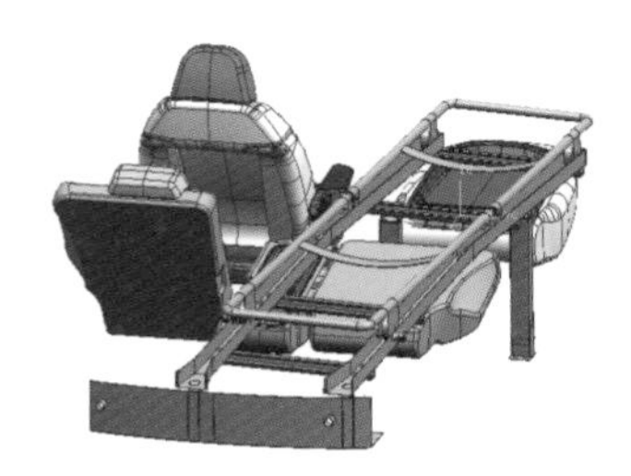

and Paolo D'Arrigo, represent the last generation of bathroom designers who trained at Carlo Urbinati's studio. These professionals generously exchange knowledge and resources and, why not, even clients. It's no accident, for example, that D'Arrigo works for Teuco or Claudio Papa for Bertocci, companies to which they have been introduced by the previous generation. The common goal behind the idea of a regional design system seems to have been the fact that they have all contributed to creating a design community always searching fo ways to work together, to exchange knowledge and grow. We must admit that designers in the Lazio Region have done their best to promote design in this region, organising and participating in numerous events and establishing important industrial associations. The participation of the Lazio region in several editions of *Abitare il Tempo* in Verona has also left its mark; it has promoted professionals who have become world-famous, for example, Roberto Palomba. It has also proved that it's possible to mix expertise and experimentation even in production systems that don't specifically focus on design and are not yet fully developed.

To acquire skills and expertise in design, the work done by designers in the Lazio Region has been varied and multifaceted. The careers of the first generation of Roman designers – that corresponds to the second generation of Italian designers as defined by Anty Pansera in his book, "History of Industrial Design in Italy" – including Fabio Lenci, Antonio Dal Monte and Mario Marenco (product design) and Michele Spera and Ettore Vitale (communications), are quite accidental and spontaneous. None of them have had any specific or joint training, compared to people like Nizzoli or Ponti in other parts of Italy. Only in the last few years has a structured design training programme been developed.

The first designers in Lazio achieved their professional status after a long period of independent experimentation. Now, it is the job of those responsible for research and training in the Lazio Region to enhance this legacy and talent.

Designers in the Lazio Region were and are trend-setters; they are not the ones that inspire or create fashionable trends. Instead, they have a more technical and typological approach to the product.

When in the eighties, the Lenci, Talocci group designed the first acrylic baths for Virgilio Guzzini and his Teuco company, they had no models to work on; all they could do was invent types, with all the difficulties that this entails.

When a doctor by the name of Antonio Dal Monte understood that the study of athlete's exercises and physical movements could provide lots of new design ideas for certain pieces of sports equipment, people's sports clothes as well as car seats, no such studies had ever been carried out in Italy.

This means that designers in the Lazio Region, miles apart from the

furniture-making district, pioneered their own professional expertise, trying to adopt an inventor's mind to solve the problems submitted by a growing industry. The young generation has continued to develop this technical and typological approach, as a sort of direct DNA legacy; this is what makes the different aspects of an industrial project so original in this region of Italy.

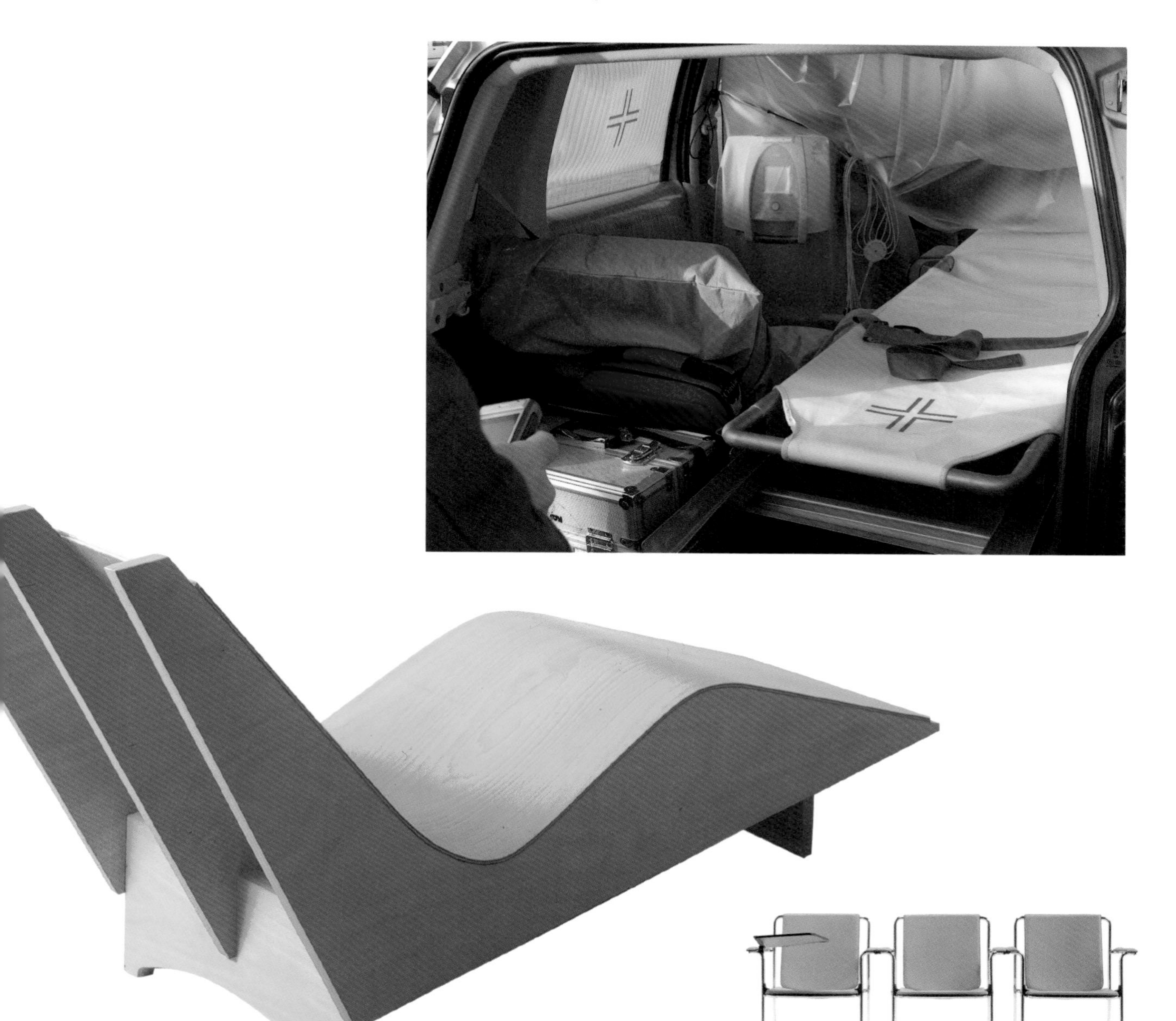

Processi di decorazione genetica
Genetic Decoration Processes

L'osservazione di alcune giovani sperimentazioni denota un rinnovato interesse verso una inedita forma di arte decorativa che, piuttosto che essere "applicata" superficialmente alla struttura, ne diviene parte integrante, cercando contemporaneamente, con la mediazione della forma, il superamento di storiche dicotomie e dibattiti, come quella tra arte e tecnica o quella tra forma e funzione, e quindi interpretando alcuni dei compiti propri del design. Il processo ne diviene uno dei motivi dominanti, trattato più come finalità da sperimentare e ricercare, piuttosto che strumento secondario a tutta l'attività progettuale ed utile solo alle logiche di comunicazione e produzione. L'innovazione tecnologica e dei materiali in questo senso fornisce rinnovate occasioni per esporre una nuova estetica decorativa, lontana da motivi di falsificazione mimetica e con una propria forza poetica. L'ornamento non è più un motivo di imitazione del conosciuto allo scopo di rendere più familiare una tecnologia, al contrario vengono studiate all'interno del processo di produzione o del materiale stesso, quelle caratteristiche di casualità e di imperfezione che in qualche modo ne rendevano unici gli oggetti nati dalla produzione artigianale. Il processo progettuale così coincide con il processo produttivo fino addirittura al consumo che può diventare parte integrante della creazione formale.

Joris Laarman, designer olandese a Eindhoven, si occupa di product design con una poetica vicina all'estetica ingegneristica: il suo radiatore "Heatwave", insieme rococò e funzionale, è attualmente prodotto da Droog Design e al momento sta lavorando ad una collezione di prodotti unici per alcune importanti aziende.
Front Design è un gruppo composto da quattro donne con base a Stoccolma: la filosofia progettuale si basa su casualità ed eventi fortuiti, come la serie di oggetti progettati da animali od interazioni con l'ambiente circostante, come nel progetto per materializzare oggetti fisici direttamente da schizzi a mano libera nello spazio.
Simon Heijdens, olandese, dagli studi sperimentali in filmografia è arrivato al product design per applicarne lo spirito e le tecniche per la progettazione di oggetti che ricercano una relazione tra decorazione e cambiamento ed evoluzione: Moving Wallpaper è stato selezionato per la collezione di Droog Design. *Reed Kram e Clemens Weisshaar* nascono come gruppo nel 2002 per la progettazione di prodotti e luoghi, attraverso l'uso di dispositivi interattivi e di media e con l'intento di integrare skills multidisciplinari, tra design e nuove tecnologie e ricercare intorno all'estetica computazionale.
Fluidform nasce dalla fusione di designers, artisti e programmatori per la realizzazione di prodotti al confine tra arte e design, materiale e virtuale, prodotto unico e di serie, lavorando in particolare sull'interfaccia tra computer motion graphics e la materializzazione di oggetti per la ricerca di nuove espressioni estetiche.

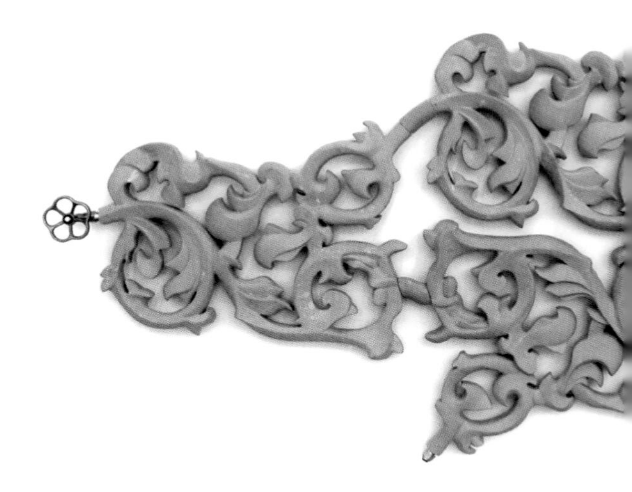

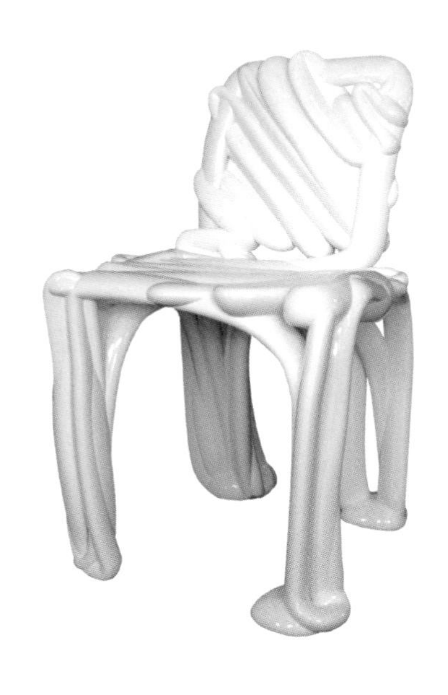

Il significato di progetto è storicamente connesso concettualmente ad un'attività processuale finalizzata alla trasformazione delle forme che abitiamo, un'attività dinamica complessa che si articola non solo nella manipolazione strumentale di un materiale, piuttosto che nell'esecuzione produttiva, ma come vera e propria esperienza cognitiva con strumenti propri in grado di sperimentare e ricercare come di generare nuove consapevolezze. Gli oggetti in questo senso, nella loro forma cristallizzata, oltre la funzione immediata e il materiale costitutivo, hanno da sempre avuto la capacità di condensare processi, così come ha sottolineato la teoria marxiana del lavoro che ne ha evidenziato il plusvalore produttivo in termini di scambio, piuttosto che la valorizzazione freudiana del feticismo nella retorica evocativa tra produzione e consumo, fino alle analisi di Benjamin che vi rintraccia una forma di *sex appeal* nelle forme dell'inorganico, tale da caratterizzare relazioni socio-culturali. La realtà artificiale contiene cioè al suo interno un "fare" processuale che è sempre stato rintracciabile nelle impronte lasciate dalle lavorazioni artigianali, soppresse poi nella perfezione delle superfici prodotte dalla logica della macchina e rintracciabili direttamente nei linguaggi che si sono fronteggiati con diversi esiti in tutto il secolo scorso.

Reed Kram e Clemens Weisshaar, *Breeding tables*, 2004

Joris Laarman, *Heatwave*, 2003

Front Design, *Sketch Furniture*, 2006

Fluidform, *Re.Evolutionary design*, 2006

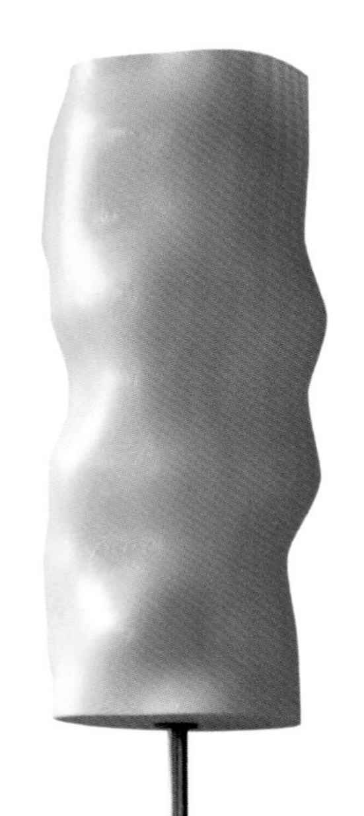

La vicenda delle arti decorative in questo senso è emblematica nel raccontare una forma di dicotomia oppositiva che storicamente le ha volute "minori" rispetto all'arte pura, perché piegate, "applicate" appunto, al fine dell'utile, piuttosto che trascendere da un'estetica con finalità sinceramente contemplative. L'idea di applicare superficialmente alla nuda funzionalità con intento mimetico motivi di arte decorativa, ha così legittimato culturalmente nel tempo la tecnologia, fornendone una versione "umanizzata" in grado di mediarla con l'etica del lavoro artigianale. Il passaggio da arti decorative ad arti industriali della modernità segnala in questo senso lo storico dibattito tra arte e tecnica espresso nello stile delle merci e che troverà nel design una sua soluzione autonoma capace di fornire finalmente un'identità alla produzione di massa. Il progetto contemporaneo rintraccerà proprio nel processo tecnologico una risorsa per la creatività, ormai recuperata in un linguaggio complesso e unitario capace di formalizzare idee, restituendone contemporaneamente materialità e senso. Il processo di *styling* in molta della ricerca progettuale contemporanea, non è più trattato come falsificazione superficiale della natura fisica dell'oggetto, ma lo connatura al processo stesso per sfruttarne le opportunità semantiche che offre ed integrarne l'estetica: è l'oggetto stesso che incorpora "per forma" la decorazione, facendola coincidere con la stessa struttura e funzione e risolverne lo storico antagonismo. Il radiatore progettato da Joris Laarman in questo senso sembra fare riferimento più ad una decorazione Rococò che al funzionalismo dell'industrial design. Realizzato in elementi variabili, si avvicina ad una citazione postmoderna di stile retrò, ma probabilmente è invece una

reinterpretazione del teorema modernista della convergenza tra forma e funzione, alla ricerca dell'ottimizzazione delle prestazioni con lo sviluppo di una superficie più ampia possibile, che ne reinventa la funzionalità attraverso la forma e contemporaneamente si espone come decorazione.
La scelta tecnologica assume una forza poetica nel vestire una sua propria e connaturata estetica, al di là della metafora semantica o del rigore funzionale: invece che eliminare tutte le imperfezioni superficiali, come ha fatto l'industria per anni, cercando una coincidenza tra bellezza, perfezione e nettezza delle forme della macchina, ora le tracce delle lavorazioni sono addirittura accentuate e messe in rilievo. L'inevitabile superficie che ne risulta diventa l'inevitabile ornamento, incontrando così la coincidenza tra decorazione e funzione.
In questo senso la ricerca progettuale di Front Design, un collettivo rosa di quattro designer svedesi, è indirizzata a mettere in discussione il ruolo convenzionale del progettista quale creatore unico che presiede al processo di creazione: al contrario, nel favorire una posizione impersonale con l'inserimento di fattori di casualità *"random"* che ne influenzano il risultato finale, il design che emerge è contemporaneamente decorazione e processo. Emblematico in questo senso, *"Design by Animals"* è come un catalogo di forme naturali e spontanee, un po' *naïf*, quasi un processo programmatico di distruzione: le progettiste si sono chieste: "possono

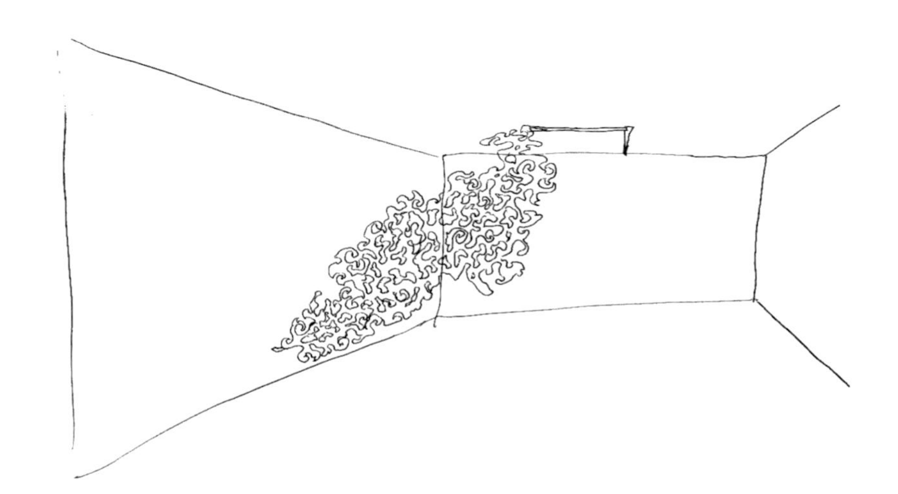

Front Design, *Wallpaper by Rats*, 2005

Joris Laarman, *Heatwave*, 2003

contribuire gli animali al design?" *(we asked animals to help us. - Sure we'll help you out, they answered. - Make something nice, we told them. And so they did).* E così impronte di cani nella neve formano vasi di ceramica *(vases by dog),* una lampada nasce dal lavoro di un coniglio *(lamp by rabbit),* la decorazione di un tavolo è il disegno dei tracciati dei percorsi di insetti *(table by insects)* e, forse più suggestivo di tutti, rotoli di carta da parati rosicchiata da topi creano patterns replicati che mostrano, in opera, le parti sottostanti della vecchia carta così da disegnare una nuova decorazione *(wallpaper by rats).* Il tema diventa poi esplicito quando il cratere che emerge da una esplosione è utilizzato come sagoma per una seduta, o quando la forma di un vaso incorpora il disegno delle sue fratture dopo una caduta incidentale.

L'ornamento, o *parergon* (supplemento, accessorio; dal greco *para+ergon*=vicino al lavoro), piuttosto che un'aggiunta estetica non necessaria, comunica spesso una storia a chi lo osserva sul processo progettuale, sulle convenzioni legate alla produzione fisica o alle caratteristiche del materiale con cui è prodotto. Secondo Jacques Derrida, questa bellezza supplementare è probabilmente più importante di quello che pensiamo, decostruendo così le relazioni gerarchiche istituite tra cornice ed opera d'arte: è possibile che le decorazioni di una carta da parati rivelino del suo abitante più che l'arredo, o le opere d'arte sui muri o i libri sugli

Reed Kram e Clemens Weisshaar, *Breeding tables,* 2004

scaffali. La carta da parati interattiva progettata da Simon Heijdens, attraverso la sperimentazione di inchiostri conduttori, fa anche di più arrivando a introdurre decorazioni che possono modificarsi a piacimento: attraverso un software, l'idea di una libertà di scelta del consumatore è estremizzata con ironia con il disegno di mazzi di fiori che mutano lentamente in automobili, che sfumano a loro volta in altri disegni *(moving wallpaper).*
L'avvento delle nuove tecnologie ha in questo senso stimolato la sperimentazione, laddove spesso il design si trasforma in vera e propria performance, in cui è il processo, insieme progettuale e produttivo, ad essere esibito attraverso la forma che ne risulta. Tra i lavori più recenti, Front Design ha presentato al Tokyo Design week un metodo per materializzare gli schizzi a mano libera attraverso la combinazione di due tecniche avanzate: movimenti nell'aria sono registrati con una tecnologia *Motion Capture*, poi trasformati in modelli digitali in 3D, quindi materializzati attraverso una macchina per la prototipazione rapida in componenti fisici di arredo *(Sketch Furniture).*
Se nell'era pre-industriale l'*ornatus* era il risultato della mano dell'artigiano, un'addizione con finalità di comunicazione alla struttura e di cui se ne apprezzava la fattura tecnica secondo le acquisite regole dell'arte, la raggiunta abilità a realizzare strutture sempre più complesse e diversificate attraverso l'uso di software raffinati e gli ultimi sviluppi dei materiali, ha permesso di integrare nell'intelligenza del progettista la tecnologia con la decorazione, non più "applicata" piuttosto "integrata" alla forma. Il lavoro di Reed Kram e Clemens Weisshaar, una coppia che contiene insieme competenze di design e di programmazione informatica, si concentra in questo senso nella costruzione di forme generative complesse e sempre

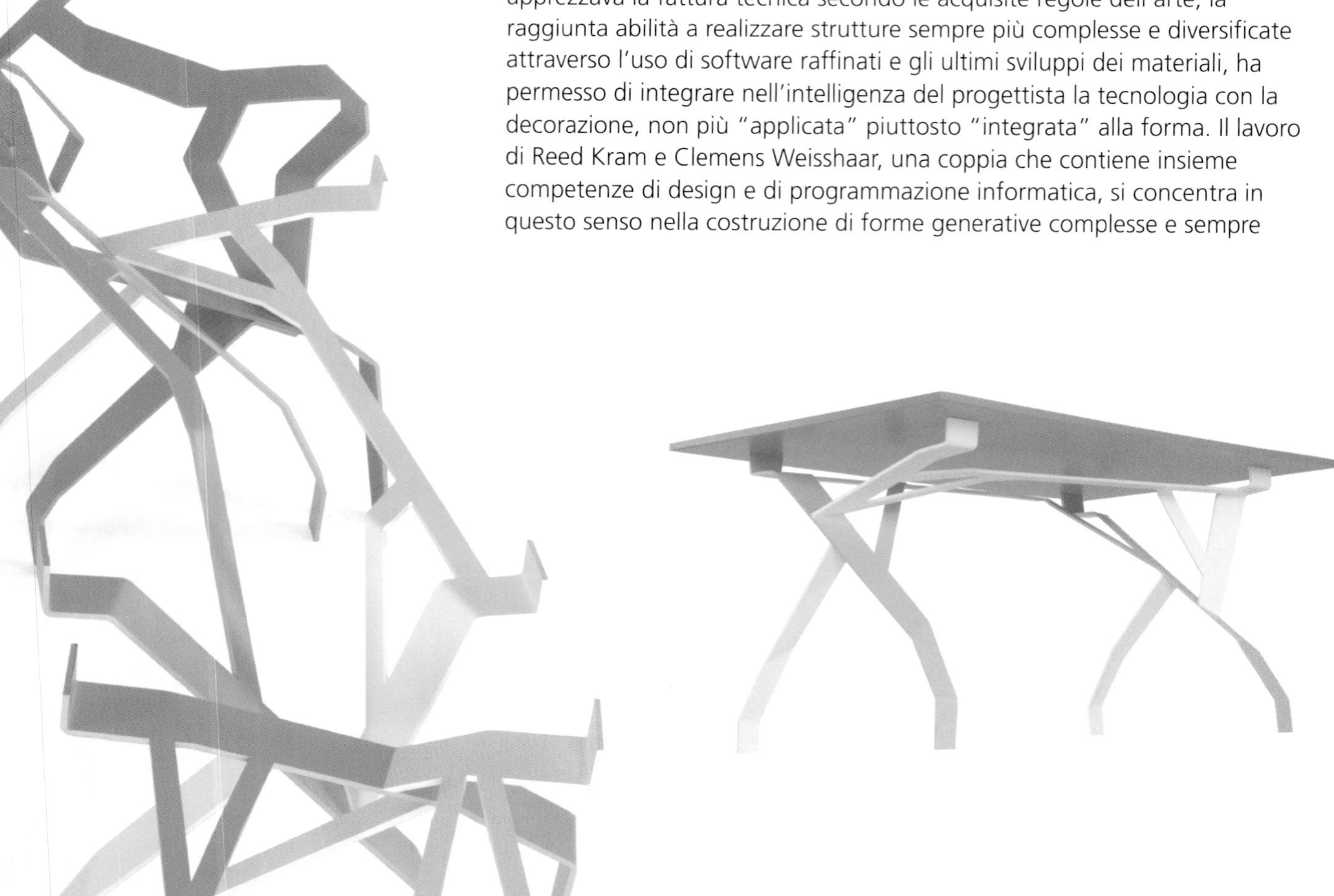

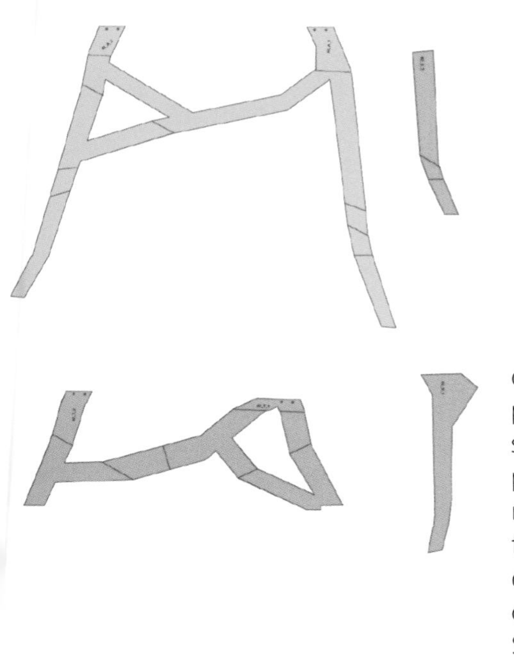

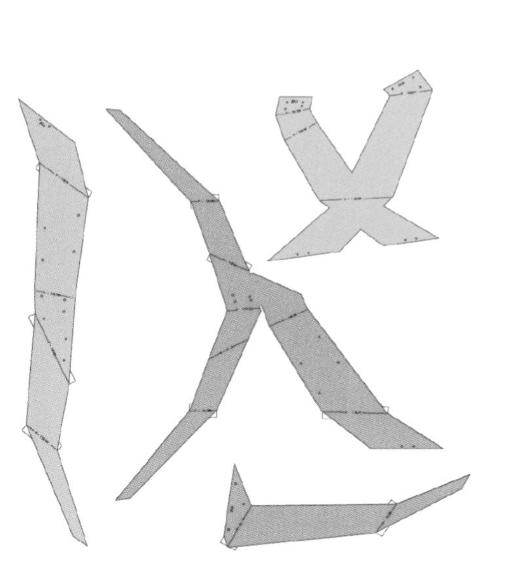

diverse attraverso l'applicazione di algoritmi genetici. Le *breeding tables*, primo lavoro seminale, nascono così dalla costruzione di uno speciale software che permette di giocare con alcuni parametri tra forma dinamica e produzione: piccoli cambiamenti nei parametri possono dare vita ad intere nuove famiglie di prodotti usando esattamente le stesse infrastrutture fisiche e di lavoro e permettendo un repertorio estremamente differenziato di tipologie. È il processo ad essere cioè l'obiettivo del progetto, piuttosto che l'oggetto stesso, che ne denuncia l'estetica attraverso la forma. Similmente Fluidforms arrivano a teorizzare una forma di *re.evolutionary design:* come in una performance il pubblico, durante la presentazione all'ultimo Salone Satellite di Milano, è trasformato in scultore e designer attraverso un *punching ball* e un paio di guantoni da box utilizzati per creare la forma fisica. La forma iniziale da prendere a pugni è un cilindro e i sensori nascosti all'interno trasmettono i colpi al computer, modellandone il cilindro secondo la posizione: ogni pugno cambia la forma finché la lotta non giunge a termine. La decorazione emerge dall'uso di legni laminati di diverse essenze e colori accoppiati che, a seconda della forma finale determinata dall'azione di manipolazione, fornisce un disegno diverso, esaltando l'unicità delle imperfezioni del materiale come accade nell'estetica del "fatto a mano". È il consumatore stesso ad assumere un ruolo attivo nell'atto di creazione e il computer non agisce come semplice strumento di disegno, ma si fa agente a supporto di un'espressione estetica, in grado di aprire a nuove forme di creatività nell'uso delle nuove tecnologie. La ricerca progettuale sembra ricercare in questo senso un nuovo modello di operatività estetica in grado di reinterpretare e reintegrare geneticamente l'arte ornamentale all'interno della forma, inserendola contemporaneamente nel processo.

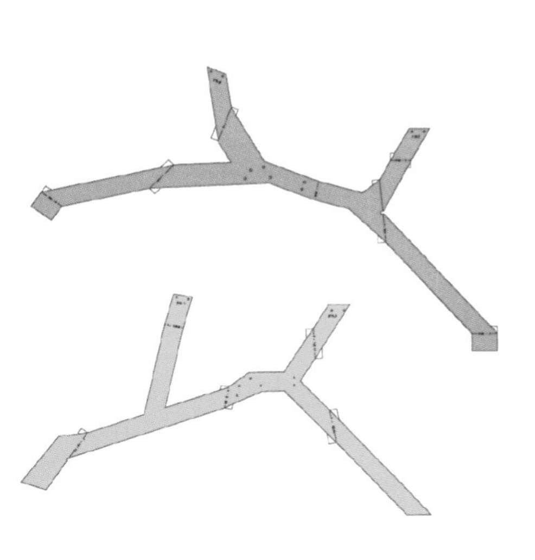

Several recent experiments have highlighted people's renewed interest in a new form of decorative arts which instead of being "applied" to the surface of the structure, becomes part of it. At the same time, by mediating with form, these experiments overcome historical dichotomies and debates, like the one between art and technique and between form and function, and carry out some of the tasks native to design. The process becomes one its dominant themes, considered more as an end to be tested and researched rather than a tool secondary to design and useful only to communications and production. In this sense, technological and material innovation provides fresh opportunities to exhibit new decorative aesthetics that have their own poetics and are very different from mimetic fakes. Decoration no

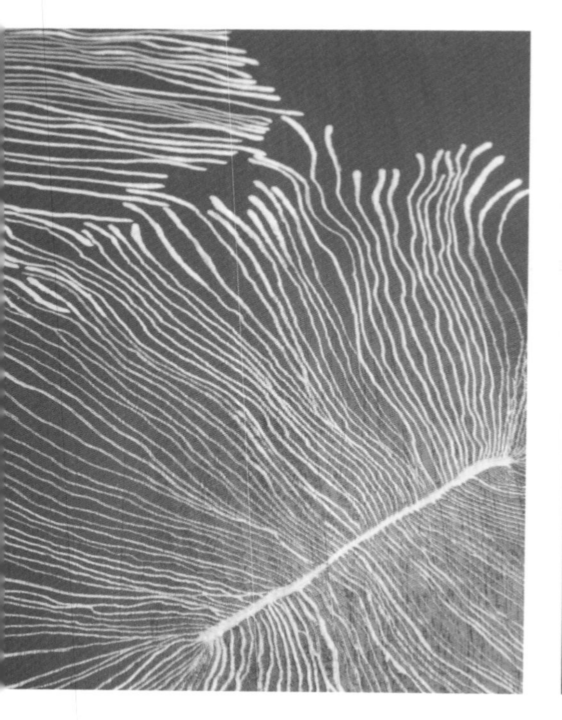

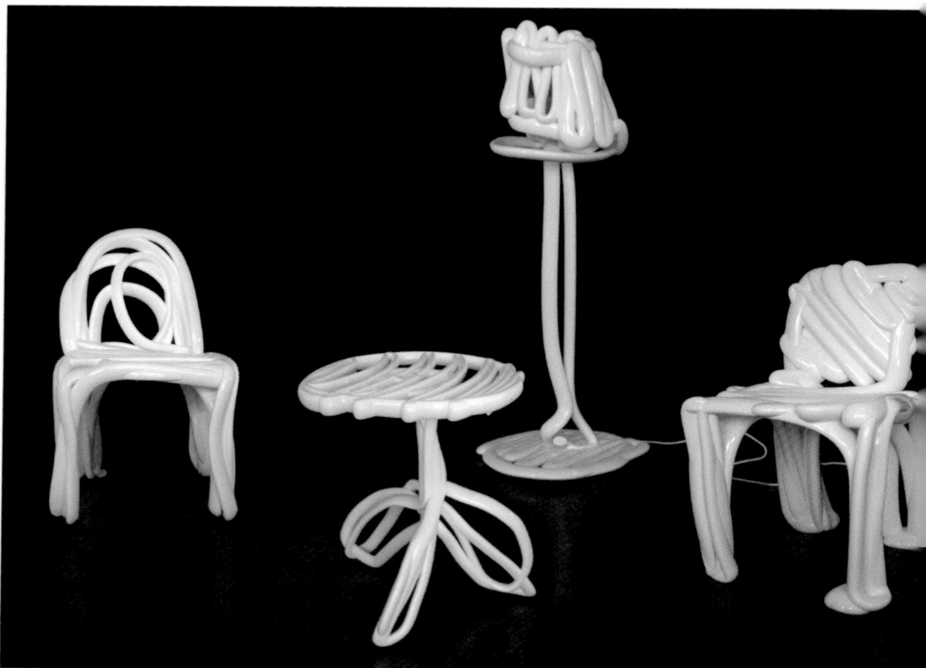

longer reproduces a known object in an effort to improve our knowledge of a certain technology, on the contrary production processes or materials are studied to find what is imperfect or unusual, i.e., the traits that make the objects created by craftsmen unique. The design process coincides with the production process or even consumption which can become an integral part of formal creation.

Front Design, *Table by insects,* 2005

Front Design, *Sketch Furniture,* 2006

Joris Laarman, a Dutch designer in Eindhoven, works on product design. His poetics are very similar to engineering aesthetics: his rococo yet functional radiator "Heatwave" is currently produced by Droog Design and he is working on a collection of single pieces for several important

companies. Front Design is a group of four female designers all based in Stockholm: their design philosophy involves chance and fortuitous events: the series of objects designed using animals; interaction with the environment; the project to materialise physical objects directly from sketches drawn in the air.
Simon Heijdens shifted from experimental studies in film-making to product design. He now applies the spirit and techniques of film to the development of objects. He was fascinated with trying to create a relationship between decoration and change and evolution: his first projects include, Moving Wallpaper, chosen to become part of the Droog Design collection.
Reed Kram and Clemens Weisshaar came together as a duo in 2002 to

design products and places using interactive and media devices. They wanted to combine multidisciplinary skills in the field of design and new technologies and study computational aesthetics.
Fluidform is a group of designers, artists and programmers who create products borderline between art and design, material and virtual, unique pieces and serial products. In particular, they work on the interface between computer motion graphics and the materialisation of objects to create new aesthetic modes.

Design is historically and conceptually linked to a process that aims at changing the shapes in our world. It is a dynamic and complex activity

Fluidform, *Re.Evolutionary design,* 2006

that involves not only the instrumental manipulation of materials rather than production, but it is also a cognitive experience with its own tools that can experiment and try and find ways to create new awareness. In this sense, apart from their function and materials, objects in their crystallised form have always been able to compact processes. This is proven by Marx's theory on work that emphasised the added value of production in terms of exchange rather than the Freudian valorisation of fetishism in the evocative rhetoric between production and consumption, and by Benjamin's analysis that identifies a sort of sex appeal in inorganic forms, an appeal that characterises social and cultural relationships. In other words, artificial reality contains a design "process" that can always be seen in the marks left by artisans; these marks, later eliminated in the machine-produced surfaces, are part of the more or less successful styles that faced off against each other in the twentieth century.
The history of decorative arts is emblematic in the sense that it tells the story of a sort of conflicting dichotomy that decreed them to be "minor" compared to real art because they were dedicated, "applied," to what was useful rather than being based on truly contemplative aesthetics. Over the years, the idea of using decorative arts on surfaces in order to hide functionality culturally legitimised technology, providing a "humanised" version that could mediate with the ethics of artisanal craftsmanship. The shift from decorative arts to modern industrial arts brought to the fore the historical debate between art and technique expressed in goods design. Design had its own solution to offer, a solution that finally provided mass-produced products with an identity. Modern design was to exploit technology as a creative resource, incorporated in a complex and unitary style capable of formalising ideas as well as recovering materiality and meaning.
The *styling* process in many modern design studies is no longer considered as faking the physical surface of the object; it is seen as involving the process itself in order to exploit its semantic opportunities and integrate aesthetics. It is the object itself that incorporates decoration in its "form," making it coincide with its structure and function and thereby solve this long-standing antagonism. The radiator designed by Joris Laarman seems to be inspired more by rococo decoration than by industrial design functionalism. With its separate elements, it's more like a postmodern citation than a retro style, but instead it is probably a re-interpretation of the modernist theory of convergence between form and function in search of optimal performance, achieved by creating as large a surface as possible; it reinvents functionality using form and at the same time displays this as decoration.
Choosing technology becomes poetical when it conceals its own intrinsic aesthetics, quite apart from semantic metaphors or functional rigidity: instead of eliminating all surface imperfections, as industry has done for

years, trying to combine beauty, perfection and precise machine-created forms, traces of craftsmanship are now accentuated or even emphasised. The inevitable surface that ensues becomes the inevitable ornament, thereby combining decoration and function. In this sense, the design research by Front Design, a group of four female Swedish designers, focuses on questioning the conventional role of designers as creators who preside over the creative process. On the contrary, by choosing to adopt an interpersonal position which includes random factors that influence the end product, design is both decoration and process. One emblematic example is *Design by Animals*; this catalogue of somewhat naïf natural and spontaneous forms is almost a programmatic process of destruction. The designers asked themselves: "can animals contribute to design?" *(we asked animals to help us. - Sure we'll help you out, they answered. - Make something nice, we told them. And so they did).* So dogs' footprints in the snow became ceramic vases (*vases by dog*), a lamp was created by a rabbit (*lamp by rabbit*), a table decoration is the trail left by insects (*table by insects*) and, perhaps the most imaginative of all, rolls of wallpaper nibbled by rats created repetitive patterns that reveal the old wallpaper underneath, thereby creating new patterns (*wallpaper by rats*). The idea is even clearer when a crater created by an explosion is used as the seat of a chair or when the shape of a vase shows where it was broken after being accidentally knocked over.

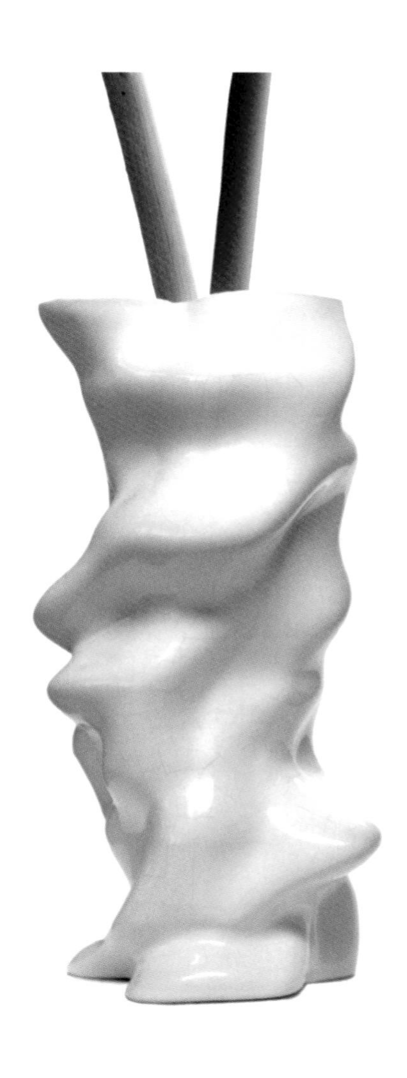

Ornaments or *parergon* (supplement, accessory, from the Greek *para+ergon* = near to labour), instead of being an unnecessary aesthetic extra, often tell a story about the design process, about the conventions associated with physical production or the characteristics of the material used to produce it. According to Jacques Derrida, this additional beauty is probably more important than we think, because it deconstructs the hierarchical relationships between the frame and the work of art: it's possible that wallpaper patterns reveal more about the owner than the furnishings, the artworks on the walls or the books in the bookcase. The interactive wallpaper designed by Simon Heijdens by experimenting with conductor inks, goes even further. It introduces decorations that can be changed at will: using software, the idea of a consumer's freedom of choice is ironically taken to the limit by drawing bunches of flowers that gradually turn into cars and then turn fade into yet other images (*moving wallpaper*).

New technologies have encouraged experimentation. Often design is turned into a performance in which it is the design and productive process that are exhibited through the end result. At the Tokyo Design week, Front Design presented some of its latest works: one was a method to materialise free-hand sketches using a combination of two advanced techniques: movements in the air are recorded with a Motion Capture technology, turned into 3D digital models and then made into physical furnishings using a rapid prototyping machine (*Sketch Furniture*). In the pre-industrial age, *ornatus* was the result of manual labour; it was an expressive trait added to the structure and its creative technique was appreciated according to established artistic codes. The fact we can invent increasingly complex and diversified structures using advanced software and newly developed materials means we can combine technology and the designers' intelligence to create decoration no longer "applied" but "integrated" into form. The work by Reed Kram and Clemens Weisshaar, a duo who combine their own design skills and computer programming expertise, focuses on creating increasingly different and complex generative forms by using genetic algorithms. The *breeding tables*, the first seminal work, were created by building special software that allowed them to play with certain parameters including dynamic forms and production: small changes in parameters can generate entirely new families of products, using exactly the same physical infrastructures and labour, as well as different repertoires of type. The process is the objective of the design rather than the object itself; its aesthetics is represented in its form.

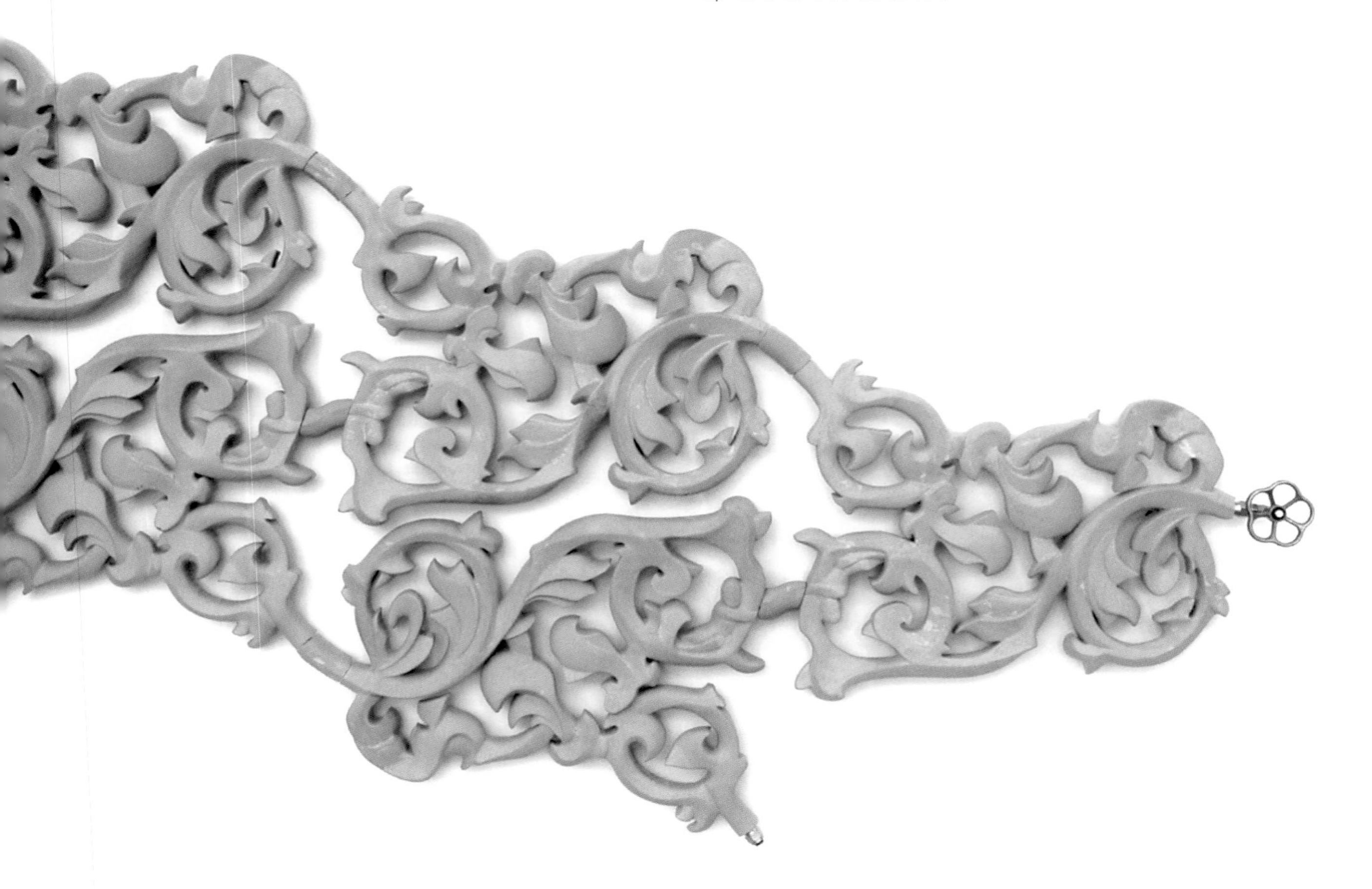

Likewise, Fluidforms theorise a form of *re-evolutionary design*: during its presentation at the last *Salone Satellite* in Milan, the public became part of the performance and was turned into a sculptor or designer. They were asked to use a pair of boxing gloves to hit a punching ball, thereby creating a physical form. The initial form that had to be hit was a cylinder. The sensors hidden inside transmitted the punches to a computer which changed the shape of the cylinder according to where it was hit: every punch changed its physical shape until the fight ended. Decoration involves the different types and colours of laminated wood which, according to the final shape created by the punches, provides a different design, highlighting the uniqueness of the imperfections of the material, just like any other "handmade" product.
It's the consumer that plays an active role in this act of creation; the computer is not just a design tool, it acts as a go-between to help aesthetics and provides novel creative ways to use new technologies. Design research seems to be looking for a new aesthetic model that can re-interpret and genetically re-integrate ornamental art into form, and, at the same time, also include it in the process.

InteractivEAST

Zoltan Kovács, András Szalai, Györgyi Gálik, András Fischer, Landprint, prototipo per stampare nel paesaggio, Kitchen Budapest, 2007
Zoltan Kovács, András Szalai, Györgyi Gálik, András Fischer, Landprint, prototype series for printing into the landscape, Kitchen Budapest, 2007

Per poter studiare l'industria dell'innovazione nell'Europa sud-orientale - e più in particolare l'Art & Technology – è necessario comprendere che, per una scarsa capacità di sviluppo nelle nuove tecnologie e al contrario dell'Europa occidentale, alla fine degli anni Ottanta questo settore non era tenuto nella giusta considerazione, anche se nell'est vi erano ingenti investimenti nella produzione di massa, per i bassi costi di produzione e delle risorse umane. All'epoca, l'obiettivo dei giovani professionisti era quello di migliorare le proprie conoscenze, di conseguenza molti di loro abbandonarono l'Europa orientale per studiare all'estero. Oggi, a quindici anni di distanza, le condizioni sono mutate: il PIL di quei paesi è aumentato notevolmente (ad esempio il PIL dell'Ungheria supera la media europea) e perciò in molti ora sono tornati. Inoltre, alcune delle più grandi aziende capiscono le nuove potenzialità dell'industria per l'innovazione e sono disposte ad investire capitali, nonostante siano consapevoli che non esista ancora un mercato per il settore dell'Art & Technology. Ogni nazione dell'Europa centro-meridionale o sud-orientale possiede al più uno o due laboratori di innovazione, in genere sovvenzionati e finanziati da una grossa azienda bisognosa di conferire alla propria identità aziendale un'immagine di progresso. Le generazioni degli ultimi anni Ottanta e degli anni Novanta hanno avuto un accesso agevole alla tecnologia, che quindi è sempre stata una parte integrante della loro vita sociale. Di conseguenza, ai loro occhi sembra quasi una banalità riuscire a cambiarla a proprio piacimento per adattarla ai propri bisogni. È una generazione che si è subito trovata tecnologicamente in prima linea, ben prima che la formazione accademica si mettesse al passo, e molti di loro si sono ritrovati a rivestire la carica di CTO (*Chief Tehnology Officer)* nelle società ad alta tecnologia. L'ondata generazionale immediatamente successiva ha avuto accesso a tecnologie molto più semplici, che non le hanno richiesto l'apprendimento di un vero e proprio "codice di montaggio" e di conseguenza ha goduto di una sorta di "libertà di espressione". Tale cambiamento ha generato una situazione nuova e più complessa, caratterizzata altrettanto da motivazioni culturali nuove e più complesse (ad esempio in termini di scienze sociali, discipline umanistiche, filosofia, architettura, arti visive) con grandi ripercussioni sul pensiero *low-tech* e su quello tecnologico sperimentale. Mentre in precedenza la tecnologia apparteneva ad un universo chiuso, oggi è divenuta una metafora del presente, per facilità di accesso e libertà, e una fonte primaria dell'espressione di sé stessi. Altrettanto, l'arte e la tecnologia, l'arte elettronica e la cultura artistica dei nuovi media hanno fatto la loro comparsa nell'ambito di una forte rete internazionale e coloro che vi partecipano hanno iniziato a condividere, creare e mostrarsi sin dall'inizio a livello internazionale, molto prima di rendersi visibili nel proprio contesto culturale locale.
Questo fenomeno ha preso piede in maniera decisa in molti paesi

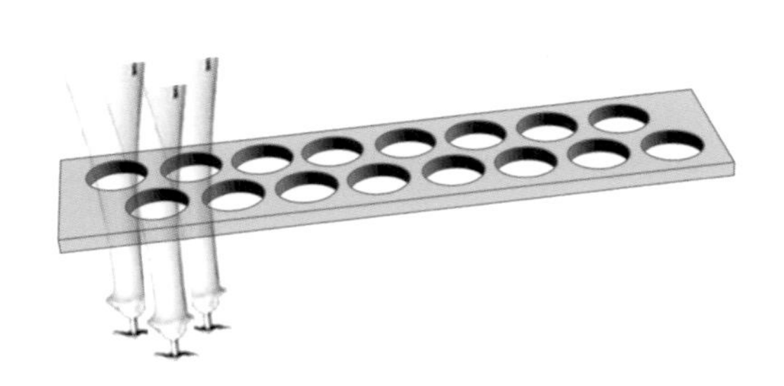

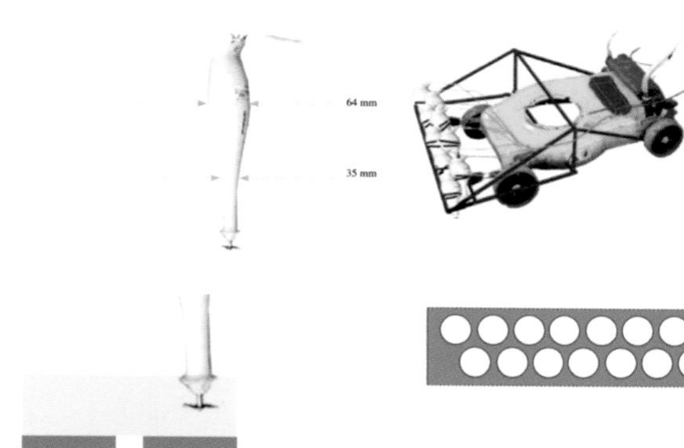

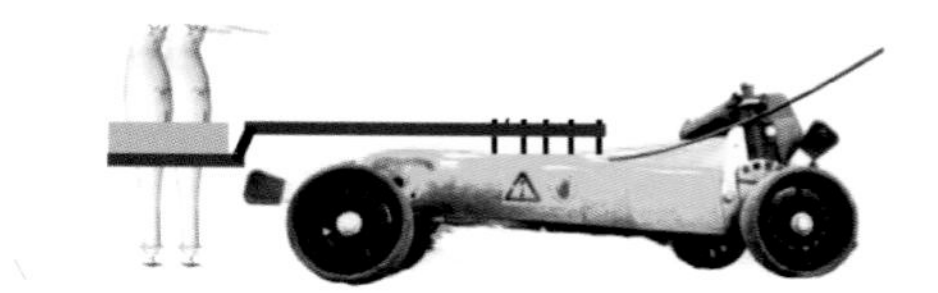

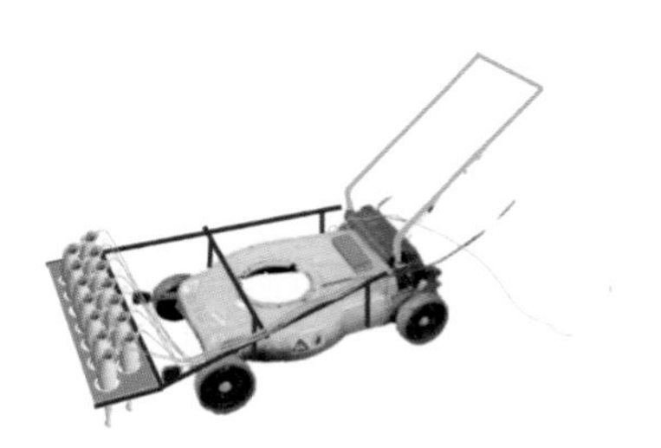

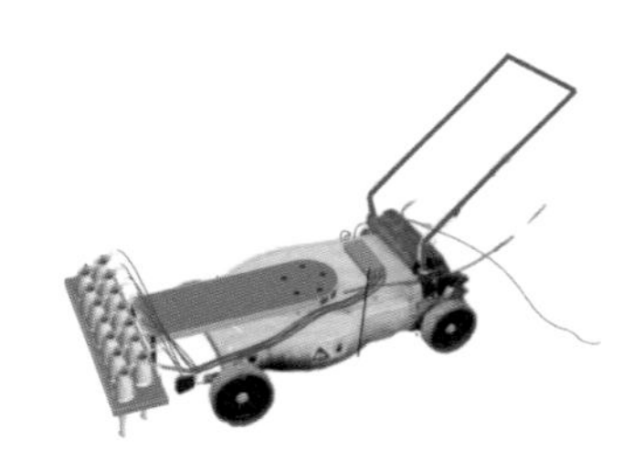

dell'Europa Orientale, la cui produzione artistica è più lenta e maggiormente ancorata al dibattito locale e ai media tradizionali. Qui, il lavoro nei settori dell'arte e della tecnologia ha rappresentato un terreno libero e fertile, consentendo alle idee più sperimentali di attecchire all'esterno, oltre che all'interno, della cultura locale. E poi, che succederà? Viva i *geek* – i fanatici informatici! Nell'*anime* giapponese "Denno Coil", le vite sociali dei ragazzini di dieci anni consistono nel gareggiare come *hacker* nelle loro realtà virtuali. Non come mostri o principesse, ma come pirati che saccheggiano *copyrights* anziché vascelli e tesori. Naturalmente, esiste il pericolo del *digital divide*, di una segregazione all'interno della società: l'espressione *"Johnny don't surf"* è utilizzata per indicare coloro che non stanno al passo con le culture della rete, che a loro volta subiscono innovazioni di mese in mese. Alcuni lettori potrebbero non essere a conoscenza del fatto che l'*e-mail* ormai è un sistema antiquato. Gli adolescenti *geeks* oggi non si inviano più *e-mail*: comunicano attraverso gli *Instant Messenger, Twitter* o i *blog*, tenendosi in contatto con un numero cospicuo di amici attraverso mezzi molto più raffinati e dilaganti. Oggi, l'idea del fanatico informatico, il *geek* di una volta — un ragazzino socialmente inetto — non regge più da tempo. Ora cavarsela bene coi computer è assolutamente *cool*, così come vivere nel paese dei *gadget* ed essere presente nella società attraverso un *avatar offline* con identità multiple. In realtà, la maggior parte dei giochi PSP (*PlayStation Portable*) per il mercato giapponese sono simulazioni di appuntamenti galanti tra studenti delle superiori, non *videogame* tra navicelle spaziali.

Quasi un anno fa, a Budapest, abbiamo lanciato Kitchen Budapest (KIBU), un nuovo modello nello scenario dei *media-lab*. Nella fase di ideazione degli approcci e delle peculiarità di KIBU, abbiamo dato particolare enfasi all'importanza dello *sharing*, al creare forti *communities* temporanee, all'adattare la produzione culturale a tecnologie semplici e facilmente utilizzabili e a cercare di andare oltre *web* e *desktop*, per includere anche l'*hardware* e le piattaforme mobili. Diamo un'occhiata ad alcuni esempi della produzione KIBU nel suo primo anno.

Il progetto *Mllamp* è un esperimento che simula emozioni mentre applica un'intelligenza animale minima agli oggetti d'uso quotidiano, così da far identificare il pubblico con oggetti con qualità antropomorfe e riconoscere in essi gestualità ed emozioni umane. A volte comunicare nuove idee di *Human-Computer Interaction* (HCI), come l'*ambient communication* e la *remote presence*, è estremamente difficile per i livelli di astrazione che implica. Conferire modalità di espressione umane a oggetti d'uso quotidiano, come altrettanto attribuirvi identità prese da favole, dove le lampade prendono vita (Chihiro, Aladino, la Mascotte della Pixar, Alice, ecc.), rappresenta un'efficace combinazione di motivazioni insieme culturali e tecnologiche che può dare origine ad

oggetti adorabili. L'approccio degli autori Bence Samu e Tamas Bagi in proposito è estremamente chiaro: hanno preso una lampada IKEA super-economica, hanno aggiunto alcuni motorini elettrici e un faro e sperimentato per parecchie settimane le espressioni umane della lampada. Il progetto si trova attualmente nella fase di pre-produzione e nelle speranze sarà presto disponibile sul mercato tra le novità di design dell'illuminazione.
Un altro progetto collaborativo è *Nighmo*, un sistema di illuminazione che utilizza i PIR *(Passive Infrared Sensors)*, sensori infrarossi passivi, e che si attiva quando rileva un movimento e fornisce la quantità minima di illuminazione per muoversi nello spazio e che si affievolisce lentamente quando il movimento si arresta. L'obiettivo del designer è stato di

Anna Baróthy, Balázs Bodó, Attila Bujdosó, Panni Dávidházy, Pierre Földes, Krisztián Kelner, Ida Kiss, Gergely Kovács, Melinda Matúz, Attila Nemes, Anita Pozna, Gergely Salát, Adam Somlai-Fischer, Barbara Sterk, Tamás Szakál, Péter Szakál, Samu Szemerey, Zsuzsanna Szvetelszky, Reorient - Migrating Architectures, installazioni architettoniche per la Biennale di Venezia 2006 | Architectural Installations for the 2006 Venice Biennale, Kitchen Budapest

sviluppare un oggetto di illuminazione che possa essere personalizzato dall'utente, assicurando al tempo stesso comfort e risparmio energetico.
Il progetto *Landprint*, nell'inserirsi nel paesaggio urbano e rurale, si propone di riprodurre fotografie e *patterns* combinando diverse specie di piante con un *robot* programmato. Visti da lontano, i diversi colori e tonalità dei fiori e delle piante sembrano creare *texture* continue: utilizzando un *robot* programmato per piantare e tagliare le piante, possiamo manipolare i disegni che emergono, creando immagini interessanti simili a fotografie.
ZuiPrezi è uno *"Zooming Presentation Editor"*, che consente all'utente di creare presentazioni: utilizzando *ZuiPrezi*, chiunque è in grado di creare mappe a focalizzazione differenziata - dinamiche e visivamente strutturate - di testi, immagini, video, PDF o disegni. *ZuiPrezi* inoltre è dotato di un'interfaccia molto intuitiva e può essere condiviso *online*.

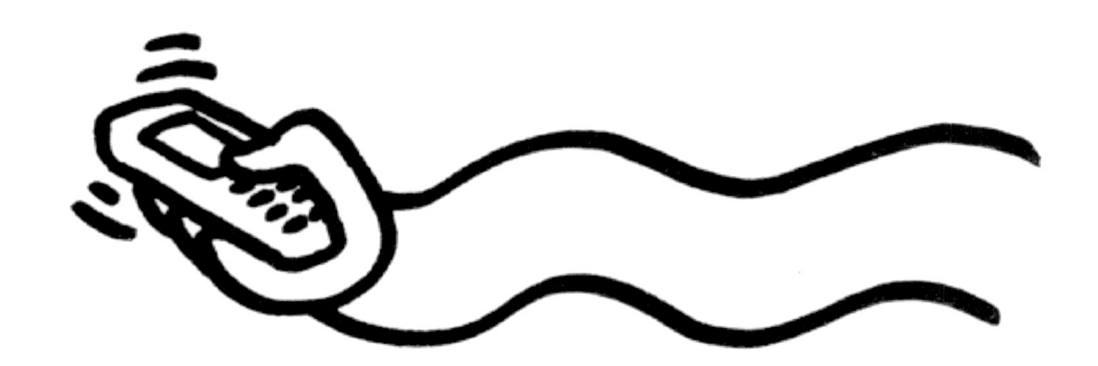

Bagi Tamás, Kántor Barna, Prekopcsák Zoltán, Szalai Andreás, Mobile Gestures – Interfaces, esperimenti per scrivere con i gesti, Kitchen Budapest, 2007
Bagi Tamás, Kántor Barna, Prekopcsák Zoltán, Szalai Andreás, Mobile Gestures – Interfaces, experiments in writing with gestures, Kitchen Budapest, 2007

Semplicemente passando da una presentazione concettuale lineare (ppt.) ad una rappresentazione mentale creativa, cambia il nostro modo di pensare (zui.)
Infine, ancora prima della nascita di Kitchen Budapest, *Reorient* è un'installazione a grande scala presentata alla Biennale di Architettura di Venezia nel 2006: il progetto raccoglieva progetti fai-da-te realizzati con grandi quantità di giocattoli e di oggetti facilmente reperibili sul mercato. L'obiettivo di *Reorient* era di presentare un modello di produzione culturale che consentisse l'uso condiviso di sistemi dinamici, in un formato economico e in grande scala.

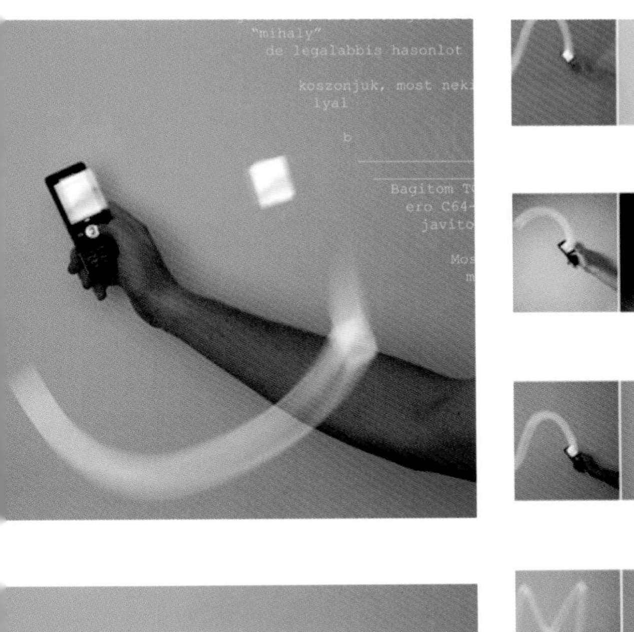

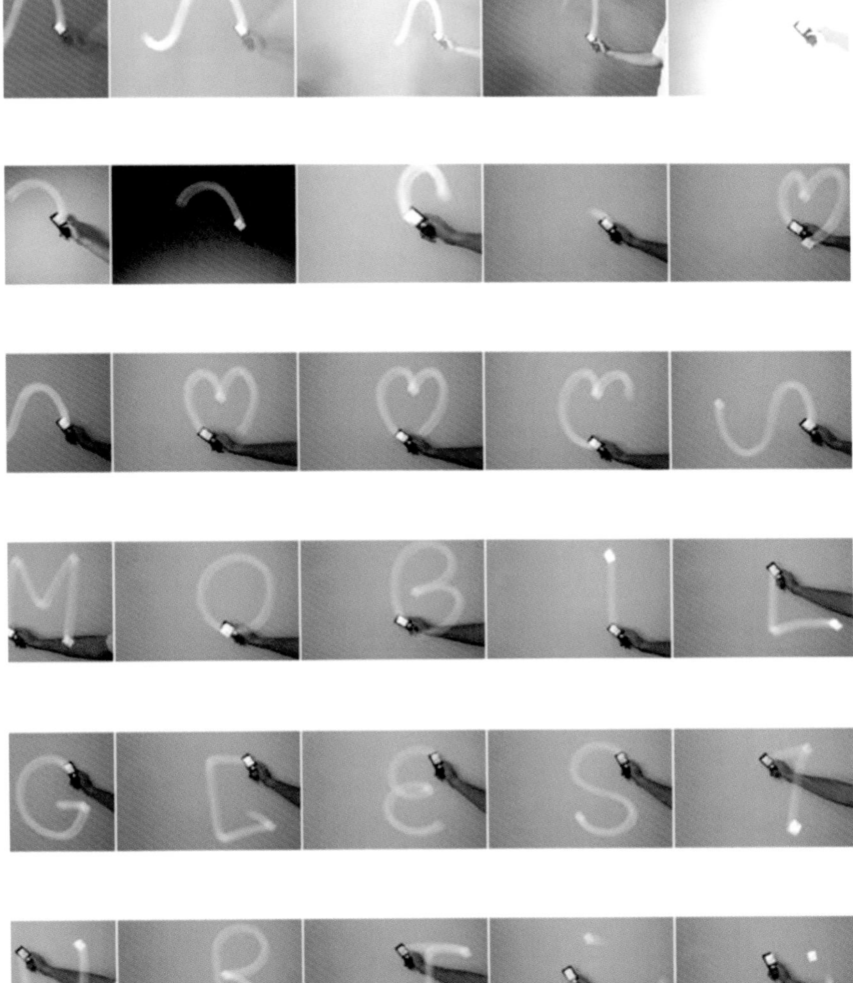

Bácsi László, Bagi Tamás, Halácsy Péter, Németh Péter, Papp Gábor, Samu Bence, Somlai-Fischer Szabolcs, Szalai András, Multi Touch Wall, disegnare nidi per galline che cadono, interfaccia che produce rumori, Kitchen Budapest, 2007
Bácsi László, Bagi Tamás, Halácsy Péter, Németh Péter, Papp Gábor, Samu Bence, Somlai-Fischer Szabolcs, Szalai András, Multi Touch Wall, drawing nests for falling chicken, interface generating sounds, Kitchen Budapest, 2007

If we are to explore the innovation industry, or more specifically art & technology, in South-East Europe, we have to understand its past and present integration strategies for global networks. In the late Eighties, industry in the region was devalued, primarily due to a lack of capabilities to develop new technologies, which would allow them to claim a greater share of European—so-called Western—markets. At the same time, these economies became primary fields of investment in mass production because of cheap human resources and more inexpensive production.
At the time, the goal of young educated professionals was to improve their knowledge. As a result, many of them left Eastern and South-Eastern Europe to study abroad. Now, fifteen years later, conditions have changed: GDP is much higher (e.g. Hungary's GDP is greater than the EU average) so those people who had once left are back, and some of the largest companies have recognized the possibilities of innovative industries and are willing to invest, although they know that no art & tech market yet exists and that it will have to be created by force. A CEE or SEE country has no more than one or two innovation labs, generally funded and financed by a large company in need of an innovative spirit, in order to give their corporate identity a progressive image.
The generations of the late Eighties and early Nineties have had very early access to technology, so that it has always been part of their social lives. As a result, it almost seems trivial to them to want to change it and shape it to their own cultural needs. This generation found itself at the technological forefront long before academic education could catch up, and many of these young people ended up as CTOs in advanced technology companies.
A second wave, following the generation above, had access to much simpler technologies, and weren't required to learn to think in assembly code; they had 'freedom of expression'. This change has resulted in a new, more complex situation, with new, more complex cultural motivations (e.g. social sciences, humanities, philosophy, architecture, visual arts) having an enormous impact on low-tech and experimental technological thinking. While earlier, technology had been a closed realm, it has become the metaphor for the present, for access and freedom, and a primary source of self-expression. Art and technology, electronic art and the new media art culture have emerged in a strong international network and their participants began sharing, creating and exhibiting internationally right from the start, long before they became visible in their local cultural contexts.
This phenomenon has been very present in many Eastern European countries, where cultural production is slower and more anchored in the local discourse and traditional media. Working in art and technology offers very free and fertile soil, enabling more experimental ideas to take root outside of, and in parallel with, the local cultural realm.

So, what's next? Geek pride! In the Japanese *anime* 'Denno Coil', ten-year-old kids live out their social lives and compete as hackers in their fantasy realities. Not as monsters or as princesses, but as pirates stealing copyrights instead of ships and treasures.
Obviously, there is a danger of digital divide, of segregation in society; the expression 'Johnny don't surf' refers to people who don't keep up with net cultures that are reborn monthly. Some readers may not be aware that e-mail is now old fashioned. Today's teen geeks don't really e-mail any more: they IM, Twitter or blog, maintaining contact with a large number of friends via much more refined and proliferated means. Today, the old idea of the geek – a socially crippled teenager – is long gone. It is

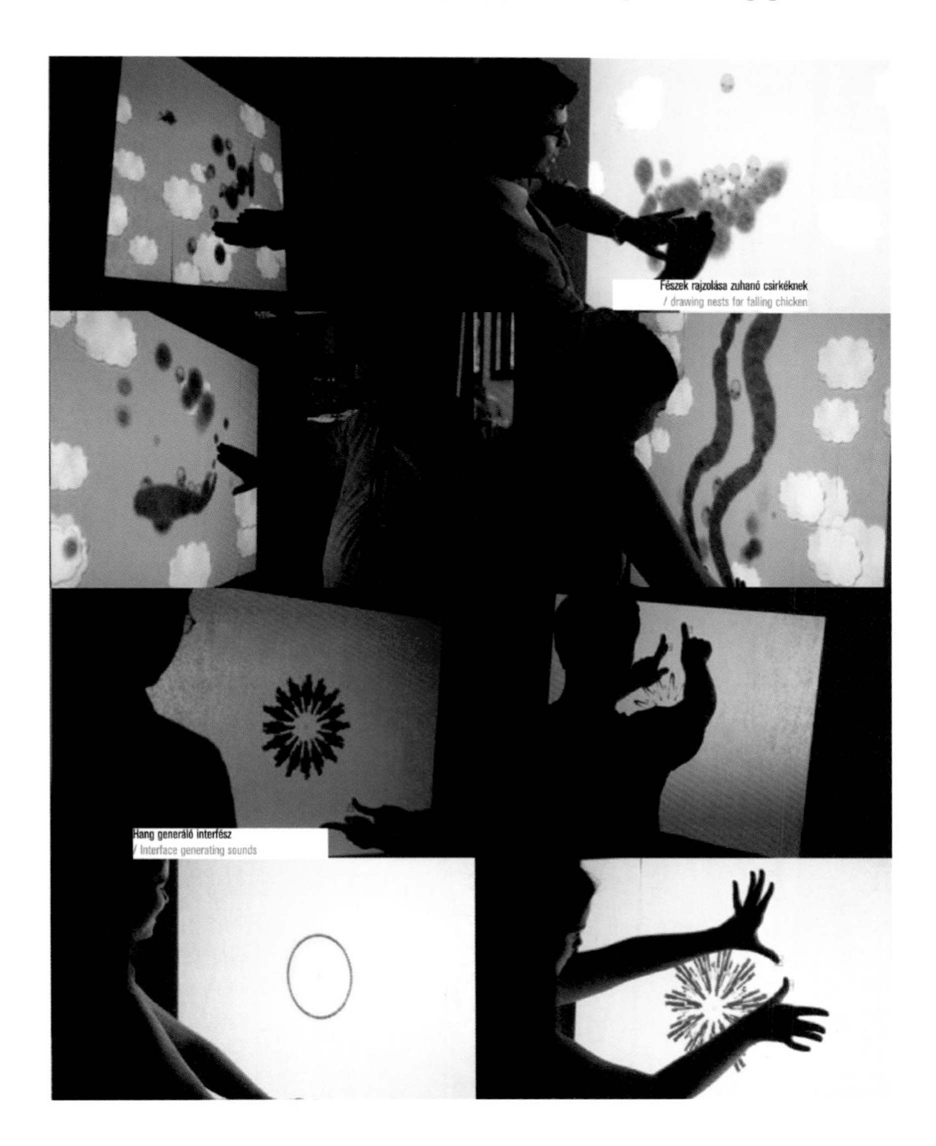

Fészek rajzolása zuhanó csirkéknek
/ drawing nests for falling chicken

Hang generáló interfész
/ Interface generating sounds

now totally cool to be good with computers, to live in gadget-land and to be present in society as an offline avatar with multiple IDs. Indeed, most PSP (PlayStation Portable) games for the Japanese market are high school dating simulations, not flying spaceships.

Almost a year ago, in Budapest, we launched Kitchen Budapest (KIBU), a new model on the media-lab scene. In creating KIBU's fundamental policies and characteristics, we emphasized obligatory sharing, forming strong temporary communities, adapting cultural production with simple, easy-to-use technologies, and reaching beyond the web and desktop to include hardware and mobile platforms as well. Let's look at some examples of production in KIBU's first year. The *Mllamp* project is an experiment simulating emotions by applying minimal intelligence to everyday objects. Viewers can easily identify with objects having an anthropomorphic character, and recognise human gestures and emotions in them. Sometimes communicating new ideas of Human-Computer Interaction (HCI), such as ambient communication and remote presence, is very difficult for the abstraction levels they apply. Adding human expression to everyday objects and cultural IDs from fairy tales, where lamps come alive (Chihiro, Aladdin, Pixar's Mascot, Alice, etc.), is a successful combination of cultural and tech motivations resulting in lovable objects. Bence Samu and Tamas Bagi's take on the subject has been very clear: they took a very inexpensive IKEA lamp, added gears and motors and a dimmer to it, and experimented with the lamp's human expressions over several weeks. The project is currently in the product preparation phase and will hopefully soon be a new feature available on contemporary lighting tech and design markets.

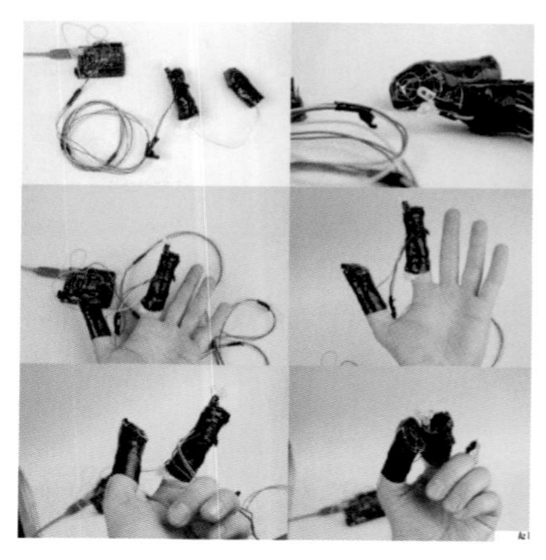

Here's another example of collaborative projects: *Nighmo* is a simple idea in a new form, using Passive Infrared Sensors (PIR). *Nighmo* is a lighting system that switches on when it senses movement. It provides just enough light to provide a sense of space and of the objects nearby. Then, the light dims slowly when movement ceases. The designer's aim was to develop a lighting object that can be tailored and adjusted to its user, creating comfort and use that is ecological and energy efficient. Invading the urban and rural landscapes, the aim of the *Landprint* project was to reproduce subtle patterns and photos by combining various species of plants with programmed robotics. When seen from a distance, spawning plants and flowers seem to create continuous patterns with their various colours and shades. Using programmed robots to plant and cut plants, we can manipulate the evolving patterns, in order to create delicate, photo-like images. *ZuiPrezi* is a zooming presentation editor that lets the user easily create stunning presentations. Using *ZuiPrezi*, anyone can create dynamic and visually structured zooming maps of texts, images, videos, PDFs or drawings. *ZuiPrezi* has a very intuitive interface and supports online sharing. By switching from a linear presentation of ideas

(ppt.) to a creative representation of the mind, it changes the way we think (zui.) And lastly, the authors coordinated a project that was begun before Kitchen Budapest began, although we tested many of our collaborative production models there. *Reorient* is a large installation presented at the 2006 Architecture Biennial in Venice. The installation presented examples of DIY projects made of large quantities of toys from open markets and of objects available in today's urban spaces. The goal of *Reorient* was to present a cultural production model which allows shared use of responsive systems in an economical and large-scale format.

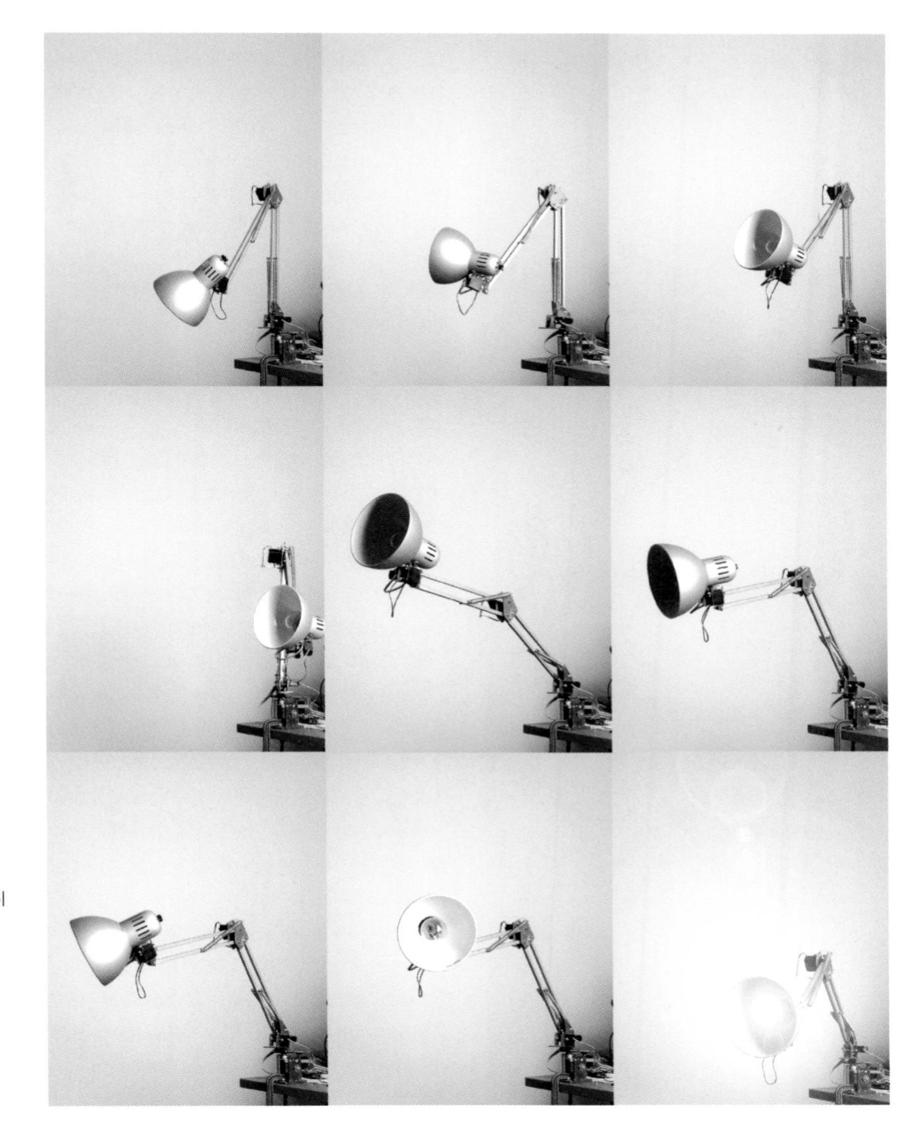

Kitchen Budapest, Pimp my Gadget, corso estivo su toy hacking e interaction design, 2007
Kitchen Budapest, Pimp my Gadget, summer course on toy hacking and interaction design, 2007

Tamás Bagi, Györgyi Gálik, Bence Samu, Melinda Sipos, Mllamp, lampada robotica interattiva che esprime emozioni umane nel simularne i gesti, Kitchen Budapest, 2007
Tamás Bagi, Györgyi Gálik, Bence Samu, Melinda Sipos, Mllamp, interactive robotic lamp expressing human emotions by simulating gestures, Kitchen Budapest, 2007

Made in China

Haier 海尔

Nella Cina continentale la professione di moderno designer industriale prende piede a partire dai primi anni '80, quando il paese ha da poco avviato le riforme e cominciato ad aprirsi. È anche l'epoca in cui lo sviluppo aziendale cinese muove i suoi primi passi. Rispetto ai prodotti esteri simili, non esiste competitività per quelli nazionali, per cui in Cina è stata introdotta e si è sviluppata la Concept Creation nel Design Industriale.
Nel corso degli ultimi venti o trent'anni la Cina ha condotto una serie di politiche di apertura che hanno creato un ambiente favorevole alla crescita e allo sviluppo delle aziende cinesi. Questo ha comportato ripercussioni positive anche sul design industriale che, come professione, si può dire abbia di recente raggiunto un certo grado di maturità. Lo stesso governo cinese ha contribuito finanziariamente inviando la prima generazione di designer a specializzarsi all'estero. Al loro ritorno in patria tutti hanno insegnato nei college e, di fatto, sono loro ad aver sistematicamente introdotto l'Idea di Industrial Design in Cina. La prima vera generazione di designer locali si è formata negli anni '90 e questi giovani sono oggi attivamente impegnati tanto sul fronte aziendale quanto su quello sociale. Il numero di college cinesi in cui i giovani talenti del design possono formarsi è passato da 5 negli anni '90 (Università di Hunan, di Tsinghua, di Tongji, di Jiangnan, Università di Tecnologia di Wuhan, Accademia di Belle Arti di Guangzhou) a 300. Oggi in Cina si laureano annualmente oltre 3000 studenti di Industrial Design che ne vanno ad ingrossare le fila. I designer industriali in Cina forniscono servizi alle imprese e alla società attraverso tre modalità principali. Sono designer interni alle aziende, consulenti indipendenti e ricercatori che si occupano di insegnare design nelle scuole.

Designer interni alle aziende: alla metà degli anni '80, la maggior parte dei laureati in industrial design si facevano assumere nei college e si dedicavano all'insegnamento di questa materia. Verso la metà degli anni '90 le società hanno incominciato a inoltrare precise richieste all'industrial design. Quindi i laureati di questo settore sono stati assunti in massa nelle aziende e sono diventati la prima generazione di designer interni. Le società presso le quali i giovani designer vengono impiegati hanno solitamente tre tipi di schemi organizzativi: le prime non hanno un reparto di design vero e proprio e le relative funzioni sono svolte dal reparto ricerca e sviluppo; tutti i progetti dei prodotti vengono quindi affidati a terzi.
Il secondo tipo di azienda è quello in cui si ritaglia una postazione di industrial designer all'interno del reparto di ingegneria.
Il suo lavoro si limita sostanzialmente ad abbellire l'aspetto del prodotto.
Il terzo tipo è quello in cui l'industrial design occupa un ruolo chiave all'interno dell'azienda, secondo solo a quello tecnologico, come avviene, ad esempio, in Haier e Lenovo.

Lo Sviluppo Prodotto è un'attività sistematica che non può essere svolta da una o due persone. Diversamente dalla creazione artistica, che può essere compiuta da un solo artista, viene attuata da gruppi di lavoro piuttosto che da singoli.

Designer che forniscono consulenze indipendenti: quanti offrono consulenze professionali indipendenti appartengono a uno dei nuovi gruppi di giovani designer cinesi, tra i più numerosi e attivi. Rispetto ai colleghi interni, creano prodotti più vari che non sono limitati dal tipo di attività dell'azienda per la quale lavorano. I loro clienti vanno dai produttori di elettrodomestici alle ditte informatiche, passando per quelle elettroniche e per quelle di apparecchiature mediche. I designer di questi gruppi indipendenti provengono soprattutto dalle aree economiche più sviluppate della Cina, quella settentrionale, quella orientale e quella meridionale. In Cina, agli inizi degli anni '90 si sono create società specializzate in design industriale nel delta del fiume Pearl. Questo è dovuto allo sviluppo economico urbano cinese. Guangzhou e Shenzhen, ad esempio, tra le prima città cinesi ad aprirsi alle riforme e al mondo occidentale, vantano oggi una grande varietà di PMI (Piccole e Medie Imprese) favorite dal governo, il cui sviluppo ha rappresentato un buon humus per la nascita e la crescita di consulenti indipendenti, quali ad

Sede centrale Haier
Haier's headquarters

Prodotti Haier
Product group of Haier

Progetto di una mini-lavatrice
The design of mini washing machine

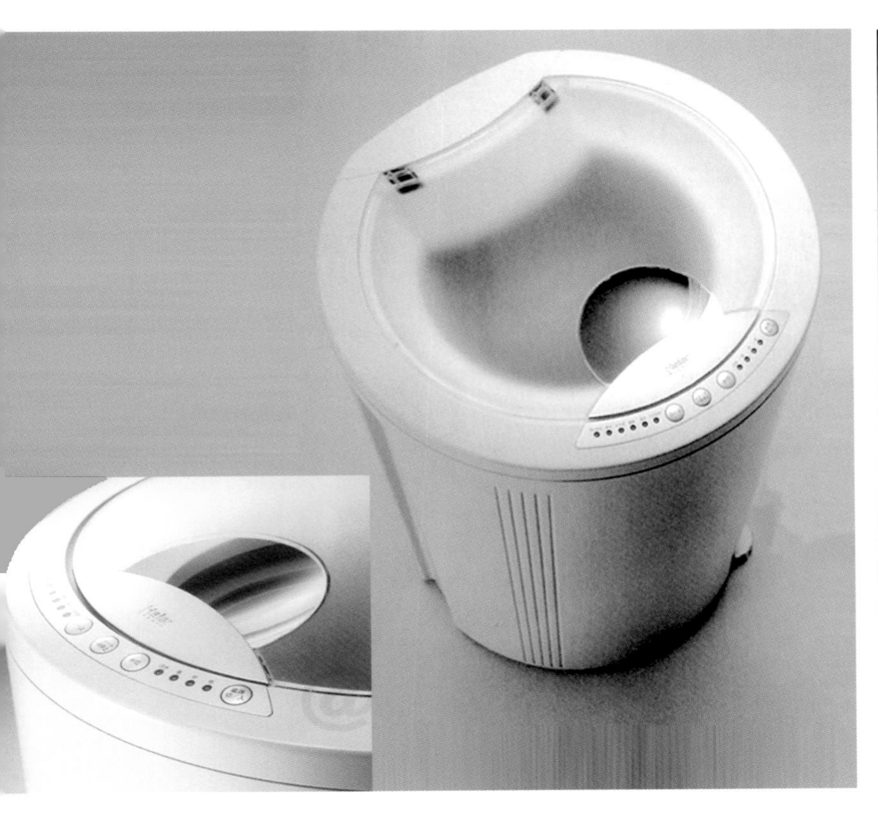

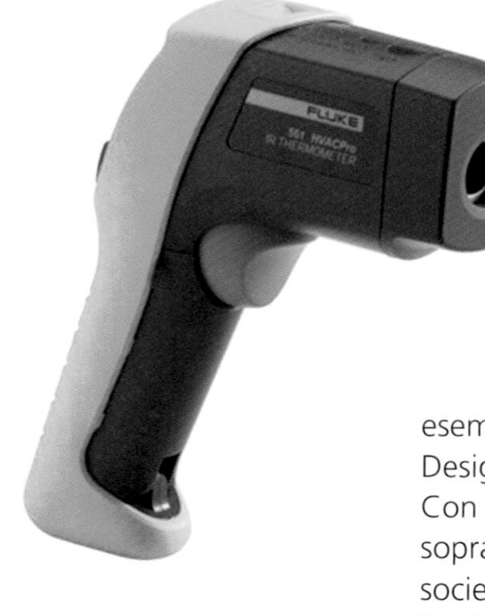

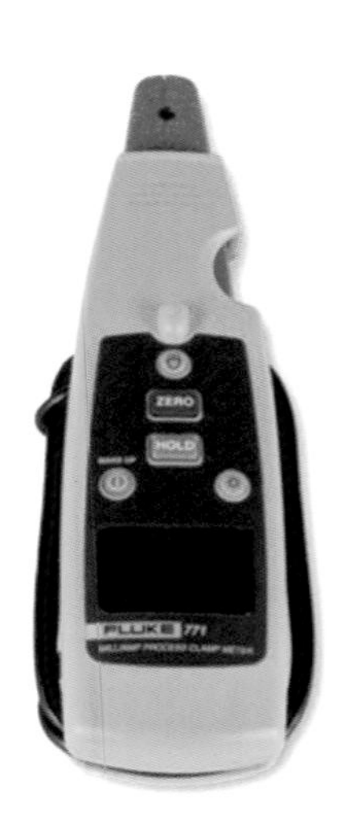

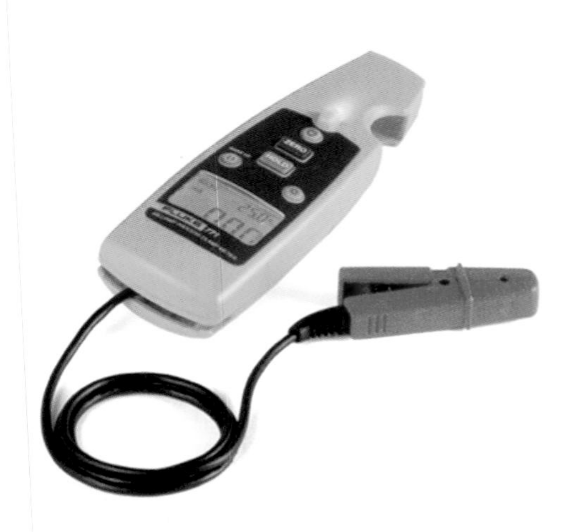

Termometro a infrarossi
Infrared Thermometer

Strumento di misurazione per milliampere
Milliampere Clamp Meter

esempio Shenzhen Dragonfly Design, Guangzhou SFDA, Midea Industrial Design Center, New Artop Design Center e Newplan Design Firm.
Con il rapido sviluppo del delta del fiume Yangtze e di Shanghai, soprattutto di recente, in questo territorio si sono venute a creare molte società di consulenza di industrial design, come ad esempio S.point e Loe Design. Favorite dalla situazione geografica e dalla forza internazionale delle grandi metropoli, queste società hanno creato il proprio marchio di design in modo ancor più rapido e incisivo. In questo momento l'area di Pechino è il cuore della ricerca e dello sviluppo dell'alta tecnologia in Cina. Molte famose multinazionali hanno aperto filiali nella capitale e vi hanno opportunamente trasferito i centri R&D per l'Asia. Le società di consulenza in design industriale di Pechino, quali ad esempio LKK Togo Van Berlo, si stanno sviluppando molto velocemente.
Ricercatori che insegnano nei College: il gruppo di ricercatori cinesi che si è assunto l'onere di insegnare design è relativamente numeroso ed è formato soprattutto da giovani. La presenza di ricercatori di design all'interno dei college è indispensabile perché consente di esercitare un'influenza diretta sull'arricchimento delle altre due tipologie di attività e sulla qualità del design in genere. Non si limitano a formare i giovani designer ma forniscono anche un supporto teorico alle società e agli studi indipendenti.
In Cina l'industrial design esiste da soli 30 anni. Molti settori vanno ancora esplorati. I continui cambiamenti delle aziende richiedono le nuove competenze di nuove generazioni di designer. Quelle precedenti, che consistevano nel visualizzare l'idea astratta, oggi non sono più sufficienti, la concorrenza sempre più agguerrita richiede di trovare nuove soluzioni in termini di concept e di product management. Quando i gruppi di docenti formano i giovani designer, sono mossi sostanzialmente dalle esigenze delle aziende di sviluppare soprattutto la capacità di analisi e di gestione di un progetto. Questo avveniva solo raramente nel tradizionale percorso formativo. I gruppi di docenti di design sono i più attivi e i più creativi. I loro sono i design più originali. Tuttavia, non si possono ignorare i punti deboli dovuti a un eccesso di teoria e a una ridotta pratica su casi concreti.
Dati questi tre tipi di formazione, le capacità professionali dei giovani designer variano a seconda della carriera intrapresa. Il design è il minimo comun denominatore di tutte e tre le tipologie. Vista la particolarità della professione, la Cina sta puntando sulla creazione di un gruppo di designer preparati di alto livello, anziché focalizzarsi sul singolo designer indipendente. Con una popolazione come quella cinese e un mercato ampio e in rapido sviluppo, i giovani designer di questo paese hanno di fronte nuove opportunità e sfide.

Progetto per la torcia olimpica per Beijing 2008
The design of the 2008 Beijing Olympic torch

Gruppo di prodotti Lenovo
Product group of Lenovo

Progetto per un contenitore SSQ di stuzzicadenti
The design of SSQ toothpick container

Progetto per un ossimetro di impulso
The design of pulse oximeter

In mainland China modern industrial design as a profession initiates from the beginning of 1980s when China had just begun the reform and opening up. Chinese enterprise development was in its beginning stage at that time. Compared to the foreign similar products, there is no competitiveness in our domestic products, therefore, the Concept Creation in Industrial Design has been introduced and developed in China. In the past two or three decades, China has conducted a series of opening up policies which create favorable environment for the growing and development of Chinese enterprises. The development of Chinese enterprises also promotes the development of industrial design which later forms a relatively mature profession. It was the Chinese government who financially contributed and sent the first generation personals majoring in designing abroad. All of them took up the education in colleges after their return to China and it was them who systematicly introduced the Concept of Industrial Design to China. The truly first generation domestic designers were nurtured in 1990s, which are very young and active both in enterprises and society at present. The numbers of colleges in mainland which can cultivate the design talents have increased from 5 in 1990s (Hunan University, Tsinghua University, Tongji University, Jiangnan University, Wuhan University of Technology, Guangzhou Academy of Fine Arts) into 300. Now, more than 3000 graduates of industrial design are annually cultivated and join the team of industrial design in China. The industrial designers in China provide service for enterprises and society in three major professions. They are stationed designers, designers providing design consultation independently and the researchers undertaking the education of design in colleges.

Designers working inside the companies: in the middle of 1980s, most of the graduates of industrial design entered colleges and devoted themselves into China's education of industrial design. In the middle of 1990s, enterprises show their evident request to the industrial design. Therefore, the graduates of industrial design entered enterprises in substantial number and became the first generation stationed designers. The team which the young stationed designers are serving in general has three typical organizational patterns in china: the first one has no special department of design, market department or research & development department are in charge of products design; all of product designs will be outsourced. The second type is to set a post for Industrial designer in the engineering department. The industrial design basically remains at the stage of beautifying the appearance of the product. The third type is to establish the leadership of industrial design which positioned as the sub-core technology of enterprise. Such as Haier and Lenovo Product Developing is a systematic activity which cannot be completed by one or two persons. Unlike the artistic creation

which can be completed by a single artist, it is carried out in the form of teams rather than the independent person.

Designers Providing Independent Design Consultations: the designers as independent design consultants belong to one of the branches of the young Chinese design teams, which is the largest, and also among the most active ones. Compared with the stationed design team, they design products of more sorts which won't be restricted by the nature of the enterprise. Their customers range from household appliances to electronic enterprises, from IT companies to medical device companies. These teams mostly distributed to more developed economies such as north, east and south China. Early 1990s saw the real specialized industrial design companies in the Pearl River Delta. This is related to China's urban economic development. As the pilot cities in China's reform and opening up, Guangzhou and Shenzhen have a large number of SME (small middle enterprises) of a wide range with the encouragement of the government, and the development of SMEs has provided a good environment for the independent design consultants. E.g. Shenzhen Dragonfly Design, Midea Industrial Design Center, New Artop Design Center and Newplan Design Firm.

With the rapid development of the Yangtze River Delta and Shanghai especially nowadays, a lot of industrial design consultative companies have sprouted in this delta, such as S.point and Loe Design.

With the help of the geographical advantages and the international force of this metropolis, Shanghai, these companies have set up their own design brands faster and more effectively. At this moment, Beijing area has been the heartland of the research and development of high technology in mainland.

A lot of well known multinational corporations have set branches in Beijing and have transferred their R&D center of Asia to Beijing successively. The industrial design consultative industry in Beijing develops rapidly. Such as LKK Togo Van Berlo.

ShenZhen HKC LCD | Newplan Off-Snow Rescue Device | Tianweida MP3/MP4 player

Il progetto del controllo industriale
The design of industrial control

Designing researchers undertaking design education in colleges: chinese Research Team undertaking the design education is a relatively large scale team and young researchers take the majority.
Design researchers undertaking design education in colleges are indispensable in the young designers' team because their existence and quality exert direct influence on the enrichment of other two branches and their quality of designing skills. Not only do they shoulder the task of cultivating young designers but also provide professional designing theoretical support for enterprises and independent firms.
Industrial design has only 30 years of history in China. Many cultivating systems are still waiting exploration. Continuous changing environment of enterprises request the new abilities of new generation designers. Previous ability of visualizing abstract concept is insufficient today, ever intense competition need other abilities of finding new concept and project management. When college teams cultivate young designers, the main focus would be the need of enterprises and independent firms. E.g. the analysis capabilities and project management ability. This was very weak in the traditional teaching. College teams are the most active and most creative, their designs own originality most. However, the weak basis couldn't be ignored either, such as too many theories and less practice and concrete case experiences. As three different types of professional formation, the focus of young designers' Professional Skill varies due to the differences in concrete professions. These three types are closely integrated through design. Due to the particularity of the profession, China is making its designing star team rather than the independent designing master. With large population, vast market and rapid economic development during these years, young designers in China are facing more opportunities and challenges.

Telefono fisso
Home phone

Progetto di una presa di corrente ed interruttore
Socket & switch design

Concept di telefono cellulare ed interfono militare
Conceptual Slide Mobile Phone and Military interphone

PMP design (portable media player)

Laboratorio di modellazione
Model course works

Design contemporaneo
Contemporary Design

Sosteneva Gillo Dorfles alla fine del decennio Cinquanta: "Ciò che si richiede per poter considerare un oggetto come appartenente al disegno industriale è: I) la sua seriabilità 2) la sua produzione meccanica 3) la presenza in esso di un quoziente estetico, dovuto alla iniziale progettazione non a un successivo intervento manuale" (*Introduzione al disegno industriale*, Einaudi, Torino 1963). Lo *starting point* definitorio appariva all'epoca utile e perentorio, legato alla necessità di provare a chiarire significato e confini dell'operare disciplinare, in una fase storica in cui il design andava confermando o costruendo un proprio specifico ruolo. Una posizione industrialista-funzionalista che nel tempo ha conosciuto contestazioni interne ed esterne alla professione, ha attraverso grandi cambiamenti economico, produttivi, sociali e culturali, divenendo non "la" ma "una" delle definizioni e pratiche possibili. Quello che, con qualche certezza e varie approssimazioni, pare infatti oggi sostenibile è che esistono molti design. Differenti modi di intenderlo, teorizzarlo e praticarlo.
La questione attuale resta, di frequente, definire con maggior precisione ciò di cui andiamo parlando; a fronte di una progressiva articolazione teorica e operativa tende infatti ad affermarsi una terminologia unificata e apparentemente univoca. Diciamo design per la navicella spaziale, per il divano imbottito o per il vetro soffiato. In tutti questi "testi" esiste un ruolo del progetto, ma sono profondamente differenti i "contesti" economico-produttivi-comunicativo-distributivi-di mercato. Lo sforzo contemporaneo (più che, forse poco utilmente, definitorio-classificatorio) sembra dover essere "fenomenologico", volto a cogliere il manifestarsi delle teorie e delle pratiche in relazione alle trasformazioni in atto. Per provare poi, forse, a tornare a chiamare le cose con il loro nome. E dire, solo per fare l'esempio di un ulteriore confondente epifenomeno, che i pezzi unici in materiali preziosi, le strumentali edizioni numerate e limitate degli oggetti hanno – legittimamente – a che fare con il mercato (asfittico) dell'arte contemporanea e del collezionismo e che è utile distinguerli da un Ipod Apple o da un mobile Ikea.
Alcune certezze paiono comunque farsi strada nel panorama contemporaneo. Innanzitutto l'assoluta priorità che il ruolo del progetto ha assunto nei processi economico, sociali e culturali. Unito alla necessità che esso condivida in modo sempre più stringente le logiche economiche dell'impresa e delle diverse competenze che vi sono collegate: un agire anonimo e collettivo insomma più che da individuo-star. Ancora va emergendo un'inedita configurazione del mercato o (provando a dire più appropriatamente) degli utilizzatori di prodotti-sistemi-servizi; con l'economista Chris Anderson – teorico della *long tail*, della coda lunga dei mercati determinata da nuovi comportamenti, tecnologie e media – è avvenuto "il passaggio da un mercato di massa ad una massa di mercati". Con tutte le conseguenze che ciò comporta per il ruolo

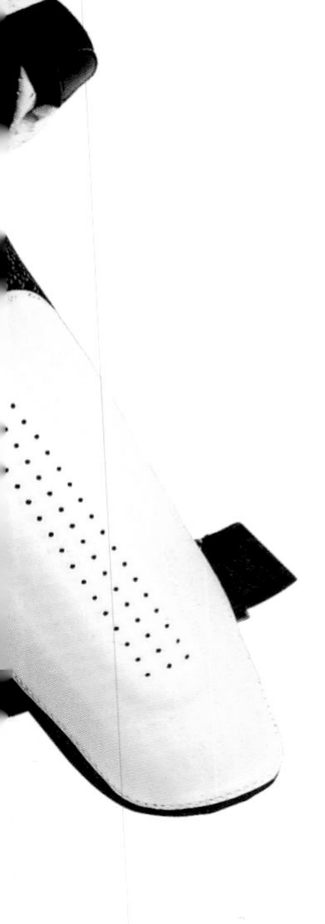

(possibile) del design come fattore di innovazione (tecnologica-tipologica-funzionale etc.) e (possibile) deliberata scelta del punto di vista del fruitore, di chi usa le cose, di un consumatore colto, accorto ed evoluto. Fra l'altro, sensibile a questioni come quelle ambientali, di usabilità ampia e allargata degli oggetti, di attenzione per le situazioni "deboli" presenti nel nostro pianeta.
Che questa non sia in toto la condizione attuale di teoria e prassi del design e del mercato appare evidente; che il presente avanzato e il futuro prossimo si orienteranno (anche) in queste direzioni appare scontato, oltre che obbligato.
Nel panorama sinteticamente abbozzato, la rivista "Diid" ha condotto in questi anni essenziale funzione di testimonianza, appunto, fenomenologica – e assieme critica, ritagliandosi uno specifico spazio identitario – di quanto andava accadendo nel design. Sia identificando singoli temi monografici trasversali utili a uscire dalla pura cronaca, sia proponendo *exempla* progettuali e imprenditoriali in grado di additare direzioni possibili e di riconoscere ipotesi di percorso. L'attenzione non è andata alla gloria e alle "glorie" del presente, quanto invece si è cercato di capire segni, significati, indirizzi e differenze. Anche perché, fra l'altro, è stata sistematica la scelta di uscire dalla limitativa (ma purtroppo perniciosamente praticata in particolare nel nostro paese) tendenza a far coincidere *furniture* e design.
Emerge allora un racconto storico-critico sul design (anche se non sempre per essere precisi – come da titolazione – sull'industrial design, ma è questione di intendersi sui termini) che identifica innanzitutto i temi di fondo: dall'etica come valore aggiunto all'attenzione per la "difference"; le tendenze, gli approcci e le attenzioni attuali, dal luxury all'ornamento, dal funny al food; le costanti e le varianti, dal "less is more" al context, dal made in Italy al mass design; e ancora come tutto questo agisce all'interno di un contesto allargato con "strumenti" divenuti essenziali, come i luoghi e i modi dell'esporre e del comunicare.
Le questioni di fondo del design sono presentate attraverso il lavoro di protagonisti; di volta in volta, designer, imprenditori, uomini di mercato e comunicazione, intellettuali o critici.
Guardando all'indietro possiamo dire che si configura come un adeguato racconto del "fenomeno" e dei "fenomeni" del design.

In the late Fifties, Gillo Dorfles stated: 'The necessary characteristics for an object to be considered to belong to industrial design are: 1) the possibility of it being mass-produced, 2) its mechanical production, and 3) the presence of an aesthetic quotient within it, due to its initial design and not to any subsequent manual intervention' (*Introduzione al disegno industriale*, Einaudi, Turin 1963). This initial definition appeared useful and incontrovertible at the time, related to the need to clarify the meaning and boundaries of the modes of action, in a historic period during which design was establishing or creating its own specific role. Over time, this industrialist-functionalist position has been challenged both inside and outside the profession, and it has undergone major economic, productive, social and cultural changes, becoming not 'the' definition but 'one' possible definition and practice.
With a degree of certainty and various approximations, it now seems tenable that there are many kinds of design: there are different ways of understanding it, theorising about it and practising it.
The question today is often how to more clearly define what we are talking about; with expression becoming increasingly theoretical and operative, a unified and apparently unambiguous terminology is imposing itself. We use the word 'design' for the space shuttle, for a sofa and for blown glass. Although the design plays a role in all of these 'texts', they have profoundly different market, economic, productive, communicative and distribution 'contexts'. The effort today (more than a perhaps not very useful effort to define and classify) seems to be 'phenomenological', aiming to understand the manifestation of theories and practices in relation to the transformations under way. The next step may now be to try to return to calling things by their name. That means, as an example of yet another confusing epiphenomenon, that unique pieces made of precious materials, the instrumental limited numbered editions of objects are — legitimately — related to the (asphyxial) market of contemporary art and collecting, and that it is useful to distinguish them from an Apple Ipod or a piece of Ikea furniture.
Still, there do seem to be a few certainties on the contemporary landscape.

First of all, the absolute priority that the role of design has taken in economic, social and cultural processes, and the need for it to share ever more closely companies' economic logic and the various skills linked to it: anonymous and collective activity rather than a single star. We are also seeing a totally new market configuration or (more appropriately) of the users of the products/systems/services. The economist Chris Anderson — theorist of the long tail of markets determined by new behaviours, technologies and media — brought us the 'shift from a mass-market to millions of niche markets', with all the consequences this implies for design's (possible) role as a factor of innovation (technological, typological, functional, etc.) and the (possible) deliberate choice of the user's point of view, of a cultivated, sensible and evolved consumer. And consumers are sensitive to issues like the environment, the broad and expanded use of objects, and attention for the 'weak' situations on our planet.
It seems clear that this is not all there is to the current condition of the theory and practice of design and the market. That the advanced present and near future will (also) take these directions appears not only necessary, but obvious.
In this summarily sketched landscape, *Diid* magazine has played an essential role over the years as a witness of this phenomenon — and as a critic, defining a specific identity for itself — of what was happening in design. By identifying individual cross-disciplinary monographic topics helping us move beyond a simple account, and by presenting 'examples' of designs and entrepreneurs able to indicate possible directions and recognise possible routes. It did not focus on the glory or the 'glories' of the present, but sought to understand signs, meanings, trends and differences. It also systematically chose to move beyond the limiting tendency (but unfortunately perniciously practiced one, especially in our country) to equate furniture with design.
This gives rise to a historical-critical account of design (though not always, to be precise — as our headline states — of industrial design, but that's just a question of terms) which identifies above all basic themes: from ethics as added value to attention to 'differences'; trends, approaches and current focuses, from luxury to decoration, from funny to food; the constants and variants, from 'less is more' to the context, from Made in Italy to mass-design; and how all this moves inside an expanded context with 'instruments' which have become essential, like the places and ways of exhibiting and communicating.
The basic questions of design are presented through the work of its protagonists; each time, designers, entrepreneurs, marketing and communication people, intellectuals or critics.
Looking back, we can say that it appears to be an adequate account of the 'phenomenon' and of the 'phenomena' of design.

visual & graphic design

rodolfo fernández alvarez

Segni
Signs

Alvarez lavora per industrie nel settore alimentare, cosmetico, farmaceutico, automobilistico e del fashion design.
I suoi prodotti - molto richiesti anche in ambito informatico, editoriale, educativo e formativo - coprono un vasto mercato: Paraguay, Argentina, Uruguay, Colombia, Messico, Spagna, ecc.
La sua attività progettuale è integrata dal costante impegno nell'area formativa del design come docente di Packaging presso la Facultad de Ciensas y Tecnología de la Universidad Católica de Asunción con la partecipazione a convegni e a workshop multidisciplinari tenuti nelle più importanti Università del Sud America e della Spagna (Universidad Americana in Paraguay, Universidad Nacional de Tucumán e Universidad de Morón in Argentina; Universidad Pontificia del Estado de Paraná in Brasile, Universidad Tecnológica Metropolitana di Santiago del Cile). Inoltre collabora con diverse Istituzioni culturali sul progetto di valorizzazione dei prodotti di divulgazione e informazione del Mercosur nell'ottica di rafforzare l'identità del design sudamericano.

La vasta esperienza professionale di Alvarez si incentra soprattutto nel campo della comunicazione visiva e dell'identità di marca di impresa, nel packaging e nel brand concept, nella cura dell'immagine di brochures e posters, ma anche nel web design.
Le componenti che permeano i suoi progetti sono la creatività e il valore concettuale delle idee. Secondo Alvarez il designer deve analizzare, interpretare e proporre segni e forme in grado di soddisfare le esigenze fisiche e visive del consumatore e del committente.
Il progetto della comunicazione visiva per le imprese viene sviluppato con immagini forti caratterizzate da obiettività e chiarezza, nella

convinzione che la bellezza di un oggetto sia insita nelle sue reali performances piuttosto che in astratti valori meramente estetici. L'applicazione di tale principio comporta lo studio minuzioso delle esigenze e dei comportamenti del fruitore ed un'accurata analisi del contesto con l'obiettivo di valorizzare al massimo le caratteristiche dei prodotti ed indurre le imprese ad investire sempre di più sull'immagine. L'approccio analitico è integrato e calibrato dalla capacità di costruire immagini attraverso la manipolazione e l'interpretazione di suggestioni e sensazioni che sono la materia prima su cui si basa il progetto.
La componente sperimentale e creativa della ricerca progettuale di Alvarez, che si esprime nei più diversi ambiti del progetto grafico (dal *packaging* alla *corporate identity*) è permeata da contaminazioni artistiche quali serigrafie, incisioni, sperimentazioni digitali.
La sua attività può essere così schematicamente suddivisa: design di corporate identity (dai cataloghi agli indumenti), di logotipi per imprese, istituzioni e marche di prodotti; del *packaging* e delle etichette di prodotti alimentari e cosmetici; design di brochure, manifesti, cd e copertine di libri; design di caratteri tipografici e un importante lavoro sperimentale su immagini geometriche costruite con i più avanzati programmi informatici. Nei progetti di *corporate image design* e di *brand concept* sviluppati per industrie alimentari come Palmitos San Diego, la comunicazione è incentrata su immagini a forte impatto visivo in cui i prodotti (mais, carote, peperoni...) sono rappresentati in modo realistico con una grande attenzione al colore originale e alla morfologia dei vegetali. Analogamente nel packaging per *nutrition line* vengono proposte immagini dai contrasti cromatici netti: una sorta di iperrealismo che sembra trovare i suoi riferimenti nelle pubblicità

americane degli anni '50. Anche gli studi sul *lettering* sono improntati da questo gusto per la comunicazione marcata: il corpo e il carattere hanno un certo spessore e i bordi delle lettere e dei numeri vengono spesso messi in evidenza da accentuati contrasti cromatici o da ombreggiature.

Nel design per logotype e booklet di cd, il progetto è invece caratterizzato da immagini surreali delle quali si cerca di esaltare graficamente l'aspetto suggestivo.

Il linguaggio figurativo di Alvarez presenta quindi matrici diverse che fanno riferimento a un variegato sistema di segni riconducibili sia alla cultura locale sia a tipologie grafiche di stampo internazionale. Le immagini di Alvarez, risultato della manipolazione e reinterpretazione di elementi anche molto distanti fra loro, ben rappresentano la tendenza della contemporanea ricerca progettuale del design latino americano tesa alla costruzione di identità cariche di ibridazioni, fatte di riferimenti locali ridisegnati in chiave globale.

Rodolfo Fernández Alvarez is a person who stands out in the complex panorama of Latin American design. His designs are always up-to-date thanks to his ongoing commitment in the educational field. He is a teacher of packaging at the Facultad de Ciensas y Tecnología of the Universidad Católica de Asunción. He also takes part in multidisciplinary conferences and workshops in the most important Universities of Latin America and Spain (Universidad Americana in Paraguay, Universidad Nacional de Tucumán and the Universidad de Morón in Argentina; Universidad Pontificia del Estado de Paraná in Brazil and the Universidad Tecnológica Metropolitana in Santiago del Cile). He also collaborates with a number of cultural institutions to promote information and publishing products in Mercosur, with a view to strengthen the identity of Latin American design.

Alvarez's vast professional experience focuses mainly on the field of visual communication and company brands, on packaging, the brand concept, the publication of brochures and posters as well as on web design. Creativity and the conceptual value of ideas are what inspire his projects. According to Alvarez, the designer should analyse, interpret and propose signs and forms that can satisfy the physical and visual needs of the client and consumers.
His visual communication projects for enterprises use strong, clear-cut, objective images. He is convinced that the beauty of an object lies in the way it performs, rather than in merely aesthetic abstract values. To apply this principle, he carefully studies the needs and behaviour of the final user as well as carrying out an accurate study of the context in which it will be used: his aim is to boost the product's characteristics as much as possible and force companies to invest more in the image of the product. He combines his analytical approach with his ability to create

images by manipulating and interpreting ideas and feelings, the core elements of his designs.

The experimental and creative feature of Alvarez's design research – expressed in the diverse graphic fields he works in (packaging and corporate identity) – is artistically contaminated by serigraphs; engravings and digital experimentation. His work can schematically be divided as follows: corporate identity design (catalogues, clothing etc.), company logos, product creation and brands, packaging, food and cosmetics labels, brochure design, posters, CDs, book covers, lettering design and an important experimental job involving geometric images generated by most advanced IT programmes.

In his corporate image design and brand concept projects for the food industry, such as Palmitos San Diego, communication focuses on high visual impact images in which the products (corn, carrots, peppers,...) are realistically depicted; he pays great attention to the original colour and the morphology of the vegetables. Similarly, in the nutrition line packaging, the images that are proposed have sharp chromatic contrasts: a sort of hyperrealism that seems to be based on the American publicity of the fifties.

His studies on lettering exploit his penchant for strong communication: the body and type are rather thick and often the edges of the letters and numbers are highlighted by strong chromatic or shadowed contrasts. His logos and CD booklet designs are, instead, characterised by surreal images; here he tries to graphically emphasise the evocative aspect.Alvarez's figurative style comes from different sources and is inspired by a multifaceted system of signs linked to local culture and international graphic types. His images, created by manipulating and reinterpreting even very different elements, typically reflect the trend of contemporary design research in Latin American design.

This trend aims at building identities full of hybridisation, with references to local, globally redesigned designs.

Mickey
SAL
FINA YODADA DE MESA
SAL IODADO DE MESA
Industria Paraguaya
500g
PESO NETO

Mickey
NOVO
200g
PESO NETO
CHOCOLATE
en polvo
em pó
CHOCOLATE

EDULCORANTE
Sanday
EDULCORANTE
ZU
diet
EDULCORANTE DE MESA EN POLVO

Design per i titoli cinematografici
Designing Film Credits

Saul Bass è forse il primo visual designer che sia riuscito ad affermarsi nel mondo del cinema con un ruolo autonomo e riconosciuto. Portando il suo approccio liberamente progettuale e il rifiuto delle convenzioni in un ambito dove, fino ad allora, aveva prevalso la semplice rappresentazione fotografica del divo di turno, Bass ha aperto la strada ad un modo "minimalista" di presentare lo spettacolo cinematografico, fatto di elementi grafici sintetici e di forte impatto visivo. Le sue numerose collaborazioni con registi del calibro di Preminger, Hitchcock, Kubrick e Scorsese hanno contribuito a portare nel cinema l'impronta delle avanguardie artistiche e a prefigurare tecniche di costruzione visiva che si affermeranno, solo molto tempo dopo, con la videoarte.

Nato a New York da famiglia di commercianti, Bass si forma all'Art Students College di Manhattan prima di cominciare a lavorare al dipartimento della Warner Bros.
Dopo un periodo nell'agenzia pubblicitaria Blaine Thompson ha la fortuna di incontrare al Brooklyn College un insegnante che avrà grande influenza nella sua formazione: il designer grafico ungherese Gyorgy Kepes, allievo di Laszlo Moholy-Nagy, che trasmetterà a Bass l'amore per le avanguardie e in particolare per il Costruttivismo ed il Bauhaus. Possiamo dire che la fusione tra l'approccio geometricamente sperimentale di Moholy-Nagy, mediato dalla cultura "jazzistica" americana, abbia costituito sin dagli esordi, la base su cui andrà fondando una personale grammatica visiva. L'utilizzo di figure geometriche primarie addolcite da un tratto ironicamente pittorico, di elementi concentrici e di cromatismi essenziali contrapposti a fondi monocromatici diventeranno, insieme alla capacità di montare elementi grafici e fotografici sul ritmo musicale, una personale miscela di elementi ripresi dalle avanguardie artistiche e dalla cultura pop Americana.

Quando nel '54 Otto Preminger si rivolge a lui per commissionargli il poster del film "Carmen Jones", Bass è già un professionista affermato, autore di campagne pubblicitarie e di progetti di immagine coordinata. Preminger rimane talmente colpito dal suo modo di lavorare che decide di affidargli anche la realizzazione dei titoli di testa. Da questo momento in poi e soprattutto dalla collaborazione successiva per "The Man with the Golden Arm's" (L'uomo dal braccio d'oro, 1955) i titoli che fino ad allora erano stati poco più che semplici elenchi di nomi del cast e della troupe, diventano parte integrante del film, prefigurando molto spesso le atmosfere e le tematiche del racconto cinematografico.
Per "The Man" Bass decide di non utilizzare lo schema Hollywoodiano che prevede di presentare la foto del protagonista (Frank Sinatra in

"Tears", Man Ray 1930

Titoli di testa per "Anatomy of a Murder", 1959
Credits for *Anatomy of a Murder*, 1959

Lásló Mòholy-Nagy, "Rudolf Blümmer", 1922

questo caso) come elemento cardine della comunicazione visiva. Sceglie invece, come simbolo della dipendenza all'eroina del protagonista, un braccio stilizzato al centro di una composizione di linee spezzate.
L'effetto drammatico è sottolineato nei titoli di testa, e analogamente nel manifesto, dalle stesse linee che si scompongono e ricompongono sul fondo nero innestandosi di volta in volta con gli elementi testuali.
In "Anatomy of a Murder" (Anatomia di un omicidio, 1959) la stessa tecnica di semplificazione visiva è utilizzata per rappresentare un cadavere. Disegnato con la tecnica del découpage, il corpo si scompone in vari pezzi che scivolano nello spazio diventando elementi grafici in cui compaiono le titolazioni. Il tutto accompagnato dalla musica di Duke Ellington che contribuisce a creare un'atmosfera di sofisticata ed intrigante ironia. Anche il celebre manifesto (copiato quasi integralmente per "Clockers" film del 1995 di Spike Lee, con relativa causa legale) riesce a comunicare la sintesi concettuale del film.
In "Spartacus" di Kubrick (1960) l'approccio all'immagine cambia radicalmente: la sequenza introduttiva è creata facendo emergere dal buio dettagli di statue classiche opportunamente virati con diverse tonalità cromatiche, in un crescendo drammatico che si conclude con lo sgretolamento di una testa monumentale che, con la "zoommata" finale, invade tutto lo schermo.
Dello stesso anno sono i titoli di "Exodus" di Preminger nei quali una fiamma che danza sullo schermo simboleggia il dramma del popolo di Israele, mentre nel poster la fiamma sembra bruciare la carta stessa, con una simulazione di tridimensionalità che ne aumenta l'effetto drammatico. Per Alfred Hitchcock, Bass creerà le sequenze introduttive di "Vertigo" (La donna "che visse due volte, 1958), North by Northwest (Intrigo internazionale, 1959) e Psycho (1960), dando vita ad una vera e propria collaborazione sul set in cui il ruolo del designer è quello di suggerire al regista innovative soluzioni formali. Nei titoli di "Vertigo" gli effetti visivi sono utilizzati per accentuare l'ossessione che permea tutto il film: la ricerca di una misteriosa identità femminile. Significativamente i dettagli del volto di donna, che aprono la scena, sono anonimi e non della protagonista e mostrano interessanti analogie con il lavoro di Man Ray. L'occhio in primo piano, virato in rosso, sfuma sulla spirale a simboleggiare la vertigine e la paura che pervade la mente del protagonista, come sottolinea l'ipnotica musica di Bernard Herrmann. La parte finale dei titoli con la spirale che continua a girare vorticosamente, mutando geometrie e colore, in un epoca in cui l'uso del computer è ancora molto lontano, diventa una sorprendente anticipazione di quella che sarà la sperimentazione del movimento psichedelico negli anni '60.
Psycho è la terza ed ultima collaborazione tra Saul Bass e Alfred Hitchcock. Mentre il lavoro del designer per Vertigo e North by Northwest era stato sostanzialmente limitato ai titoli di testa e ai

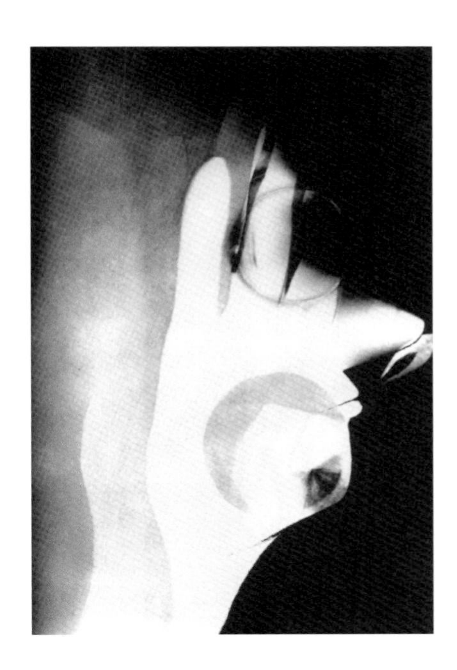

Manifesto Poster per "The Cardinal", 1959
Poster for "The Cardinal", 1959

Manifesto per "Love in the afternoon", 1957
Poster for "Love in the afternoon", 1957

Manifesto per "Anatomy of a Murder", 1959
Poster for "Anatomy of a Murder", 1959

manifesti, in questo caso Bass è accreditato come un "consulente d'immagine" e il suo ruolo appare fondamentale in alcune sequenze del film tra cui la famosa "scena della doccia" fondamentale per creare la suspence del film e studiata da filmakers di molte generazioni come esempio di montaggio cinematografico. Nei titoli le linee orizzontali e verticali che tagliano lo schermo con un movimento continuo preannunciano l'azione che verrà. I nomi che appaiono sono "criptati" dal sistema grafico suggerendo forse come la vera identità dei personaggi resterà nascosta durante tutto il film. Questa sequenza rimane, per i designer contemporanei, un esempio di come la tipografia, portata al limite della leggibilità, possa diventare elemento centrale della comunicazione visiva e mantenere intatta la sua efficacia anche a distanza di anni. Il tentativo di diventare regista a pieno titolo si concretizzerà con Phase IV (Fase IV - invasione terra, 1974) film di fantascienza da lui diretto e prodotto che nonostante il buon successo di critica si rivelerà un fiasco dal punto di vista commerciale. Conseguenza di questo fallimento sarà il ritorno di Bass al design grafico commerciale con la realizzazione di varie brand images di successo come quelle di At&T, Minolta, United Airlines e Bell. Continuano comunque alcune sporadiche collaborazioni con il mondo del cinema, come quella con Ridley Scott per i titoli del film Alien.

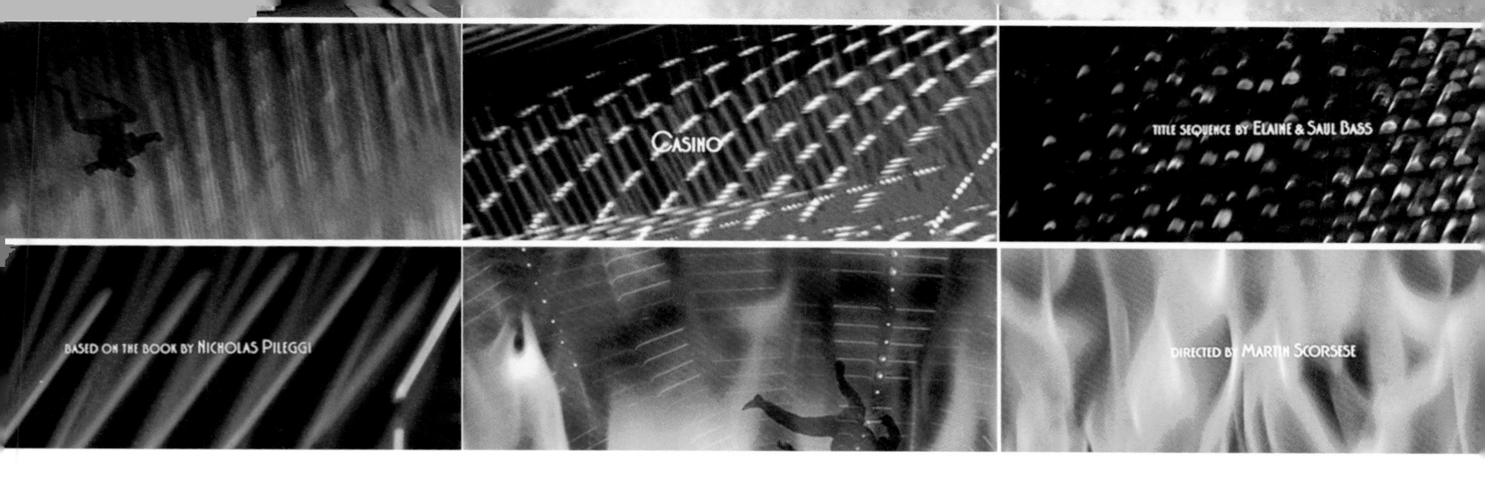

Titoli di testa per "Casinò", 1995
Credits for *Casinò*, 1995

Manifesto per "West Side Story", 1961
Poster for "West Side Story", 1961

Due versioni del manifesto per "The Man with the Golden Arm," 1959
Two versions of the poster for *The Man with the Golden Arm*, 1959

Manifesto non utilizzato per "Schindler's List", 1993
Poster (unused) for *Schindler's List*, 1993

Dopo un periodo di pausa, Bass realizza le sequenze introduttive di Broadcast News (Dentro la notizia, 1987) e Big (1988), per poi instaurare un sodalizio professionale con Martin Scorsese che gli commissionerà i titoli di testa di Goodfellas (Quei bravi ragazzi, 1990), The Age of Innocence (L'età dell'innocenza, 1993) e Casinò (1995), oltre che il poster per Cape Fear (Cape Fear - Il promontorio della paura, 1991).
Saul Bass collabora anche con Steven Spielberg (poster purtroppo inutilizzato di "Schindler's List", 1993) e realizza i poster pubblicitari per le cerimonie degli Oscar dal 1991 al 1996, anno in cui muore.
L'eredità che ci lascia, insieme con un ristretto numero di progettisti americani protagonisti fin dagli anni '50, come Paul Rand e Erik Nitsche, è una costruzione dell'immagine basata su forme geometriche, colori primari e una tipografia essenziale.
Questo consente di focalizzare la visione sull'essenza del messaggio, in contrapposizione con un approccio retorico che tende a mostrare l'oggetto della comunicazione senza una chiave interpretativa, ma forse la vera eredità di questi personaggi rimane la capacità di diventare spesso veri registi del progetto nel suo complesso.

Saul Bass is probably the first visual designer to be successful in the cinema world as a recognised independent professional.
He brought his free design approach and rejection of conventions to an milieu which had always focused primarily on taking good photographs of the latest film star. He laid the groundwork for a "minimalist" way of illustrating cinema involving concise graphic elements and a strong visual impact.
His many collaborations with directors of the calibre of Preminger, Hitchcock, Kubrick and Scorsese has helped to bring artistic avant-garde to the cinema and prefigure visual construction techniques which were appreciated as video art only many years later.

Born in New York to a family of merchants, Bass went to the Arts Students League in Manhattan before beginning to work in the art department of the Warner Bros Company.
After working for a while in the advertising agency Blaine Thompson, he was lucky enough to meet a teacher at Brooklyn College who was to influence him enormously: the Hungarian graphic designer Gyorgy Kepes, a pupil of László Moholy-Nagy who transmitted to Bass his love of avant-garde, especially Constructivism and the Bauhaus. We could say that from the very start, the combination of Moholy-Nagy's geometrically experimental approach, mediated by American "jazz" culture, was the basis

Manifesto per "Vertigo" 1958
Poster for "Vertigo" 1958

Manifesto per "Such good friends", 1971
Poster for "Such good friends", 1971

Bass used to create his own personal visual language. The use of primary geometrical shapes softened by an ironically pictorial touch, concentric elements and simple colouring against a monochromatic background, together with the ability to set graphic and photographic elements to music, was to become his personal *melange* of elements later adopted by American artistic avant-garde and pop culture.
When Otto Preminger asked him to design the poster for *Carmen Jones* in 1954, Bass was already a famous graphic designer of advertising campaigns and coordinated image projects.
Preminger was so impressed with his work he decided to ask him to create the film's title sequence too. From that moment on, above all after his work for the film *The Man with the Golden Arm* (1955), the titles that had been little more than a list of the cast and troupe, became part and parcel of the film, very often anticipating the mood and theme of the movie.
For *The Man with the Golden Arm*, Bass decided not to use a "Hollywood" approach with the photograph of the main character (in this case Frank Sinatra) as the focal point of the visual communication. Instead he chose to use a stylised arm in the middle of a jumble of broken lines to symbolise the protagonist's dependence on heroin. The dramatic effect was emphasised in the title sequence and on the poster by using the same lines, this time animated and against a black background and inserted in between the text.
In *Anatomy of a Murder* (1959), he used the same visual simplification technique for a body. Drawn using decoupage, the body is in pieces and slips and slides in space, turning into graphic elements that then create the titles. The sequence was accompanied by a music score, composed by Duke Ellington, which contributed to creating a sophisticated and intriguingly ironic atmosphere. Even the famous poster (almost entirely copied for Spike Lee's 1995 film *Clockers* – with ensuing lawsuit) managed to communicate the concept behind the film.
In *Spartacus* by Kubrick (1960), he changed his approach quite radically: the introductory sequence included pieces of classical statues (suitably painted in different colours) emerging from the dark in a dramatic crescendo that ended with the explosion of a monumental head which in the final sequence invades the entire screen.
The same year he designed the title for *Exodus* by Preminger where a flame dances on the screen symbolising the tragedy of the Israeli people; on the poster, the flame seemed to burn the paper itself thanks to a three-dimensional simulation which increased its dramatic effect.
For Alfred Hitchcock, Bass created the opening sequences of *Vertigo* (1958), *North by Northwest* (1959) and *Psycho* (1960). This was the start of a long-term collaboration on the set in which the task of the designer was to recommend innovative formal solutions to the director. In the title sequence of *Vertigo*, the visual effects were used to emphasise the obsession that fills the whole film: the search for a mysterious woman. The details of the

Titoli di testa per "Spartacus", 1960
Credits for *Spartacus*, 1960

Titoli di testa per "Vertigo" 1958
Credits for *Vertigo* 1958

Titoli di testa per "Psyco", 1958
Credits for *Psycho*, 1958

woman's face in the opening scenes are extremely important; they are anonymous and do not belong to the protagonist, but reveal interesting similarities with the work by Man Ray. The close-up of the red eye spins into a spiral representing the vertigo and fear that grips the protagonist's mind, as emphasised by the hypnotic music by Bernard Herrmann. The final part of the titles with the spinning spirals, changing geometries and colours, at a time when computers were still not commonplace, is a surprising anticipation of the experiments of the psychedelic movements of the sixties.
Psycho is the third and last collaboration between Saul Bass and Alfred Hitchcock. While his work for *Vertigo* and *North by Northwest* only involved the title sequences and posters, in this case Bass was hired as a "image consultant" and his work was crucial in some scenes, for instance the famous shower scene, to create suspense. It was studied by many generations of filmmakers as an example of film editing. In the titles, horizontal and vertical lines continuously cut the screen, anticipating the action to come. The names are "encrypted" by the graphics, perhaps as a way to suggest that the real identity of the characters will remain a secret for the whole film. For contemporary designers, this sequence is an example of how typography, pushed to its limits, can become a crucial element of visual communication and still be successful years later.
Phase IV (1974) was his first attempt to shoot a feature film as a director. It

Titoli di testa per "Exodus", 1960
Credits for *Exodus*, 1960

was a science-fiction film he directed and produced which, despite being well received by the critics, was a commercial flop. Bass returned to commercial graphic design and created several successful brand images for AT&T, Minolta, United Airlines and Bell. He sporadically worked for the film industry, for instance with Ridley Scott for the titles of the film *Alien*. After a brief sabbatical, Bass created the opening sequences for *Broadcast News* (1987) and *Big* (1988) and began working professionally with Martin Scorsese who commissioned the titles of *Goodfellas* (1990), *The Age of Innocence* (1993) and *Casinò* (1995) as well as the poster for *Cape Fear* (1991).
Saul Bass also worked with Steven Spielberg (he designed the poster for *Schindler's List,* 1993, which unfortunately, was never used) and created the publicity posters for the Oscar ceremonies from 1991 to 1996, the year he died. The legacy he left us, together with a limited number of American designers who worked in the fifties like Paul Rand and Erik Nitsche, is based on the construction of images using geometric shapes, primary colours and simple graphics. This helped to focus on what was important. It was a totally different approach to the rhetoric one which tends to show the object to be communicated without providing an interpretative key. But perhaps the real legacy of these designers is their ability to often become directors of all aspects of the project.

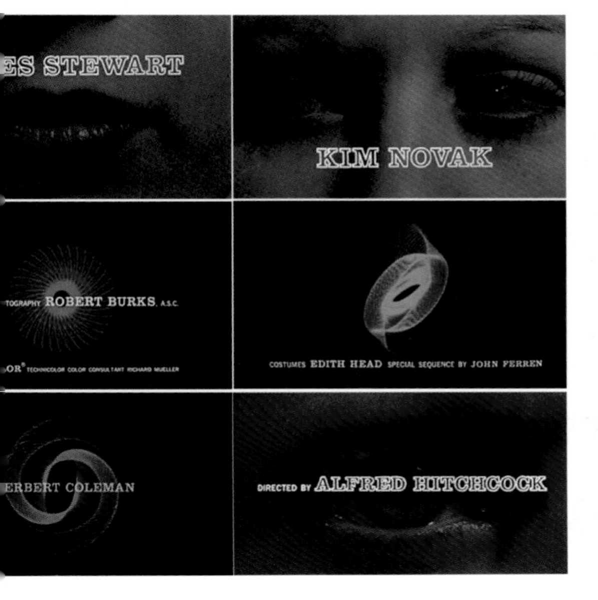

Variazioni sul tema
Variations on a Theme

Ruedi Baur è probabilmente uno dei visual designer più interessanti degli ultimi anni. Il suo approccio multidisciplinare ai temi della segnaletica e dell'identità visiva ha prodotto alcuni dei progetti più significativi in questo ambito. In generale tutti i progetti realizzati, da quelli più complessi ai più semplici, si fondano su un'idea forte e innovativa, e non sono una semplice e sterile applicazione dei principi del wayfinding e dell'immagine coordinata.

Dice Baur: "il disegno grafico è semplicemente uno dei tanti strumenti pensati per risolvere questioni relative all'orientamento all'identificazione e all'informazione. In futuro dobbiamo dare maggiore importanza al lavoro di gruppo e rafforzare i rapporti interdisciplinari in maniera più efficace; migliorare le soluzioni riguardanti senso e messaggio, vista l'attuale sovrabbondanza di informazioni attorno a noi; cercare di abbattere le barriere tra arte e disegno e tra iniziativa personale e lavoro su commissione; trascendere le limitazioni del disegno grafico".
Un aspetto molto interessante del suo lavoro, e di certo non l'unico, è rappresentato dal modo in cui Baur arriva ad applicare i concetti di design visivo in proposte che denotano un atteggiamento di intelligente curiosità e la quasi totale mancanza di pregiudizi "ideologici".
La tecnica delle "variazioni sul tema", paragonabile in ambito musicale a quella caratteristica dell'opera di J.S. Bach, permette di ottenere soluzioni progettuali "matematicamente" coerenti ma nello stesso tempo sempre diverse ed adattabili, ed è stata adottata dal designer più volte negli ultimi anni.
La variazione è infatti un procedimento fondamentale per la composizione che consiste nel trasformare un elemento di base attraverso diversi artifici. Nella musica i procedimenti possono essere melodici, armonici, ritmici, dinamici. Nell'espressione artistica "visiva" cromatici, geometrici e compositivi.
Il tentativo di Baur e quello di dar vita a creazioni mutevoli nelle quali i vari elementi, grafici e testuali in particolare, si muovono su di uno "spartito" spaziale mantenendo un certo grado di casualità controllata.
Emblematico da questo punto di vista è il progetto per la Cité Internationale Universitaire de Paris - www.ciup.fr -, realizzato con la collaborazione di André Baldinger, progettista del carattere tipografico. In questo caso il font disegnato - il Newut, la cui particolarità è di mantenere l'altezza dell'occhio sia per le lettere maiuscole che minuscole - consente la sostituzione di alcune lettere con segni di alfabeti non latini come cinese, greco, arabo, ebraico, cirillico ecc., la cui forma però ricorda i caratteri del nostro alfabeto. Una tecnica random a percentuale variabile permette di ottenere testi più o meno alterati dall'inserimento di simboli estranei, mantenendo una complessiva leggibilità. Sfruttando quello che viene definito il paradigma del "priming ortografico", secondo il quale

CITÉ
INTERNATIONALE
UNIVERSITAIRE
DE PARIS

CITÉ
INTERNATIONALE
UNIVERSITAIRE
DE PARIS

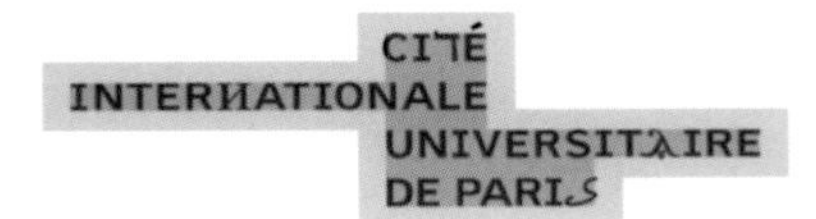

durante la lettura la posizione e la forma delle lettere non sono codificate rigidamente, è possibile caricare il testo di significati prettamente visivi che vanno oltre il contenuto esposto.
Questa scelta sorprendente è aspramente criticata, non senza motivo, da coloro che ritengono scorretta l'annessione di segni di altre culture, "decontestualizzati" e privati del loro reale significato - vedi Antonio Perri, Progetto Grafico 7 - e viene portata come esempio di "globalizzazione cattiva".
Il rischio di mostrare un'apertura solo apparente nei confronti di scritture che spesso non sono nemmeno di tipo alfabetico è effettivamente molto forte. Rimane comunque il fatto che la soluzione adottata da vita ad un lavoro dinamico e camaleontico, nella quale gli elementi dell'identità visiva, come quelli della segnaletica, sembrano predisposti per potersi adattare ad una realtà in continua mutazione. I "moduli" visivi progettati, come ad esempio le varianti del logo e le texture di strisce colorate, di per se stilisticamente non originalissimi e riferibili a tendenze affermate nel visual design contemporaneo, si muovono sopra una griglia strutturale seguendo regole complesse ma coerenti.
L'uso di una tavolozza cromatica articolata su tonalità sature, in contrapposizione con tonalità pastello, permette un continuo ribaltamento del rapporto figura-sfondo, ottenendo così un effetto di grande dinamismo e di sorpresa continua.
La segnaletica tridimensionale si inserisce nella Cité nello stesso modo, creando un forte contrasto con la preesistente architettura novecentesca. Con l'utilizzo di strutture di supporto molto evidenti e volutamente

Cité Internationale universitaire de Paris, 2000. Immagine istituzionale e sistema segnaletico (foto di Alberto Lecaldano)
Cité Internationale universitaire de Paris, 2000. Institutional image and signage (photo by Alberto Lecaldano)

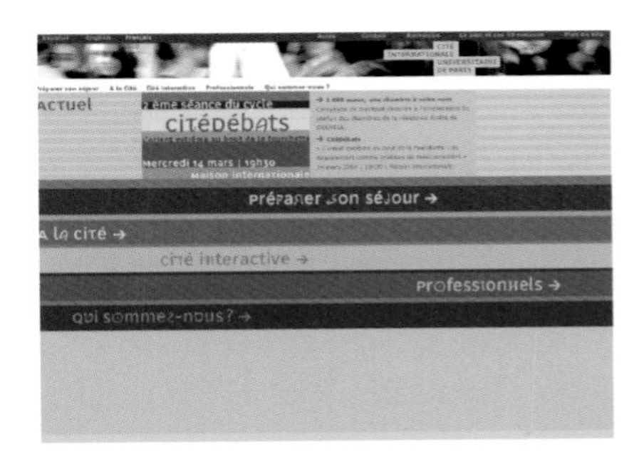

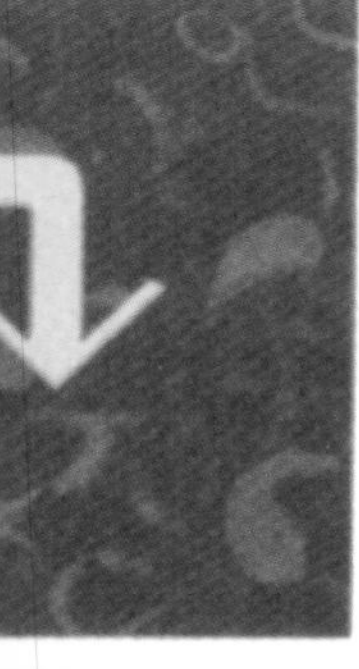

solide, l'apparato segnaletico acquisisce una visibilità ed una funzione decisamente superiore rispetto a quello che abitualmente viene fatto in questo campo.
Si crea un sistema di orientamento che in tutte le sue forme, tridimensionali e bidimensionali, assolve non solo al suo scopo principale che è quello di indicare tutte le aree dell'università, ma permette di proporre messaggi visivi che vanno a comporre la complessa, multiforme e ostentatamente multiculturale identità dell'istituzione.
In altri progetti questa capacità di creare strutture "variabili" si esprime con sfumature differenti. A Lione, per esempio, il sistema segnaletico preparato originalmente per il nuovo quartiere Tête d'Or progettato da Renzo Piano, è stato poi declinato con immagini diverse nelle altre aree della città.
La soluzione adottata permette di mantenere una sostanziale costanza dei messaggi di orientamento e anche una coerenza visiva complessiva dell'immagine della città, sottolineando però le specificità storiche e architettoniche dei diversi quartieri.
Nel caso dell'aeroporto di Bonn, il sistema infografico dei pittogrammi, universalmente accettato come linguaggio internazionale del trasporto aereo e ferroviario, è stato trasformato con ironia in una complessa immagine coordinata. Ogni segno può indifferentemente essere aggregato al logo, diventare elemento architettonico o della segnaletica o addirittura trasformarsi in gadget.
Ma l'esempio più originale e interessante dell'approccio di Baur è forse il Quartier des spectacles di Montréal. Per un quartiere "giuridicamente" inesistente, composto da zone di diversi arrondissement, dove c'è la maggior concentrazione cittadina di teatri, cinema, festival ed eventi in genere legati alla cultura, Baur elabora una soluzione "eretica" rispetto ai normali convincimenti di un visual designer.

Segnaletica della città di Lione, 1998-2001
Signage in Lyon, 1998-2001

Una vasta area della città, che di giorno non è in nessun modo percepibile come entità coerente, manifesta la sua esistenza solo di notte quando aprono teatri e locali e si accende nel buio un sofisticato sistema di luci colorate formato da punti pulsanti: ciò segnala l'identità dei vari "luoghi dello spettacolo" e stabilisce tra loro nessi immateriali.
Un'identità che ogni notte sembra rinascere dal nulla.
Nel progetto che si va sviluppando e che ha già contribuito a rivalutare quella zona di Montréal, le strade in un area di circa 1 km quadrato saranno illuminate con colori specifici a seconda del tipo di spettacolo rappresentato in quel determinato momento, creando un'identità mutevole, fortemente caratterizzata e sempre in relazione col contesto della vita cittadina.
La luce sostituisce il normale codice cromatico Pantone e disegna, forse, un nuovo approccio alla comunicazione visiva.

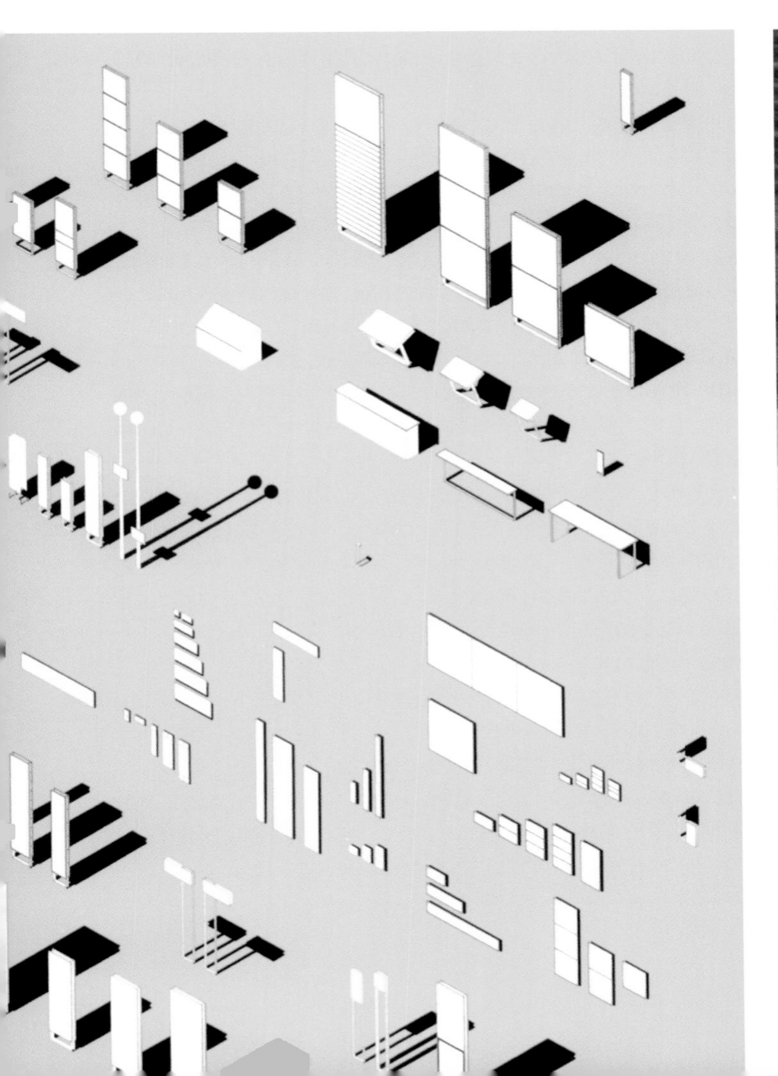

Ruedi Baur is probably one of the most interesting contemporary visual designers. His multidisciplinary approach towards signage and visual identity has produced some of the most important designs in this field. Generally speaking, all the projects, from the simplest to the more complex, are based on a striking and novel idea; they are not simply the sterile implementation of the principles of wayfinding and coordinated images.

Baur: "Graphic design is just one of the many tools we can use to solve problems of direction, identification and information. In the future we must develop the team concept more and strengthen interdisciplinary work; we have to find better solutions to the problems of meaning and message because we are overwhelmed by information; we have to try to break down the barriers between art and design and between personal initiatives and commissions; we have to transcend the limits of graphic design."
One interesting aspect of his work, but not the only one, is the way in which Baur uses the concept of visual design in solutions that betray his intellectual curiosity and the almost total absence of "ideological" prejudices.
The technique of "variations on a theme" – similar to the one used by J.S. Bach - allows him to create "mathematically" coherent design solutions that are always different and also flexible in the past few years he has frequently put this technique to good use.
In fact, variations are crucial when composing, because by using various artifices they can modify a base element. In music, these procedures can be melodic, harmonic, rhythmic and dynamic. In "visual" artistic mediums, they are chromatic, geometric and compositional.
Baur tries to create flexible solutions with different elements (especially graphics and text) that move on a spatial "score" with a certain degree of controlled haphazardness. One emblematic project is the Cité Internationale Universitaire de Paris - www.ciup.fr – developed with André Baldinger, a designer of fonts. In this case, the characteristic of the font he designed – Newut – is that the height of the letter is the same for lowercase and capitals. This means that certain letters can be replaced by non-Latin alphabet shapes, such as Chinese, Greek, Arab, Hebrew, Cyrillic, etc., whose shapes are similar to our own alphabet.
A random variable percentage technique makes it possible to create texts that can be changed slightly by inserting foreign symbols, yet still be legible. By exploiting what is defined as the paradigm of the "orthographic priming" - according to which when a person reads, the position and shape of the letters are not strictly codified – it's possible to give the text a totally visual dimension that goes beyond its actual contents.

Aeroporto Köln Bonn, 2002. Studio dell'immagine coordinata e segnaletica
Köln Bonn Airport, 2002. Studies for the coordinated image and signage

This surprising decision is bitterly criticised, not unjustly so, by those who use it as an example of "bad globalisation" and believe it wrong to annex the symbols of other cultures "decontextualised" and deprived of their real meaning (see Antonio Perri, Graphic Project 7).
In actual fact, there's always a strong risk of paying only lip-service to the use of letters that are often not even alphabetic.
The fact remains that this solution creates a dynamic and chameleonic design in which the elements of visual identity, such as signage, seem ready to fit into a rapidly changing world.
Stylistically speaking, these visual "modules," for example the variations of a logo and the textures of coloured bands (not in themselves very original and inspired by well-known trends of contemporary visual design), move on a structural grid according to complex but coherent rules.
The use of a chromatic palette with dark instead of pastel colours makes it possible to reverse the background and the figures: this creates an extremely dynamic effect and continuous surprises.
In the same way, the three-dimensional signage in the Cité creates a strong contrast with the twentieth-century architecture.
Using very evident and purposely solid materials, the signage becomes very visible and works better than the signage normally used in this field.
This three-dimensional and two-dimensional sign system not only fulfils its primary function – to indicate all the areas of the university campus – but leaves visual messages that are part of the university's complex,

multiform and clearly multicultural identity.
In other projects, this ability to create "variable" structures is expressed in different ways. In Lyon, for example, the signage system originally prepared for the new Tête d'Or district designed by Renzo Piano was later associated with different images in other parts of the city.
This solution meant that the signage was, to a great extent, comparable; it also gave the city an overall visual coherence and, at the same time, called people's attention to the historical and architectural landmarks of each district.
In Bonn airport, the infographic system of pictograms (internationally accepted as the language of aviation and railways) was ironically transformed into a complex, coordinated image. Each symbol can either be used with the logo, become an architectural element or part of the signage, as well as a gadget.
One of the most original and interesting examples of Baur's approach is perhaps the Quartier des spectacles in Montreal. This "legally" non-existent district with different arrondissements is packed with theatres and cinemas and hosts festivals and cultural events: for this district Baur developed a "heretic" solution compared to the normal principles used by a visual designer.
This sprawling area of the city which during the day is anything but a coherent entity comes alive only at night when theatres and clubs open and a sophisticated system of coloured intermittent lights bursts into the night sky.
They indicate the different "places of entertainment" and create immaterial links. An identity that every night seems to appear out of nothing.
The project, which has already helped to clean up this district in Montreal, will be extended to an area of approximately one square kilometre using specific colours according to the type of event or performance: this creates a variable, very distinctive identity in line with the life of the city. Light replaces the normal chromatic Pantone code and is perhaps the start of a new approach to visual communication.

Aeroporto Köln Bonn, 2002. Studio dell'immagine coordinata e della segnaletica
Köln Bonn Airport, 2002. Studies for the coordinated image and signage

Köln Bonn Airport

Köln Bonn Airport
Köln Bonn Airport

germanwings
D-AIPH

Partecipare è Vincere
Partecipate = Success

Nell'area "Eventi" Connexine nasce specializzandosi in concorsi internazionali di creatività per aziende ed enti, fornendo un servizio integrato di scouting di nuovi talenti, selezione tramite giurie qualificate, produzione di libri esiti per eventi di pubbliche premiazioni ad alto contenuto comunicativo. Nel corso del tempo le attività si sono estese alle convention istituzionali, happening aziendali, exhibition d'arte e design, scenografie e architettura d'interni, fino ad attività di action marketing. Nel 2004, con il Concorso Internazionale Swiss In Cheese, vince il Premio BEA come Miglior Evento Culturale dell'anno.

CONNEXINE

Al di là della dinamica agonistica connessa al fine immediato della competizione per un premio, il concorso di progettazione, e in particolare il concorso d'idee, si è andato configurando sempre di più come vero e proprio evento, da seguire per comprendere le evoluzioni e le mutazioni della cultura del progetto, un modo per costruire occasioni di design promuovendo nuovi talenti, stimolando le giovani leve, confrontando idee e aprendo a nuovi temi. Veri e propri laboratori in grado di esprimere innovazione e sollecitare il dibattito culturale, ma soprattutto per Connexine, giovane organizzazione che lavora da cinque anni nella comunicazione strategica interagendo con uno strutturato *design network* di formazione e provenienza eterogenea, il concorso d'idee è la possibilità di costruire progetti ad alta partecipazione collettiva, uno strumento potente che ha rivelato la capacità di diramarsi e raggiungere individualità spesso lontane, coinvolgendo a distanza in un evento creativo un numero potenzialmente infinito di intelligenze.
Connexine, nella sua attività al servizio di specifiche esigenze di *scouting* aziendale, oltre a svolgere azioni di *marketing* territoriale e a costruire iniziative *non profit*, lavora nello specifico per la produzione di importanti concorsi di creatività attraverso i quali valutare e creare nuove linee di sviluppo di prodotto, testare il potenziale creativo interno a specifiche tecnologie, disegnare la comunicazione coordinata in tutti i suoi aspetti.
Incrociando le sfere della produzione e quelle del progetto, si scoprono occasioni per la ricerca e la creatività, individuando nuovi sistemi per la produzione, distribuzione, commercializzazione e consumo indotti da nuove tipologie di prodotti e mercati e costruendo così attraverso il design, scenari di innovazione. Il concorso in questo senso si è dimostrato un dispositivo straordinario attorno al quale muovere e comunicare verso l'esterno l'immagine e i valori con cui si posiziona una determinata strategia aziendale, diffondendone in chiave innovativa ed originale il carattere di sperimentazione e di ricerca, ma che è anche il risultato del contributo collettivo delle creatività che rispondono all'appello e si spendono partecipando ad un vero e proprio

Recycling Aluminum Design Competition

evento di design. La dinamica del concorso si rivela quindi un contenitore complesso e articolato risultato di un'attenta progettazione, costruito in diversi segmenti temporali e che coinvolge aspetti eterogenei legati sia all'organizzazione, ma anche al progetto in senso stretto e alla comunicazione e che richiede un mix di competenze eterogenee.
ReAL13, sigla che abbina il riciclo (Re) e l'alluminio (AL13), nasce dalla collaborazione tra Connexine e CIAL dall'esigenza di attivare una linea di ricerca progettuale legata al design di prodotti realizzati con l'alluminio e dimostrare contemporaneamente i potenziali del materiale nelle prospettive produttive e creative, come anche per il riciclo in chiave sostenibile.
Il concorso, i cui risultati sono stati presentati in una mostra all'interno della settimana del Salone del Mobile di Milano e che racchiude la filosofia Connexine, è incentrato sul fenomeno del nomadismo alimentare per la progettazione di soluzioni che rispondessero alle problematiche del Mangiare Ovunque attraverso oggetti in alluminio riciclato legati al food e al consumo nelle attività quotidiane e in situazioni d'emergenza o di disagio estremo.
Un'attenzione alla dimensione etica e della sostenibilità che contraddistingue il lavoro e le collaborazioni con il mondo dell'associazionismo *non profit* attraverso progetti senza scopo di lucro e con finalità benefiche, con il fine di coniugarlo con il mondo del design, e con quello della *Social Corporate Responsability*. SosDesign, tra le altre, è un'iniziativa che opera in questo senso con la finalità di finanziare progetti umanitari raccogliendo prodotti, prototipi, schizzi autografi da aziende prestigiose e designer famosi in vendita a prezzi solidali per raccogliere fondi da devolvere ad associazioni non profit attive nel sociale.
Etica ed estetica si ritrovano nel design.

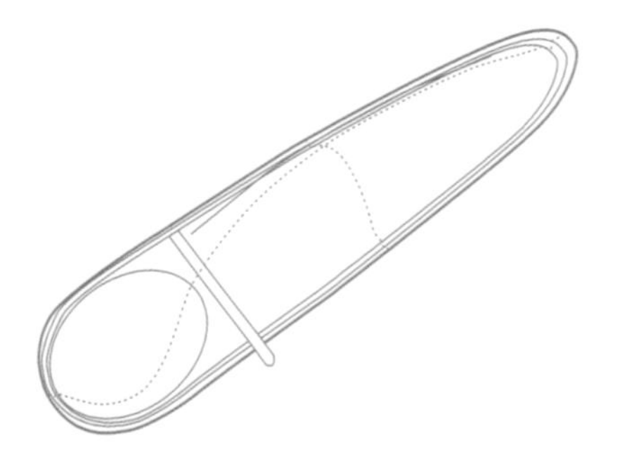

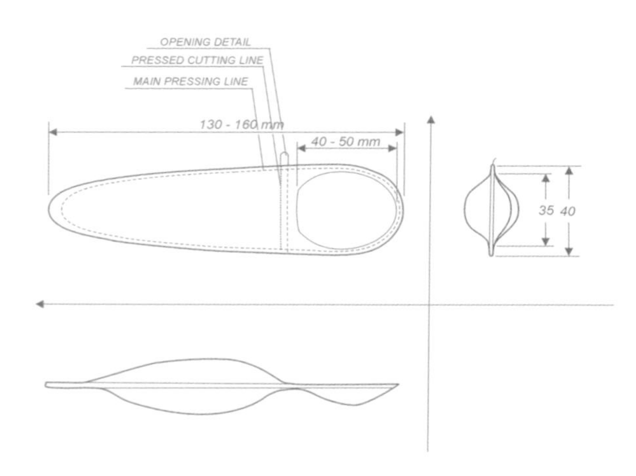

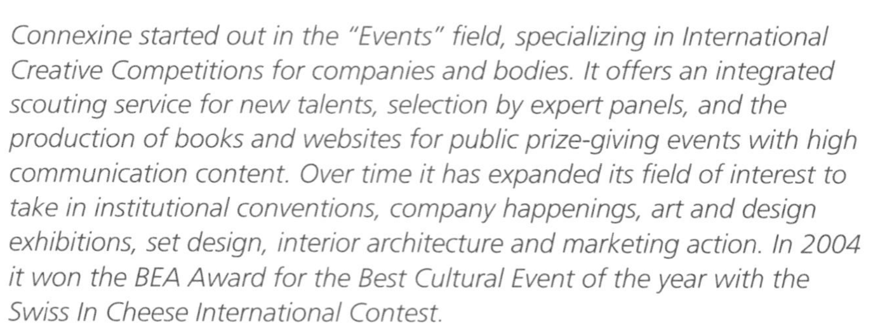

Connexine started out in the "Events" field, specializing in International Creative Competitions for companies and bodies. It offers an integrated scouting service for new talents, selection by expert panels, and the production of books and websites for public prize-giving events with high communication content. Over time it has expanded its field of interest to take in institutional conventions, company happenings, art and design exhibitions, set design, interior architecture and marketing action. In 2004 it won the BEA Award for the Best Cultural Event of the year with the Swiss In Cheese International Contest.

Apart from the competitive dynamics associated with competing for a prize, design competitions, in particular, competitions of ideas, have gradually become more of an event, to be studied to understand the evolution and changes in design culture, a way to create design opportunities and promote new talent, encourage the young generation, compare ideas and tackle new issues. Workshops capable of expressing innovation and encouraging cultural debate. Connexine is a recently established organisation that for the past five years has worked in the field of strategic communications, interacting with a structured *design network* heterogeneous in its composition and background. A competition of ideas represents an opportunity for Connexine to create designs in which many people participate, a powerful tool that has shown itself capable of spreading worldwide and reaching individuals in remote areas, involving them in a creative event with a potentially infinite number of intelligent human beings. During its usual activities involving specific issues such as company scouting, Connexine performs territorial marketing activities and designs no-profit initiatives. It also specifically focuses on drafting important creative competitions used to assess and design new product development strategies, test the creative potential inherent in specific technologies and invent all types of coordinated communications. By integrating production and design, there are opportunities for research and creativity, identifying new systems of production, distribution, marketing and consumption inspired by new products and markets. This is how design creates innovative scenarios.

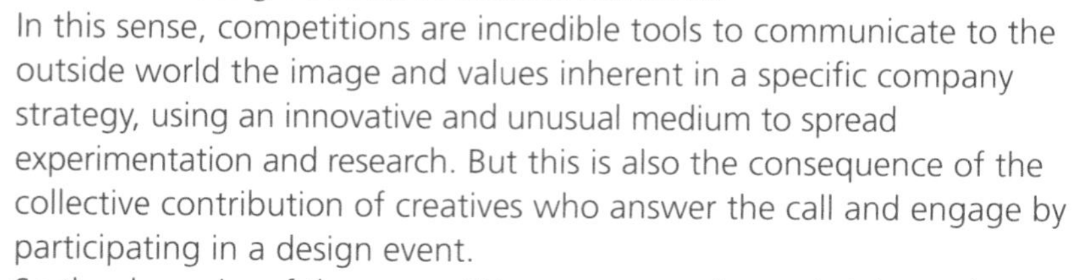

In this sense, competitions are incredible tools to communicate to the outside world the image and values inherent in a specific company strategy, using an innovative and unusual medium to spread experimentation and research. But this is also the consequence of the collective contribution of creatives who answer the call and engage by participating in a design event.

So the dynamics of the competition are a complex and elaborately designed container built in several temporal segments. It involves various organisational issues, design and communications and requires a combination of heterogeneous competences. ReAL13, an acronym of

recycling (Re) and aluminium (AL13) was a joint project between Connexine and CIAL. The aim was to initiate a design study involving the design of aluminium products and, at the same time, demonstrate the material's productive and creative potential, including sustainable recycling. The results of the competition - presented at an exhibition held during the Milan Furniture Fair – summarises the Connexine philosophy. It focused on the phenomenon of food nomadism in the context of finding solutions to the problems of "Eating Everywhere" by looking at old recycled aluminium containers associated with food and its consumption during our everyday activities, in emergency situations or situations of extreme discomfort.

This focus on the ethical dimension and sustainability is a characteristic of their work and their involvement with the world of no-profit organisations: no-profit, charitable projects linked to the world of design and Corporate Social Responsibility. *SosDesign*, among others, is just such an initiative. Its aim is to finance humanitarian projects by collecting products, prototypes, autographed sketches from prestigious companies and famous designers and sell them at a reasonable price. The funds will be devolved to socially active, no-profit organisations. Ethics and aesthetics merge in design.

Situazioni di Design
Design Situations

Per la sua attività culturale e artistica, Esterni è costantemente in contatto con le Università, le Scuole Superiori, le Accademie di Arte e di Cinema, i Centri e le Associazioni Culturali, le Fondazioni e le Gallerie. Significativa della filosofia del gruppo è la sede che si pone come spazio condivisibile e in continuo allestimento, un contenitore dove sperimentare e incontrarsi. L'iniziativa che ha riscosso più successo è stata lo "sciopero nazionale dei telespettatori" contro l'ottundimento e l'isolamento provocato dall'uso della tv e dal suo consumo smisurato.

Il design come fatto collettivo, un momento da distribuire socialmente e condividere orizzontalmente all'esterno degli spazi ufficialmente attribuiti allo star system del progetto. Da oltre dieci anni il gruppo milanese Esterni aggrega intorno a manifestazioni, rassegne, eventi, performance, un popolo giovane e variopinto spesso escluso dai circuiti ufficiali della cultura, ma che altrettanto si vuole incontrare e confrontare attraverso occasioni collettive di accrescimento personale e di consumo culturale. Esterni nasce in questo senso proprio dall'idea di voler valorizzare il ruolo culturale dello spazio pubblico, approfondendo il potenziale socializzante del vivere urbano e ripensandone le strutture attraverso eventi performativi, autorganizzati e consumati in un tempo limitato, ma che ne sconvolgono nell'effimero contingente i significati e le funzioni sedimentate. E così confermando un'attitudine situazionista che gioca con la "società dello spettacolo" e con il consumo di cultura attraverso azioni di riappropriazione collettiva, ne comprende il linguaggio comunicativo e le capacità organizzative per la costruzione, con la tecnica dello straniamento, di situazioni ludiche e la creazione di un ambiente artistico esteso alla dimensione sociale. Una forma di resistenza alla desertificazione urbana. Tra gli eventi storici, il "Milano Film Festival": per la promozione delle culture e dei linguaggi narrativi del nuovo cinema; "audiovisiva": rassegna cross media che contamina installazioni, screening, video art e sound design; lo "sciopero dei telespettatori":

Cactus Friend: Sandy – Bastardino – Sabochan, Takidoki, STRANGEco

Method Jam – Imperial One – O'Shea, Roy Miles Jr, Warming Label Design

esercizio di astinenza da telecomando, per rivendicare i diritti dei telespettatori nelle statistiche auditel. Ma soprattutto esterni è ricordata per gli eventi organizzati in concomitanza con l'annuale Salone del Mobile di Milano, ricorrenza di rito per la cultura del design a cui contrappone occasioni di incontro e di festa con eventi-sorpresa e situazioni collettive, per promuovere idee e progetti e far rivivere pezzi di città. Così sono sempre da ascriversi all'etica situazionista, il catalogo di progetti sperimentati attraverso pratiche utopiche nello spazio pubblico per la "città in rivoluzione" del salone dell'arredo urbano, attraverso un lavoro stretto sul territorio per stimolare nuovi comportamenti modificati attraverso esperimenti collettivi in spazi pubblici, per una diversa consapevolezza del valore sociale. Nel catalogo appaiono anche percorsi sperimentali di integrazione costruiti attraverso complementi di arredo e segnaletica per indicare nuove abitudini o piccoli gesti di cordialità che si pongono come una lettura sociale alternativa dei luoghi. Tra i progetti più recenti, la "casa dei designer", allestita nell'ex fabbrica riconvertita della Faema durante l'ultima edizione del salone ha accolto, nel breve spazio temporale della manifestazione, i nuovi nomadi della cultura del progetto, giovani studenti e designers dai budget ridotti e ancora fuori dal circuito professionistico, sopraggiunti per assistere ed osservare, ma anche per esibire la propria creatività e partecipare ad un fenomeno collettivo, un esperimento di vita comunitaria con mostre, party e perfino aste di pezzi autoprodotti di design. Qui, come in tutti gli eventi curati, esterni lavora non semplicemente alla gestione della logistica e dell'organizzazione, ma funge anche da direzione artistica, progettando l'allestimento, come disegnando gli arredi, curando la comunicazione, producendo il merchandising, e poi amministrando anche gli aspetti di relazione con l'esterno, come ufficio stampa, marketing, promozione e fund raising. Un'organizzazione evoluta cosciente dei meccanismi di autopromozione e che si pone come vero e proprio brand con tanto di immagine coordinata in tutte le espressioni, dalla comunicazione a stampa fino allo spazio internet. Ma che si distingue proprio per la ricerca di un punto di equilibrio tra etica, cultura e impresa, trasformando in professione un ideale di aggregazione. Esterni si presenta insomma come struttura open source, un contenitore aperto cioè a progetti e sperimentazioni, come ai contributi e alle collaborazioni tra diverse espressioni, uno spazio da condividere e in cui incontrarsi, aperto alle voci indipendenti della cultura del contemporaneo e da cui partire per nuove utopie.

Thanks to its cultural and artistic activity, Esterni is constantly in touch with universities, high schools, academies of art and cinema, cultural centres and associations, foundations and galleries. Its main office testifies to the group philosophy, i.e. a shared space with continuous adjustments, a container to experiment and meet up.The most successful initiative was the 'national TV viewers' strike' against the blunting and isolation caused by TV use and by its boundless consumption.

Design as a collective fact, as a moment to dispense socially and share horizontally far away from the official spaces allocated to the star system of design. For more than ten years, the Milanese company, Esterni, draws a young, heterogeneous crowd to exhibitions, reviews, events and performances. This crowd is often sidelined from the official cultural circuits, but it still likes to meet and discuss ideas during collective moments of personal growth and consumption of culture. This is how Esterni began: its idea was to enhance the cultural role of public spaces, studying the

socialising potential of urban life and reviving certain structures by holding limited self-organised events and performances: events that disrupt the place's sedimented significance and function with their contingent ephemeral nature. This confirms the company's fondness for playing with "society of spetacle" and with the consumption of culture by creating actions of collective re-appropriation, to understand society's communications style and organisational skills and exploit this to invent – using an estrangement technique – playful situations and create an artistic environment for society as a whole. A form of resistance towards urban desertification. One of its historical events was the Milan Film Festival: to promote culture and narrative styles of the new film industry; "audio-visual": a cross media exhibition that contaminates installations, screenings, video art and sound design; the "strike of TV viewers": exercises for remote-control abstinence to claim the rights of TV viewers in auditel statistics. Esterni is remembered chiefly for the events it organised during the annual

Milan Furniture Fair, a recurrent rite for the culture of design which it contrasts with meetings and parties, surprise-events and collective situations, to promote ideas and projects and revive certain city districts. All its works relate to situational ethics: the series of projects experimented using utopian procedures in a public space for the "revolutionary city" of the urban design fair. These projects were carried out with local administrations to stimulate new behaviour modified through collective experiences in public spaces in order to promote a new awareness of social values. Experimental itineraries of integration also appear in the series which was created using furnishings and symbols to indicate new habits or small, amiable gestures that act as an alternative social interpretation of the sites. The "designer's house" is one of their more recent projects. Set up in a reconverted old Faema factory during the short timeframe of the last edition of the furniture fair, it welcomed the new nomads of design culture, young students and designers with small budgets who aren't yet part of the professional circuit. Students and designers who came to look and learn, but also to exhibit their own

creativity and participate in a collective phenomenon: an experiment in community living with exhibitions, parties and auctions of self-produced design products. Like all the other events organised by Esterni, it isn't involved just in the logistics and organisation. It's involved in the artistic management of the event, designing the set-up, the furnishings, looking after communications and producing merchandise, administrating the public relations issues with its own press office, marketing, promotion and fund-raising. A well-developed organisation fully aware of the mechanisms of self-promotion that touts itself as a brand with a coordinated image in all aspects of its work, communications, printed matter and website. Its characteristic trait is to find a balance between ethics, culture and enterprise, transforming an ideal of aggregation into a profession. Esterni is like an open source structure, an container receptive to projects and experimentation, to contributions and collaboration between different professions, a space in which to meet and share, open to independent voices of modern culture from whence to travel to new utopias.

antonio romano

L'importanza della relazionalità
The Importance of Relationships

A venticinque anni dall'inizio della sua attività, Antonio Romano con il suo network Inarea, rappresenta oggi una delle più originali realtà, attive nel campo del branding e in particolare dell'identità. Un percorso iniziato negli anni Ottanta con progetti divenuti poi emblematici, come il famoso quadrato rosso della Cigl, a cui sono seguiti nel tempo lavori per clienti in tutto il mondo. INAREA è una rete internazionale e indipendente di designer e consulenti che lavorano insieme per creare, sviluppare e raggiungere identità e design. Qualsiasi sia la compagnia, il prodotto, la comunità o l'istituzione, l'identità è una risorsa significativa, capace di trasmettere valori, idee e visioni, costruire dialoghi ed esperienza, dare forma alle emozioni.

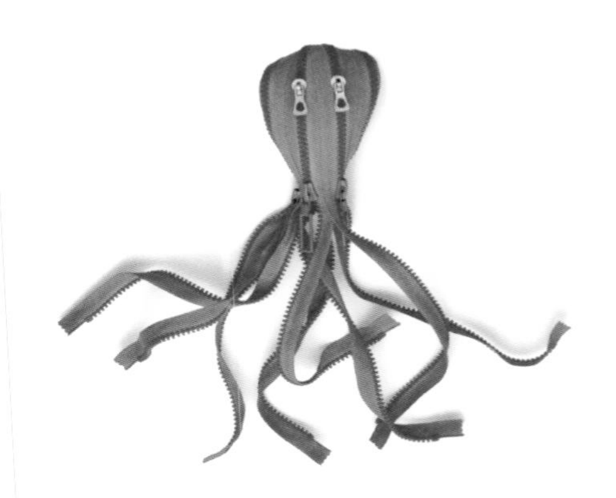

Quali sono a suo parere le caratteristiche principali e le dinamiche della comunicazione pubblica in Italia e all'estero, e quali i progetti da voi sviluppati in questo ambito?
Il "Pubblico" è arrivato a comunicare abbastanza di recente. Vi è giunto senza un substrato solido, soprattutto in Italia, dove ancora oggi non sono chiari i confini tra le varie forme di comunicazione: la pubblicità è considerata spesso la protagonista assoluta, mentre l'identità costituisce un terreno per molti versi inesplorato. Un esempio interessante di "Pubblico che comunica" oggi è la comunicazione del territorio, per la quale la competizione sui mercati cresce al pari di quella delle imprese. In questo ambito abbiamo sviluppato progetti di identità territoriale per i Comuni di Milano e Roma, per la Provincia di Siena – Terre di Siena –, per il Land dell'Hessen in Germania, la città di Le Havre in Francia e lo stato di Rio in Brasile.

Per il progetto di comunicazione pubblica sono state mutuate regole dal privato o si è giunti ad elaborarne di specifiche?
Le regole in generale sono state mutuate. Se andiamo ad analizzare la comunicazione del privato, tuttavia, a fronte delle dovute eccezioni, si avverte un grave ritardo. Oggi l'elemento di fondo, al centro del sistema della comunicazione, è la relazionalità. Occorre comprendere che non si ha più bisogno di progettare prodotti bensì esperienze, non più servizi ma relazioni umane. Nel momento in cui cambia questo punto di vista, cambiano anche le modalità di comunicazione. È cambiato, cioè, il principio di fondo: non esiste più il consumatore perché al suo posto c'è la persona. Questo rappresenta un ribaltamento radicale. Chi ha continuato a comunicare merci e prodotti ha di fatto fallito. Chi ha puntato sulla relazionalità, sul dialogo, ha vinto. Basti pensare alle boutique di abbigliamento vuote e ai negozi di elettronica di consumo pieni, per capire il significato di questa considerazione. In ogni caso, la relazionalità è alla base del rapporto tra cittadini, pubblici in generale e istituzioni. Per queste ultime, pertanto, esiste un "vantaggio competitivo" che andrebbe maggiormente sfruttato.

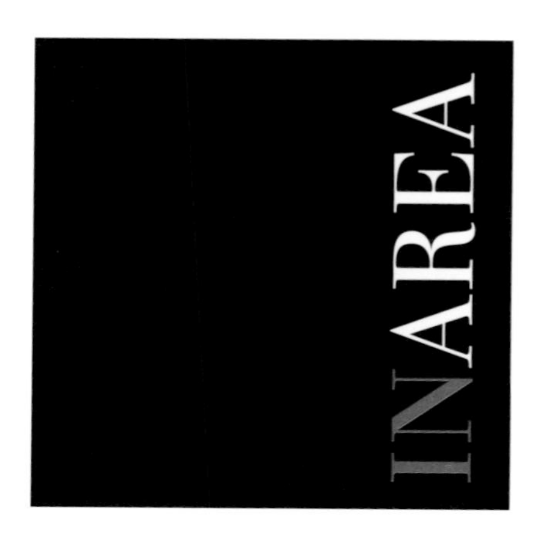

Di fronte ad un cliente pubblico, attraverso quale metodologia riuscite a focalizzare e a rielaborare i suoi contenuti?
Per fare un progetto di identità si ha bisogno prima di tutto di una prospettiva analitica che sia la più completa e funzionale possibile. Ad esempio, attraverso l'analisi cerchiamo di conoscere il sistema, intervistando innanzitutto i protagonisti che operano nell'organizzazione: le percezioni di chi vive al suo interno, il vissuto identitario, lo scenario competitivo in cui si muove, che rappresentano i mattoni fondamentali dell'analisi. A questo segue un delicato passaggio in cui, insieme al cliente, cerchiamo di comprendere quali siano gli elementi di eccellenza, passati e presenti, che possono trovare diritto di cittadinanza nel futuro: in una parola, le aspirazioni che rendono unico il soggetto e ne connotano la personalità. Il censimento, l'organizzazione e la definizione logica di questi elementi costituiscono, infine, il background necessario per poter costruire un nuovo "racconto" della realtà in oggetto, espresso in termini di linguaggio visivo e non solo.

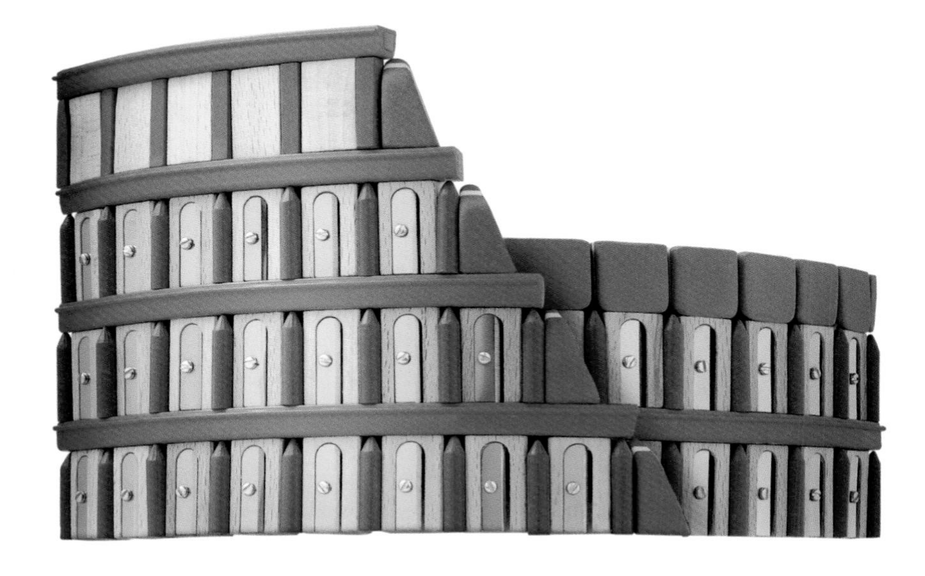

Polpo, calendario Area 1998, intitolato Zip Code
Octopus, Area 1998 calendar, entitled Zip Code

Colosseo, calendario InArea 2005, intitolato InArea Square
Colosseum, InArea 2005 calendar, entitled InArea Square

VWEW, Associazione imprese tedesche energia elettrica. "Oktober fest": visual per calendario
VWEW, German Association of energy, "Oktober fest": visual for calendar

Come si evolve questo lavoro?
Come ho accennato, il percorso metodologico si sviluppa attraverso fasi successive, tra loro strettamente collegate. Questo tipo di approccio consente di configurare le direttrici strategiche da seguire e, di conseguenza, di "ordinare" secondo categorie logiche l'azione di design. L'obiettivo metodologico, ad ogni modo, è quello di costruire un percorso insieme al cliente, cercando di comprendere quali siano le dinamiche che caratterizzano la specifica realtà e quali le possibili mete da raggiungere. In questo, confermo un principio che ho fatto mio da sempre: nessun traguardo è stato mai raggiunto se prima non lo si è immaginato.

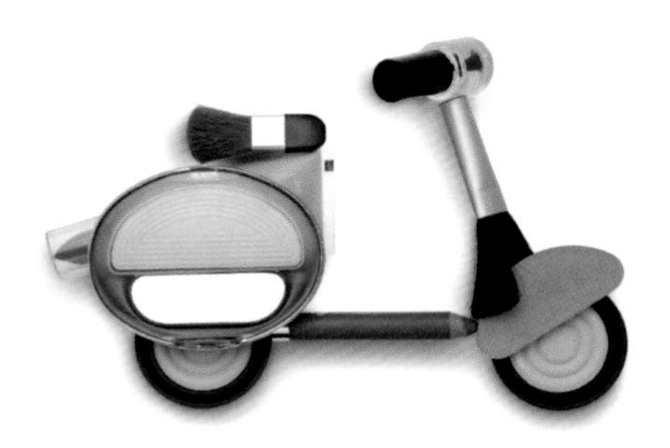

Quali sono oggi gli obiettivi del progetto di comunicazione pubblica?

Oggi la cosa più importante è restituire il giusto valore alle istituzioni, esaltando quelle caratteristiche di relazionalità e dialogo, proprie di ogni rapporto, in particolare con i cittadini. Spesso i beni pubblici sono sentiti dal cittadino come un diritto acquisito, disponibili a piacimento. Questo atteggiamento andrebbe corretto attraverso la messa in evidenza del patrimonio a disposizione della collettività, sollecitando il ruolo attivo della cittadinanza quale ambasciatrice del mondo in cui vive.
Dall'altra parte, esiste un obbligo da parte del pubblico a ridurre il ruolo e la funzione della burocrazia e a migliorare i servizi, rispetto a tutte le svariate categorie di pubblici. La comunicazione ha dunque l'obiettivo di creare un punto d'incontro ed un momento di scambio, guidando la visibilità del messaggio, assicurandone la correttezza in termini di contenuto e, ancor più, garantendo la capacità di ascolto reciproco. Mai come in quest'epoca, come ho già detto, la nozione di servizio è diventata sinonimo di relazione umana.

A questo punto dell'iter progettuale, come si traduce il patrimonio di informazioni raccolte in segni e simbologie identitarie?

Il passaggio avviene sempre secondo il processo che ho illustrato in precedenza: l'integrazione intelligente delle informazioni acquisite e dei contenuti strategici "indicano" le possibili strade da seguire. Prendendo ad esempio il progetto sviluppato per il Comune di Roma, è stato importante ricostruire un quadro della situazione attraverso il raffronto con altre realtà urbane che avevano fatto ricorso a logiche identitarie per rappresentare se stesse e il proprio mondo. Da New York, con il celebre marchio *I love New York* progettato da Milton Glaser, a Berlino con l'esperienza di Metadesign, a Barcellona, Parigi, Londra ecc., passando per casi più o meno noti. A questo punto, integrando il *benchmarking* operato con gli altri elementi di analisi, il confronto è avvenuto in particolare rispetto ad una considerazione: tutte le eccellenze riferite a Roma facevano riferimento alla sua storia, nessuna riusciva a considerarla e a "raccontarla" nella sua contemporaneità. Chiunque la viva o la visiti, infatti, spesso non ha coscienza del fatto che Roma è un luogo con delle specificità straordinarie, che prescindono dalla sua stessa storia, e che la proiettano proprio in una dimensione di contemporaneità: la convivenza nello stesso spazio, fisico e simbolico, di elementi appartenenti ad epoche diverse ne è il connotato principale. Il *concept* strategico che ha poi guidato il progetto è stato quello di restituire visibilità a questo patrimonio straordinario, esaltando - ed arricchendo - il potere evocativo della semplice parola "Roma", rispetto ad un pubblico costituito, nei fatti, dal mondo intero. Per tradurre questo indirizzo in termini di linguaggio visivo, abbiamo operato un lavoro di recupero filologico sulla simbologia araldica della città, sottolineando la

Piaggio, calendario Vespa
Piaggio, Vespa calendar

Lacoste, restyling del marchio e sistema d'identità
Lacoste, logo restyling and corporate identity

titolarità del logotipo "Roma". In questo modo, è stato creato un vero e proprio *masterbrand*, in grado di "firmare" l'intera proposizione della Città: un marchio contenitore, in parole più semplici, capace di dare valore a tutto ciò che viene inserito al suo interno.

Sapienza Università di Roma, restyling del marchio e sistema d'identità
Sapienza Università di Roma, logo restyling and corporate identity

Terre di Siena, marketing territoriale per l'area della provincia di Siena. Branding e sistema d'identità
Terre di Siena, territorial marketing for the Province of Siena. Branding and identity system

Rai Gruppo, marchio, sistema d'identità e rebranding delle tre reti televisive
Rai Group, broadcasting and Communication Branding, corporate identity and rebranding of the three TV channels

Twenty-five years after he started his career, today Antonio Romano, with his Inarea network, is behind one of the most original organizations working in branding, and in the identity field in particular. His journey started in the 1980s with projects that went on to become emblematic, such as the famous red square of the Italian Cigl trade union. These were followed over time by work for clients all over the world.
INAREA is an independent international network of designers and consultants who work together to create, develop and attain identity and design. No matter what the company, product, community or institution, identity is an important resource which is capable of conveying values, ideas and visions, building up dialogue and experience and giving shape to emotions.

What do you think are the main characteristics and dynamics of public communications in Italy and the rest of the world, and what projects have you developed in this field?
The "State" has only recently started to communicate. It began without creating solid foundations, at least in Italy, where the boundaries between

Comune di Roma. Redesign stemma e sistema d'identità
City of Rome. Redesign of the symbol and identity system

the different forms of communication are still not clearly defined: publicity is often considered to be the most important, but in many ways an identity still remains largely unexplored. An interesting example of the "State that communicates" is the information provided by regional or provincial authorities. Competition in this field is growing as quickly as it is for enterprises. We've developed territorial identity projects for the Municipal authorities in Rome and Milan, for the Province of Siena – *Terre di Siena* – for the Land of Hessen in Germany, the city of Le Havre in France and the State of Rio in Brazil.

When designing public communications projects have you applied the same rules you use with private clients or have you developed new ones?

Generally speaking, we've used the same ones. However, public communications projects are light years behind the private ones although there are a few exceptions. The basic concept behind communications systems is relationships.
You have to understand that it's no longer a question of designing

CartaSi, naming, marchio e sistema d'identità
CartaSi, naming, branding and corporate identity

ACEA, marchio e sistema d'identità
ACEA, branding and corporate identity

AMA, estensione del sistema d'identità urbana
AMA, urban identity brand extension

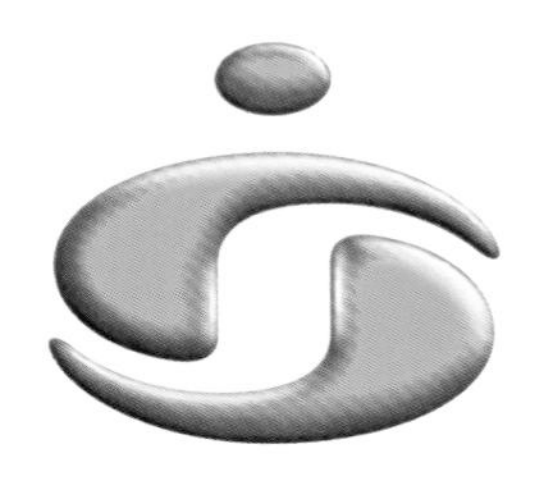

products, but experiences, not services but human relationships. When this focus changes, then so does the way you communicate. In other words, the basic concept has changed: the consumer has been replaced by a person. This is truly a radical 180° change. In practice, people who continued to communicate just goods and products have failed miserably. People who focus on relationships, on dialogue, have struck rich. Just think of the

empty fashion boutiques and the crowded electronics shops, that's all you have to do to understand what I'm saying. In any case, relationships are at the core of what connects the population, public authorities in general and institutions. The latter have a sort of "competitive advantage" which should be exploited more.

When you work with a public client, how do you understand and re-elaborate content?

First of all, to develop an identity project you need an analytical perspective that is the most complete and functional possible. For example, we study the system and interview the people in the organisation: the perception of the insiders, the feeling of identity, and the competitive scenario. These are the building blocks of our analysis. Then comes a rather sensitive phase when we work with the client to try and understand what are the outstanding characteristics, past and present, the characteristics that will survive in the future too: in short, the aspirations that make each person or thing unique and contribute to his/its personality.

Finally, the collection, organisation and logical definition of these characteristics create the background we need to write a new "story" of what we're talking about, expressed visually and in other ways too.

How does this work develop?

As I mentioned, there are several stages to the way we work and they're closely related. This approach allows us to elaborate the strategic choices we want to make and be able to logically "arrange" our design into categories. In any case, our goal is to work with the client, try to understand the dynamics of what we're talking about and the goals we are aiming at. This substantiates a belief that I've always followed: you can't reach a goal unless you can see it in your mind.

What are the goals of public communications projects?

Nowadays the most important thing is to restore faith in the institutions, emphasising the role they play in establishing a dialogue and a relationship, especially with the population. Often people consider public assets as an acquired right, available upon request. We should amend this idea by underlining how a city's heritage belongs to the community and solicit the active participation of the population as ambassadors of our world. On the other hand, the State has an obligation to reduce bureaucracy and improve public services for all related institutions and authorities. So communications should create a point of contact and an opportunity for dialogue by focusing the message, ensuring its contents are correct and, above all, guaranteeing that the parties listen to one another. As I mentioned earlier, never before have services been so synonymous with human relationships.

CGIL, Confederazione Generale Italiana del Lavoro. Marchio e sistema d'identità
CGIL, Trade Union. Logo and identity system

CGIL CISL UIL, visual per la manifestazione nazionale post strage di Capaci
CGIL CISL UIL Trade Unions, visual for the commemoration of the judge Giovanni Falcone

At this stage of the process, how do you turn all this information into signs and symbols of identity?

Things evolve as I mentioned earlier: we integrate the information we've collected as intelligently as we can and the strategic contents "indicate" a possible way forward. Let's take for example the project we developed for the Rome Municipality. It was important to get an idea of the situation by comparing it with other cities that had used a brand to represent themselves and what they're all about. The famous logo, *I love New York* designed by Milton Fraser, the Metadesign experience in Berlin, Barcelona, Paris, London, etc. and other more or less famous examples. At this point, when we integrated the benchmarking with the other information we had, we realised one very important thing: that all the characteristics that had been identified referred to the history of Rome, no-one had been able to see and "describe" the city as it is today.

In fact, whoever lives in Rome or visits the city doesn't realise that Rome is a place with extremely unusual characteristics that have nothing to do with its history: these characteristics project the city into the present. The most important characteristic of Rome is that certain elements that belong to different periods in the city's history co-exist physically and symbolically. The strategic concept that influenced the rest of the project was to bring out this incredible heritage by simply enhancing the evocative power of the word *Roma*, for a public which, in practice, included everyone on earth. To turn this into a visual style, from a philological point of view, we worked on the heraldic symbols of the city, emphasising the logotype *Roma*. This is how we created a masterbrand, capable of "identifying" what the City was all about: if you like, a container-brand capable of enhancing everything that you put inside.

Electrabel – Elettricità e Gas, visual per corporate communication
Electrabel – Electricity and Gas, visual for corporate communication

Stato dell'Assia (Regione di Francoforte), redesign dello stemma, marchio e sistema d'identità territoriale
State of Hessen (Frankfurt Region), redesign of the symbol, logo and land identity

leonardo sonnoli

Lettere dal confine
Letters from the Edge

Nel settore della comunicazione pubblica, più che in altri settori, appare oggettiva la difficoltà di conoscere e interpretare la condizione contemporanea. Ciò è dovuto in particolare alla mancanza di una lettura critica del progetto grafico, alla resistenza a spingersi oltre l'ovvio, ad andare oltre la superficie, a stabilire utili e talvolta acrobatiche connessioni tra personaggi, scuole, luoghi e periodi storici. Può accadere così che un assoluto protagonista della nuova grafica italiana come Leonardo Sonnoli, sia conosciuto poco in Italia e molto più all'estero, dove raccoglie premi e riconoscimenti ufficiali.

Il lavoro di Leonardo Sonnoli è ormai da anni contraddistinto dalla ricerca e dalla conoscenza della storia di cui lui si considera figlio legittimo, rispettoso il più delle volte, ma anche irriverente come tutti i figli sanno essere, per potere, in perfetto o imperfetto equilibrio poco importa, spingersi in avanti tenendo vigilmente sotto controllo il passato, montando quello *specchietto retrovisore,* come ebbe a scrivere il maestro e compagno di viaggio Pierpaolo Vetta.
I lavori di Sonnoli sono imbevuti dello spirito del suo tempo, *Zeitgeist* direbbero i tedeschi, assolutamente contemporanei per l'uso che lui fa degli strumenti tecnologici, dei materiali e di nuovi linguaggi espressivi, e al contempo assolutamente antichi, che come nel palmo della mano, portano impresse le linee sulle quali si può leggere, lungo la parabola del tempo, tutta la storia della grafica passata e futura.
Nel suo lavoro da designer egli spazia dal progetto di immagine coordinata ai sistemi di identità visive, dalla segnaletica alla comunicazione visiva di eventi culturali, dando un nuovo volto e una nuova dimensione a quella area della disciplina, che con un nome fin troppo datato, viene chiamata in Italia grafica di pubblica utilità. Afferma *"Io amo le lettere perché sono gli atomi della comunicazione, sono oggetti ambigui, sono il soggetto delle sperimentazioni delle avanguardie del XX secolo"*, e non riesce a saziare la curiosità, ma anche l'immenso piacere di continuare a sperimentare con quei piccoli corpi che hanno vita in sé ma anche come appartenenti a sistemi binati, le sillabe o a sistemi più complessi, le parole. Ogni lettera viene accuratamente analizzata, smontata e poi rimontata, come nella paziente ricerca di un comune denominatore che sia alla base di tutte, individuando uno o più moduli per poterle comporre, traducendo così un sistema complesso in una sommatoria di sistemi semplici secondo una metodologia interamente desunta dalle scienze matematiche. Singoli caratteri che sarebbero piaciuti molto a Leibniz, il quale affermava che la lingua universale avrebbe dovuto avere "pochi segni, ma soprattutto pochi suoni e infinite modulazioni". Gioca con il disegno delle parole, proprio come nella poesia visiva in cui queste mutano la loro forma in funzione del significato, alla ricerca di un indissolubile legame tra contenuto espresso e contenitore di senso.

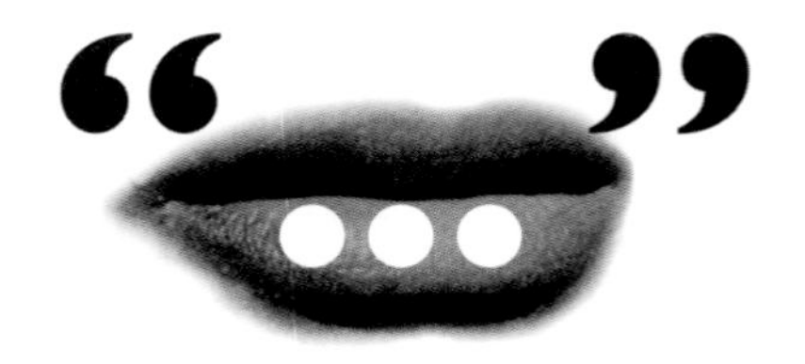

Sogni e conflitti, La dittatura dello spettatore, 50esima Esposizione Internazionale d'arte, identità visiva, sistema di immagine coordinata, Venezia, 2003
Dreams & Conflicts, the dictatorship of the spectator, 50th International Art Exhibition, visual identity, coordinated image system, Venice, 2003

Why Not, Cursing stone – Carlisle, il sottopassaggio
Why Not, Cursing stone – Carlisle, the underpass

E gioca anche con il significato delle parole, in realtà non ha mai smesso, così *LSD* diventa il curioso e provocatorio acronimo di Leonardo Sonnoli Design, *Dr. Soon Lin*, l'anagramma del suo cognome usato per la tavola periodica dei caratteri, *Wri-things* la parola riscritta in modo da evidenziarne il contenuto, things ovvero caratteri come oggetti, *CODEsign* la fusione delle parole codice e segno, ma anche cooperazione al progetto, lavoro a più mani, *tradurre-condire* diventa *condurre-tradire* con una semplice inversione della prima sillaba, *Lettere al mittente*, la parola usata con il doppio significato di caratteri e missive, e potremmo continuare ancora, tra cambi di consonante, anagrammi, bisenso, e non solo per il nostro diletto. Usa per esprimersi graficamente uno strumento antico come il manifesto, che con lui riacquista la capacità di essere un oggetto vero,

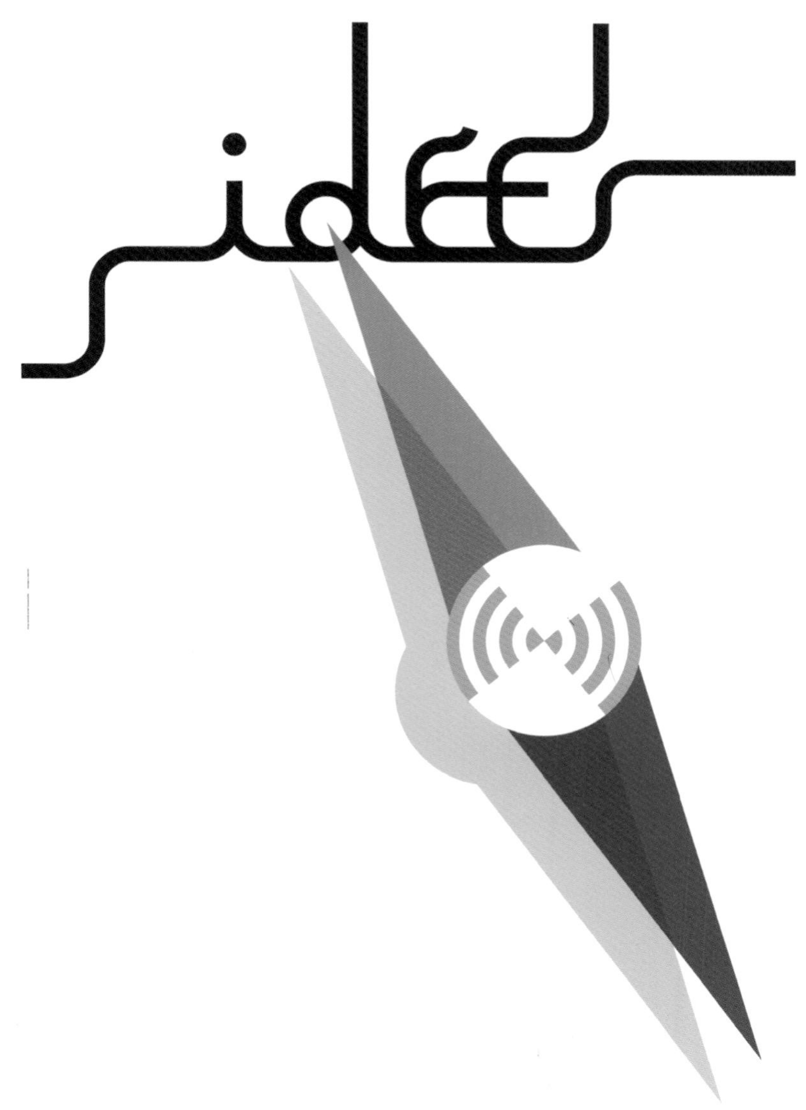

A B B C C
D D EF G G
H IJ K L M
N O P P Q
R R S U V
W X Y Z Æ

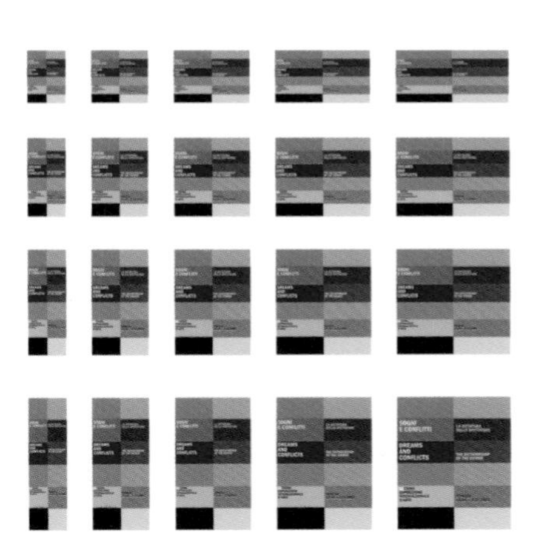

dotato di un fronte e di un retro, di uno spessore della carta, di una capacità dell'inchiostro di imprimersi sulla superficie e di attraversare le fibre, così da trasparire sul retro, ma anche di lacerarsi e non opporsi ai tagli, che si aprono come finestre sulla sua superficie facendo interagire manifesto e sfondo, ricordando, ma in forma evoluta, gli interventi artistici di Mimmo Rotella.
Di fatto i suoi manifesti sono forti e talvolta insolenti, senza alcuna concessione al gusto, privi di forme e colori seducenti, per lo più dominati dal nero, l'unico colore che la carta riconosce come sovrano, caratterizzati dallo spregiudicato uso della fototipografia, strumento che lui adopera per esprimere visivamente un concetto e dare forma a un'idea, secondo una pratica che lo avvicina alle sperimentazioni delle avanguardie. Ama dialogare con i grandi maestri, e lo fa immergendosi completamente nell'opera di costoro, per riemergere portando con sé solo pochi essenziali elementi, che vengono poi plasmati e trasfigurati nella studiata composizione grafica dei manifesti, i quali, come tavole di abecedario, oltre ad essere opere compiute, diventano proprio come uno strumento didattico, il pretesto per approfondirne la conoscenza, facendo un percorso a ritroso nel tempo. Determina l'ordine di apparizione e le posizioni che le forme e le lettere dovranno occupare sul foglio, come fossero attori recitanti in uno spazio scenico, stabilendo nuove regole per distanze e interlineature, intervenendo poi sui tempi di lettura, imponendo pause, accelerazioni e sospensioni, inducendo a guardare dove lui ha deciso si posasse lo sguardo. Sonnoli da abile designer, riesce a non far uso di "chiodi" per costruire i suoi manifesti, i quali beneficiano come un mobile da ebanista, del raro equilibrio dato dagli incastri delle parti, che come ci ricorda Leonardo Sinisgalli, è riservato solo a pochi oggetti quali la botte o il violino.

Sogni e conflitti, La dittatura dello spettatore, 50esima Esposizione Internazionale d'arte, identità visiva, manifesto, Venezia, 2003
Dreams & Conflicts, the dictatorship of the spectator, 50th International Art Exhibition, visual identity, poster, Venice, 2003

IMPORTè D'ITALIE, Leonardo Sonnoli, Corso di laurea in Design dell'Università di Palermo, recto e verso, Trieste, 2004
IMPORTè D'ITALIE, Leonardo Sonnoli, Graduate Design Course at the University of Palermo, front and back, Trieste, 2004

Berlin seen by Leonardo Sonnoli - CODEsign, manifesto per il congresso dell'AGI, Berlino, 2005
Berlin seen by Leonardo Sonnoli - CODEsign, poster for the AGI Congress, Berlin, 2005

Rimini, identità visiva, stemma, logotipo e artefatti grafici, Rimini, 2000
Rimini, visual identity, coat-of-arms, logotype and graphic artefacts, Rimini, 2000

SOGNI E CONFLITTI
LA DITTATURA DELLO SPETTATORE

DREAMS AND CONFLICTS
THE DICTATORSHIP OF THE VIEWER

50ESIMA ESPOSIZIONE INTERNAZIONALE D'ARTE VENEZIA 15.06 > 2.11.2003

Giardini della Biennale, Arsenale, Museo Correr

CODEsign per la Biennale di Venezia
in collaborazione con
Stella Arti Grafiche, Trieste

Neue Remix, Leonardo Sonnoli alla Triennale di Milano, testo di Pierpaolo Vetta, Milano, 1998
Neue Remix, Leonardo Sonnoli at the Milan Triennale, text by Pierpaolo Vetta, Milan, 1998

ABC, Leggere negli anni della Fenice e oltre il mondo nuovo, Comune di Pesaro, 1998
ABC, Interpretation of the Fenice years and beyond the new world, Pesaro Municipality, 1998

When we talk about public communications we have to admit that it's difficult to understand and interpret what's happening today. This is partly due to a shortage of expert publications and partly because there are very few critiques of graphic designs that try to look beyond the obvious and not just talk about what's there, creating a series of useful and sometimes acrobatic links between people, schools, places and historical eras. It's possible for a famous protagonist of new Italian graphics, Leonardo Sonnoli, to be less famous in Italy than aboard, where he continues to win prizes and official awards.

For years, the focus of Sonnoli's work has been his research and discovery of history.
He considers himself its legitimate son, at times respectful, at times irreverent, as all children are, whether in perfect or imperfect equilibrium is not important. What is important is the way he presses on with an eye on the past, looking into the rear-view mirror, as his teacher and travel companion Pierpaolo Vetta, used to say. Sonnoli's works are dripping with the spirit of his age, the Germans would say *Zeitgeist*, absolutely contemporary, compared to the use he makes of technological tools, materials and new forms of expression and yet absolutely ancient, like the palms of hands that have lines that tell you about the parabola of time, the history of past and future graphics.
As a designer, his work includes coordinated images, visual identity systems, road signs and visual communication of cultural events. He gives a new image and a new dimension to the artistic field which, with a long, obsolete name, is called in Italy, graphic public utility design. He says, "I love letters because they are the atoms of communication, they're ambiguous objects, they're the object of twentieth century avant-garde experimentation," and his curiosity is never sated, nor is his immense pleasure in continually experimenting with those small objects that are alive, even if they belong to binary systems: syllables or more complex systems, words. Every letter is carefully analysed, disassembled and reassembled, in a patient search for their common denominator, identifying one or two modules to be able to compose them later; this is how he translates a complex system into a set of simple systems using a methodology based on mathematics. Single letters that Leibniz would have truly appreciated: he used to say that a universal language should have "few signs, but above all few sounds and endless modulations."
He plays with the design of the words in search of a indissoluble bond between expressed content and container of meaning, just like the visual poetry these words are turned into depending on their function.
He also plays with the meaning of words, in fact he never stops. So *LSD* becomes the strange, provocative acronym of Leonardo Sonnoli Design, *Dr. Soon Lin*, the anagram of his surname used for a periodic table of letters,

Dedicato a Udine, 12 graphic designer leggono la città, Arti Grafiche Friulane, Udine 2004
Dedicated to Udine, poster for *12 graphic designers interpret the city*, an project organised by AGF Arti Grafiche Friulane, Udine, 2004

Il silenzio e la parola, conferenza di Massimo Cacciari, Fondazione don Gaudiano, Pesaro, 1997
Silence and Words, conference by Massimo Cacciari, Fondazione don Gaudiano, Pesaro, 1997

AIDS tra utopia e realtà, La centralità della persona, Fondazione don Gaudiano, Pesaro, 1997
AIDS between utopia and reality, the central figure of human beings, Fondazione don Gaudiano, Pesaro, 1997

I volti della Bosnia, Le voci ella Bosnia, Comune di Pesaro, 1998
Faces of Bosnia, Voices of Bosnia, Pesaro Municipality, 1998

Wri-things, written to emphasise the content, things, i.e. letters as objects, CODEsign, the merger of the word code and sign, but also project cooperation, the work of more than one person, *tradurre-condire* (to translate-to season) becomes *condurre-tradire* (to lead –to betray) by simply inverting the first syllable, *Letters to the sender*, the word used with the double meaning of the word *letter* (font and mail). And I could go on citing changes of consonants, anagrams, double meanings and not just because it's amusing.
He uses an old tool, the poster, to express himself. He is capable of turning it into a real object again, with a paper-thick front and back through which the ink sinks below the surface and fibres and comes out on the other side, but also capable of breaking and yielding to being cut, cuts that open like windows on its surface mixing poster and background, recalling, in a more elaborate sense, the artistic work of Mimmo Rotella.
In fact his posters are strong and sometimes even insolent, with no attempt at taste and lacking in shape and pretty colours. They are mostly black, the only colour that paper considers sovereign, and characterised by the unscrupulous use of phototypography which he uses to visually express an idea, exploiting a tradition that brings him closer to the experiments of the avant-garde.
He likes to dialogue with the masters: he immerses himself totally in their works, only to re-emerge bringing with him a few, essential details that are

Arti Grafiche
Friulane 80°
Dedicato a Udine
CODEsign

III Convegno
Nazionale

AIDS tra utopia
e realtà
La centralità
della persona

- C.I.C.A. Coordinamento Case Alloggio AIDS
- Fondazione Don Gaudiano
- CE.I.S. di Pesaro Villa Moscati

In collaborazione con:
- Presidenza del Consiglio Regionale delle Marche
- Provincia di Pesaro-Urbino
- Comune di Pesaro

Con il patrocinio di:
- Banca delle Marche

8, 9 maggio
Oasi S. Nicola, Pesaro
ad invito
10 maggio
Teatro Sperimentale, Pesaro
aperto al pubblico

then shaped and transfigured in the posters' studied graphic composition. Like a table of the alphabet, apart from being complete, they become a teaching tool, a pretext for additional study and understanding, a walk through the corridors of history.
He establishes the order and position of the shapes and the letters on the sheet of paper as if they were actors on a stage; he creates new distances and spacing, changing the time needed to read them, imposing pauses, accelerations and interruptions, making you look at what he wants you to. As a talented designer, Sonnoli doesn't use "nails" to keep his posters together. Like the work of an engraver, they benefit from being balanced which, in the words of Leonardo Sinisgalli, is a gift reserved for very few, privileged objects like the wine cask or violin.

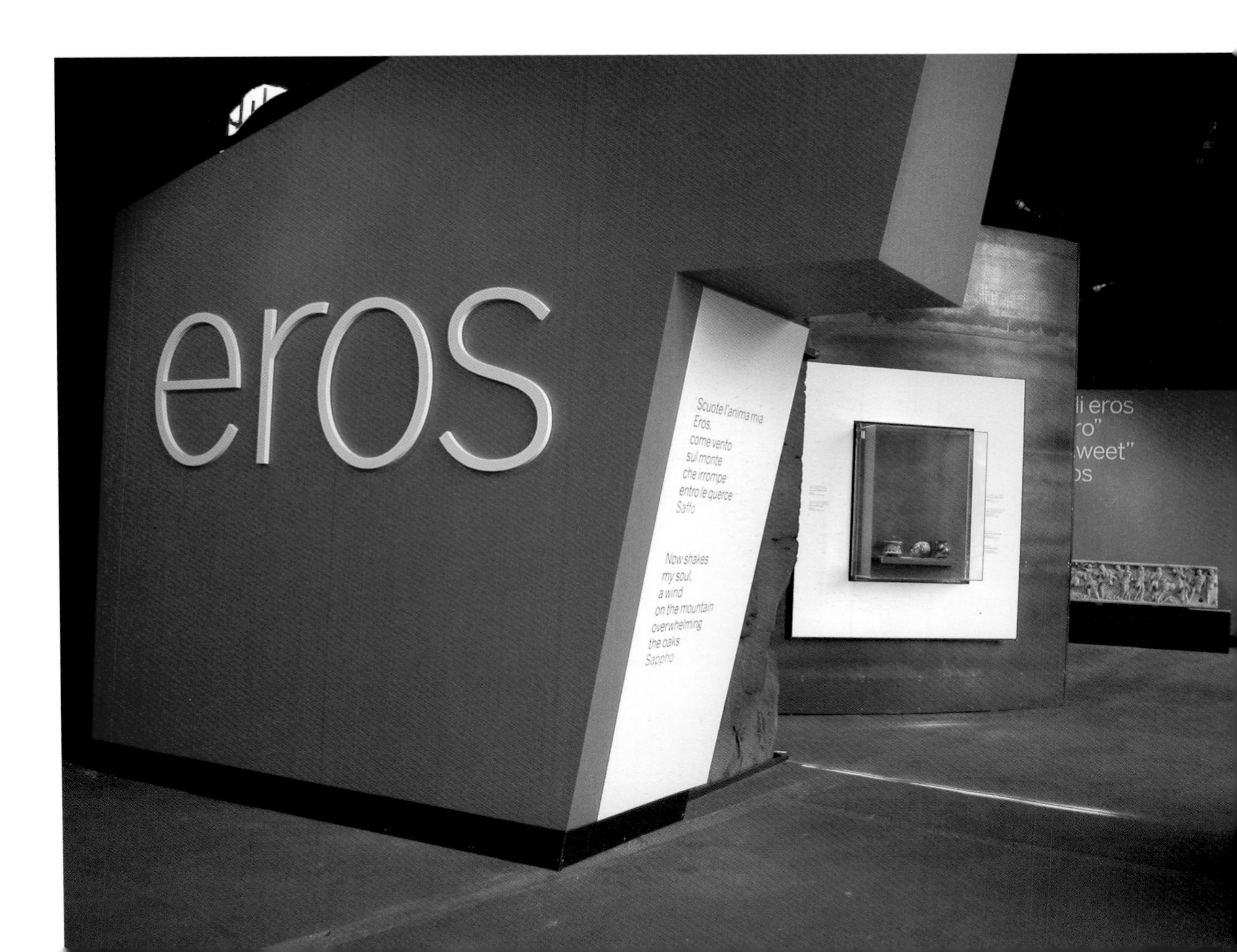

Le radici di un'evoluzione
The Roots of Change

Studio Azzurro: Paolo Rosa, leonardo Sangiorgi e Fabio Cirifino.
Emerge da subito il carattere borderline dello studio, che sviluppa la propria opera attraverso una serie di aperture e contaminazioni culturali e tecnologiche, sviluppando una relazione atipica con l'universo dell'arte contemporanea.
Nelle opere di Studio Azzurro lo spettatore funge da attivatore, innesca principi di azione-reazione, grazie anche a gesti semplici, naturali, spesso legati alla sola presenza. Si esplicita così la connaturata responsabilità ermeneutica dell'interprete, la cui presenza viene qui resa effettivamente responsabile ed attiva.

Nel settembre del 1981 a Milano un invito con su stampato un Tirannosaurus Rex (con qualche dente rotto) introduce a quella che sarà una pietra miliare del design italiano: la prima mostra di Memphis, in cui vengono esposti una serie di progetti per i quali Ettore Sottsass raccoglie un gruppo, entusiasta e spericolato, di giovani progettisti.
Il Paris Match riporta: "mai più il design d'interni tornerà ad essere quello che era prima di Memphis". Effettivamente sarà così: il limite è stato superato. Quel limite sino allora fortemente lambito dalle avanguardie radicali degli anni '60, dalla storica esposizione del MOMA *Italy: The New Domestic Landscape* del 1972, dall'approccio sensoriale alla progettazione del Design Primario.
La mostra di Memphis, che rappresenta il risultato di anni di sperimentazioni e ricerche interdisciplinari (tra design, arte, antropologia, storia, filosofia, ecc.), apre ad nuovo modo di pensare, fare, produrre e promuovere il design.
Il progetto, accolto dal settore dell'arredo come un vero e proprio colpo di mano, scatena attorno a sé e ai suoi fondatori un'inaspettata tempesta mediatica internazionale. Questo ampio riscontro evidenzia come, per uscire da un periodo di stagnazione, fossero necessari, per la produzione e promozione dell'arredo, interventi di natura più culturale che tecnologica.
Dopo un anno, nel 1982, si replica, e la collezione questa volta viene presentata con il supporto di un particolare allestimento: *Luci d'Inganni*. Un'installazione video in cui i pezzi di Memphis godono di prolungamenti e sdoppiamenti virtuali, per sorprendere e in qualche modo ingannare lo spettatore, grazie ad una rara complicità tra oggetto ed allestimento. *Luci d'Inganni* è la prima opera di Studio Azzurro.
L'esperienza artistica del gruppo si sviluppa, secondo una matrice culturale pragmatica, come *attività del fare*, attraverso la ricerca ed esplorazione *sul campo* dello scenario contemporaneo. L'opera d'arte è intesa nel suo senso più "etimologico": così come veniva intesa l'*ars* latina, o la *tekhné* greca, ovvero come abilità mirata a progettare o a costruire qualcosa. O come era intesa la parola italiana appena apparve,

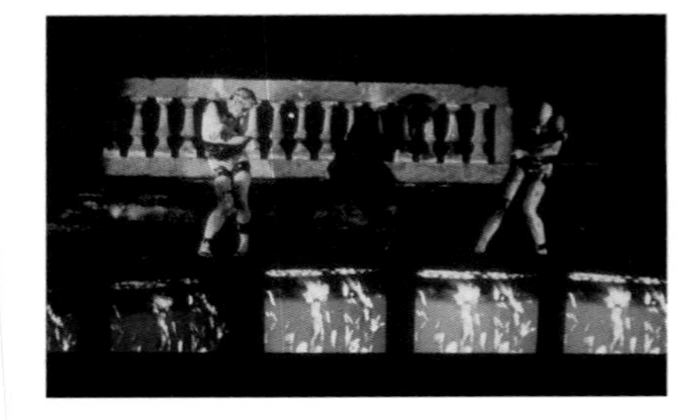

nel XIII sec., l'arte come attività umana regolata da procedimenti tecnici e fondata sullo studio e sull'esperienza, e di cui rimane tutt'oggi l'espressione 'a regola d'arte', ovvero, tecnicamente ben fatto (è proprio Paolo Rosa a citare Queneau, quando dice che il classico che scrive la sua tragedia osservando un certo numero di regole è più libero del poeta che scrive quel che gli passa in testa ed è schiavo di altre regole che non conosce).
Tale pragmatismo ha permesso a Studio Azzurro di apportare il suo contributo artistico a quegli eventi di promozione della cultura materiale tipica delle fiere e delle esposizioni, come ad esempio, per citare solo i due estremi temporali di una produzione ormai più che ventennale, gli arredi di Memphis e l'universo dei tessuti della mostra "Sul filo della Lana" di Biella.
La *tekhné* di Studio Azzurro usa le nuove tecnologie non già come meri "nuovi strumenti" per la produzione artistica, quanto piuttosto come sistema"che produce, che ha in sé un pensiero". Se la tecnologia diventa quindi parte del collettivo come entità progettante, dispositivi con cui "avere un rapporto" più che da utilizzare, spesso la sua componente materica viene occultata affinché ad emergere siano i soli effetti, i risultati prodotti dal lavoro dell'artista e dei sistemi, in relazione al pubblico. Infatti nelle opere di Studio Azzurro lo spettatore funge da attivatore, innesca principi di azione-reazione, grazie anche a gesti semplici, naturali, spesso legati alla sola presenza. Si esplicita così la connaturata responsabilità ermeneutica dell'interprete, la cui presenza viene qui resa effettivamente responsabile ed attiva.
Sin dagli esordi, il gruppo mostra una singolare attenzione nel tracciare

Tempo di inganni, videoinstallazione per 6 programmi video, Centro Multimediale di Volterra, 1984
Time of Deception, video installation for 6 video programmes, Centro Multimediale di Volterra, 1984

Anelli di Luce, installazione sincronizzata, "Intel '85" Esposizion, Milano
Rings of Light, synchronised installation, "Intel '85" exhibition, Milano

Primo scavo, videoambientazione e performance, Videoart Festival – Locarno
First Dig, video environment and performance, Videoart Festival – Locarno

una mappatura costante della realtà in continua evoluzione, e questo gli consente di conservare lo stesso spirito degli *énfants prodiges* che nel 1982 hanno avvolto i pezzi di Memphis nei loro video-inganni.
Gran parte del lavoro artistico di Studio Azzurro è infatti incentrato sulla *ricerca*, intesa quale attenta lettura della realtà circostante. E la ricerca, come afferma lo stesso Paolo Rosa, non si svolge nelle soffitte o negli atelier, ma nelle agorà, nei luoghi attraversati dai flussi (di dati, se telematici, di sensibilità umane, se collocati nello spazio).
Se inizialmente la spontanea carica giovanile e la collaborazione con i grandi maestri (dal già citato Sottsass a Castiglioni, da Branzi a Mendini, ecc.) concorrono a tenere sempre alta la tensione progettuale, successivamente è anche il continuo contatto con le realtà giovanili, e più generalmente scolastiche, ad aprire al gruppo un ulteriore varco nell'interpretazione di una realtà in continua trasformazione. Non è raro infatti che i membri dello studio partecipino a workshop o a seminari con studenti, o che gli studenti stessi (una ventina l'anno) siano accolti per uno stage presso lo studio. Ma il rapporto non è intessuto solo con

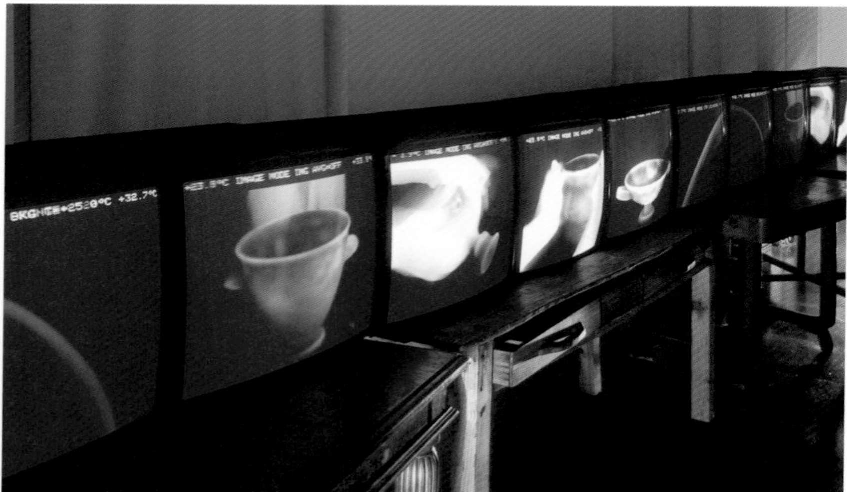

Luci di inganni, videoambientazione in 7 opere per 11 monitor. Oggetti della collezione del gruppo di designer Memphis, 1981-1982, showroom ARC-74 Milano
Lights of Deception, video environment in 7 parts for 11 monitors. Objects by Memphis designers, 1981-1982, showroom ARC-74 Milan

l'ambito studentesco-accademico: in Studio Azzurro è viva anche l'attenzione, e poi la collaborazione, per il mondo industriale e imprenditoriale. Un mondo che, secondo Paolo Rosa, sta attraversando una fase di grandi mutamenti strutturali. Oggi nel disegno industriale, sostiene Rosa, non bastano più le idee immagine: esse devono essere ancorate a principi e a valori più fondati (quali ad esempio la sostenibilità ed il rispetto per l'uomo). E per una realtà industriale siffatta la comunicazione non può più essere solo persuasione, ma anche trasmissione di senso, ed a questo scopo, continua Rosa, l'industria non può fare a meno di appellarsi alla ricerca artistica: "Questo avvicinamento

sarà condizione per rilanciare una cultura industriale legata a uno sviluppo tecnologico non solo orientato sul piano strumentale, e sarà un prezzo per l'arte per avere i mezzi, potenzialità ed efficacia espressiva".
Industria, tecnologia e arte: tra le tre si profilano le condizioni per l'instaurarsi di un rapporto straordinariamente fecondo.
"A forza di camminare nelle zone dell'incerto... a forza di colloquiare con la metafora e l'utopia... a forza di toglierci di mezzo...adesso ci troviamo con una certa esperienza, siamo diventati dei bravi esploratori. Forse sappiamo navigare fiumi pericolosi, inoltrarci dentro giungle che nessuno ha mai percorso. Non c'è affatto da agitarsi. Adesso possiamo procedere con passo leggero, il peggio è passato", così scriveva Ettore Sottsass quando negli anni '80 dava il via al progetto Memphis.
Ed è con passo leggero, da grandi esploratori, che "quelli di Studio Azzurro" si muovono, insieme a nuovi sofisticati mezzi tecnologici e con uno spirito da "bottega", tra arte e design, tra fiere e musei, abili interlocutori dei segnali di cambiamento e di radici antropologiche, producendo tracce della nostra contemporaneità.

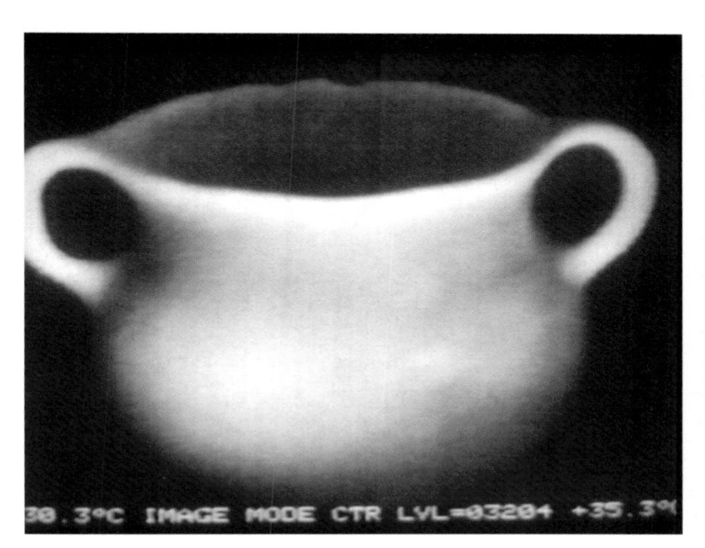

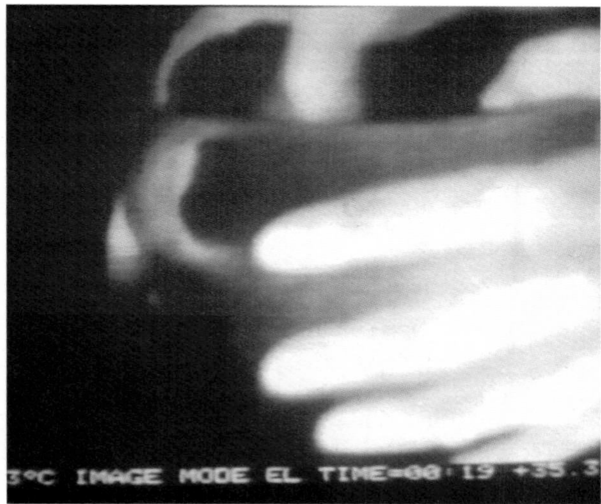

Il giardino delle cose, videoambientazione per immagini agli infrarossi: 6 programmi sincronizzati, 18 monitor e un lungo tavolo. XVIII Esposizione Internazionale, Triennale di Milano
The Garden of Things, video environment for infrared images: 6 synchronised programmes, 18 monitors and a long table. XVIII International Exhibition, Milan Triennale

Studio Azzurro: Paolo Rosa, leonardo Sangiorgi e Fabio Cirifino.
The borderline character of the studio is immediately apparent. Studio Azzurro develops its work through a series of openings and cultural and technological crossovers, building up an unusual relationship with the world of contemporary art. In its work the spectator becomes an activator, triggering actions and reactions, also thanks to simple, natural gestures which are often linked to their presence alone. This is how they express the innate interpretational responsibility of the performer, whose presence in this case is effectively made responsible and active.

In September 1981 in Milan, an invitation printed with a Tyrannosaurus Rex (complete with a few broken teeth) heralded what was to become a milestone in Italian design: the first Memphis exhibition of various projects by a group of young, enthusiastic and daredevil designers brought together by Ettore Sottsass.
Paris Match wrote: "never again will design be what it was before Memphis." And that's what happened: boundaries had been broken. These boundaries had been explored extensively by the radical avant-garde of the sixties, by the historical exhibition, *Italy: The New Domestic Landscape* at the MOMA in 1972 and by the sensorial approach to the concept of primary design.
The Memphis exhibition was the result of years of experimentation and interdisciplinary research (design, art, anthropology, history, philosophy, etc.): it brokered a new way of thinking, acting, producing and promoting design.
The project was hailed by the interior design sector as ground-breaking: it sparked an unexpected international media frenzy around the project and its founders. This reaction proved that to emerge from a period of stagnation, the production and promotion of furniture and furnishings needed to focus more on culture than technology.
A year later, in 1982, there was another exhibition. This time the collection was presented with the help of a special video installation, *Luci d'Inganno,* which virtually doubled the Memphis designs and made them look longer.
The aim was to surprise and, to some extent, deceive the onlooker thanks to an uncommon complicity between the object and the installation.
Luci d'Inganni was the first work designed by Studio Azzurro.
Based on a pragmatic cultural matrix, their artistic experience became an *activity of action* through research and the *hands-on* exploration of the contemporary scene. Art works were considered from a more "etymological" viewpoint, similar to the Latin *ars* or Greek *techne*: in other words, as a skill that focused on designing or building something. Or else art was considered more in the sense of the Italian word coined in the thirteenth century; a human activity governed by technical

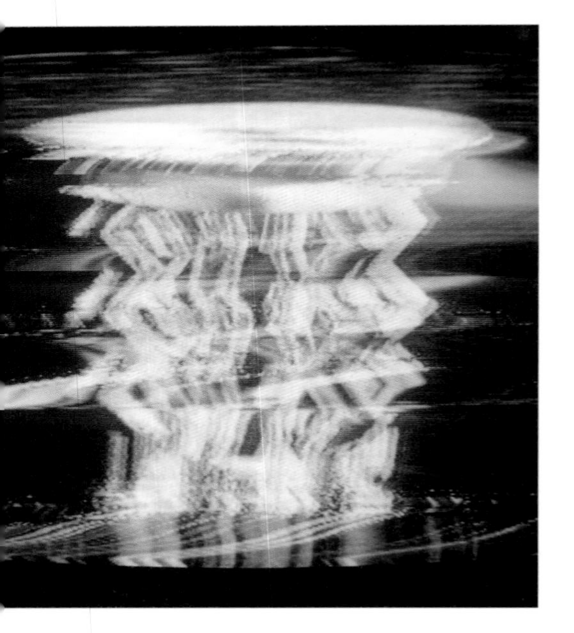

Luci di inganni, videoambientazione in 7 opere per 11 monitor. Oggetti della collezione Memphis, 1981-1982, showroom ARC-74 Milano
Lights of Deception, video environment in 7 parts for 11 monitors. Objects by Memphis, 1981-1982, showroom ARC-74 Milan

procedures and based on study and experimentation. In fact, the manner of speech still remains: "workmanlike" in other words, technically well done (Paolo Rosa cites Queneau when the latter says that a classic writer who respects a certain number of rules when he writes a tragedy is freer than the poet who writes whatever comes into his head and is slave to rules he ignores).
This type of pragmatism has allowed Studio Azzurro to contribute artistically to the promotion of the material culture of fairs and exhibitions.
For instance, the furniture by Memphis and the fabric collection in the *On the Wool Thread* exhibition in Biella, to name one of the first and one of the latest examples of their work in the last twenty years.
The *techne* of Studio Azzurro uses new technologies not merely as "new tools" for artistic production, but rather as a system "that produces and embodies a concept." When technology becomes part of our collective conscience as a design tool we should "relate" to rather than use, often

its material components remain hidden, so that the public sees only its effects, the results of the work of the artist and the system. In fact, the audience is the trigger behind the works designed by Studio Azzurro; even very simple, natural gestures often dictated only by their presence can start an action/reaction chain. The audience carries out the innate hermeneutic responsibility of the interpreter: they become responsible and active presences.
From the very start, the group always focused closely on how changes in reality: this meant that they kept the same spirit of the *enfants*

Tappeto instabile, videoinstallazione interattiva, Living Design Center OZONE di Tokyo. Mostra Excercise in Style, 2001
Unstable Carpet, interactive video installation, Living Design Centre OZONE in Tokyo. Exercise in Style Exhibition, 2001

prodiges that in 1982 wrapped the works by Memphis in their video-deceptions.
In fact, much of the artistic work by Studio Azzurro focuses on *research*, on the careful interpretation of the reality around us.
Paolo Rosa believes that research isn't something that happens in attics or workshops, but in *agora*, in places intersected by currents (of telematic data or human sensibilities if located in space).
If their spontaneous youthful energy and collaboration with great masters (Sottsass, Castiglioni, Branzi, Mendini, etc.) initially contributed to maintaining a certain design energy, later on it was their continuous contact with the world of young people, generally speaking of schools, that gave the group another horizon to interpret ever-changing reality.
Members of the studio often participated in workshops or seminars with students, or welcomed students (about twenty a year) as *apprentices* at the studio.
They didn't only work with students and the academic world: Studio Azzurro focused strongly on, and later collaborated with, industry and entrepreneurs.
A world that Paolo Rosa considers is undergoing massive structural changes. Rosa believes that industrial design can no longer rely just on image ideas: they have to be anchored to more basic principles and values (for example, sustainability and respect for mankind). In this kind of industrial world, persuasion alone isn't enough: communications have to transmit meaning. Rosa believes that industry has to take advantage of artistic research: "This is the right approach to relaunch an industrial culture based on a technological development that doesn't focus only on the tools: this will be the price art will have to pay to have the necessary means, potential and expressive incisiveness." Industry, technology and art: the ground has been laid to develop an incredibly fruitful relationship.
"After having walked along the paths of uncertainty for so long... conversed with metaphors and utopia... and stepped aside... we've gained a certain amount of experience, we've become good explorers. Perhaps we know how to manoeuvre in dangerous waters, penetrate unexplored jungles. There's nothing to be worried about. We can tread lightly now, the worst is behind us." This is what Ettore Sottsass wrote in the eighties when he started the Memphis project. Treading lightly, like great explorers, "the people in Studio Azzurro" forge ahead, using new, sophisticated technological tools with an "artisanal" spirit: art and design, fairs and museums, skilful interpreters of the winds of change and anthropological roots, they produce traces of our modern world.

Fabbrica della ruota, percorso museale per 10 videoinstallazioni. Mostra *Sul filo della lana*, Biella, 2005
Fabbrica della Ruota, museum tour with 10 video installations. Exhibition entitled *Sul filo della lana*, Biella, 2005

Il cantiere dell'occhio
Workshop of the Eye

L'attività dello studio si Tapiro è dedicata al campo della progettazione visuale in tutti i suoi aspetti: dall'immagine di corporate identity ai sistemi segnaletici, dall'exhibit design alla grafica d'ambiente e d'arredo, dall'immagine editoriale e di prodotto al manifesto e all'illustrazione d'autore. Significativa e rappresentativa dell'attività dello Studio Tapiro è la collaborazione con la Biennale di Venezia iniziata nel 1984. Enrico Camplani e Gianluigi Pescolderung (coautori dello studio Tapiro) posseggono due sguardi ugualmente attenti ma educati dalle passioni personali in maniera diversa, due filtri che sovrapponendosi offrono un'originale interpretazione della realtà: un occhio fotografico e uno pittorico, una dimensione autografa che conferisce al frutto del loro lavoro un forte segno distintivo difficilmente imitabile.

Tra i protagonisti della grafica italiana contemporanea, lo studio Tapiro (al secolo, Enrico Camplani e Gianluigi Pescolderung, entrambi nati a Brescia nel 1953) esordisce nel 1979. La loro formazione è legata alla città di Venezia e ha attraversato il mondo dell'architettura, con la laurea al locale Istituto universitario e quello dell'Arte, con la specializzazione in *visual design* all'Università internazionale dell'arte. Attivi da subito, specialmente nella progettazione di artefatti per le istituzioni pubbliche, a cavallo tra gli anni Settanta e Ottanta, partecipano a iniziative di respiro internazionale connesse alla grafica di pubblica utilità. Dopo che Milano era stato il centro della grafica nazionale e che nel secondo dopoguerra aveva legato la sua affermazione all'espansione industriale del nord Italia e al prestigio crescente del design italiano a livello mondiale, "Dopo il 1968 – scrive Giovanni Lussu nel 1999 – c'è un proliferare, in tutto il territorio, di iniziative politiche sociali e culturali (rese possibili anche dal decentramento amministrativo in atto), per le quali [...] si sviluppano linguaggi nuovi (spesso esplicitamente contrapposti a quelli di matrice razionalista prevalenti a Milano), caratterizzati, più che da stili ben definiti, dall'eclettismo più libero".
Muovendo dall'esperienza di Massimo Dolcini per il comune di Pesaro, la nuova grafica coinvolge varie regioni e lo studio Tapiro, che lavorava al tempo sull'immagine del Carnevale veneziano, si trova in consonanza d'intenti con lo studio Graphiti (Andrea Rauch e Stefano Rovai) a Firenze, Franco Origoni e Anna Steiner a Milano, Extrastudio (Armando Ceste e Gianfranco Torri) a Torino, Ettore Vitale a Roma, lo Studio Segno (Gelsomino D'Ambrosio e Pino Grimaldi) a Salerno e Mario Cresci a Matera. Nel 1984 la prima Biennale della grafica di Cattolica, coordinata da Giovanni Anceschi, mostra questo articolato insieme di esperienze sotto il titolo *Propaganda e cultura: indagine sul manifesto di pubblica utilità dagli anni Settanta ad oggi*. "Così come la pubblicazione della *Carta del progetto grafico*, voluta dallo stesso gruppo nel 1989, ciò rimarrà un tentativo senza seguito di costruire una rete di confronti tra i

Mostra alla DDD Gallery, Osaka 2002.
"Graphic art for the arts" Studio Tapiro per la Biennale di Venezia
Exhibition at the DDD Gallery, Osaka 2002.
"Graphic art for the arts" Tapiro's designs for the Venice Biennale

professionisti italiani – spiega Camplani in una recente conversazione – che si è ripercosso, nella poca forza che abbiamo di guadagnarci una posizione nel panorama culturale. Ora l'Aiap sta tentando di recuperare a fatica l'autorevolezza che ci manca." E aggiunge Lussu: "Si è persa un'occasione, perché le forze erano divise; da una parte gli artigiani, i grafici di pubblica utilità, dall'altra l'*establishment* milanese." Un settore anche poco studiato, come si vede nella scarsa produzione editoriale dedicata, non solo per questioni di ridotto numero di lettori e linguistiche, ma di esigua coscienza dell'importanza dell'aspetto visual-comunicativo sulla qualità di vita delle persone da parte delle istituzioni. E qui il discorso si sposta sulla formazione scolastica. Nel Triveneto una speciale congiuntura, alla base ancora oggi di una concentrazione geografica di *visual designer* di riconosciuta qualità internazionale, si era delineata attorno al corso superiore di Disegno Industriale (già in nuce nel 1951, fondato nel 1959 e chiuso nel 1970) dove insegnano, tra gli altri, Massimo Vignelli e Luigi Veronesi. In più, negli anni Settanta si concentrano in questa zona le attività, ad esempio, di Giulio Cittato, di ritorno dagli Stati Uniti dopo la collaborazione con Unimark, del fotografo Italo Zannier, di Diego Birelli. Camplani e Pescolderung, formatisi al mestiere di grafico come autodidatti, partecipano dunque a un panorama culturale fertile che amplia i loro interessi al di fuori dello specifico ambito disciplinare: dalla scultura di De Suvero alla pittura di De Luigi, dagli insegnamenti di Mazzariol e Tafuri ai dettagli di Scarpa.

Immagine coordinata per il Centenario de La Biennale di Venezia, 1995.Tessere d'ingresso
Co-ordinated image for the Centennial of the Venice Biennale, 1995. Entry ticket

Manifesti per il Centenario de La Biennale di Venezia , 1995; 46° Festival Internazionale di Musica Contemporanea 1895-1995 Centenario de La Biennale di Venezia; 52ª Mostra Internazionale d'Arte Cinematografica; 46ª Esposizione Internazionale d'Arte.
Posters for the centennial of the Venice Biennale, 1995; 46th International Contemporary Music Festival 1895-1995 Centennial of the Venice Biennale; 52nd International Film Festival. 46th International Art Exhibition

In sostanza però l'Italia, escludendo l'ISIA di Urbino, solo da pochi anni ha istituito dei corsi di laurea universitari che si occupano di comunicazione visiva. Ciò ha provocato un ridotto riconoscimento della figura professionale da parte dei committenti pubblici e privati. "Se ci vedono solo come operatori estetici e non di sistema – afferma Camplani – cioè di chi conosce e sa usare gli strumenti visuali appropriati per concretizzare un progetto basato su riflessioni complessive sui linguaggi comunicativi, allora non ci deve stupire che oggi al Poligrafico dello Stato ci siano circa cinquecento stampatori capaci di far funzionare attrezzature per enormi tirature, ma non c'è un ufficio grafico interno, non si sente la necessità del 'progetto'". Tale situazione spiega anche una dimensione media degli studi grafici inferiore alle dieci persone: "Che il biglietto del treno sia composto con caratteri leggibili da un presbite – continua – è un modo per migliorare la vita degli individui. Lo spazio di lavoro sarebbe molto ampio ma spesso non esiste la consapevolezza che debba essere occupato dal progetto". L'esperienza giapponese – a Osaka nel 2002 è stata allestita una mostra dedicata ai loro lavori per la Biennale di Venezia (1983-2001), già esposti a Parigi al Centre George Pompidou – ha confermato come le opere dei *graphic designer* siano qui considerate pezzi unici. "Noi crediamo – dichiara ancora Camplani – che l'autorialità del grafico non stia nel saper proporre un segno autoreferenziale, ma essendo un intellettuale può dare risposte diverse alle svariate richieste del committente. Certo i nostri lavori si riconoscono perché abbiamo dei riferimenti identificabili, dall'arte alla musica alla fotografia, ma parliamo con una voce 'modulata'". E ribadiscono "I nuovi corsi universitari hanno una notevole responsabilità sullo sviluppo di una riflessione critica verso il progetto degli artefatti e sulla possibilità di far crescere la cultura visiva nel nostro paese". Camplani e Pescolderung, docenti nelle Università veneziane IUAV e Ca' Foscari, sottolineano la particolare attenzione che deve essere posta nell'educare al controllo degli strumenti di progetto: "Le tecnologie digitali danno al nuovo professionista un'enorme libertà di cambiamento degli elementi progettuali. Tolgono così il tempo dell'approfondimento che invece la rigidità degli strumenti del passato imponeva". Non stupisce quindi che lo studio Tapiro, che opera in vari ambiti della comunicazione visiva, dall'immagine coordinata alla segnaletica, dall'*exhibition design* alla grafica d'ambiente e d'arredo, dall'immagine editoriale al manifesto, all'illustrazione d'autore, abbia il carattere del laboratorio – scrive Sergio Brugiolo nel 2002 – di bottega artigiana d'autore, dove la ricerca, lo studio e la sperimentazione costituiscono le fondamenta".

The work of Studio Tapiro takes in all of the aspects of the visual design field: from corporate identities to identification systems, from exhibition design to graphic design for environments and furnishings, from publication and product image to posters and original illustrations.
A significant and representative example of the work of Studio Tapiro is the partnership with the Venice Biennale which started in 1984. Enrico Camplani and Gianluigi Pescolderung (co-founders of Studio Tapiro) have equally attentive gazes that nonetheless are directed by personal passions in different ways. These two filters overlap and offer an original interpretation of reality: one eye is that of a photographer and the other is that of a painter. This highly individual dimension gives their work an extremely distinctive feel that is hard to imitate.

New styles developed [...] (often explicitly to contrast the rationalist culture dominant in Milan), characterised more by free eclecticism than by well defined styles". Starting from Massimo Dolcini's work for the Pesaro Municipality, the new graphic fever spread to other regions. The Studio Tapiro was working on the image for the Venice Carnival and now found itself very much in tune with the Studio Graphiti (Andrea Rauch and Stefano Rovai) in Florence, Franco Origoni and Anna Steiner in Milan, Extrastudio (Armando Celeste and Gianfranco Torri) in Turin, Ettore Vitale in Rome, the Studio Segno (Gelsomino D'Ambrosio and Pino Grimaldi) in Salerno and Mario Cresci in Matera. In 1984, the first Graphics Biennale co-ordinated by Giovanni Anceschi was held in Cattolica, and all these styles were exhibited there. The exhibition was entitled: *Propaganda and*

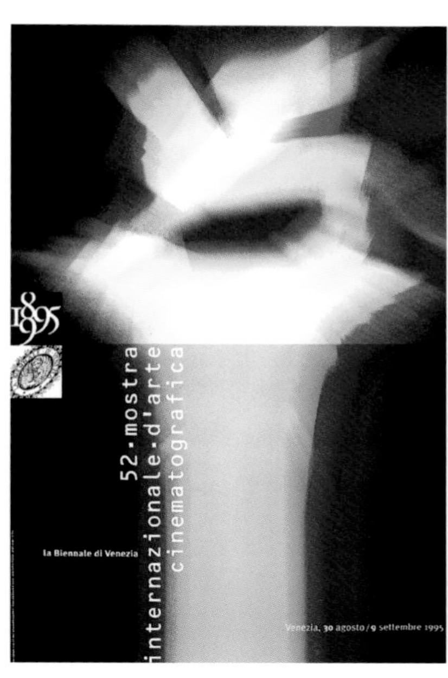

culture: research on public utilities posters from the seventies to the present day. In a recent interview, Camplani explained that the Biennale was an attempt to create a network between professional Italian graphic designers. He said: "Just like the publication of the book, *Charter of the Graphic Project*, sponsored by the same group in 1989, it was a one-off thing, because it was difficult for us to penetrate Italy's cultural panorama. Now the publishing house, Aiep, is trying to recover our prestige". Lussu added: "We squandered an opportunity because we didn't work together; artisans and public utility graphic designers on one side, the Milan establishment on the other". The fact that not many books have been published on the subject proves that it hasn't been studied much. This isn't only a question of linguistics or reader numbers. It depends on the fact that not many people realise how important visual communication is and the degree to which institutions influence our standard of living. This takes us back to the question of education.
In the Triveneto region, the special circumstances at the Faculty of Industrial Design (*in nuce* in 1951, founded in 1959 and closed in 1970) where, amongst others, Massimo Vignelli and Luigi Veronesi both taught still contribute to the geographical concentration of internationally renowned visual designers in this area. In the seventies, the region attracted many designers such as Giulio Cittato, who had worked for Unimark in the United States, the photographer Italo Zannier and Diego Borelli. Camplani and Pescolderung, who had started their career as self-

Eventi: Verona jazz, 1998
Verona jazz, events, 1998

Comune di Venezia, Ufficio Attività Cinematografiche: Stanley Kubrick, 1997
The Venice Municipality, Cinema Activities Office: Stanley Kubrick, 1997

Università IUAV di Venezia: 10x10x10, 2004
IUAV University, Venice: 10x10x10, 2004

Marsilio Editori (a destra). Collana "Black" 2002
Marsilio Editori (right). Series, "Black," 2002

taught graphic designers, found themselves surrounded by an inspiring cultural panorama that allowed them to widen their horizons: De Suvero's sculptures, De Luigi's paintings, Scarpa's details and the teachings of Mazzariol and Tafuri. With the exception of the ISIA, the artistic industries school in Urbino, Italy has only just begun to teach graduate courses in visual communication, meaning that the professional status of these designers was not recognised by public and private clients until very recently. Camplani remarks: "If they consider us only as aesthetic, and not all-round designers, in other words, people who know and use appropriate visual tools to elaborate a project based on our comprehensive knowledge of communicative styles, then it shouldn't surprise us that there are about 500 printers at the National Mint who make enormous printing machines churn out millions of publications, but there is no in-house graphic design office and they don't feel that a 'project' is necessary". This explains why most graphic studios employ less than ten people. Campani adds: "If we printed train tickets with letters that could be read by people who are short-sighted, this would improve the quality of people's lives. There are so many possibilities, but often no-one realises that the work should be based on a project". In 2002, there was an exhibition in Osaka of their work for the Venice Biennale (1983-2001), previously on show at the Centre George Pompidou in Paris. The Japanese experience proved that in Japan the works of graphic designers are considered unique. Camplani says: "We believe that authoriality of a graphic designer shouldn't be to propose something that is self-referenced, but as an intellectual, he should be able to solve all the client's problems. Certainly, it's easy to recognise our work because we use characteristic elements including art, music and photography, but when we speak, we 'modulate' our voice". They also believe that the new university courses are responsible for initiating a critical debate on product design and on the possibility of improving Italy's visual culture. Camplani and Pescolderung, who teach at the IUAV and Ca' Foscari Universities in Venice, emphasise how careful one should be when teaching how to use project tools. "Digital technologies make it easy for our profession to change the design elements. They eliminate the time we used to spend thinking about the project, something that we had to do with the old tools".

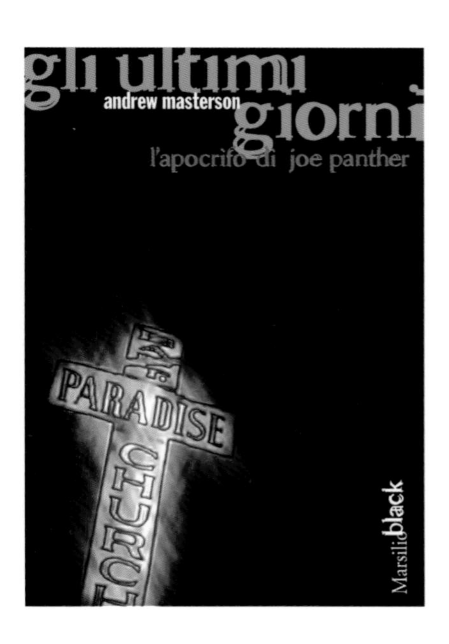

The Studio Tapiro works in various fields of visual communication: co-ordinated images, road signs, exhibition design and environmental and interior design. It's no surprise then that, in the words of Sergio Brugiolo written in 2002, it looks more "like the laboratory where research, study and experimentation are the main tools".

La creatività non ha passaporti
No Passport for Creativity

Molto più di un fotografo, Oliviero Toscani ha ideato numerose campagne pubblicitarie e cataloghi per la Benetton, portando la politica di communicazione dell'azienda in aree dove nessuno ha osato prima, attraverso campagne "Institutional" con messaggi dedicati a temi sociali come la pace e la tolleranza, piuttosto che all'immagine dell'azienda. La fotografia è stata la forza creativa di alcune tra le più famose campagne pubblicitarie per l'industria della moda, come per Jesus Jeans, Prenatal, Valentino, Esprit e Fiorucci. Il suo lavoro è stato esposto alla Biennale di Venezia, San Paolo del Brasile, alla Triennale di Milano, e nei Musei d'Arte Moderna di Mexico City, Helsinky, Roma, Lausanne, Francoforte. Tra i numerosi premi vinti ricordiamo quattro Leoni d'Oro al Festival di Cannes, il Gran Premio dell'Unesco, i due Gran Premi d'Affichage.

Nel 2001, in occasione dei Quarant'anni del design e dei Cinquant'anni della moda italiani, ha partecipato alla grande mostra *Made in Italy?* allestita alla Triennale di Milano. Il suo intervento interpretava la storia dei prodotti italiani con un'immagine di abbandono e decadimento: una polverosa stratificazione di abiti e oggetti dimenticati in una Brockenhaus. Qual è il significato di tale rappresentazione?
In tedesco, Brockenhaus ha un preciso significato. Rappresenta un atto e un luogo: quando si svuotano le soffitte e le case dalle cose vecchie vengono accatastate nelle Brockenhaus, dove soprattutto i giovani, gli studenti e tutti coloro che hanno pochi soldi, possono comperare questi oggetti, mobili e pezzi di design ormai fuori moda. Il design italiano ha prodotto centinaia di lampade, sedie, divani ecc. Che dovrebbero andare alla Brockenhaus. La gran parte di questi oggetti sono risultati inutili e mediocri; la mediocrità è perdere la visione del fine attraverso i mezzi. Il fine assoluto delle cose è la condizione umana. Il Made in Italy non ha tenuto conto del problema socio-politico di un paese in evoluzione e si è perso in una iperproduzione di oggetti essenzialmente estetici. Tanta estetica, poca etica.

La fotografia è un medium che fissa il soggetto in un attimo divenuto immobile. Essa può diventare un'icona che, oltre a definire valori simbolici, comunica un concetto, una figura retorica. A suo giudizio quali immagini sono diventate icone del Made in Italy?
Io non credo a questa storia del Made in Italy. Non capisco perchè Made in Italy deve essere in inglese, trovo tutto ciò molto ridicolo. In questo momento si parla molto del Made in Italy forse perché stiamo perdendo il treno, stiamo perdendo quote di mercato, gli altri stanno dimostrando maggior creatività di noi... Il Made in Italy è una gran balla. Basti pensare alla Ferrari: il pilota è Schumacher, tedesco; il direttore di scuderia è un francese, mentre un inglese dirige la tecnologia e la dinamica. E questo è il

Made in Italy. Made in Italy sono io che vado in Francia e faccio il giornale per Libération? O faccio fotografie e campagne per giornali e clienti stranieri? E allora cos'è il Made in Italy? La creatività non ha passaporti. Dire di essere italiani vuol dire definire la propria appartenenza politica. Made in Italy perché? Perché è fatto in Italia o perché è fatto da italiani? Gli italiani possono benissimo fare delle cose in Australia o in Cina. No, vorrei che qualcuno mi spiegasse finalmente cosa significa Made in Italy. Forse il Made in Italy è quello fatto in Italia da francesi, inglesi e tedeschi? Il Made in Italy è forse una gran balla. Una balla, un falso, costruito per perdere tempo. Invece di creare, ricercare, progettare, disegnare e lavorare

si pensa all'appartenenza politica, geografica. La creatività non ha bisogno di questo gioco.

Qual è la sua idea della nostra cultura manageriale e che valore attribuisce alle ricerche di mercato?
La nostra cultura manageriale è dimostrata dai fatti. La Fiat tutto quello che poteva fare di sbagliato l'ha fatto, facendo pagare a noi cittadini italiani la sua incapacità di visione industriale. Per non parlare di Parmalat, Cirio... Non esistono grandi aziende perché non abbiamo una cultura manageriale. I manager sono la rovina della creatività. Chi va a studiare alla Bocconi non ha creatività, manca di sensibilità e cultura moderna. In Italia non si dà spazio alla creatività, l'artista dovrebbe riappropriarsi del suo potere politico e non ascoltare quei managers, che avendo in mano la finanza pensano di poter decidere i progetti a livello creativo. No, purtroppo loro non sono creativi e questo lo si vede nello stato drammatico della nostra imprenditoria. Per avere successo bisogna fare esattamente il contrario di quello che dicono le ricerche di mercato, e nessun manager italiano ha il coraggio di fare questo.

Si sostiene che la matrice del Made in Italy sia il risultato di un mix in cui predominano due figure: il progettista di artefatti e di immagini ed un imprenditore illuminato. Il suo rapporto con Luciano Benetton può essere sintetizzato in questi termini?

Per potere essere liberi bisogna arricchire il proprio committente. Quando il committente guadagna - a lui non interessa come guadagna, si può anche sfruttare il lavoro infantile, basta che il committente non abbia responsabilità - tutto va bene. I committenti non sono particolarmente illuminati. Tra un imprenditore e un manager non c'è tanta differenza anche se è meglio lavorare con l'imprenditore. Il guadagno dell'imprenditore è proporzionale alla libertà dell'artista. È quello che ho sempre fatto io. Ho cominciato a far guadagnare i miei committenti e in questo modo sono stato libero di esprimere ciò che a me interessava veramente. Non c'è stata nessuna illuminazione, casomai il rigonfiamento del loro portafoglio.

Quali sono i contenuti che possono attribuire un valore aggiunto al messaggio pubblicitario?
La chiesa, le croci, la svastica e la Coca Cola... Non sono altro che messaggi pubblicitari del potere. Ormai tutto è un prodotto, tutto deve essere venduto, tutto è messaggio pubblicitario. Il valore aggiunto può essere di due tipi: la ripetitività che usano certe aziende proponendo sempre gli stessi spot finchè la loro reiterazione non entra nella testa della gente; o la memoria che significa creatività. Creare qualcosa di speciale che rimane in mente. Il valore aggiunto è un grande budget o è una grande creatività. La differenza sta nel fatto che per i manager il grande budget è più facile, mentre la creatività - che vuol dire sovversione, gestione, rimettersi in discussione, mancanza di sicurezza - viene osteggiata dai manager.

Cosa pensa del sistema formativo italiano?
La scuola in Italia non attrae i giovani, li rigetta, perchè non è interessante, è noiosa. Personalmente ho imparato più dal cinema che dalla scuola. Le scuole non sono interessanti e soprattutto i grandi maestri sono rarissimi, in Italia gli insegnanti sono molto più bravi a giudicare che ad insegnare. La scuola è il nostro grande problema.

Sant'Anna di Stazzema. 12 agosto 1944. Il suo libro è fatto dei ritratti dei sopravvissuti alla strage nazista del paesino toscano. Lei ha fotografato i loro ricordi. Come ha condotto questo viaggio nella memoria dei bambini di allora?
Ho fotografato tutti i testimoni viventi di una tragedia umana, di una violenza inumana. Queste foto sono un documento storico, rimarranno come un documento della memoria storica dell'umanità. Ho fotografato i sopravvissuti di un eccidio nazi fascista, allora erano bambini, mi hanno raccontato la loro storia, quel giorno tremendo del 14 agosto del 1944, ognuno dal suo punto di vista. Qualcuno non ha più nessuno...Sui ricordi di allora si sono stratificati sessant'anni di vita. Una memoria fatta di ciò che hanno vissuto, sofferto, sentito, visto, che poi si sono raccontati fra di loro. La fotografia deve essere la memoria storica dell'umanità. La fotografia è qui per documentare la condizione umana. Qualsiasi cosa, qualsiasi azione creativa deve avere come fine la condizione umana e non bisogna mai perdere il fine con i mezzi. Nel design, e anche nell'architettura, ci si è persi nell'estetica, nelle forme, dimenticando la visione finale del perché si fanno le cose.

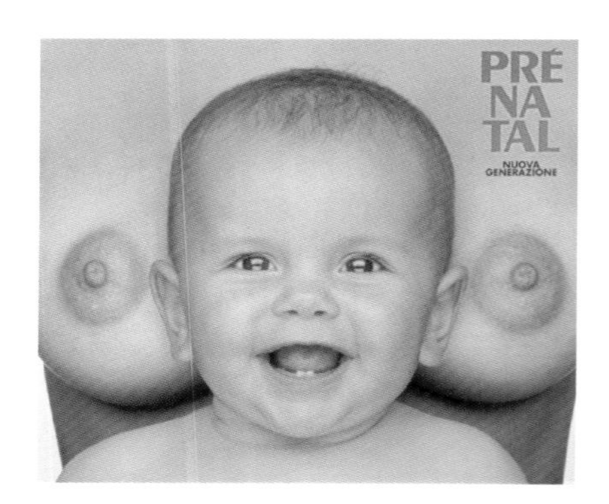

Le sue campagne pubblicitarie sono spesso caratterizzate da fotografie dure e scioccanti che toccano problemi sociali e umanitari. Le immagini di Abu Grhaib potrebbero ispirarle un messaggio pubblicitario?
Tutto è memoria storica. Una top model vestita Chanel è una condizione sociale.
I tre modelli dell'ultima pubblicità di Gucci fanno parte della nostra società, esattamente come le immagini di Abu Grhaib. Quando gli archeologi di un altro mondo verranno sulla terra e cominceranno a scavare, troveranno resti di giornali con le foto del carcere iracheno e quelle delle pubblicità della Ferrari e della Mercedes, le foto di Gucci e del whisky, e diranno: ma cosa stava succedendo sulla terra? Non faranno una differenza tra immagini pubblicitarie e foto di redazione. Perché tutte queste immagini appartengono alla condizione umana e ne sono il documento e la memoria.

Much more than just a photographer, Oliviero Toscani was behind numerous Benetton advertising campaigns and catalogues. He took the company's communication policy to areas where no one had dared venture before. He focused in particular on institutional campaigns, with messages that concentrated more on peace, tolerance and social problems than the company's image. The photographer has been the creative force behind some of the most famous advertising campaigns for the fashion industry, such as Jesus Jeans, Prenatal, Valentino, Esprit and Fiorucci. His work has gone on display at the Biennale in Venice, in Sao Paulo in Brazil, at the Triennale di Milano, and in the Modern Art museums of Mexico City, Helsinki, Rome, Lausanne, Frankfurt . He has also won numerous awards, including four Golden Lions at Cannes, the UNESCO Grand Prix, the Gran Prix d'Affichage twice and various prizes from the Art Directors Clubs of New York, Tokyo and Milan.

In 2001, you took part in the magnificent exhibition, *Made in Italy?*, held at the Milan Triennale to mark the 40lth anniversary of Italian design and the 50th anniversary of Italian fashion. You portrayed the history of Italian products by showing pictures of neglect and decadence: a dusty stratification of forgotten clothes and objects in a Brochenhaus. What's do these pictures mean?

In German, Brochenhaus has a very precise meaning. It is an action and a place. When you throw out stuff from your attic or house, it ends up at the Brochenhaus. Youngsters, students and anyone without much money can go and rummage through the heaps and buy these objects or pieces of furniture that in the meantime have become unfashionable. Italian design created hundreds of lamps, chairs, sofas, etc. that are perfect for the Brockenhaus. Most of these objects were useless and mediocre; mediocrity means loosing sight of the objective by concentrating on the means. The absolute objective of things is human nature. Made in Italy has never considered the social and political problems of an evolving country. It became wrapped up in a hyperproduction of objects that were basically aesthetic. Lots of aesthetics, not enough ethics.

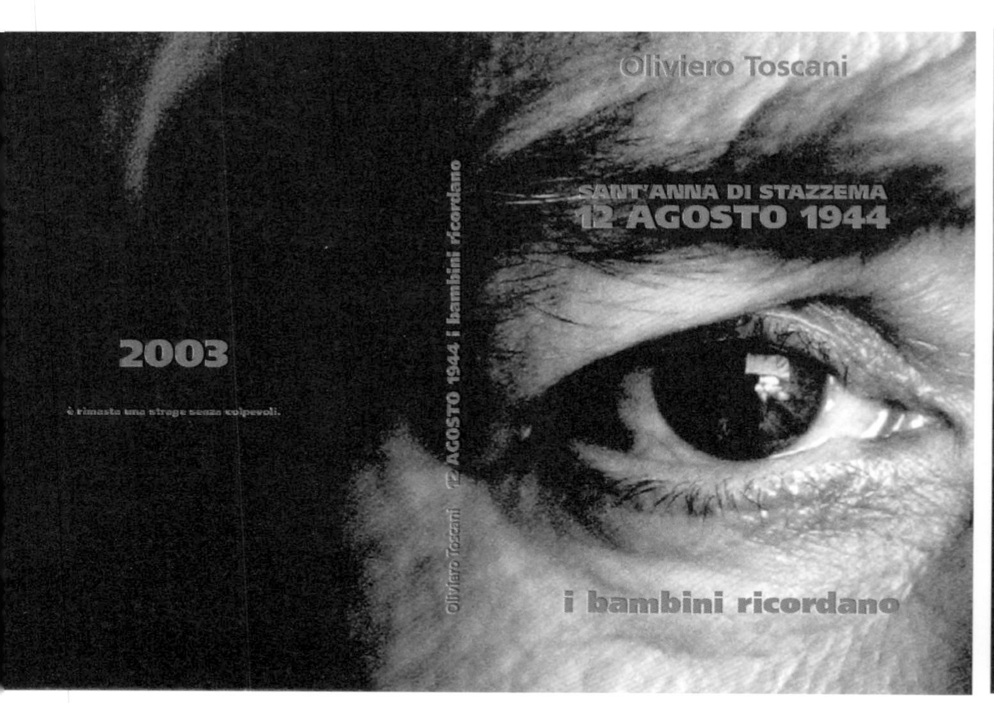

Photography captures the fleeting moment. It can become an icon that establishes symbolic values, but it can also communicate an idea, a rhetorical figure. What images do you think have become the icons of Made in Italy?
I don't believe in this thing called Made in Italy. I don't know why Made in Italy has to be in English, I find all this rather ridiculous. Right now, Made in Italy is a hot topic. Perhaps because we're loosing ground, loosing market share and there are other people who are being more creative than us…
Made in Italy is a big lie. Just think of Ferrari: Schumacher is German, the team manager is French and an Englishman is responsible for the technology and the dynamics. Is this what we mean by Made in Italy? If I went to France and published the newspaper *Libération*, is this Made in Italy? If I took photos or did campaigns for foreign magazines and clients,

would this be Made in Italy? So, what is Made in Italy?
Creativity doesn't need a passport. If you say you're Italian, you're only expressing your political choice. Why Made in Italy? Because it's Made in Italy or made by Italians? Italians can just as well make things in Australia or China. No. I'd like someone to finally tell me what Made in Italy means. Is Made in Italy something that the French English or Germans do in Italy? Perhaps Made in Italy is a big lie. A lie, a fake, created to loose

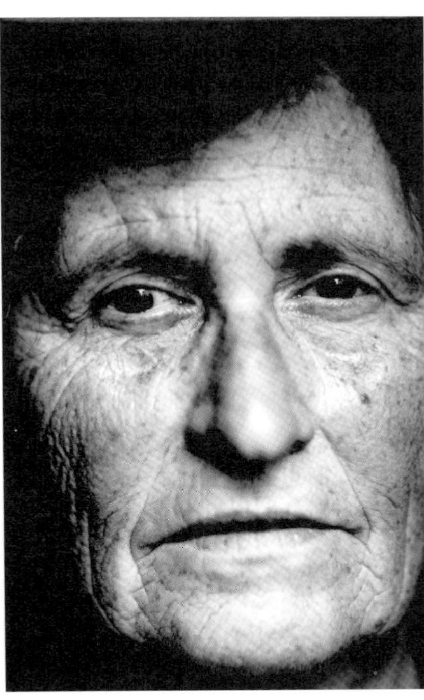

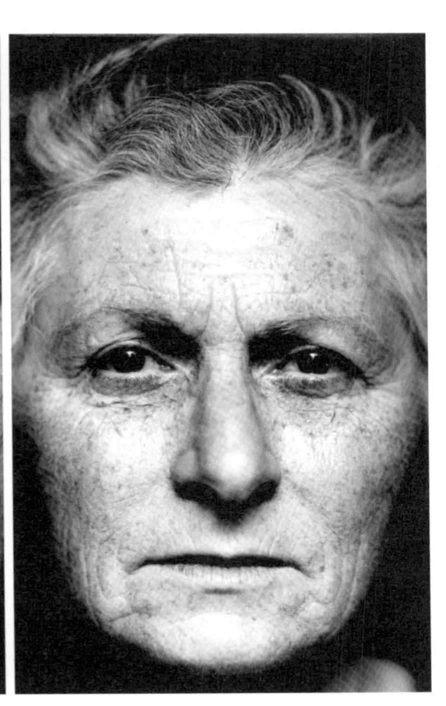

time. Instead of creating, researching, designing, drawing and working, people think of their political and geographical allegiance. Creativity can do without this game.

What's your opinion of managerial culture in Italy and how important are market studies?
The facts tell the story of our managerial culture. Fiat made every mistake in the book. They made Italian citizens pay for their lack of industrial vision. And I'll avoid mentioning Parmalat and Cirio... Italy doesn't have big companies because we don't have a managerial culture. Managers ruin creativity. People who study at the Bocconi University have no creativity, sensitivity or modern culture. There's no space for creativity in Italy. The artist should take hold of his own political power and ignore managers who think they can take creative decisions just because they

control the financial market. No, unfortunately they aren't creative, you've only got to look at the dreadful state of entrepreneurship in Italy To be successful, you have to do exactly the opposite to what market research tells you. No Italian manager has enough courage to do this.

The matrix of Made in Italy is said to be a combination of two main factors: the designer of artefacts and an enlightened entrepreneur. Is this how you would define your relationship with Luciano Benetton?
To be free to do what you want, you have to make money for your client. When he makes money, he's not interested in how it's earned. You can even exploit child labour. So long as the client isn't responsible, everything's OK. Clients aren't particularly enlightened people. There's not much difference between an entrepreneur and a manager, even if it's better to work with an entrepreneur. The profit he makes is proportional to the artist's freedom. That's what I've always done. I began by earning money for my clients, so then I was free to do what really interested me. There was no enlightenment, just a bulging wallet.

What can give added value to publicity?
The church, crosses, the swastika and Coca-Cola ...They are the publicity vehicles power uses. Now everything's a product, everything has to be sold, everything is publicity. There are two types of added value: the repetitiveness of some companies that use the same spot until the message gets through; or memory, which means creativity. To create something special that people remember. Added value is a big budget or loads of creativity.
The difference is that for managers, big budgets are easier. Instead creativity is something subversive. It means administrating, debating. There's no safe option. So they do all they can to undermine it.

What do you think of the Italian school system?
Italian schools don't appeal to youngsters. They avoid them because they're not interesting, in fact they're boring. Personally, I learnt more from the movies than in school. Schools aren't interesting and above all, there are very few great masters. In Italy, teachers are much better at judging than teaching. Schooling is Italy's big problem.

Sant'Anna di Stazzema, August 12, 1944. Your book is full of portraits of the survivors of the Nazi massacre in this small town in Tuscany. You photographed their memories. How did you tackle this descent into the memories of these adults' childhood?
I shot all the living witnesses of a human tragedy, of an inhuman violence.

The photographs are a historical document. They will remain in the historical memory of humanity. I shot the survivors of a Nazi-Fascist massacre.
They were children then. Each of them told me their story of that terrible day on August 14, 1944. Some of them are orphans, they lost all their dear ones... Sixty years of life have sedimented on those memories. Memories of what they experienced, suffered, felt, saw and then told each other.
Photography should be the historical memory of humanity. Here photography portrays human nature. Any thing, any creative action should aim to show human nature and we should never loose sight of our aims in favour of the means we use.
In design and in architecture, we've got lost in aesthetics, in forms and we've forgotten the true reason why we do things.

Your publicity campaigns have often used harsh, shocking pictures of social or humanitarian problems. Could the pictures of Abu Grhaib inspire a publicity campaign?
Everything is historical memory. A top model wearing Chanel is a social issue. The last three models in the Gucci campaign are part of our society, just like the pictures taken in Abu Grhaib. When the archaeologists from another world visit the earth and begin to dig, they'll find bits of newspapers with the pictures of the Iraqi jail and publicity shots of the Ferrari and Mercedes, the photos of Gucci and whiskey. They'll say: what the hell was going on here on earth?
They won't know the difference between a publicity shot and an editorial photograph. Because all these images belong to human nature: they document that nature and act as its memory.

Fra artigianato e tecnologia
A Combination of Craftsmanship and Technology

Le sue produzioni rappresentano un punto di riferimento nell'ambito della realizzazione di audiovisivi per l'Uruguay e per il resto dell'America Latina. Decomporre i movimenti per comporre le immagini è il lavoro fondamentale dell'animatore.
Per Tournier il cinema è il mezzo d'espressione per eccellenza, comprende diverse arti, comunica idee; l'animazione con la tecnica stop motion è la forma espressiva che gli è servita per fare un lavoro diverso, riuscendo a rendere questa disciplina, parte della stessa cultura dell'Uruguay, capace di generare un'immagine riconoscibile all'estero. A differenza del cinema animato in 3D, vertiginoso e realizzato con le tecnologie di punta, questo cinema "fatto a mano" si differenzia per l'estetica, il carisma della non perfezione di origine artigianale e per il valore comunicativo.

Fin dai suoi primi passi, l'animazione ha scritto un capitolo particolare nella storia della cinematografia mondiale, specialmente attraverso i film realizzati con figure di plastilina: un particolare abbinamento fra artigianato e tecnologia. Pupazzi articolati capaci di parlare ed esprimere con movimenti e sottili gesti un'infinità di sensazioni ed emozioni; pupazzi nati da lamiere di acciaio, plastilina, legno e lattice realizzati artigianalmente in laboratorio. A partire da piccoli pezzi di diverso materiale, inizia il paziente lavoro di creazione dei personaggi e delle scenografie per realizzare il successivo filmato "quadro a quadro": ogni secondo di ripresa ha bisogno di 24 inquadrature, 24 fotografie di minimi movimenti che, passo dopo passo, danno continuità e fluidità all'azione.
Walter Tournier (Montevideo, 1944) è uno dei più importanti creativi del Cinema di Animazione. Le sue produzioni rappresentano un punto di riferimento nell'ambito della realizzazione di audiovisivi per l'Uruguay e per

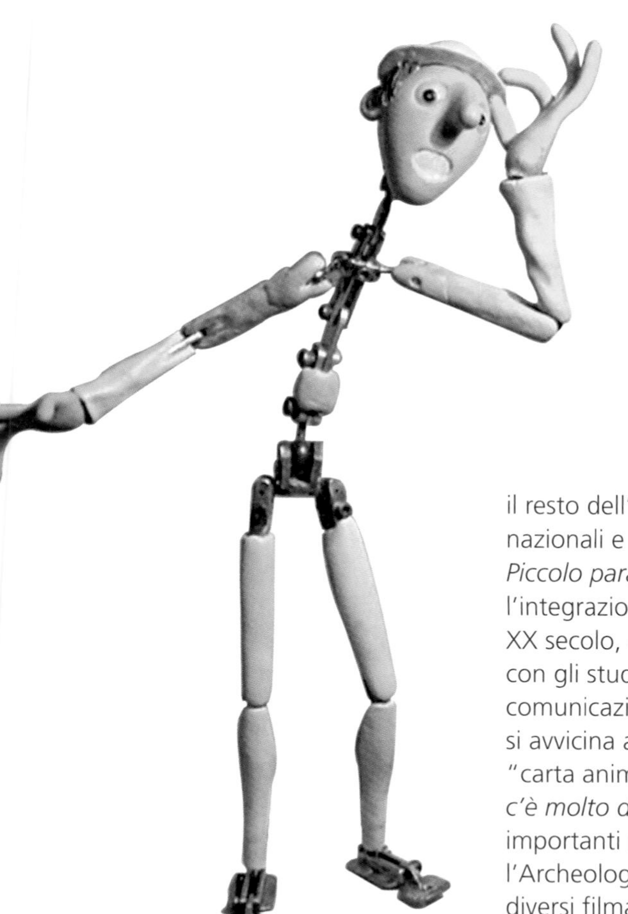

il resto dell'America Latina. Tournier ha ricevuto numerosi riconoscimenti nazionali e internazionali come ad esempio per il cortometraggio *"Il Nostro Piccolo paradiso"* (1982), selezionato nel Festival d'Annecy in Francia, per l'integrazione della retrospettiva riguardante il meglio dell'animazione nel XX secolo, essendo l'unico materiale latino americano scelto. Tournier inizia con gli studi di Architettura, ma la sua vocazione nei confronti della comunicazione lo porta presto al cinema documentale; negli anni sessanta si avvicina al mondo dell'animazione quasi per caso, girando una favola in "carta animata" (fumetto fatto con ritagli). Più tardi realizza *"Nella selva c'è molto da fare"* e durante il periodo della dittatura, emigra come molti importanti rappresentanti della cultura nazionale. In Perù studia l'Archeologia e perfeziona le sue conoscenze nell'animazione, realizzando diversi filmati: *"Il condor e la volpe"*, *"Il garofano disobbediente"*, *"Nella carta un sogno"*, e *"Il nostro piccolo paradiso"*. Rientra in Uruguay a metà degli anni Ottanta è realizza il suo primo film d'animazione: *"I nascondigli del sole"*, cercando di aprire la strada in un campo dove la produzione cinematografica è scarsa, così come gli incentivi destinati agli investimenti culturali. Decomporre i movimenti per comporre le immagini è il lavoro fondamentale dell'animatore. Ogni quadro va accompagnato da una scheda dove precedentemente si studia e si definisce il movimento, l'espressione, l'illuminazione, il testo, l'inquadratura.

Il piacere risiede nella composizione e nella definizione del minimo dettaglio: così che l'animatore si esprime e il pubblico riesce a identificarsi e introdursi nel racconto.

Le animazioni di Walter Tournier si caratterizzano per il forte valore espressivo delle scene e l'accentuata personalità dei suoi personaggi. Ogni movimento ha un valore, apporta qualcosa al messaggio: plasticità, tridimensionalità, profondità, studio del colore, ritmo e movimento e l'accompagnamento di brani musicali e doppiaggi adatti ad ogni situazione, generano un prodotto finale di alta qualità, con una forte identità ben riconoscibile. Le sue storie trasmettono vita, creano un mondo di fantasia che esalta i propri valori e la tenerezza, in contrapposizione all'attuale offerta dei prodotti animati dove prevale l'estetica della violenza. Attraverso i suoi personaggi si legge la costante ricerca del voler essere nazionale e latino americano, di voler trasmettere un modo di essere e di pensare, e la volontà di affrontare temi di riflessione sulla realtà socio-politica, educativa, culturale ed ecologica. La musica, l'intorno, la vegetazione, la fauna, l'abbigliamento dei personaggi, si sommano tutti ed insieme riflettono l'identità dell'essere latino americano. Nel 1997 avviene un cambiamento importante per quanto riguarda i mezzi: a partire dall'iniziativa di un produttore di coinvolgere un canale di TV locale e degli sponsor (per ottenere i fondi economici). In questo modo viene creata una serie di sette capitoli di 1'30" ciascuno, da trasmettere in TV con frequenza giornaliera proprio nell'ora in cui i bambini vanno a dormire. Nascono così

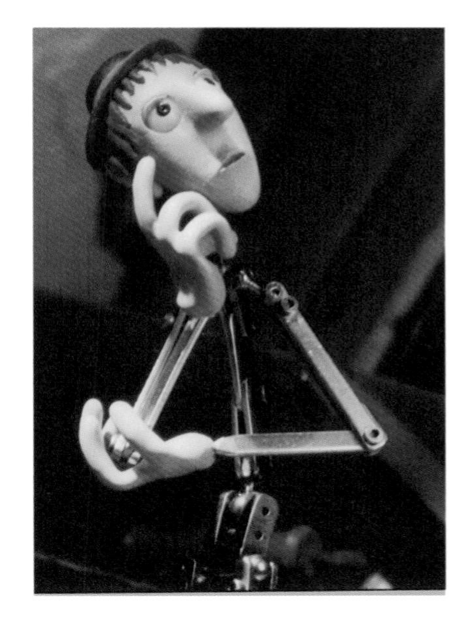

dei simpatici personaggi chiamati "Tatitos", che in ogni capitolo interpretano una storia che si sviluppa in luoghi conosciuti del Paese: Montevideo, Colonia, Punta dell'Este, la campagna. Sono storie quotidiane dove con grande freschezza e simpatia, sono raccontate l'amicizia, la scuola, la famiglia, la fantasia e la creatività. Il "fenomeno" dei Tatitos acquisisce una dimensione sociale e culturale molto importante e questi cominciano ad essere riconosciuti come personaggi rappresentativi dell'Uruguay, che vanno oltre le classi sociali, i livelli culturali o le bandiere politiche. In questo modo, l'animazione, come prodotto culturale, oltrepassa il circuito degli amanti del cinema riuscendo ad arrivare al pubblico in generale. Questa serie è stata il punto di partenza per i lavori successivi "d'esportazione". In coproduzione con la produttrice S4C di Gales si realizzano capitoli della serie *Racconti animati del mondo* e successivamente lo speciale di mezz'ora *Natale Caribeña*. Così come una seconda serie dei Tatitos realizzata per l'Argentina, formata da 15 capitoli ambientati in diversi punti del Paese, esaltando i paesaggi, la fauna e la flora locali. Attualmente si stanno girando per l'Istituto Interamericano del Niño dei capitoli della durata di un minuto sui diritti dei bambini, ogni Paese latino americano finanzia 2 o 3 capitoli, e successivamente l'Istituto si occuperà di diffonderli. Il cinema come mezzo d'espressione per eccellenza dunque, parte della stessa cultura dell'Uruguay. Un "fatto a mano" che si differenzia per estetica, carisma della non perfezione di origine artigianale e per il valore comunicativo, ma che è soprattutto autentico.

His productions are a guiding light in the audiovisual field for Uruguay and the rest of Latin America. Breaking down movement to build up images is the key part of the animator's work.
For Tournier the cinema is the means of expression par excellence, taking in different arts and communicating ideas. Stop motion animation is the expressive form that allowed him to do something different. He managed to make this discipline into part of Uruguay's culture, a form that can generate an image which is recognizable abroad. Unlike the dizzying 3D animated films made with cutting-edge technology, the stand-out characteristics of this 'handmade' cinema are the aesthetics, the charisma of the imperfections in the handicraft and the communicative value.

Ever since it was invented, animation has always been rather special in the panorama of the world's film industry, especially the ones that used plastiline puppets: an unusual combination of handicrafts and technology. Articulated puppets that spoke and used a range of subtle gestures to express a whole range of feelings and emotions; puppets made of steel sheets, plastiline, wood and latex and handmade by craftsmen. The painstaking work needed to create these puppets and stage space normally begins by someone putting together small pieces of different types of materials. These are then used to produce films, "frame-by-frame". Every second of filming requires 24 frames, 24 photographs of minute movements that gradually give continuity and smoothness to the action. Walter Tournier (Montevideo, 1944) is one of the most important creatives in the Animated Film industry. His work is a point of reference for all audiovisual films in Uruguay and the whole of Latin America. He has received many national and international awards for his work. For example, the short film *Nuestro pequeño paraíso* (1982) chosen at the Festival d'Annecy in France in the retrospective on the best animated films of the twentieth century: his was the only Latin American product to be chosen. Tournier studied architecture, but his penchant for communications soon steered him towards documentaries. In the sixties, he got involved in animated films quite by chance when he shot a fairytale in "animated paper" (a cartoon made of pieces of cut-out paper). Later on, he shot *En la selva hay mucho por hacer*. During the dictatorship he emigrated like many other famous representatives of the country's national culture. In Peru, he studied archaeology and got to learnt animation better by shooting a number of films: *El condor y el zorro*, *El clavel desobediente*, *En el pepel un sueño* and *Nuestro pequeño paraíso*. When he went back to Uruguay in the mid-eighties, he made his film animated film: *Los escondites del sol*, trying to forge ahead in a field where there was very little production and very little cultural investments. Decomposing movements to compose images is an animator's main job. Every scene has to have a storyboard where movements, expressions,

lighting, the text and the frame are studied and decided. What's fascinating is the composition, the definition of each single little detail; this is where you see the talent of the animator and the public can identify with and enter into the story. Walter Tournier's animations are all very expressive and his puppets all have a very definite personality. Every movement is important because every movement conveys something. The plasticity, the three-dimensional design, the depth, the study of colour, the rhythm and movement, the background music and the dubbing have to be adapted to each situation. All these things come together to produce the final, high quality image that is instantly recognisable. His stories communicate life, they create a fantasy world that convey his values and his tenderness; they contrast the current flood of animated products where the aesthetics of violence prevail. His puppets express his ongoing search for a national and Latin American identity, his desire to transmit his way of thinking and being, his will to discuss topics that include education, culture, ecology and social and political issues. The music, the environment, the vegetation, the fauna, the way the puppets are dressed all come together and reflect the identity of his Latin American personality.

In 1997, there was an important change in the use of the media: it all started when a producer contacted a local TV channel and found some sponsors (to get financial backing). Seven, one and a half hour episodes were shot and transmitted each day on open-access television, just when the children were going to bed. The funny puppets were called "Tatitos". Every episode took place in a different place in the country: Montevideo, Colonia, Punta dell'Este, the countryside. These were everyday stories that were told in a fresh, easy-going manner: they focused on friendship, school, the family, fantasies and creativity. This "Tatitos" phenomenon had a very important social and cultural dimension and they began to be considered as puppets that represented Uruguay, puppets that went beyond social classes, levels of education or political colours. This is how animation, as a cultural product, goes beyond confines of film freaks and reaches the general public. This series started a trend that led to other "exportable" projects. In co-production with the company S4C of Gales, other episodes were produced: the series *Animated Stories of the World* and later, a half hour special called *Navidad Caribeña*. A second series of Tatitos was also produced for Argentina. It had fifteen episodes set in different areas of the country and focused on the local flora and fauna. At present, one-minute episodes are being shot for the InterAmerican Children's Institute on children's rights; every Latin American country has financed two or three episodes and the Institute is going to distribute them. The films as an excellent means of expression, part of Uruguayan national culture. This charisma of artisanal imperfection and a communicative value: Above all it is authentic.

K
A

FELIZ CUMPLEAÑOS

why not associates

Tradizione e modernità british
Tradition & British Modernity

Why Not Associates opera attraverso differenti media, sviluppando progetti di corporate identity, digital design, progetti editoriali, grafica dinamica e video portando avanti una ricerca progettuale che coniuga la raffinata tradizione della tipografia inglese con le sperimentazioni legate alle nuove tecnologie. In alcuni interessanti interventi di arte urbana per le cittadine di Auchterarder, Morecambe, Carlise, i beni culturali e ambientali sono stati valorizzati da operazioni tipografiche a scala architettonica.

David Ellis e Andy Altmann, classe '62, s'immergono nella scena del graphic design londinese alla fine degli anni ottanta, esplorando non i tradizionali scenari della cultura giovanile londinese come la musica e l'arte già indagate con successo da designer come Vaughan Oliver, Peter Saville e Neville Brody, ma puntando ad un obiettivo diverso. Why Not applicano le loro idee e i loro sperimentalismi alle grandi società multinazionali e ciò nonostante pochi altri team progettuali britannici possono vantare una presenza altrettanto forte sul territorio locale. Mentre Tomato dichiarava pubblicamente il suo amore per i grattacieli di New York e Jonathan Barnbrook guardava al Giappone, Why Not progettava francobolli per il quarantesimo anniversario della ascesa al trono della Regina Elisabetta, lavorava alla campagna elettorale di Tony Blair e creava allestimenti per il Department of Trade and Industry. Più recentemente Ellis e Altmann hanno creato delle esposizioni multimediali per due grandi firme del cosiddetto "Brit Style", Sir Paul Smith e Malcolm McLaren, *brand identity* per il Royal College of Art in occasione di due delle più controverse e importanti mostre d'arte degli ultimi anni, "Sensation" e "Apocalypse", un ambiente tipografico a scala architettonica per la scultura del famoso attore comico Eric Morecambe nella sua città natale. Why Not si è così distinto, per la scelta delle committenze e per il suo approccio progettuale, come portabandiera di un modo modernamente "british" di operare nel settore. Ellis e Altman hanno studiato graphic design a Londra, prima al Central Saint Martin's e poi al Royal College of Art, vale a dire le due fucine della creatività inglese degli ultimi anni. Era un delicato momento di transizione nel rapporto tra design e tecnologia, un momento in cui gli studenti lavoravano su composizioni di caratteri tipografici in metallo mentre questi facevano la loro comparsa in forma digitale nei primi Mac. La serie di poster per "Apocalypse, beauty and horror in contemporary art", la mostra del Royal College sui valori estetici contemporanei a ridosso del XXI secolo, è un chiaro esempio della sensibilità utilizzata da Why Not nel trattamento delle *font*. Nel presentare la mostra, Ellis e Altmann, anziché utilizzare un'immagine di uno dei lavori in catalogo, creavano una distorsione del carattere *trade gothic* che consisteva nell'annerire gli 'occhi' delle lettere. In questo modo la parola *Apocalypse* assumeva un aspetto pesante e cupo, che da solo, sovrapposto a immagini di positività, determinava un contrasto incredibilmente narrativo e drammatico. La sperimentazione delle

quattro dimensioni spaziali e temporali nella composizione tipografica è da sempre un'importante componente nel lavoro di Why Not, con applicazioni sia nei video e nei progetti multimediali, sia nelle intricate composizioni per la stampa. Ma è soprattutto nei lavori di arte urbana, realizzati in collaborazione con l'artista Gordon Young, che Why Not esplora nuove possibilità con le quali il graphic designer raramente si confronta, come la prospettiva, le scale dimensionali, le caratteristiche dei materiali, l'influenza delle condizioni atmosferiche; nasce l'esigenza di realizzare artefatti grafici che non affidino la loro esistenza alla consistenza della carta o alla mutevolezza delle leggi di mercato, ma che conservino la qualità fisica e simbolica del progetto per anni. L'intervento di riqualificazione urbana nella cittadina di Carlisle, è una trasposizione contemporanea di un tema tradizionale. Su un blocco di granito di 7,5 tonnellate posizionato su un percorso pedonale è iscritta una maledizione del XVI secolo pronunciata dall'arcivescovo di Glasgow contro i ladri di greggi che operavano nella zona. Nel 2002 Why Not collabora con Gordon Young ad un progetto di arte urbana nella città costiera di Morecambe. L'idea è quella di un percorso pedonale lungo trecento metri con iscrizioni tipografiche tratte da poesie, prosa, detti popolari e canzoni che si riferissero alla vita degli uccelli. La baia di Morecambe infatti, ospita più specie migratorie che qualsiasi altra parte d'Europa. Nasce così "A Flock of words", uno stormo di parole, un camminamento che conduce dalla stazione al fronte del mare, in una connessione visiva e tematica di poesie e liriche ornitologiche che va dalla Genesi a Spike Milligan, con l'obiettivo di informare, intrattenere, educare, e stimolare il visitatore. Le lettere composte in caratteri *Gill Sans* e *Perpetua* sono state realizzate con materiali come granito, cemento, acciaio, ottone, vetro e bronzo. Il percorso del progetto combina le capacità di diverse figure professionali: dell'artista, dello scultore, dell'incisore, dell'intagliatore, dell'ingegnere così come del grafico. Per la sua scala, per l'impatto sulla comunità, per la sua portata fisica e per l'interazione corporale e non più solo visiva con la tipografia, "A Flock of words" è la cosa più vicina ad un progetto di architettura che una firma del graphic design abbia mai realizzato.

A Flock of Words – Morecambe, particolari del percorso e fasi di realizzazione
A Flock of Words – Morecambe, details of the pavement and construction works

Why Not Associates works across various media, developing corporate identity and digital design, editorial design, dynamic graphics and video projects, carrying out a design research that combines the refined tradition of British typography with experimentation connected to new technologies.
In some interesting urban art works in the towns of Auchterarder, Morecambe, Carlisle, the cultural and environmental heritage has been enhanced through architecture-sized typographic actions.

Eric Morecambe Memorial – Morecambe, particolare delle iscrizioni | detail of the inscriptions

David Ellis and Andy Altmann, both born in 1962, were captivated by the graphic design scene in London at the end of the eighties. They didn't explore the traditional cultural panorama of young people in London, music and art, because the latter had been successfully studied by designers the likes of Vaughan Oliver, Peter Saville and Neville Brody. *Why Not* has another goal in mind. To try out their ideas and experiments on big multinationals, even though very few British design teams are as famous in Britain. While Tomato publicly declared his love affair with skyscrapers in New York and Jonathan Barnbrook was studying Japan, *Why Not* were designing stamps for the 40th anniversary of the coronation of Queen Elisabeth, working on Tony Blair's election campaign and creating exhibitions for the Department of Trade and Industry. More recently, Ellis and Altmann have been designing multimedia exhibitions for two very important designers of the so-called *Brit Style*, Sir Paul Smith and Malcolm McLaren, a *brand identity* for the Royal College of Art to be used to promote two of the most controversial and important art exhibitions in recent years, *Sensation* and *Apocalypse* and an architectural typographic environment for the sculpture of the famous comic actor Eric Morecambe in his hometown. *Why Not* has made a name for itself by carefully

selecting its clients and by creating its own design approach: it is a flag carrier of a modern *British* way of working in this field. Ellis and Altman studied graphic design in London, first at the Central Saint Martin and then at the Royal College of Art, in other words, the two most recent cauldrons of English creativity. That was a rather complicated period of transition in the relationship between design and technology, a time when students used to work on metal typographical compositions just as they were beginning to appear in digital form in the first Macs. The series of posters for *Apocalypse, beauty and horror in contemporary art*, the exhibition at the Royal College on contemporary aesthetics just before the twenty-first century, is a very good example of *Why Not's* sensibility in their use of *fonts*. When they presented the exhibition, instead of using one of the works in the catalogue, Ellis and Altmann created a distortion of the *trade gothic* font by blackening the "eyes" of the letters. So the word *Apocalypse* became heavy and dark and by superimposing it over other positive images, this created an incredibly narrative and dramatic contrast. Experiments on the four dimensions of space and time in typographic compositions have always been an important part of their work. They've used it in videos, multimedia projects and intricate print compositions. Through their urban art work carried out together with the artist Gordon Young, *Why Not* explore new possibilities that graphic designers entertain, such as perspective, dimensional scales, the characteristics of materials, the influence of the weather. They feel the need to create graphic artefacts that don't owe their existence to the weight of the paper or the whims of the market, but preserve their own physical and symbolic characteristics for many years. The urban regeneration project in the city of Carlisle is a modern transposition of a traditional theme. On a 7.5 ton block of granite located along a pedestrian walkway, they wrote a sixteenth century curse pronounced by the Archbishop of Glasgow against local sheep thieves. In 2002, *Why Not* worked with Gordon Young on an urban art project in the seaside town of Morecombe. The design focused on a 300 meter pavement with typographic inscriptions taken from poems, prose, popular sayings and song lyrics that talked about the life of birds. Morecombe Bay hosts more migratory species than any other area of Europe. And so *A Flock of Words* was created, a walkway that runs from the station to the seafront in a visual and conceptual link between poetry and ornithological lyrics that include Genesis and Spike Milligan: the aim was to inform, entertain, educate and inspire the visitor. The letters, *Gill Sans* and *Perpetua* fonts, are made of granite, concrete, steel, brass, glass and bronze. The walkway combines the skills of different professionals: artists, sculptors, engravers, carvers, engineers and graphic designers. The size, impact on the community, physical dimension and corporal and physical interaction with the typography of *A Flock of Words* is the closest thing to an architectural design ever created by this graphic design team.

A Flock of Words – Morecambe, particolare del percorso
A Flock of Words – Morecambe, a detail of the pavement

Eric Morecambe Memorial - Morecambe

A Flock of Words – Morecambe, fase di realizzazione
A Flock of Words – Morecambe, construction work

Inventario
An Inventory

In questa breve narrazione non esaustiva e senza pretese scientifiche cerco di riassumere o ricordare in brevi paragrafi, quelli che mi sembrano alcuni aspetti particolari della grafica a Roma.

Generazioni: in un bell'articolo su "Modo" (n. 214, settembre 2001) Giovanni Anceschi, recensendo la monografia *Ettore Vitale visual designer* di Arturo Carlo Quintavalle (Electa 2001), elencava i grafici intervenuti alla presentazione di quel volume distinguendoli tra due generazioni: "... erano presenti, significativamente, i principali esponenti della fase pioneristica della grafica romana come Rinaldo Cutini, Ferro Piludu, Enzo Ragazzini, Sergio Salaroli, Michele Spera, e anche rappresentanti delle generazioni successive come Carla Cacianti, A.L. [bontà sua, Giovanni Anceschi riporta anche il mio nome], Bruno Magno, Daniele Turchi, ecc.". E certo nella seconda fascia avrebbe inserito anche Giovanni Lussu se non lo avesse citato qualche riga prima tra i relatori che avevano presentato il volume, oltre allo stesso Anceschi.
C'erano una volta "i muri": passeggiare per le vie di Roma, o più realisticamente infilarsi nel traffico e negli ingorghi, negli anni della "fase pioneristica" era un po' come visitare una mostra di grafica. Grazie alla comunicazione dei partiti, ìin particolare in occasione delle grandi celebrazioni nazionali (il 25 aprile, il 2 giugno), le opere più note e importanti di Ettore Vitale (Partito Socialista Italiano), Michele Spera (Partito Repubblicano Italiano), Bruno Magno (Partito Comunista Italiano) scorrevano sui muri, curiosamente condensate vicino alle sedi dei rispettivi partiti (chi li attaccava voleva probabilmente rassicurare i committenti sulla loro massiccia diffusione).
Libri: 500 case editrici nel Lazio. Una vivace realtà confermata dal successo della Fiera della piccola e media editoria che da qualche anno si svolge al Palazzo delle Esposizioni all'Eur. Un settore di mercato piuttosto ampio e molto pertinente per la grafica che i giovani neodiplomati, se ricchi di competenze, dovrebbero tenere ben presente per il loro inserimento nel mondo del lavoro.
Un settore dinamico nel quale le esperienze di qualità di alcuni professionisti fanno da stimolo. È il caso di Riccardo Falcinelli con la casa editrice Minimum fax e la collana Stile libero di Einaudi e di Fausta Orecchio che da grafica per l'editoria è passata ad essere lei stessa editore con Orecchio acerbo, una pluripremiata casa editrice di libri illustrati per ragazzi.
Testi e riviste di grafici: non sarebbe un resoconto adeguato se oltre alle risorse specificatamente professionali non citassi alcune iniziative editoriali che non possono più essere definite occasionali ma che ormai appaiono come un aspetto peculiare del 'fervore grafico' romano.
Si tratta di collane progettate e curate da grafici o di libri scritti da grafici, e non solo per mostrare il proprio lavoro. In alcuni casi rispondono al semplice principio del 'fare': "se cerchi qualcosa che non c'è, fallo".

Hands off, progetto interattivo autoprodotto, Cristina Chiappini
Hands off, self-produced interactive design project, Cristina Chiappini

Edizioni Stile Libero Einaudi, progettazione tipo-grafica ed immagine editoriale, Mediagrafia
Stile Libero Einaudi Editions, project of the editorial and image graphics, Mediagrafia

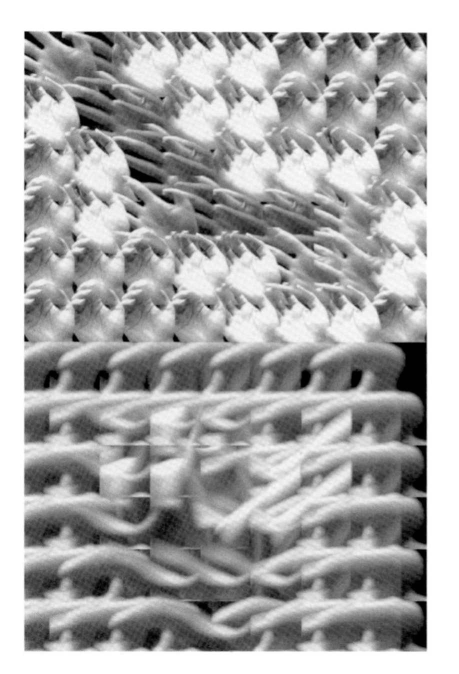

Prima fra tutte la collana Scritture (Stampa alternativa & Graffiti) diretta da Giovanni Lussu, nella quale dal 1996 sono stati pubblicati 15 testi di grande prestigio che molto hanno contribuito alla conoscenza e consapevolezza della disciplina in questi anni. Si tratta di libri imprescindibili. Tra le cose più recenti bisogna poi ricordare il volume di Fabrizio M. Rossi, *Caratteri e comunicazione visiva* (al Ferro di Cavallo, 2004) che rimette al centro della comunicazione l'attenzione per la scrittura; e il libro di Roberto Steve Gobesso, *Ikonomachia* (CasadeiLibri, 2006), un originale *graphic novel* iperillustrato e denso di rinvii e annotazioni che ne fanno un testo pressoché infinito. Recenti sono anche altri due volumi di grafici romani della generazione "pioneristica" ma tuttora brillantemente e vivacemente operativi: quello di Michele Spera, *La progettazione grafica tra creatività e scienza* (Gangemi, la nuova edizione è del 2005) un originale 'manuale' universitario costruito attraverso esempi tratti dalla vita professionale dell'autore, e quello di Ettore Vitale, *Il segno. Conversazione con Giovanni Anceschi* (edizioni Progresso grafico, 2006) nel quale l'autore recupera il valore del segno, centro della comunicazione in centinaia di suoi lavori. E penso che sia di qualche interesse o almeno singolare che una rivista come "Progetto grafico", edita da Aiap che è l'associazione professionale dei grafici, sia realizzata proprio a Roma. Ma su "Progetto grafico", essendone il Direttore, mi limito a una pura constatazione geografica.
Occasioni mancate: ma Roma è anche territorio di occasioni mancate, per chissà quale confusione o equivoco o inconsapevolezza. Occasioni che se diversamente utilizzate ne avrebbero potuto fare uno dei 'ritrovi' più interessanti per una grafica di livello e qualità internazionali. In una città in grande fermento e sede delle più importanti istituzioni gli enti pubblici hanno abbandonato da tempo l'idea della produzione di nuova comunicazione visiva attraverso l'organizzazione di concorsi internazionali ai quali invitare o per i quali sollecitare la partecipazione dei più grandi studi professionali, consentendo comunque la partecipazione e il confronto con le generazioni più giovani, oggi invece costrette e relegate nelle loro nicchie. Oramai anche nella comunicazione visiva si preferisce la strada della facile spettacolarizzazione (il caso del logo della Festa del cinema affidato a Renzo Piano, meraviglioso architetto ma privo delle competenze del graphic designer) oppure la retorica di populistici concorsi che poi non producono nulla (il concorso 'aperto a tutti' per il logo 'turistico' di Roma, una formula che ha dimenticato che il noto "I love NY" è stato disegnato non dal primo passante ma da Milton Glaser).
Andava diversamente appena qualche anno fa quando l'Agenzia del Giubileo organizzò un concorso internazionale a inviti per una nuova font da utilizzare per le manifestazioni legate al Giubileo. E il concorso produsse puntualmente un meraviglioso carattere disegnato da Gerard Unger dal nome *Capitolium* che nonostante fosse stato ceduto gratuitamente (almeno per un periodo) al Comune, e nonostante il nome, è stato poi prontamente

Annual report per una società di ingegneria informatica, Baldassarre CarpiVitelli
Annual report for a society of computer science engineering, Baldassarre CarpiVitelli

Sinottico di Corporate e Brand Identity, Inarea (International Network of AReA)
Synoptic of Corporate and Brand Identity, Inarea (International Network of AReA)

dimenticato. Tralascio: tralascio per motivi di spazio alcune esperienze che sarebbe stato utile ricordare. Ad esempio nell'ambito del web: Paolo Campanelli, protagonista della *new economy* con l'agenzia Uhuru assorbita poi da Kataweb (e oggi con Lallaria), o Cristina Chiappini con il suo lavoro di ricerca nella progettazione per la rete (ma non solo).
Tralascio anche, ma devo almeno citarlo, il lavoro di Piergiorgio Maoloni per l'informazione quotidiana. Purtroppo da poco scomparso, è stato il protagonista indiscusso del redesign dei più importanti quotidiani: dalla mitica prima pagina del "Messaggero" che annunciava il primo passo dell'uomo sulla luna alle continue sperimentazioni che hanno scandito la storia del "manifesto". Oltre al merito di aver segnato un cambiamento nell'informazione stampata, Maoloni ne ha molti altri tra cui quello di aver creato un piccolo gruppo di 'allievi', qualità professionale e personale non così frequente.Nicchie: se a distanza di cinque anni gli elenchi di cui parlavo nel piccolo paragrafo iniziale dovessero essere aggiornati potremmo farlo solo stilando un nuovo elenco.
Anceschi parla di "generazioni", parla di "fasi pioneristiche della grafica romana" ma si guarda bene dall'usare un'espressione che pure sarebbe risultata facile e densa di fascino, come 'Scuola romana'.
Perché non c'era e non c'è alcuna 'scuola romana', non c'era e non c'è, a mio avviso, possibilità alcuna di fare riferimento a una tendenza estetica

comune e peculiare dei grafici di Roma. C'è un ampio numero di studi professionali che rispondono a variegate richieste di mercato. Raramente si tratta di studi specializzati in settori particolari della comunicazione. Oggi la professione si trova (provvisoriamente) relegata, a causa di una diffusa incompetenza di chi nel privato o nel pubblico si occupa di comunicazione (nonostante la nota legge 150 che prescrive la consulenza di comunicatori per gli enti pubblici, ma si sa che soprattutto ne hanno usufruito i giornalisti), in un mondo di nicchie più o meno grandi, più o meno rigide ma di alta qualità.
È il caso di Vertigo Design (Mario Fois, Mario Rullo), BalCaVit (Stefano Baldassare, Maria Cristina Vitelli, Ada Carpi), Silvana Amato, Francesca Pavese. Ma è necessario anche dire che la questione della grafica si è frantumata slabbrandosi e mescolandosi e diluendosi con altre competenze e disegnandosi un ruolo che sempre più diffusamente viene definito di regia. E in questa logica stiamo assistendo proprio a Roma prima che altrove (anche oggi potremmo parlare di 'pionieri') al tramonto di alcuni capisaldi della grafica, come ad esempio quello dell'immagine coordinata, di rigida impostazione che sta cedendo il terreno alla progettazione di immagini forse meno denotative ma visivamente più complesse e articolate, idonee per essere utilizzate su mezzi diversi di cui oggi la comunicazione dispone.

Elefanti, mock-up per la comunicazione di Electrabel, Inarea (International Network of AReA)
Elephants, mock-up for the corporate communication of Electrabel, Inarea (International Network of AReA)

Vespa, soggetto tratto dal calendario Vespa 1998, Inarea (International Network of AReA)
Vespa, subject taken from the Vespa Calendar 1998, Inarea (International Network of AReA)

In this short, incomplete narrative that makes no claim to be scientific, I'll try and summarise or remember in short paragraphs what I believe to be some of the outstanding qualities of graphics in Rome.

Generations: in an interesting article in the magazine *Modo* (n. 214, September 2001) Giovanni Anceschi reviewed the monograph *Ettore Vitale visual designer* by Arturo Carlo Quintavalle (Electa 2001). He listed the graphic artists who took part in the presentation, dividing them into two generations: "...the most important representatives of the pioneer age of Roman graphics were, appreciably, present, people like Rinaldo Cutini, Ferro Piludu, Enzo Ragazzini, Sergio Salaroli and Michele Spera, as well as representatives of later generations like Carla Cacianti, A.L. [graciously, Giovanni Anceschi also lists me], Bruno Magno, Daniele Turchi, etc." I'm certain he would also have put Giovanni Lussu in the latter list if he hadn't cited him a little earlier as one of the critics who had presented the book with Anceschi himself.
Once upon a time there were "the walls": walking along the streets of Rome or, more realistically, snaking through city traffic and traffic jams during the "pioneer years" was a little like visiting an exhibit of graphic artists.
Thanks to the propaganda of the political parties, especially during national celebrations (April 25, June 2). the most important and famous works by Ettore Vitale (Italian Socialist Party), Michele Spera (Italian Republican Party) and Bruno Magno (Italian Comunist Party) were posted on walls.
Strangely enough they were all concentrated around the headquarters of their respective political parties (whoever posted them probably wanted to reassure the clients that they had been widely distributed).
Books: 500 publishing houses in the Lazio region. A lively reality confirmed by the success of the Fair of small and medium-sized publishing houses which has taken place for the past few years in the EUR Exposition Hall.
A rather large market segment for graphics that any young graduate with good skills should remember when trying to access the world of work.
A dynamic sector stimulated by the excellent experiences of certain professional artists. For instance, Riccardo Falcinelli and the publishing house, *Minimum fax*, and the collection *Stile libero* by Einaudi as well as Fausta Orecchio who was once a graphic artist for publishing houses and is now a publisher herself with her company, *Orecchio acerbo*, that distributes illustrated children's books.
Graphic texts & magazines: this article wouldn't be complete if, alongside these specific professional resources, I didn't mention some of the editorial initiatives that can no longer be considered 'one off,' because they have become a characteristic trait of 'graphic fever' in Rome.

Sinottico di immagine coordinata di Istituzioni e Aziende, Studio Spera & Spera
Synoptic of the coordinated image of Institutions and Companies, Studio Spera & Spera

Campagne pubblicitarie per l'ENI (Ente Nazionale Idrocarburi), Orecchio Acerbo
Advertising campaigns for ENI (Ente Nazionale Idrocarburi), Orecchio Acerbo

I'm talking about collections, designed and produced by graphic artists, or books they wrote not simply to showcase their own work. In some cases, they wrote them for the sheer pleasure of writing them: "if you look for something that doesn't exist, create it."
First and foremost, the *Scritture* collection (Stampa alternativa & Graffiti) directed by Giovanni Lussu. Ever since 1996, this collection has published 15 extremely prestigious books that in recent years have extensively contributed to making this discipline better known and understood. These are crucial, indispensable books.
More recently, there's the book by Fabrizio M. Rossi, *Caratteri e comunicazione visiva* (Al ferro di Cavallo 2004) that emphasises the importance of script in communications; and the book by Roberto Steve Gobesso, *Ikonomachia* (CasadeiLibri 2006), a unique graphic novel packed with illustrations, cross-references and notes that makes it an almost endless volume.
Recently, there have been two more books by Roman graphic artists of the 'pioneer' generation, still brilliantly and cheerily active: the book by Michele Spera, *La progettazione grafica tra creatività e scienza* (Gangemi, the new edition is dated 2005) a unique university 'handbook' based on examples taken from the author's professional life, and the book by Ettore Vitale, *Il segno. Conversazione con Giovanni Anceschi* (Progresso grafico 2006) in which the author returns to the importance of signs, the centre of communications, in so many of his works.

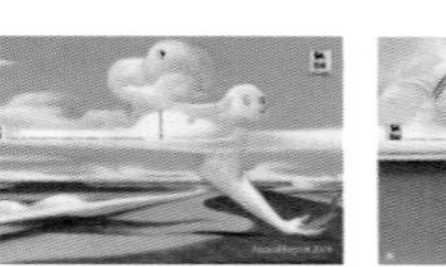

Visual per l'evento "La scelta per il futuro" dell'Agenzia del Demanio, Vertigo Design
Visual for the event "La scelta per il futuro", the State Property Agency, Vertigo Design

L'immagine per i 10 anni della casa editrice Voland, Studio Alberto Lecaldano
The image designed for the tenth anniversary of the Voland publishing firm, Studio Alberto Lecaldano

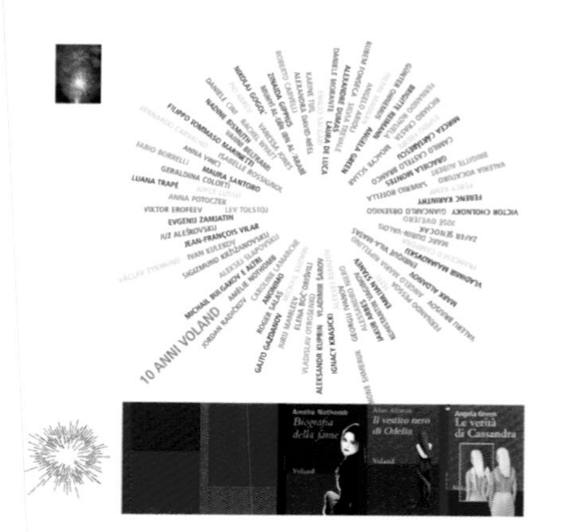

And I think it's interesting, if not strange, that a magazine like "Progetto grafico," published by Aiap, the professional association of graphic artists, is printed in Rome. But since I am director of "Progetto grafico," I will limit myself to this geographical comment.

Lost opportunities: but Rome is also a place of lost opportunities, through confusion, misunderstandings or ignorance. Opportunities that, had they been exploited differently, would have made Rome one of the most interesting 'haunts' for high-level, quality graphics. In a lively city, seat of the most important institutions, public agencies have long abandoned the idea of producing new visual communications by organising international competitions and inviting, or encouraging the participation, of large professional studios.

This would allow the participation (and evaluation) of younger generations who are now forced or relegated to their small niches. Nowadays, even in visual communications, people choose easy spectacularisation (for example, the logo of the Cinema Festival entrusted to Renzo Piano, an amazing architect or the rhetoric of populist competitions that lead to nothing (the competition 'open to everyone' for the 'tourist' logo of Roma, a formula that forgot that the well-known "I love NY" wasn't designed by a nobody Milton Glaser).

Things were different a few short years ago, when the Jubilee Agency organised an international competition for a new font for the Jubilee celebrations. And the competition did actually produce a wonderful type designed by Gerard Unger called *Capitolium* which, despite being provided free (at least for a period of time) to the Municipality, and despite its name, was promptly forgotten.

Omissis: for brevity's sake I will omit some people that should be cited here. For example, concerning the web: Paolo Campanelli, a protagonist of the new economy with the agency, Uhuru, later taken over by Kataweb (and now by Lallaria), or Cristina Chiappini with her research on web design (amongst others).

I will also skim over, but I must at least mention, the work of Piergiorgio Maoloni for newspapers. Recently deceased, he was the undisputed leader of the redesign of the most important newspapers in Italy: from the legendary front page of the "Messaggero" announcing the first man on the moon, to his ongoing experiments for the newspaper "Il Manifesto."

Apart from having instigated change in printed publications, Maoloni had many other skills, including having created a small group of 'pupils', a professional and personal quality that is quite rare.

Niches: if after five years the lists I mentioned in the short introductory paragraph were updated, all we could do would be to write new ones. Anceschi talks of "generations," of "pioneer phases of Roman graphics," but he avoids employing an expression that would have been very catchy

and easy to use: 'Roman School'. Because there wasn't and isn't a 'Roman school', there wasn't and isn't, in my opinion, the slightest chance to refer to a common, unique aesthetic trend shared by graphic artists in Rome. There are many professional studios that respond to the multifaceted requests of the market. Rarely are these studios specialised in any particular field of communications. Today, our profession finds itself (temporarily) relegated in a smaller or bigger, more or less, rigid yet still high quality niche. Why? Because of the widespread incompetence of people in the public or private sector who are involved in communications (despite the famous Law 150 that establishes that public agencies have to use communications experts – and we all know that only journalists have taken advantage of this law).
This is what happened to Vertigo Design (Mario Fois, Mario Rullo) and BalCaVit (Stefano Baldassare, Maria Cristina Vitelli, Ada Carpi), Silvana Amato and Francesca Pavese. But we should also mention that graphics has been crushed, chipped away at the edges, merging and mixing with other skills; its role is increasingly defined as being a 'directing' role. In this context, here in Rome we are the first to witness (we could talk about 'pioneers' again today) the demise of certain cornerstones of graphics, for example, coordinated images and rigid approaches are loosing ground to the design of images that are perhaps less evocative, but visually more complex and intricate: perfect to be used in the various mediums used by modern communications.

Marchio "Auditorium Parco della Musica", Ettore Vitale
"Auditorium Parco della Musica" logo, Ettore Vitale

Digital Patagonia

Impresa vana cercare di trovare tra i lavori dei giovani grafici e illustratori argentini presentati in queste pagine una qualche traccia che testimoni, anche in modo indiretto, la storia di decenni di sconvolgimenti, instabilità politica e sociale, corruzione e violazione dei diritti umani, del recente devastante tracollo economico e finanziario che ha preceduto l'attuale fase di ripresa caratterizzata da una riconquistata stabilità e speranza nel futuro. Per non essere travolti dalla crisi economica e finanziaria che ha interessato il Paese nel 2001, molti giovani argentini sono emigrati in Europa e negli Usa, hanno visto quello che accadeva nel panorama mondiale, assimilato linguaggi, mode e tendenze - dall'immaginario giapponese dei fumetti manga alla sensibilità europea, dall'iperrealismo alla *street art* americana - rielaborando e combinando queste influenze esterne con l'innata attitudine alla sperimentazione oltre che, più o meno consapevolmente, con l'eredità del fermento culturale argentino pre-dittatura.

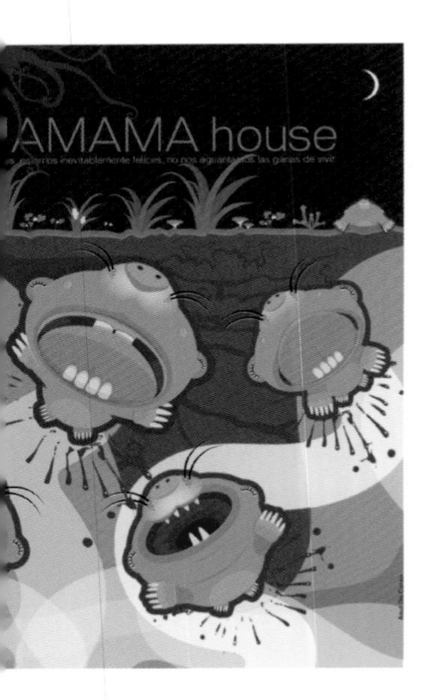

Azul de Corso, Pachamama, Ipod, dolls

Formatisi alcuni presso l'Università di Buenos Aires, punto di riferimento fondamentale per la maggior parte dei designer argentini, altri nell''università della vita', lavorando nel mondo della pubblicità e della moda al di fuori del loro paese, tutti, esprimendosi con la massima libertà, cercano di percorrere ciascuno la propria strada, fuori dagli schemi e dalle etichette, liberi dal peso del passato, sia da quello culturale che politico. Temprati dalla lotta per la sopravvivenza, certi delle proprie convinzioni e proiettati verso il futuro, alla continua ricerca di nuove soluzioni e sempre pronti a sperimentare e imparare cose nuove, comunicano, vendono e interagiscono con i loro colleghi internazionali attraverso internet, quella grande finestra aperta sul mondo che, se da un lato tende ad uniformare i gusti e i linguaggi togliendo loro identità e unicità, dall'altro permette

anche un continuo flusso comunicativo, uno scambio che arricchisce la cultura visiva collettiva. Ipertrofia cromatica, atmosfere oniriche, totale libertà espressiva, mescolanza di generi, tecniche e stili. Un design 'multipiattaforma', le cui uniche regole sembrano essere dettate dalla volontà di sperimentazione e dall'urgenza di libertà d'espressione. Non si pensi subito ad una facile e disimpegnata evasione nel mondo della fantasia: l'oblio, l'immaginazione e la creatività sono sempre utili armi per fuggire e camuffare una realtà traumatica e dolorosa, ma allo stesso tempo la reazione a queste profonde difficoltà ha dato vita a una cascata creativa che mette un punto fermo nella storia della grafica. Una tabula rasa rispetto al passato, una reazione propulsiva ed esplosiva che dichiara un grande spirito vitale di ripresa che trova le sue radici nel temperamento latino e in quel generale approccio alla vita, melodrammatico, sensuale, positivo e seduttivo, che è l'anima di un paese in cui si mescolano tante culture

diverse, lungo un territorio che si estende dalle Ande alla Terra del Fuoco, passando per le fertili e sconfinate pianure della Pampa, i laghi, i boschi e i ghiacciai della Patagonia, dal clima subtropicale a quello subpolare. Ma dopo tanti dolori per queste terre, vediamo adesso tranquilli paesaggi e lande incontaminate popolarsi di nuovi esseri, di coloratissimi personaggi vettoriali, quasi mostri, di irriverenti coniglietti tutt'altro che pasquali ed orsetti robot, di serpenti di seta lunghi quattro metri, di fluttuanti geometrie e vegetazioni poligonali, di urlanti creature animate in 3d, generate da algoritmi vibranti di vita.

L'immaginario e l'estetica del fumetto e dei videogame fusi con il linguaggio della moda e della pubblicità; le tecniche tradizionali dell'illustrazione, unite alle più innovative tecniche di *motion graphic*; la fotografia e il collage, il 3D

Christian Montenegro, Envy, Landscape, Ali Daei, Javad Nekounam

e la grafica vettoriale, i gadget tessili e gli art toys in carta o vinile, personaggi a due dimensioni che sempre più spesso conquistano una propria entità fisica e, con un proprio volume tangibile, invadono la realtà per farsi icone polimeriche, quotate e bramate dal loro mercato. Sono quelli che oggi chiamiamo *vinyl toys*, con una nuova accezione del concetto di giocattolo che non ha più niente a che vedere con il familiare e rassicurante oggetto ludico ed educativo acquistato dai genitori per i propri bambini; niente stereotipi Disneyani e buonismo, giochi per i disillusi meno-giovani nelle nuove generazioni: un articolo di collezionismo di lusso, un feticcio *fashion* simbolo di un nascente immaginario complesso e spaventoso, a volte cinico e decadente, altre dolcissimo e struggente; una nuova popolazione di ironici *characters* customizzabili nati dalle menti provocatorie e visionarie di designer/artisti, partendo da Hong Kong per arrivare a New York. Un vero e proprio movimento (letteralmente *Art Toy, Urban Vinyl* o *Designer Toys*) con un proprio stile e una propria autonomia affermata, una particolare interpretazione della scultura industriale e consumistica, nata dall'estetica pop, dal kitsch e dalla *street art* e mossa dall'innovativa filosofia del *do-it-yourself*.
Tra loro Azul de Corso, graphic designer frizzante e psichedelica, con un curriculum che annovera clienti come MTV, Nickelodeon, Pepsico e Vh1, freelance affermata e con un proprio stile riconoscibilissimo: decorativo fino alle estreme conseguenze di un moderno "puntillismo floreale", evidente nei suoi certosini *artwork* di collage grafico, realizzati per campagne pubblicitarie, animazioni flash e video arte. Ma in Argentina spiccano altri nomi, come ad esempio il gruppo DGPH, che propone una giocabilissima grafica interattiva, ritagliabile se su carta o cliccabile sul web, studio poliedrico per l'uso di tecniche digitali e per le sue realizzazioni plastiche. Tornando invece alla grafica al femminile, quasi a proclamare un *Girl Power* argentino, citiamo Florencia Kohan, coraggiosa illustratrice che ha creato un suo mondo infantile e giocoso, ironico e leggero, che non può non evocare sogni e scenari della memoria. Una testimonianza della intraprendenza dei giovani creativi argentini sta nel fatto che molti si sono fatti editori, produttori e promotori delle loro idee e dei loro stessi lavori, come Juliana Pedemonte, che con il marchio www.colorblok.com commercializza i suoi *design toys*. Personalità intense come Christian Montenegro, invece, emergono per razionalità formale, completezza stilistica e sottile linguaggio ispirato da un pensiero libero e lontano dalle mode, e che, nonostante si tiri fuori dalla corrente Pop che investe disegnatori e fruitori, trova un suo ruolo di outsider inserito. Clamoroso è invece il caso di Gaston Caba, esplosivo personaggio promotore di *happenings* e campagne pubblicitarie internazionali, eclatante quella per Adidas. Genio creativo più simile ad una *rockstar* che ad un disegnatore, si rivela, paradossalmente, più consapevole di altri del patrimonio nazionale e storico del suo paese: non dimentica la rivoluzione artistica che scuoteva l'Argentina degli anni '40, non ignora

personalità come Maldonado e Kasice, Minujin, il Di Tella Institute e la travolgente corrente innovativa dell'Arte Concreta alla quale diedero vita prima della dittatura; si dichiara protagonista consapevole di una generazione ancora troppo legata al modello europeo/nipponico/statunitense, neanche lontanamente paragonabile alle avanguardie storiche di metà secolo. Ma questa presa di coscienza non nega comunque una profonda fiducia nel coraggio e nel talento di alcuni suoi colleghi e nell'iniziativa artistica che sta muovendo i primi passi verso un distacco dal monopolio dello stile mondiale, che si promuove da sola e che, forte del suo carattere individuale e della sua ricerca personale, sta innescando una probabile scintilla per la nascita dello stile nazionale tanto cercato.
Tornati in patria carichi di rinnovata energia e risorse economiche e culturali, sfruttando gli effetti positivi della globalizzazione e delle nuove tecnologie e cavalcando l'onda della domanda globale, questa generazione di giovani creativi argentini è riuscita a realizzare prodotti spendibili all'estero, portando nuova vivacità alle arti visive locali in un contesto di relativo equilibrio e lenta ripresa economica. Una ripresa invidiabile per il contesto culturale, quello che si potrebbe definire un *happy ending* editoriale, dopo tanti affanni, andate, ritorni e rielaborazioni.

Florencia Kohan, Untitled

DGPH, Topo toys, Kid Mole, Wooden Bubble Mole

It would be senseless to seek among the works of the Argentinean graphic artists and illustrators presented here any trace — even indirect — of the decades of disorder, political and social instability, corruption and human rights violations that were a part of the recent devastating economic and financial collapse which preceded the current recovery phase and its renewed stability and hope for the future.
In an attempt to escape the economic and financial crises that dragged the country down in 2001, many young Argentineans fled to Europe and the United States. There, they discovered what was going on in the world, and they assimilated new languages, styles and trends — from the imaginary worlds of Japanese *manga* to a European sensibility, from hyperrealism to American street art. They mixed and re-created these external influences using their own innate knack for experimentation as well as (more or less knowingly) their heritage of Argentina's pre-dictatorship cultural ferment.

While some received formal training at the University of Buenos Aires — a fundamental reference for most Argentinean designers — others attended the 'school of life', working in the advertising and fashion world outside their home country. All, however, express themselves with total freedom, and seek their own paths, with no regard for moulds or labels, freed of the weight of the cultural and political past. Tempered by the fight for survival, certain of their own convictions and looking confidently to the future, they constantly seek new solutions, and are ready to experiment and to learn new things. They communicate, sell and interact with their international colleagues via Internet, that great wide-open window onto the world, which, while tending to standardize tastes and language, thus eliminating their identity and uniqueness, also allows a constant flow of communication, an exchange which enriches our collective visual culture.

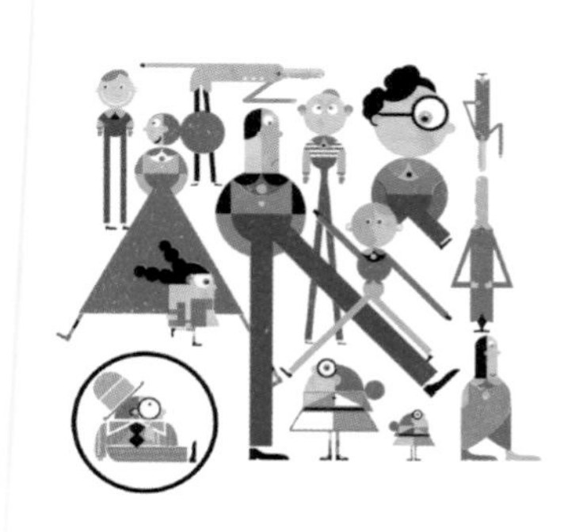

Theirs are colour hypertrophies, dreamlike atmospheres, a total freedom of expression, and mixes of genres, techniques and styles.
Theirs is a 'multi-platform' design, where the only rules seem to be dictated by the desire to experiment and by the urgency of freedom of expression. Do not assume theirs is an easy and disengaged escape into a fantasy world. Although oblivion, imagination and creativity have always been useful tools in escaping and hiding from a traumatic and painful reality, their reaction to these profound difficulties has given birth to a creative flood, which marks a reference point in the history of graphic arts. They have wiped clean their slate of the past, with a propulsive and explosive reaction which is the expression of a vast, vital spirit of recovery rooted in the Latin temperament and in its melodramatic, sensual, optimistic and seductive approach to life. This is the soul of a country combining so many different cultures, with a vast land extending from the Andes to the Tierra del Fuego, crossing the fertile and endless plains

of the Pampas, to the lakes, forests and glaciers of Patagonia, from a subtropical climate to a sub-polar one. But after so much suffering, we now enjoy tranquil landscapes and pristine moors that are peopled with new characters that are colourful and vectorial — almost monsters — with irreverent rabbits sharing nothing with the Easter Bunny, robot teddy bears, 12-foot-long silk serpents, flowing geometries and polygonal vegetation, and shrieking 3D-animated creatures generated through algorithms absolutely bursting with life.
The imagination and aesthetics of graphic novels and video games combine with the language of fashion and advertising; traditional illustration practices join with the most innovative motion graphic techniques; photography and collage, 3D and vector graphics, textile gadgets and art toys made of paper or vinyl, two-dimensional characters which increasingly take on a physical life of their own with their tangible

Christian Montenegro, I'm a Glam, I'm a Ramone, I'm a Rocker

Christian Montenegro, tuk

Gaston Caban, Untitled

Juliana Pedemonte, Untitled

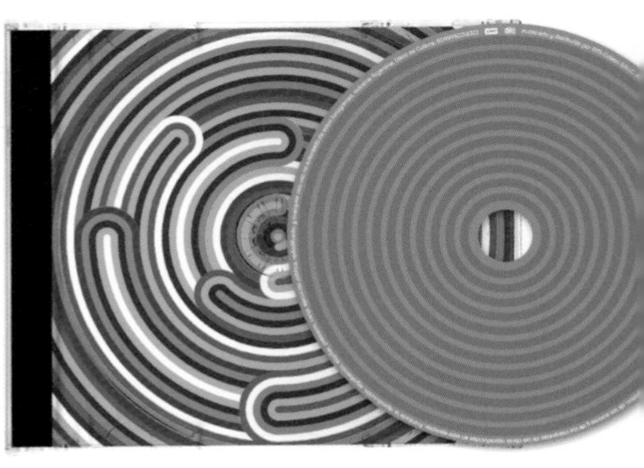

volume; all these invade reality to become polymeric icons that are traded and desired on their market. These are what we now call 'vinyl toys', which give a new meaning to the concept of toy, and which have nothing in common with the familiar and reassuring play and educational objects parents buy for their children; there are no Disney stereotypes or goody-goodies here. These are toys for the disillusioned not-so-young members of new generations: luxury collector's items, fetishist fashion symbols of a nascent, complex and frightening imagination, sometimes cynical and decadent, sometimes sweet and tormenting. They are a new population of ironic, customisable characters born of the provocative and visionary minds of designers and artists ranging from Hong Kong to New York. This is an honest-to-goodness movement (literally Art Toys, Urban Vinyl or Designer Toys) with its own style and established autonomy, a

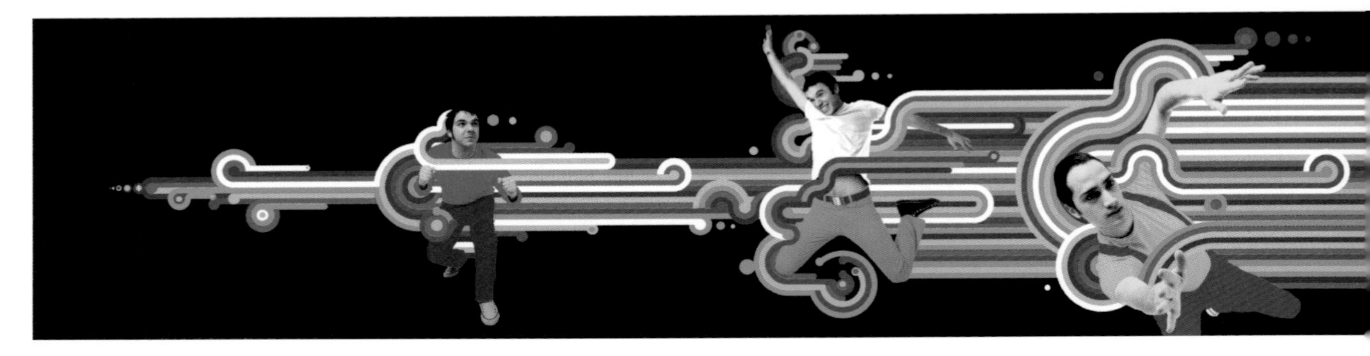

unique interpretation of industrial and consumer sculpture, born of the pop aesthetic, of kitsch and street art, and moved by an innovative do-it-yourself philosophy.

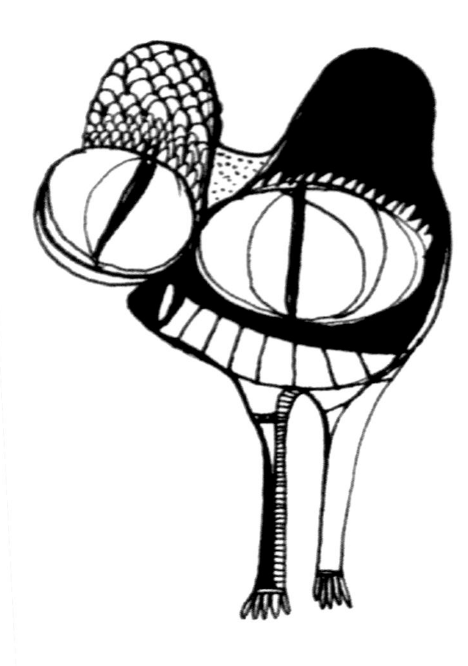

One of these artists is Azul de Corso, a lively and psychedelic graphic designer, whose CV boasts big names like MTV, Nickelodeon, Pepsico and Vh1. She is a well-established freelancer with her own recognizable style: she is decorative to the extreme consequences of a modern 'floral pointillism', seen in her painstaking graphic collages created for advertising campaigns, flash animations and video art.

Other names also stand out in Argentina, like the DGPH group, offering playable interactive graphics, which can be cut out of paper or clicked on the web; it is a versatile studio that uses digital techniques and plastic creations.

Returning to female graphic artists, we might almost declare an Argentinean Girl Power movement, with Florencia Kohan, a courageous illustrator who has created her own childlike and playful world that is ironic and light, and which instantly evokes dreams and scenes from our memory. The entrepreneurship of young Argentinean designers is reflected in the fact that many of them publish, produce and promote their own ideas and works, just like Juliana Pedemonte, who markets her

design toys under the www.colorblok.com brand.
Then there are intense personalities like Christian Montenegro, who stand out for their formal rationality, stylistic completeness and subtle language inspired by thought that is free and far-removed from trends, and who, despite distancing themselves from the Pop culture which invests designers and beneficiaries, find their role as plugged-in outsiders.
A sensational example is Gaston Caba, an explosive promoter of happenings and international advertising campaigns, including a striking one for Adidas. His creative genius has more in common with rock stars than with designers. Yet, paradoxically, he turns out to be more aware of his country's national and historic heritage than most: he hasn't forgotten the artistic revolution which shook Argentina in the 1940s, he is familiar with characters like Maldonado and Kasice, Minujin, the Di Tella Institute

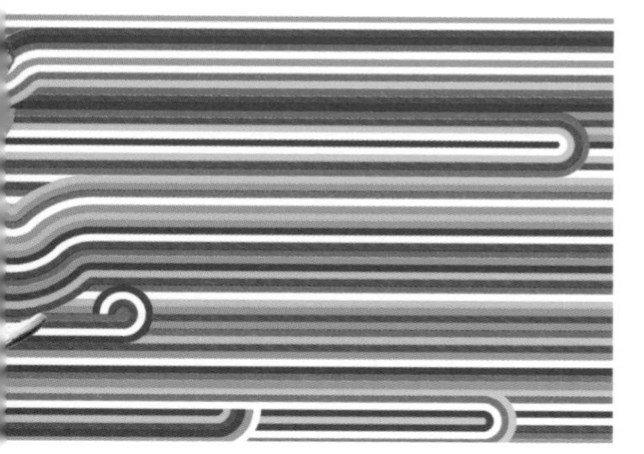

and the overwhelming innovative Concrete Art current they created prior to the dictatorship. He acknowledges that he is a willing protagonist of a generation that is still excessively bound to the European-Japanese-American model, one not even remotely comparable to the historic avant-garde of the mid-20th century. Yet, this awareness can't shake a profound faith in the courage and talent of some of his colleagues and in the artistic initiative that is taking its first shaky steps towards a break with the monopoly of the global style; a new style that promotes itself, and that, backed by its individual character and personal search, could be the flicker of a brand-new much-sought-after national style.
Returning to a homeland bursting with renewed energy and economic and cultural resources, taking advantage of the positive effects of globalisation and new technologies, and riding the wave of global demand, this generation of young Argentinean designers has succeeded in creating products that are marketable abroad, bringing new life to local visual arts in a context of relative equilibrium and slow economic recovery.
This recovery is admirable given its cultural context; one we might define a 'happy ending', following so much trouble, so many travels there and back and so much reworking.

Laura Varski, arbol hormigas booklet

Laura Varski, arbol guau + miau booklet

Laura Varski, cuentos felicidades booklet

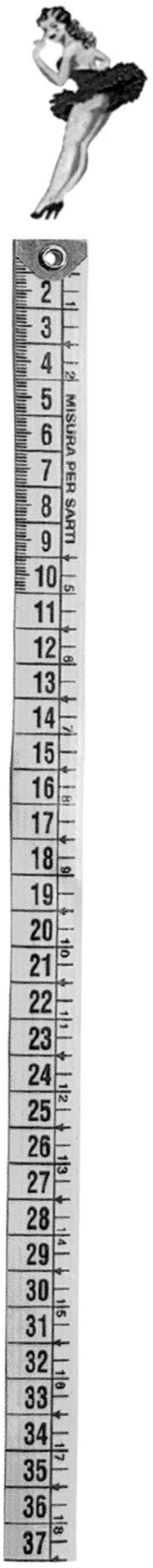

Provocare la differenza
Accent the Difference

Giorgio Armani è tra i primi stilisti ad interpretare i cambiamenti sociali, riuscendo a modificare radicalmente le regole della moda contemporanea e traducendo il tradizionale abbigliamento sportivo e per il tempo libero in comodi ed eleganti abiti per l'ufficio e la sera, in particolare con l'invenzione della "giacca destrutturata", vero archetipo del vestire moderno che ha liberato, soprattutto la donna, da rigide e costrittive convenzioni formali. Le sue creazioni hanno rivoluzionato il mondo della moda e lo hanno reso famoso in tutto il mondo come uno dei più straordinari interpreti e protagonisti del Made in Italy.

Negli anni '70 nasce a Milano il *prêt-à-porter* italiano, che non è solo un nuovo modo di vestirsi e di concepire l'abbigliamento, ma un nuovo atteggiamento della società che sta cambiando: si assiste al passaggio dalla dimensione artigiana a quella industriale della moda, pur restando centrali la qualità e la ricerca dei materiali, il rigore e la sapienza dei particolari. Milano, già fucina del design dagli anni '60, diventa laboratorio del *Made in Italy* o meglio di quello che si definiva *Italian Style*. Nei tumultuosi anni '70, segnati da una vera e propria rivoluzione socio-culturale, gli stilisti italiani escono dagli atelier per avvicinarsi all'industria e alla produzione di serie e cercano di interpretare i nuovi bisogni e i nuovi sogni di una classe borghese emergente che sta definendo i propri stili di vita in uno scenario caratterizzato da un'inedita crisi delle differenze di ruolo e di identità maschile/femminile. Giorgio Armani è tra i primi ad interpretare questi cambiamenti sociali, riuscendo a modificare radicalmente le regole della moda contemporanea e traducendo il tradizionale abbigliamento sportivo e per il tempo libero in comodi ed eleganti abiti per l'ufficio e la sera, donando nuove prospettive a elementi del vestiario ormai dati per scontati, in particolare con l'invenzione della "giacca destrutturata" che è diventata l'archetipo del vestire moderno e ha liberato, soprattutto la donna, da rigide e costrittive convenzioni formali. Come ha affermato lo stesso Armani: "Si cercava uno stile per la donna nuova, impegnata nel lavoro e inserita nel mondo, con requisiti che sostenessero il confronto con l'uomo e la 'giacca destrutturata' era la risposta giusta al momento giusto, facendo piazza pulita dell'eleganza tradizionale, pensando a un modo di vestire diverso, più sciolto e dinamico. Dunque le giacche maschili per la donna, ma ammorbidite per non perdere in femminilità" (*Panorama,* febbraio 1997). Giorgio Armani, dal 1976, anno della sua prima collezione, ad oggi, ha creato uno stile inconfondibile nel settore del *fashion design*, allo stesso tempo sempre nuovo e senza tempo, semplificando la moda maschile e femminile in nome di un'essenzialità rigorosa e di un'eleganza discreta, eliminando inutili ornamenti e superflue decorazioni e soprattutto perseguendo con tenacia l'innovazione senza mai ricorrere alla stravaganza. L'*escalation* dei suoi successi internazionali è dovuta

certamente al suo straordinario talento e alla sua grande intuizione e capacità di innovare trovando un armonioso equilibrio tra aspetti e temi contraddittori, come modernità e tradizione, elegante e casual, bianco e nero, colore e non colore, funzionale e fantasioso, Oriente e Occidente. Ma non solo. L'impatto culturale e sociologico della sua attività di creatore di moda nel panorama del design contemporaneo - ben documentato nella recente mostra *"Giorgio Armani: retrospettiva"*, allestita magistralmente dal regista teatrale Robert Wilson alle Terme di Diocleziano a Roma - è fortemente connesso alle sue particolari doti imprenditoriali. Lo stilista è, infatti, presidente e amministratore unico del Gruppo Armani e il solo azionista della Giorgio Armani S.p.A., casa di moda con un fatturato sempre in crescita, 4.700 dipendenti, 13

Abito da sera, Autunno|Inverno 2002-'03. Campagna pubblicitaria (foto di Paolo Roversi)
Woman's evening ensemble, Fall|Winter 2002-'03. Advertising campaign (photo by Paolo Roversi)

stabilimenti e oltre 250 negozi monomarca in 36 paesi del mondo. Armani sovrintende direttamente a tutti gli aspetti creativi e di design ed è anche personalmente coinvolto in tutte le decisioni strategiche del Gruppo, che, negli ultimi anni, ha diversificato gli investimenti, ha moltiplicato le linee, i punti vendita, le tipologie di prodotto: non più solo abbigliamento per uomo e donna, ma anche scarpe, borse, occhiali, orologi, gioielli, cosmetici, profumi, mobili, accessori per la casa e, addirittura, automobili. E ancora, concept innovativi di negozi, come l'Armani Store a Milano, dove allo spazio per la vendita degli articoli firmati dallo stilista si aggiungono un fioraio, una libreria e un raffinato ristorante; e, infine, alberghi di lusso di prossima apertura in Medio Oriente, logica e coerente estensione della promozione internazionale del

proprio marchio aziendale. Tutto questo testimonia le sue grandi capacità di manager oltre che di *fashion designer*: il saper sempre considerare tutte le variabili del business e tutte le correlazioni tra lo scenario macroeconomico e politico e il posizionamento strategico dell'azienda; il riuscire a diversificare i mercati per ridurre i rischi senza delocalizzare le filiere produttive e il saper traslare i valori estetici e lo stile che hanno caratterizzato il successo del settore abbigliamento ad altri settori coerenti e connessi, contribuendo a costruire e a diffondere nel mondo l'immagine del Made in Italy. Si può, quindi, essere d'accordo con Luigi

Giacca e pantalone da sera, Autunno|Inverno 1997-'98. Campagna pubblicitaria (foto di Paolo Roversi)
Woman's evening jacket and pants, Fall|Winter 1997-'98. Advertising campaign (photo by Paolo Roversi)

Camicia ensemble, Primavera|Estate 1995. Campagna pubblicitaria (foto di Peter Lindbergh)
Man's shirt ensemble, Spring|Summer 1995. Advertising campaign (photo by Peter Lindbergh)

Settembrini quando afferma che Giorgio Armani è "il padre del Made in Italy planetario, l'inventore della moda moderna, democratica, *politically correct*" (*La moda e la memoria*, in AA.VV., *1951-2001 Made in Italy?*, SKIRA, Milano 2001), ma va aggiunto che è uno dei più sensibili interpreti di un concetto di moda che poco ha a che fare con le effimere e transitorie tendenze di gusto a cui sembra facciano riferimento molte delle attuali definizioni di *fashion*. Il suo design, da quasi quarant'anni, si relaziona con un sistema di valori duraturo e rappresenta e definisce un particolare stile di vita, moderno, democratico, libero, privo di sovrastrutture, non convenzionale e anche *politically correct*. Pertanto il suo modo di concepire la moda sembra coincidere con una bella definizione di Gillo Dorfles di diversi anni fa: "La moda non è soltanto

Completo, Autunno|Inverno 1978-'79. Campagna pubblicitaria (foto di Aldo Fallai)
Woman's suit, Fall|Winter 1978-'79. Advertising campaign (photo by Aldo Fallai)

Completi pantalone, Primavera|Estate 1987 (foto di Aldo Fallai)
Woman's pantsuit and Men's suits, Spring|Summer 1987 (photo by Aldo Fallai)

uno dei più importanti fenomeni sociali – ed economici – del nostro tempo: è uno dei metri più sicuri per misurare le motivazioni psicologiche, psicoanalitiche, socioeconomiche dell'umanità. Ed è anche una delle depositarie di quello stile e di quella maniera che in una data epoca guida e indirizza il design applicato all'abbigliamento, alle stoffe, agli oggetti di arredamento. È dunque uno dei più sensibili indicatori di quel particolare 'gusto epocale' che costituisce sempre la base di ogni valutazione estetica e critica di un determinato periodo storico" (*Mode & Modi*, Mazzotta, Milano 1979).

Giorgio Armani was one of the first to pick up on the changes that were underway in society. He managed to radically alter the rules of contemporary fashion and adapt traditional sports and leisure wear into comfortable and elegant outfits for work and social occasions. He gave a new outlook to elements of clothing which had become accepted as a given, in particular with the invention of the 'unstructured jacket'. It became the archetype of modern dressing and it freed wearers, especially women, from rigid, constrictive formal conventions. His output has revolutionized the fashion world and made him famous across the globe as one of the most extraordinary characters and players on the Italian creative scene.

Italian pret-à-porter began in Milan in the seventies. It wasn't just a new way of dressing and designing clothing, but a new mind-set of a changing society.
There was a shift from craftsmanship to the industrialisation of fashion, even though research, the quality of the fabrics, the artisans' seriousness and knowledge of details, remained the same. Already the hotbed of design in the sixties, Milan became the 'furnace' of Made in Italy, or what was then called Italian Style. In the tumultuous seventies that witnessed a social and cultural revolution in Italy, fashion designers left their ateliers

Allestimento della mostra *Giorgio Armani* (Sezione "Tavolozza e Struttura") presso lo spazio della Royal Academy, 6 Burlington Gardens, Londra 18 ottobre 2003 - 15 febbraio 2004 (foto di James Morris)
Installation view of *Giorgio Armani* ("Palette and Structure" theme) at the Royal Academy's space at 6 Burlington Gardens, London, October 18, 2003 - February 15, 2004 (photo by James Morris)

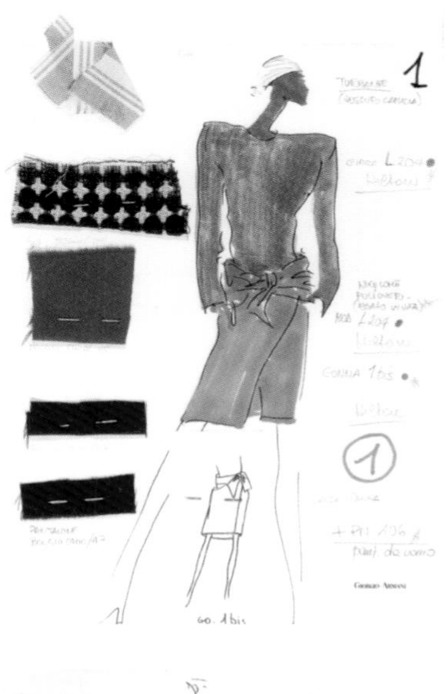

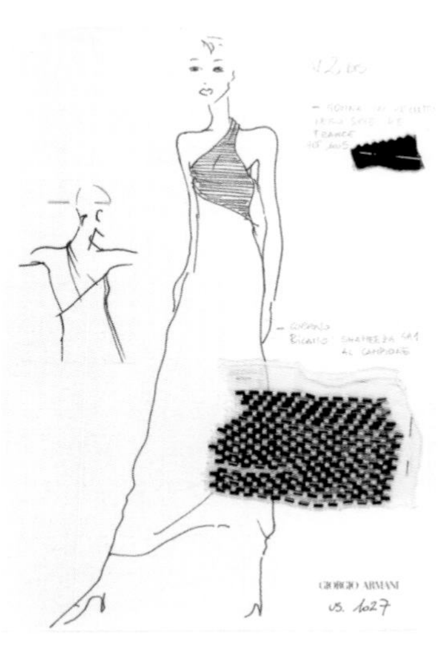

Schizzi di Giorgio Armani, Autunno|Inverno 1997-'98 (foto di Ellen Labenski)
Sketches by Giorgio Armani, Fall|Winter 1997-'98 (photo by Ellen Labenski)

and started to collaborate with industry to design ready-made clothes. They tried to interpret the new demands and new dreams of an nascent bourgeois class that was trying to define its lifestyle in a scenario characterised by an unusual identity crisis of the roles of men and women. Giorgio Armani was one of the first to understand and interpret these social changes. He successfully and radically changed the rules of contemporary fashion by transforming traditional sporting and leisure wear into comfortable, elegant clothes for the office and for the evening. He re-invented articles of clothing that had been taken for granted. For instance he invented the "de-structured jacket" that has become an archetype of modern dress and freed people, especially women, from rigid, constricting formal conventions. As Armani himself said: "We were looking for a style for a new women, a working women, a women of the world, whose talents put her on an equal footing with men and the 'de-structured jacket' was the right answer at the right time. It swept away traditional elegance and focused on a different, more relaxed and dynamic way of dressing. So we designed men's jackets for women, but softer, so they wouldn't loose their femininity" (Panorama, February 1997). Since 1976, the year of his first collection, Giorgio Armani has created an unmistakable style in the world of fashion design: always new and timeless. He has simplified men's and women's fashion based on rigorous essentiality and discreet elegance, eliminating useless ornamentation and superfluous decoration. Above all, he has been tenaciously innovative without being extravagant. The escalation of his international success is certainly due to his amazing talent, his wonderful intuition and his ability to innovate, creating a harmonious balance between contradictory aspects and styles: for instance, modernity and tradition, elegance and casualness, black and white, colour/non-colour, function and fantasy, Eats and West. That's not all. The cultural and sociological impact of his activities as a fashion designer in the panorama of contemporary design – well documented in the recent exhibition "*Giorgio Armani: a retrospective*", superbly organised by the theatre director Robert Wilson at the Diocletian Baths in Rome – goes hand in hand with his incredible entrepreneurial skills. In fact, Armani is the President and CEO of *Gruppo Armani* as well as being the only shareholder of the company Giorgio Armani S.p.A., a fashion house with sales that grow year by year, 4,700 employees, 13 factories and over 250 outlets in 36 countries in the world.
He controls all the creative and design issues and is also personally involved in the strategic decisions of the *Gruppo* which, in the last few years, has diversified investments, increased the company's collections, outlets and product types.
Not just clothes for men and women, but shoes, bags, glasses, watches, jewellery, cosmetics, perfumes, furniture, home accessories and even cars. He has also invented innovative concept stores, for instance the Armani

Allestimento della mostra *Giorgio Armani* (Sezione "Bianco e Nero") presso la Royal Academy, 6 Burlington Gardens, Londra, 18 ottobre 2003 - 15 febbraio 2004 (foto di James Morris)
Installation view of *Giorgio Armani* ("Black and White" theme) at the Royal Academy's space at 6 Burlington Gardens, London, october 18, 2003 - february 15, 2004 (photo by James Morris)

Allestimento della mostra *Giorgio Armani* (Sezione "Il Mondo dello Spettacolo") al Solomon R. Guggenheim Museum, New York, 20 ottobre 2000 - 17 gennaio 2001 (foto di Ellen Labenski ©SRGF, NY)
Installation view of *Giorgio Armani* ("Armani and the Entertainment Industry" theme) at the Solomon R. Guggenheim Museum, New York, october 20, 2000 - january 17, 2001 (photo by Ellen Labenski ©SRGF, NY)

Store in Milan where the fashion designer not only sells his creations, but has added a florist, a bookstore and an elegant restaurant. Finally, he is about to open luxury hotels in the Middle East: this is the logical and coherent development of the international programme of his own company brand. All this testifies to his incredible talent as a manager as well as a fashion designer: to always know how to consider the variables of business and all the correlations between the macroeconomic and political scenarios and the strategic positioning of the company; to succeed in diversifying the market in order to reduce risk without relocating production and lastly, to know how to transpose aesthetic values and the style that has decreed the success of the fashion business to other logical, associated areas and thereby contribute to spreading the image of Made in Italy all over the world. Luigi Settembrini was right when he said that Giorgio Armani is "the father of the planetary Made in Italy style, the creator of modern, democratic and politically correct fashion" (*La moda e la memoria*, in AA.VV., *1951-2001 Made in Italy*?, Skira, Milan, 2001). But he's also one of the most perceptive interpreters of a concept of fashion that has very little to do with the ephemeral and transitory trends currently used by contemporary fashion. For over forty years, his design has been inspired by a system of enduring values. It represents and defines a special way of living, modern, democratic and free, without useless additions; it is unconventional and even politically correct. So, the way he sees fashion seems to coincide with the wonderful definition Gilles Dorfles invented a few years ago: "Fashion is not only one of the most important social, and economic, phenomena of our times. It is one of the best ways to measure the psychological, psychoanalytical, social and economic motivations of humanity. It is also the depository of the style and fashion which, at a certain time in history, guides and structures the design used in fashion, fabrics and furnishings. So it's one of the most sensitive indicators of the tastes of a 'period' and this is used to aesthetically and critically evaluate a certain period of history" (*Mode & Modi*, Mazzotta, Milan, 1979).

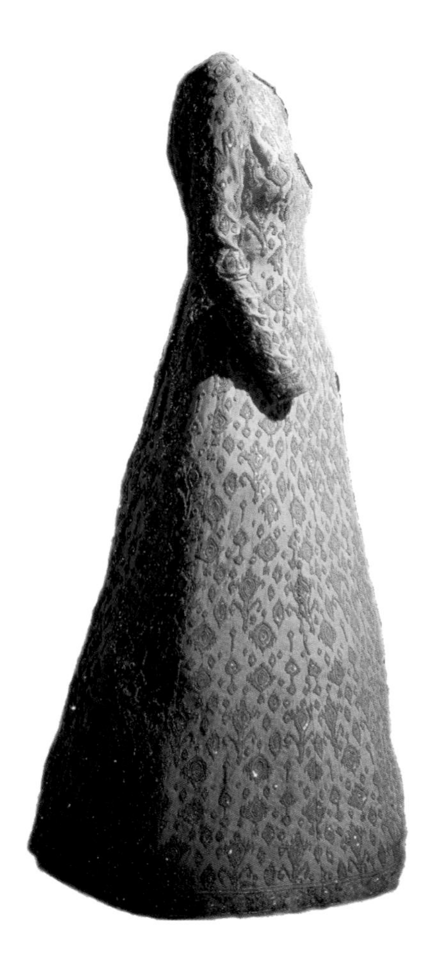

Allestimento della mostra *Giorgio Armani* (Sezione "Luce e Trasparenza") presso la Neue Nationalgalerie, Berlino, 8 maggio - 13 luglio 2003 (foto di Wolfgang Star)
Installation view *Giorgio Armani* ("Light and Translucency" theme) at the Neue Nationalgalerie, Berlin, may 8, 2003 - july 13, 2003 (photo by Wolfgang Star)

Abito da sera, Primavera|Estate 1990. Campagna pubblicitaria (foto di Jacques Olivar)
Woman's evening gown, Spring|Summer 1990. Advertising campaign (photo by Jacques Olivar)

Abitacoli per le donne
Fabric Habitat for Women

Con le sue creazioni, Capucci ha dato vita a vere e proprie opere d'arte in tessuto: abiti-scultura che oggi sono esposti nei più prestigiosi musei del mondo, dalla Galleria del Costume a Palazzo Pitti al Kunsthistoriches Museum di Vienna.
L'elemento che l'ha reso unico è l'atemporalità della sua intuizione, un gusto della sperimentazione e una valenza artistica talmente forte da far vivere e durare i suoi abiti fuori dal trascorrere delle mode.
Capucci ha sempre utlizzato materiali inconsueti come paglia, ottone, plexiglas, cristalli di roccia, tubi di plastica, ciottoli di pietra accostati a stoffe preziose e a tessuti tecnologici e fosforescenti da far sfilare al buio; nascono così abiti dalle linee purissime, spezzate, contorte, ad anelli concentrici che formano misteriose spirali o fiori stilizzati in una staordinaria sinfonia di colori.

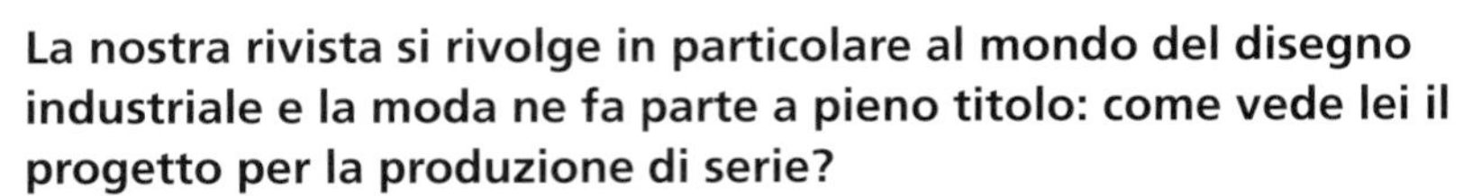

La nostra rivista si rivolge in particolare al mondo del disegno industriale e la moda ne fa parte a pieno titolo: come vede lei il progetto per la produzione di serie?
Per poter concepire un oggetto industriale, di serie, nell'arredamento così come nella moda, è importante cimentarsi nell'ideazione di un oggetto di classe dove la componente creativa è predominante; perché affrontare il livello della grande creazione permette di immaginare oggetti per la produzione industriale, semplificati e divulgabili a tutti, comunque di altissima qualità. Progettare, invece, con tutti i vincoli della grande distribuzione comporta la creazione di un oggetto medio mentre, in tutti i campi dove ci si cimenta con l'atto creativo, è fondamentale puntare all'eccellenza ed in seguito introdurre i fattori riproducibilità, costo, ampia diffusione. Altrimenti, si rischia l'inaridimento creativo.

L'eccellenza di cui parla ha un legame con il lusso?
Il concetto di lusso ha cambiato radicalmente significato. Guardiamo ad esempio il settore dell'alta moda, luogo deputato a rappresentare il lusso: oggi non ha più senso di esistere poiché ognuno può e vuole trovare il proprio stile personale in un caos di segni dove è impossibile stabilire cosa sia universalmente di classe. In questo scenario è giusto parlare di creatività, piuttosto che lusso, quando ciò che si progetta è fantastico, capace di stimolare ed essere stimolato dalla pura immaginazione a prescindere quanto rientra nelle modalità del mercato. Così l'alta moda è lusso perché è luogo di sperimentazione, di creatività assoluta.

La sperimentazione formale e sui materiali ha caratterizzato la sua produzione fin dall'inizio.
Quello che mi interessava era cercare, vedere, scoprire materiali e forme diverse, provavo quasi fastidio all'idea dell'abito ben tagliato e cucito, mi interessava ricercare partendo da una forma. Già nel '57, con la mia

prima collezione, la linea quadrata, ottenni l'Oscar in America per la linea di abiti più creativa e innovativa. In quegli anni inizia anche la sperimentazione con materiali inusuali, come la paglia e l'organza nella mia seconda collezione, o materiali ricercati, come nella mia terza collezione dove ho lavorato tessuti ermesini dell'antico setificio fiorentino, prima Ginori ora Pucci, sete nobili cangianti utilizzate per le vesti degli antichi imperatori persiani insieme a tessuti da arredamento più grezzi della Rovezzano con particolari lavorazioni a nido d'ape di cotone e oro. Ho lavorato con tutti i materiali: realizzando vestiti anche con la plastica, e una serie ispirata alla doppia personalità della donna, con inserite delle maschere in vetroresina, ricoperte di jersey pressoformato a caldo. Nel '65 realizzai una collezione di vestiti "I Fosforescenti", ricamati con i grani dei rosari: l'ispirazione mi venne guardando le processioni di donne, verso il santuario romano del Divino Amore, che portavano fra le mani rosari che al buio brillavano; cercai quei materiali e li trovai in una fabbrica ad Assisi. Quando a Parigi, alla fine della sfilata, feci spegnere le luci tra lo stupore di tutti i vestiti si illuminarono.

I suoi abiti, oltre che dai materiali, sono caratterizzati anche da un uso originale del colore.
Lo studio del colore è stato per me importantissimo: sin dagli inizi ho portato avanti una ricerca sulle infinite possibilità di accostamento tra le diverse tonalità. Potrei dire che mentre lo studio della forma, dell'architettura dell'abito, mi viene dalla formazione artistica, quella del colore è stato una sperimentazione voluta: certamente tutto questo è dovuto anche al fatto che io sono entrato nella moda in una maniera "sbagliata" ed in questa maniera "sbagliata" continuo ad esserci pensando agli abiti come a strutture dove forme, volumi, colori, ombre e luci si compongo per assonanze e contrasti.

Come avviene il suo percorso creativo?
Parto sempre dai disegni, ne abbiamo in archivio circa 33800; comincio con degli schizzi, molti e veloci, dove immagino forme, abiti, dettagli riempiendo interi quaderni che poi riporto "in bella" in bianco e nero o, più raramente, a colori. Per me il colore è un passaggio successivo, ulteriore, che non deve bloccare la forma. Prendo ispirazione dalla natura e dall'architettura, difficilmente immagino un abito pensando di vestire una donna, mi affascinano le linee geometriche, i volumi, immagino quasi una casa dove la donna entra facendola propria per diventare insieme un'apparizione. Il mio istinto è immaginare abitacoli per la donna difficili, forse, da indossare ma emozionanti: è questo che gli altri percepiscono tanto da essere invitato a mostrare le mie creazioni come "scultore del tessuto" al Centenario della Biennale di Venezia così come al Nordic Museum di Stoccolma per volere dalla stessa Regina di Svezia.

In che modo lei riesce a conciliare questo lavoro così estremo senza rimanere coinvolto dalle dinamiche del mercato della moda?
Tutto sta nella volontà di portare avanti questa ricerca, il resto è una conseguenza. Ovviamente facciamo anche abiti meno complessi, soprattutto su ordinazione, così come succede nelle sartorie classiche, mutuando le creazioni alle esigenze delle clienti. Per questo motivo, consapevoli del cambiamento dei costumi, abbiamo aperto da circa un anno la linea prêt a porter, sempre caratterizzata dall'esclusività delle lavorazioni, ma più consona alle esigenze attuali. Comunque questa mia personale scelta creativa, agli inizi anche osteggiata, mi ha permesso di

ottenere soddisfazioni soprattutto come artista: i miei abiti sono nei musei, mi vengono richiesti come sculture per omaggiare manifestazioni. Queste esperienze non pagano da un punto di vista economico, ma sono una linfa creativa, una palestra progettuale. Oggi, comunque il sistema della moda è cambiato, forse ha più ragione di esistere il prêt a porter che l'alta moda. Ma per me è il modo di pensare gli abiti che non è e non deve cambiare: bisogna sempre cimentarsi con la creazione alta, con la ricerca di nuove forme. Quello che mi colpisce oggi è la mancanza di creatività mascherata dietro sensazionalismi che a mio avviso sviliscono l'abito e chi lo indossa: penso all'uso eccessivo di trasparenze o alla sovrapposizione casuale e volutamente trasandata di "pezze" di stoffe. Tutto questo è sintomo di mancanza di creatività, che non vuole e non sa misurarsi con la ricerca di qualità nascondendosi dietro l'alibi di fare ciò che il pubblico vuole. Invece credo che il pubblico non chiede banalità ma invece la subisce e lentamente si disabitua alla qualità. Oggi ovunque si riscontra una preoccupante omologazione e qui sta il guaio: chi crea ha il dovere di distinguersi, di mostrare una propria caratteristica personalità, e questo è necessario in qualsiasi campo, dalla moda all'arte. Ma oggi sembra essere una cosa difficile da fare. Per questo sono molto affascinato dalla moda giapponese, dal contrasto fra il rigore delle forme e la meravigliosa follia delle linee, così come dagli abiti del grande sarto spagnolo Balenciaga, semplicissimi nelle forme ma caratterizzati da dettagli stranissimi, violenti, che li rendono unici, la firma stessa dello stilista.

La sua produzione di alta moda è da lei definita come arte-artigianato. Cosa ne pensa del rapporto tra creatività e industria elaborato dal sistema italiano della moda?
Il mio lavoro si basa sostanzialmente sull'artigianato. E un artigiano è un artista, a lui è affidata una parte creativa importante perché influisce sulla modalità di realizzazione di un oggetto sia questo un vestito, una borsa, un cappotto. Le sarte che lavorano con me sono le mie artigiane: sono loro, con abilità sartoriale e sapienza tecnica, a dar vita ai miei disegni; io do indicazioni sui tagli, movimento alle pieghe, dico cosa mettere dentro, ma senza le loro mani le mie creazioni rimarrebbero solo progetti. Ci sono alcune lavorazioni che non potrebbero essere fatte industrialmente come la plissettatura, che realizzata a macchina viene, poi fermata a mano punto per punto per allargare o addensare ogni piega ottenendo forme sempre diverse. In occasione dell'Expo di Lisbona, ho voluto fare che ricordasse gli oceani, un "vestito di mare", e per realizzarlo ci sono voluti cinque mesi di lavorazione, cinque ragazze, milleduecento pezzetti di plissé cucito a mano per le diverse sfumature: è stato un lavoro incredibile. Ma questa è la creazione esasperata, la più assoluta, fatta con dolore e con la paura di non piacere. Poi dopo questo si può fare anche un abito a tubino a quattro cuciture. La cosa più importante è la massima libertà creativa, appropriarsi del mondo che appartiene alla nostra fantasia; poi si può anche lavorare per l'industria, per le cose pratiche, cercando di non farsi schiacciare dalle sue leggi, dalla pubblicità sulle riviste, dagli investimenti di chi fa tessuti, scarpe, calze e impone i suoi prodotti.

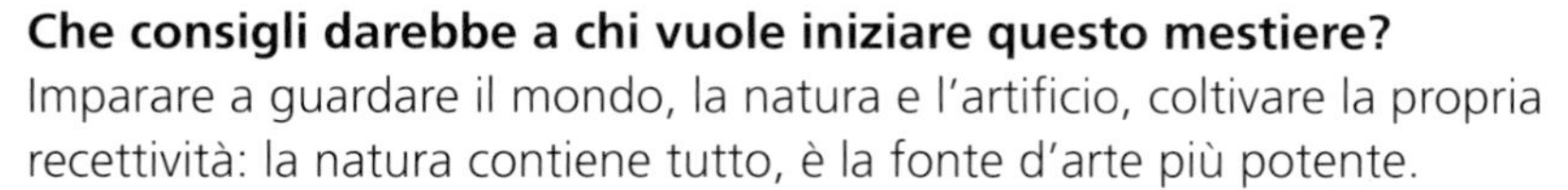

Che consigli darebbe a chi vuole iniziare questo mestiere?
Imparare a guardare il mondo, la natura e l'artificio, coltivare la propria recettività: la natura contiene tutto, è la fonte d'arte più potente.

Capucci's creations are genuine works of art in fabric form: sculptures|outfits that today are on display in the most prestigious museums in the world, from the Galleria del Costume in Palazzo Pitti to the Kunsthistorisches Museum in Vienna.
The factor that has made him unique is the timelessness of his insight. His taste for experimentation and his artistic value are so strong that his garments continue to live and last while fashions come and go. Capucci has always used unusual materials, such as straw, brass, Plexiglas, rock crystals, plastic tubes, pebbles matched up with fine cloth and technological, phosphorescent materials for catwalk shows in the dark; in this way outfits are created with the purest of lines, interrupted, twisted and featuring concentric rings that form mysterious spirals or stylized flowers in an outstanding symphony of colours.

Our magazine focuses mainly on the world of industrial design and fashion is very much part of that world: in your opinion, what role does design play in mass production?
To design an industrial or mass-produced object, either in fashion or for interior decoration, it's important to be able to design a stylish object where creativity is the dominant element. When you tackle state-of-the-art creations, this allows you to design mass produced objects, simplified and readily available, but still of first-class. Instead, when you design, all the constraints imposed on you by mass production, means you create a

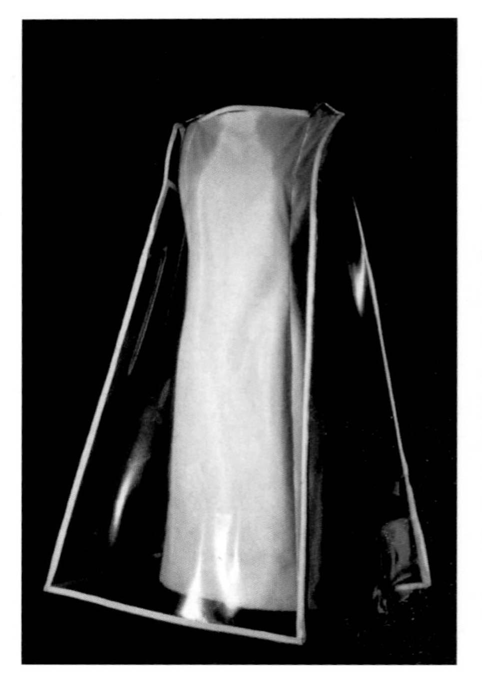

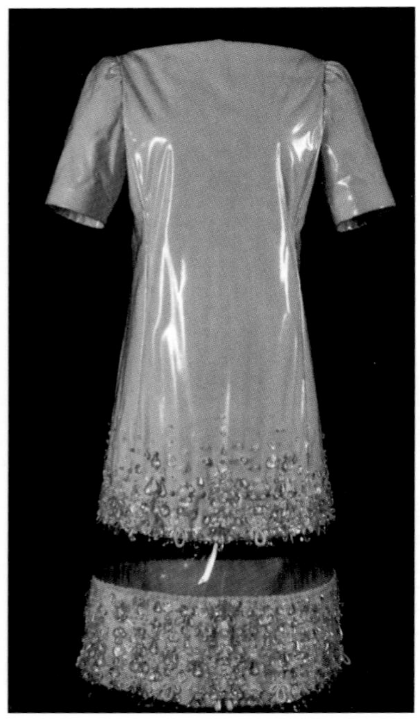

mediocre object, yet in all fields that involve creativity, you have to aim for excellence and then introduce factors such as production, cost and distribution. Otherwise you risk killing off your creative streak.

Is the excellence you mention linked to luxury in any way?
The meaning of the word, luxury, has changed radically. Let's take the world of haute couture, traditionally considered to represent luxury. There's no sense for it to exist anymore because we are all able, and want, to find our own style in a chaotic scenario where it's impossible to decide what is universally stylish. That's why we should speak of creativity rather than luxury, when what you design is incredible, capable of stimulating and of being stimulated simply by imagination, whether or not it corresponds to market requirements. Haute couture is a luxury because it is a place to experiment, a place of absolute creativity.

Formal experimentation and experimentation on materials has been a leitmotif ever since you began designing.
What intrigued me was to research, to see, to discover different materials and forms. A well-cut and tailored dress bothered me enormously. I want to experiment, especially on form. Back in 1957 my very first collection, the square one, won an Oscar in America as the most creative and original fashion collection. At the time, I began to experiment with unusual materials, like straw and organza in my second collection, or

expensive materials, for instance, in my third collection where I used light silk fabrics from an old Florentine silk factory, first known as Ginori and now Pucci: shimmering silks used to make the clothes of ancient Persian emperors combined with rougher upholstery made by Rovezzano with special cotton and gold honeycomb decorations. I used all types of materials, even plastic, and a collection inspired by women's double personality, using glass fibre masks covered in compacted jersey. In 1965 I designed a collection, The Florescents, embroided with rosary beads: I had this idea when I saw a procession of women walking towards the Roman sanctuary of the Divino Amore. They were all holding rosaries that shone in the dark: I hunted for those beads and found them in a factory in Assisi. When at the end of the fashion show in Paris, to everyone's amazement I switched off the lights, they lit up the dresses.

Apart from the materials, one defining characteristic of your clothes is their colour.
Studying colour is very important for me: ever since I started I've always studied the infinite combinations of various colours and tonalities. I could say that, while the study of forms, of the architecture of the dress, comes from my artistic education, colour has been something I purposely experimented with. Of course, all this also depends on the fact that I started in the world of fashion "on the wrong foot" and still continue that way even now, designing clothes like structures in which form, volume, colours, shadows and light are combined thanks to their assonance or contrast.

What's your creative process like?
I always start by drawing. My archives contain about 33800 drawings. I begin to sketch very quickly, outlining forms, dresses and details. I fill up whole notebooks then make "good" black and white copies or, much less frequently, colour copies. For me colour is another, further step that shouldn't interfere with form. I'm inspired by nature and architecture and I almost never design a dress with a woman in mind: I'm fascinated by geometric lines and volumes. For me a dress is like a house that a women enters and makes her own, and together they become an a beautiful apparition. My instinct is to imagine casings for women that are perhaps difficult to wear, but exciting: this is what others see in my designs, that's why I was invited to exhibit my creations as "fabric sculptures" at the Centennial of the Venice Biennale as well as at the Nordic Museum in Stockholm, personally invited by the Queen of Sweden.

How do you reconcile such an extreme position without being drawn into the dynamics of the fashion market?
You have to want to continue this research, then everything else falls into

place. Of course we make less complicated, made to order, clothes just like traditional dressmakers and make changes to suit the client's tastes. We're well aware that lifestyles change and this is why we started a prêt a porter collection about a year ago. This collection still involves exclusive designs, but is better suited to today's needs. However, my personal creative choice, that was initially condemned, has given me great satisfaction, above all as an artist: my clothes are on display in museums and I'm asked to lend them to exhibitions as sculptures. This isn't economically viable, but it is a source of creative nourishment, an exercise in design.

Today fashion has changed, perhaps prêt a porter is more logical than haute couture. But for me, it's the way one designs a dress that shouldn't change: you've got to aim for top-of-the-line designs and search for new forms. What amazes me today is the lack of creativity veiled in a sensationalism that, in my opinion, debases the dress and the person who wears it: for instance the excessive use of transparency or the casual and deliberately sloppy superimposition of various "pieces" of material. All this is an absence of creativity that doesn't want to, or is unable to,

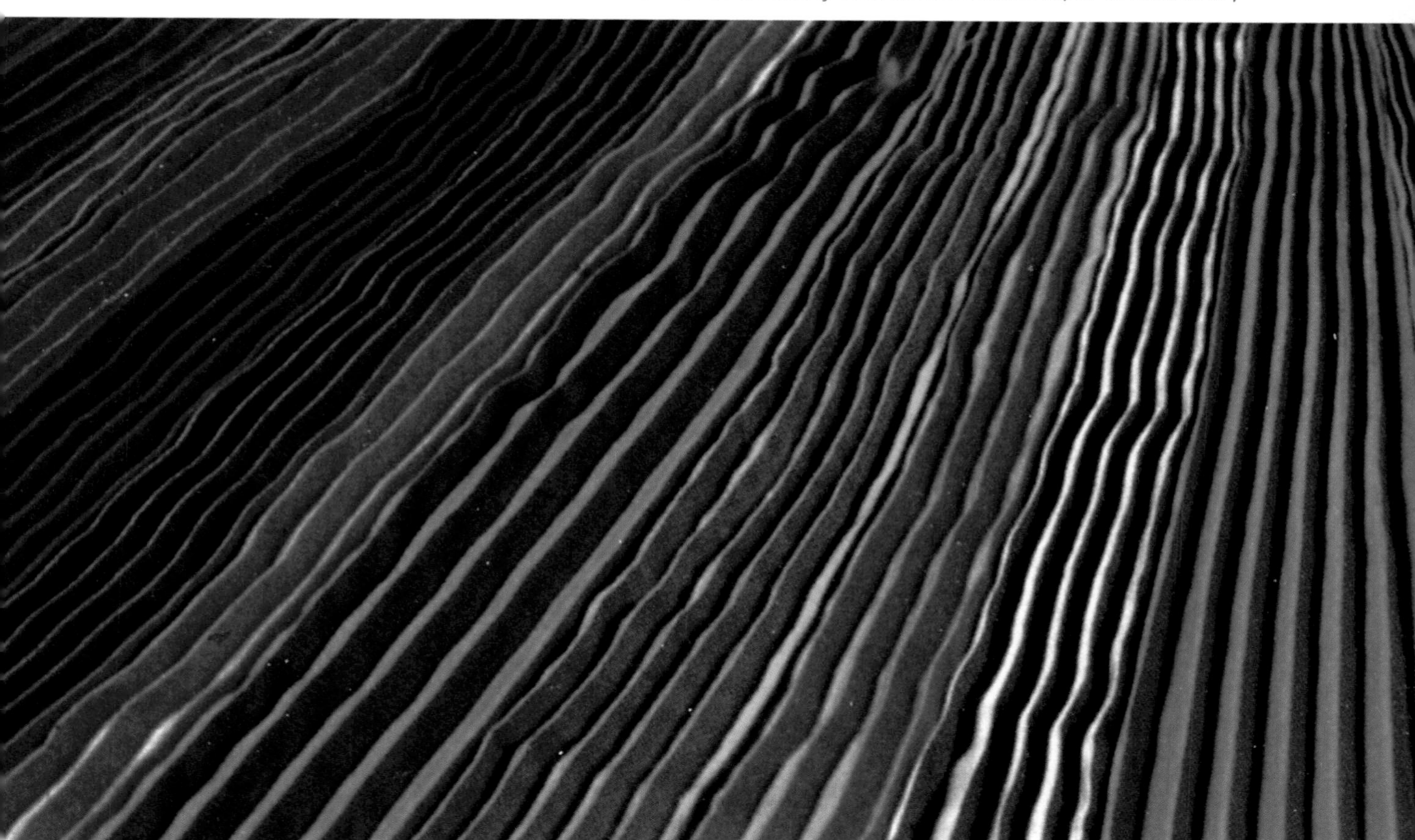

compete in the search for quality, hiding behind the alibi of doing what the public wants. Instead, I believe that the public doesn't want ordinary things, but has to put up with them and gradually, the public isn't able to recognise quality anymore. Everywhere you notice an unsettling homologation and this is the problem: all creative artists have a moral duty to set themselves apart, to exhibit their own characteristic personality. This is true for any field, from fashion to art. But today it seems difficult to do. That's why Japanese fashion attracts me so much: the contrast between severe forms and the marvellous madness of shapes, just like the clothes of the great Spanish dressmaker, Balenciaga, extremely simple forms characterised by strange and violent details that make them unique, the true signature of the artist.

You define your haute couture designs as artisanal art. How do you view the relationship between creativity and industry created by the Italian fashion system?
My work is mainly a artisanal, and artisans are artists who are entrusted with an important creative act because they influence the way in which an object is made, be it a dress, a bag or a coat. The seamstresses working for me are my artisans: they are the ones who with sartorial expertise and technique skills, breathe life into my designs. I give instructions on how to cut the material, the movement of the pleats, tell them what materials to use but without their hands my creations would be nothing more than designs. Some things will never be able to be done industrially, for instance pleating. It is initially done by machines but then every pleat is finished off by hand, stitch by stitch, to make it wider or narrower, creating different forms. During the Lisbon Expo, I wanted to design a "sea dress" reminiscent of the ocean. It took five months to make, five full time seamstresses, one thousand and two hundred pieces of plissé sown by hand to get the right nuances: it was an incredible job. But this is creation pushed to its limits, absolute creation, made of suffering and the fear of rejection. After this of course you can make a sheer dress with four seams!
The most important thing is maximum creative freedom, to take possession of our own fantasy world, then it's possible to work for the industry, for practical things, trying not to be crushed by its laws, by magazine publicity.

What advice would you give someone who wants to become a fashion designer?
Learn to look at the natural and artificial world: cultivate your own receptivity. Nature has everything, it is the most powerful source of art.

caterina crepax

Sculture di carta, emozioni, sogni e poesia
Sculptures Made of Paper, Feelings, Dreams and Poetry

Il suo rapporto con la carta è un indissolubile filo che dall'infanzia l'ha portata via via ad affacciarsi sul composito e sorprendente panorama dell'arte contemporanea. Con un'attenzione particolare per il riciclo, il riutilizzo di materiali cartacei di uso comune come gli aridi scarti della burocrazia - scontrini fiscali, documenti triturati, bordi forati dei tabulati del computer o avanzi di lavori di tipografia - ama l'ironico gioco della metamorfosi, della loro trasformazione in "tessuti" preziosi, in abiti sontuosi dai dettagli sorprendenti, raffinati oggetti del desiderio. Tagli, pieghe, arricciature, plissettature, sbuffi e intarsi o piegature a rilievo che ripetute all'infinito diventano ricche superfici, strutture complesse; carta a mano, orientale, preziosa mescolata a carta di uso comune per dare vita a originali creazioni sospese tra l'arte, il fashion design e la pura fantasia, corazze di carta fragili e aggressive, abiti scultorei che prendono spesso ispirazione dal mondo animale, vegetale o dagli elementi di decorazione architettonica, a volte illuminate al loro interno.

La carta è il più fragile ed effimero dei materiali ma il suo fascino sugli artisti, i designer e gli stilisti è irresistibile e contagioso. Proprio per i suoi limiti tecnici contrapposti alla sua enorme potenzialità espressiva, la carta è un materiale che sfida la creatività, che spinge alla sperimentazione, che stimola le fantasie progettuali. Caterina Crepax è una straordinaria interprete delle qualità espressive di questo materiale: crea, con la carta e le forbici, veri e propri abiti-scultura interamente realizzati a mano, pezzi unici rifiniti nei minimi dettagli,come fossero cuciti con il più prezioso dei tessuti e con la cura e l'abilità di un sarto d'alta moda. Pur essendo abiti a grandezza reale, non sono capi di abbigliamento ma "capi d'arredamento", in quanto non possono essere indossati, pur suscitando in chi li guarda un forte desiderio di toccarli,possederli, indossarli. "La cosa che mi piace di più della carta è proprio il fatto che dal foglio piatto puoi ottenere quello che vuoi con la capacità manuale e delle idee. Da un foglio bidimensionale di carta può venir fuori qualsiasi cosa:una meraviglia, un gioco, un oggetto semplice d'uso quotidiano, ma anche un'opera d'arte o un oggetto estremamente lussuoso. Il più grande pregio di questo materiale è la sua lavorabilità, la sua enorme potenzialità nell'essere manipolato", sostiene Caterina. La sua passione per la carta inizia negli anni dell'infanzia, quando per gioco ritagliava con le forbici i suoi disegni cercando di dare loro tridimensionalità e spessore, di animarli, di renderli più reali sottraendoli alla bidimensionalità. Negli anni ha esplorato il mondo della cellulosa in ogni sua dimensione, realizzando, con sempre maggior raffinatezza,eteree sculture di carta - vestiti, accessori d'abbigliamento, arazzi, paraventi,quadri, miniature di abiti - in cui trovano espressione e sintesi un grande virtuosismo tecnico, una profonda sensibilità estetica, una spiccata creatività artistica. Il debutto ufficiale delle sue creazioni in carta è avvenuto nel 1995 con alcuni abiti-scultura realizzati per allestire gli armadi della Molteni & C. al Salone Internazionale del Mobile di Milano.

Abito in miniatura realizzato con sovrapposizioni di esagoni in organza di seta. Collezione Haute Couture, Autunno|Inverno '04/'05
Miniature dress made by superimposing silk organza hexagons. Haute Couture, Fall|Winter Collection '04/'05

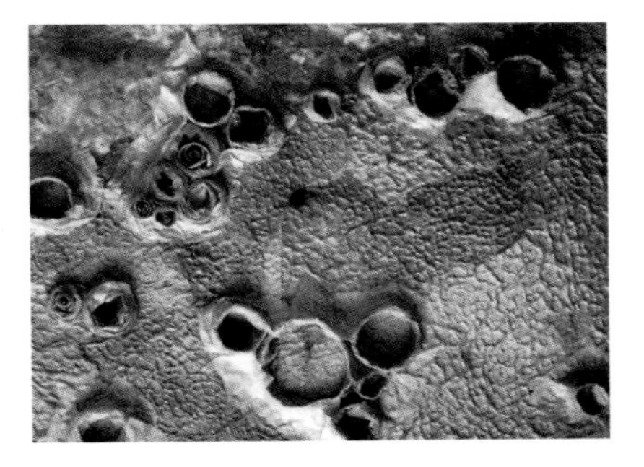

Questo evento ha avuto grande successo presso il pubblico e ha rappresentato un'importante vetrina per i suoi lavori. Da quel momento la sua passione per le sculture di carta è diventata una professione: si sono susseguiti numerosi progetti per aziende, come le cartiere Fedrigoni, per stilisti di abiti da sposa, come Mauro Adami della Domoadami,per negozi, spettacoli teatrali, mostre e fiere nazionali ed internazionali. Tra iprogetti più recenti Caterina ricorda con particolare entusiasmo la sua partecipazione, due anni fa, alla Fashion Week della Biennale di San Paolo in Brasile: "Sono stata invitata a realizzare 20 abiti in carta, interpretazioni di 20modelli disegnati da famosi stilisti brasiliani; mi sono trasferita due mesi lì,portandomi molta carta dall'Italia, ed è stata un'esperienza significativa che mi ha permesso di vivere situazioni belle ed emozionanti". Gli abiti-scultura di Caterina non sono solo il risultato di una appassionata sfida alla bidimensionalità del foglio di carta, che - attraverso tagli, pieghe, arricciature,plissettature, sbuffi e intarsi - si trasforma in un raffinatissimo oggetto del desiderio, al pari di un'opera d'arte, di un accessorio di alta moda o di un prezioso gioiello, ma sono anche creature, personaggi che hanno una loro anima, che suscitano emozioni, che creano un'atmosfera tra sogno e realtà. Le sue creazioni, infatti, sono state definite "sogni vestiti di carta" in quanto evocano una dimensione onirica e fantastica, sia per il loro colore bianco,esplorato da Caterina in tutte le nuances - dal candido, all'écru, all'avorio, al paglierino - sia per la loro leggerezza, dovuta al materiale e accentuata dalle particolari lavorazioni di ricami a rilievo e giochi di trasparenze. Caterina riesce a creare sempre oggetti ad alto contenuto poetico, sia che utilizzi pregiate carte orientali fatte a mano, come la carta di riso, sia che sperimenti materiali cartacei più comuni e recuperati, come scontrini fiscali, buste da lettera, pirottini e vassoietti per dolci, tabulati del computer, carte da parati: le sue sculture di carta sono l'affascinante risultato di una sperimentazione creativa ai confini tra arte e design.

Her relationship with paper is a continuous thread that has led her from childhood to the many-sided, surprising panorama of contemporary art. With a particular focus on recycling through the reuse of common paper materials such as the sterile waste of bureaucracy - receipts, shredded documents, the margins of computer paper with holes in them or leftovers from printing work - she loves the ironic game of metamorphosis, of their transformation into precious 'fabrics', luxurious dresses with astonishing details, and sophisticated objects of desire. Cuts, folds, crumples, pleats, puffs, inlays and relief folds are infinitely repeated to become rich surfaces and complex structures; handmade, oriental, precious paper is mixed with paper for normal use to create original items somewhere between art, fashion design and pure fantasy. There are fragile and aggressive paper cuirasses, and sculpturesque dresses that often take inspiration from the animal or vegetable worlds, or from elements of architectural design, sometimes illuminated on the inside.

Paper is an extremely fragile and ephemeral material, but it is contagious and irresistible for artists, designers and stylists. Its technical limits and enormous expressive potential are the very reasons why paper is a material that challenges creativity, inspires experimentation and stimulates design fantasies. Caterina Crepax is an incredible interpreter of this material's

expressive qualities. Using paper and scissors, she creates exclusive, handmade sculpture-dresses, pieces that are unique down to the last minute detail, as if made o fprecious fabrics and sown by master craftsmen and seamstresses. Even though they are life-size, they are not clothes but "pieces of furniture." Although they cannot be worn, they do inspire people to touch, own or wear them. Caterina says, "What I like best about paper is that you can do what you want with it just by using your hands and your head. A two-dimensional piece of paper can become something special: a beautiful wonder, a game, a simple everyday object as well as an artwork or an object of extreme luxury. It smost incredible trait is its manageability, its enormous potential for manipulation". Her love of paper began when she was a child, when she used to cut out her paper designs, trying to make them thicker and three-dimensional, trying to make them come alive and be more realistic by eliminating their two-dimensional nature. Over the years she has experimented with all types of cellulose, creating increasingly refined ethereal paper sculptures – dresses, fashion accessories, tapestries, screens, paintings, miniature dresses – that express her amazing virtuoso technique, her profound aesthetic sensibility and a great artistic creativity. Her paper creations made their official debut in 1995when some of her sculpture-dresses were made to decorate the cupboards of Molteni & C. at the Milan Furniture Fair. The public enthused

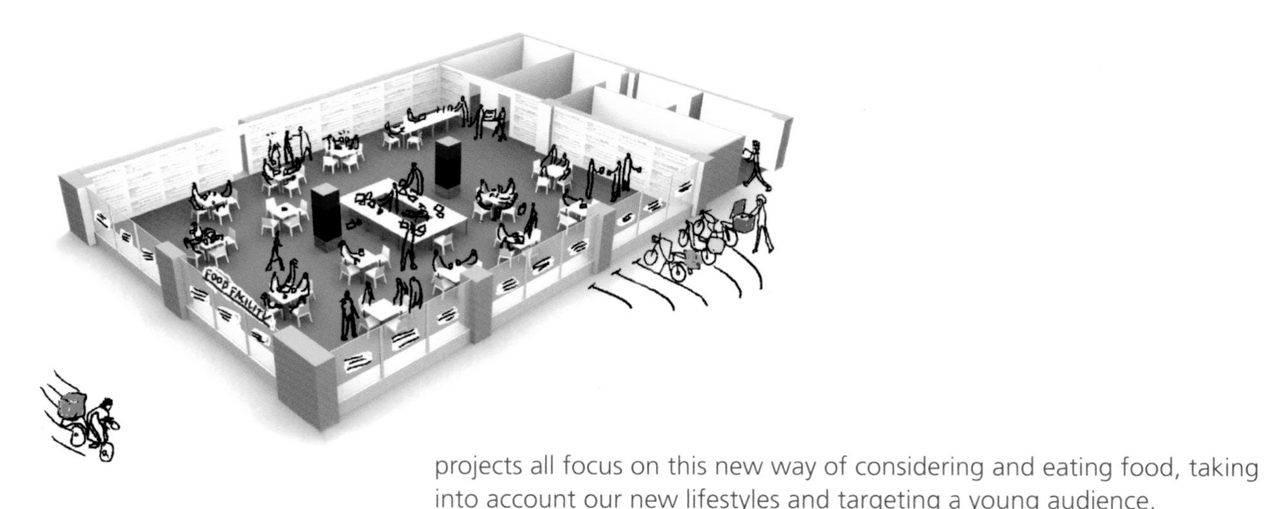

projects all focus on this new way of considering and eating food, taking into account our new lifestyles and targeting a young audience.
This trend has led to the creation of association like Fooddesign (by Paolo Barrichella) and Oneoff which, together with institutions like the *Città del Gusto* by Gambero Rosso, all exploit this phenomenon. Schools are also getting in on the picture and are organising ad hoc courses. For instance *Foodlab*, a six month course at the Milan-Como Polytechnic or the seminars held in 2004 by the chef Davide Scabin during the graduate course in Industrial Design at the Turin Polytechnic, one of the universities most interested in this phenomenon. In fact, two degree theses were submitted during the last academic year and, thanks above all to the efforts of the graduates themselves, the university will probably be the first to hold a Masters. Social issues and lifestyles are also part of this trend. Some interesting cases combine research with the in-house service and the more immaterial aspects of communicating with food.
Guixé created the *Foodball Camper* in Barcelona, an experiment recently repeated in Berlin: not only did he invent this biological product from scratch (it looks like a sort of compressed ball of various "healthy" ingredients), the Foodball Camper is also a specially designed restaurant based on a new, free, unconventional, relaxed way of eating food in the city. He is also the brains behind a sort of happening: Food Facility in Amsterdam is a public canteen. The food is ordered and provided by an external supplier and then "mixed" by a food-dj in the restaurant that doesn't have a real kitchen, but a network of web-style kitchens.
Finally, industry is extremely interested in working with designers and this leads to exciting teamwork. The results are there for all to see since these designs are produced by the industry and sold on the shelves of supermarkets.
The project by the designer Giulio Iacchetti for the biscuit line *tiVoglio* is one such example; *Design Group Italia* (one of the oldest design groups in Milan) has recently opened a food section and works with the food industry on design and consultancy ("we've shifted our design method for industrial design to food"). MDP in Milan has also been using market studied for years on food, especially ice-cream. The first *bureaux de style* dedicated to food (*Enivrance*, Paris) opened in 2001 in France. It created a "trend book" that provided ideas and suggestions on trends in forms and food processing to big food conglomerates or even designers. The results were amazing: a mix of decoration and food styling.
All these signals from the modern world of food allow us to conclude that food design is no longer a passing fashion, as most people believed up until recently. It has set its house in order and has the makings of an independent field of design with its own profile and methodological characteristics. An enrichment and not an "offshoot" of design, something to keep an eye on.

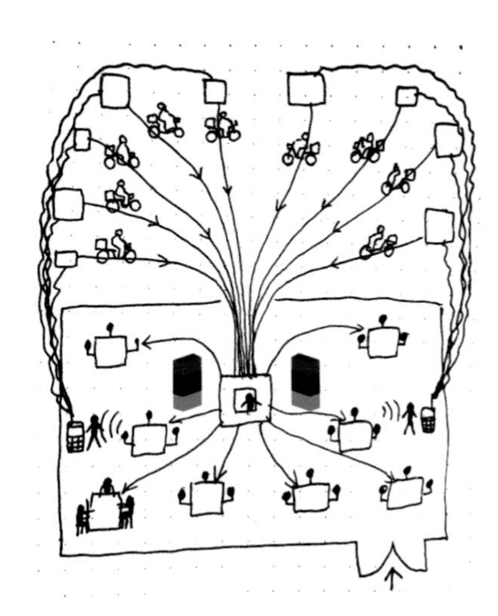

Martí Guixé, *FoodFacility*, schema del progetto (photo Mediamatic Amsterdam)
Martí Guixé, *FoodFacility*, project design (photo Mediamatic Amsterdam)

Martí Guixé, *FoodFacility*, layout (photo Mediamatic Amsterdam)

Un sistema alimentare
A Food Chain

Le immagini mostrano la ricerca che Manzini, Jégou e Meroni conducono da tempo sugli scenari alimentari: dagli Atelier alimentari, (visualizzazione di SDS Solutioning), intesi come multi-servizi e sistema-ponte tra benessere individuale e sociale, ai fenomeni di autoproduzione, deintermediazione e centrimultiservizio che riguardano la preparazione, la distribuzione e la vendita di cibo oltre che la produzione di materie prime

The pictures refer to the ongoing research by Mancini, Jegou and Meroni on food scenarios: food ateliers (visualisation by SDS Solutioning), considered as multi-service centres and a link between individual and social well-being, the phenomenon of self-production, deintermediation and multi-service centres that focus on the preparation distribution and sale of food as well as on the production of raw materials

Il cibo naturale evoluto. L'estendersi di forme di vita metropolitane e dei modelli alimentari ad essi correlati comportano, nella loro medietà, un orientamento della domanda verso regimi alimentari intrinsecamente insostenibili.
La diffusione dell'obesità come patologia emergente in un mondo in cui i più sono ancora in condizioni di sotto-alimentazione, è uno dei fenomeni più drammaticamente emblematici di questa situazione. Ma non è il solo. Un altro aspetto tristemente emblematico è quello della perdita di varietà nei prodotti e nelle culture alimentari locali, travolti dalla crescente omologazione dei gusti e, dietro a essa, dei sistemi agricoli e produttivi che li sostengono.
A fronte di questi problemi, occorre dunque immaginare un sistema alimentare diverso, che ci permetta di guardare al futuro dell'alimentazione in un'altra prospettiva. Quest'esercizio di immaginazione non è facile, ma non impossibile. E questo perché, se riusciamo a vedere al di là dei valori medi e dei comportamenti più ovvi, già oggi possiamo riconoscere una serie di "iniziative promettenti". Riconoscere cioè l'esistenza di casi di innovazione sociale e tecnologica che possono essere visti come dei passi nella direzione giusta.
Considerando queste contraddittorie constatazioni, cosa può fare il design per dare un contributo positivo al ri-orientamento sistemico che si rende necessario? A nostro parere, questo suo contributo può essere riassunto in tre principali attività: (1) costruire scenari che alimentino la conversazione sociale su questi temi; (2) dare visibilità ai casi già oggi realizzati e che risultano coerenti con gli scenari positivi e (3) proporre nuove idee di prodotti e servizi che riprendano le idee promettenti trasformandole in proposte concrete e praticabili. In queste note quello che viene proposto è lo "scenario del cibo naturale evoluto": una visione d'insieme di un sistema alimentare in cui degli alimenti biologici, freschi, stagionali e (per quanto possibile) prodotti localmente sono resi apprezzabili e facilmente accessibili da tutti. E questo grazie alla realizzazione di un sofisticato sistema multi-locale di produzione, trasformazione e consumo. È questo uno scenario che, a nostro parere, risulta particolarmente promettente nella prospettiva della transizione verso una società, e di un sistema produttivo e di consumo sostenibili. Infatti, promuovendo la conoscenza e il consumo di prodotti alimentari biologici, locali e stagionali, favorisce un'alimentazione più sana ed equilibrata e, allo stesso tempo, adotta soluzioni ad alta eco-efficienza sistemica e territoriale (tecnologie di produzione e trasformazione altamente eco-efficienti, ma anche sistemi distributivi a bassa intensità di trasporti grazie all'impiego locale di risorse localmente disponibili). Il carattere più innovativo di questa proposta sta nel fatto che essa integra saperi e pratiche tradizionali con l'impiego di conoscenze, tecnologie e logiche organizzative avanzate. E che lo fa unendo l'idea

about them and the Fair gave her great publicity and visibility. Since then, her love of paper sculptures turned into a profession: she did a number of projects for several companies including the Fedrigoni paper company, wedding dress designers like Mauro Adami of Domoadami, shops, shows and national andinternational exhibitions and fairs. Among her recent projects, Caterina has fond memories of her participation in the Fashion Week of the Biennale in Sao Paulo in Brazil two years ago: "I was asked to design 20 paper dresses based on 20 models designed by famous Brazilian designers. I lived there for two months, taking lots of paper with me from home. It was an important experience that allowed me to live some of the best, most exciting periods of my life. "Caterina's sculpture-dresses aren't just the result of a passionate challenge to the two-dimensional nature of paper which – by using cuts, folds, ruffles, pleats, puffs and inserts – is changed into an elegant object of desire, just like a work of art, or a fashion accessory or a precious piece of jewellery. But they are also creatures, figures with a soul, that inspire feelings and emotions, creating an atmosphere suspended somewhere between dreams and reality. In fact, her creations have been defined "dreams cloaked in paper" because they conjure up an oneiric and fantastic dimension. There are two reasons for this definition: Caterina uses all shades of white –pure white, ecru, ivory and cream - and the paper is lightweight thanks to the type of material and the way it's embroidered in relief or used in transparent nuances. Caterina is always able to creative highly poetic objects because she uses precious handmade oriental paper, such as rice paper, and experiments with more ordinary and recycled paper materials like receipts, envelopes, cupcake holders and sweets trays, computer printouts and wallpaper. Her paper sculptures are the fascinating result of a creative experimentation suspended somewhere between art and design.

Progettista di storie immaginate
Inventor of Fictional Stories

L'industria del cinema è una delle più importanti realtà italiane. In tutto il territorio nazionale è in ripresa l'attività cinematografica, grazie anche alle *film commission* regionali. Roma cerca di riguadagnare, sull'onda romantica delle due Feste del Cinema, una posizione di accoglienza più che di vera produzione.
Cinecittà non è più quella fabbrica dei sogni di qualche anno fa, nonostante esistano ancora maestranze riconosciute come uniche al mondo.
Non parliamo dei registi o degli attori stranoti nel panorama internazionale, parliamo di quegli artisti-artigiani che hanno reso possibile la materializzazione delle idee di geni come Federico Fellini, Pier Paolo Pasolini e altri.
Roma negli anni '50 doveva essere magnifica, attiva nella sua storica pigrizia, l'ozio nei bar come il caffè Rosati a via Veneto o la scalinata di piazza di Spagna generava l'incontro fra scrittori, sceneggiatori, registi e costumisti. Come una grande officina la città ospitava artisti da tutto il mondo, per lo più attirati dalla fabbrica del Cinema.
Sono gli anni delle mega produzioni americane, della dolce vita, dei paparazzi di Hollywood sul Tevere. In quegli anni si afferma l'attività delle sartorie teatrali e cinematografiche romane. Ancora oggi chiamate a realizzare i costumi per film nazionali ed internazionali ognuna si distingue per un settore più o meno definito: la più antica Costumi d'Arte Peruzzi, nasce dalla Safas di Firenze ed è la sartoria degli uomini, delle divise, dei tagli maschili. Tirelli era la sartoria di Visconti, di Piero Tosi della perfetta riproduzione filologica e ora realizza i costumi di Gabriella Pescucci o Maurizio Millenotti. GP 11 è la sartoria delle dive di ogni periodo, suoi sono i costumi più importanti vincitori del Premio Oscar Marie Antoinette di Milena Canonero. AnnaMode produce in parallelo la moda ed il costume. Poi c'è la Sartoria Farani dove il costume diventa altro.
Piero Farani era un costruttore di sogni, come un architetto, un progettista che attraverso la scoperta di materiali, di cui il tessuto rappresentava solo una parte, crea un oggetto capace di tradurre lo spirito dell'attore voluto dal regista.
La Sartoria Farani deve moltissimo alla collaborazione profonda con un grande maestro Danilo Donati due nomination e due premi Oscar, per *Giulietta e Romeo* e *Il Casanova*, mai ritirati! Danilo Donati arriva a Roma in quegli anni da Firenze dove ha fatto l'Accademia di Belle Arti con Ottone Rosai, è scenografo e costumista.Inizia a lavorare con Luchino Visconti ma poi, il suo stile unico, delirante e fantastico lo porterà verso un cinema onirico come quello di Fellini e Pasolini.
Abbiamo scelto Donati fra i nostri molti e grandi costumisti perché come nessun altro, in questo campo, sintetizza il genio creativo italiano. L'abito o la scenografia sono il frutto di un progetto che attinge ad archetipi propri e di profonda cultura,la sicurezza con cui si inventa è la stessa della scelta di un colore per un affresco o di un elemento strutturale per un ponte. La

Pier Paolo Pasolini, "Edipo Re"
Pier Paolo Pasolini, "Il Vangelo secondo Matteo"

bellezza della perfezione non sta nella scelta filologica dei materiali, non sta nel recupero e nella riproduzione fedele, ma sta nell'interpretazione di un concetto.
"Farò una Grecia così moderna da sembrare arcaica" disse realizzando i costumi per *Edipo Re* di Pier Paolo Pasolini, fino a quel momento il costume non aveva minimamente sfiorato l'idea di riflettere lo spirito di un'epoca o il pensiero del regista che la raccontava. L'abito di Giocasta era fatto con piume di gallina, conchiglie, una stoffa inventata dopo tinture e plissettature e saldature oltre che cuciture. Il costume diventa un'opera d'arte dove il progetto cerca soprattutto un significato. L'incontro tra Donati e Pasolini è la felice unione tra due uomini profondamente colti e capaci di tradurre la cultura in poesia. Nasce anche da questa intesa la grandezza del regista: Donati ha saputo interpretare la sua poetica traducendola in immagini. Sono immagini italiane che attingono ai classici come Piero della Francesca o Andrea Mantegna.
Nella trilogia *Il Decameron, Il Fiore delle Mille e una Notte e I Racconti di Canterbury* i costumi impreziosivano l'impianto del film grazie alla visione onirica di Donati indispensabile per alleggerire scene altrimenti difficili. L'uso

Alberto Sironi, "Il furto del tesoro", 2000, costumi di Alberto Verso, Annamode 68 | costume design by Alberto Verso, Annamode 68

Liliana Cavani, "Interno berlinese", 1985, costumi di Alberto Verso, Annamode 68 | costume design by Alberto Verso, Annamode 68

Alberto Lattuada, "La Mandragola", 1965, costumi di Danilo Donati, Sartoria Farani di Luigi Piccolo | costume design by Danilo Donati, Sartoria Farani di Luigi Piccolo

di materiali insoliti montati con strumenti impropri come colla a caldo o bostik si affacciavano in un cinema sperimentale che si avvantaggiava di queste innovazioni. Federico Fellini stimava profondamente Donati, non avevano la stessa intesa che c'era fra lui e Pasolini ma capiva la sua genialità affidandogli costumi e scenografie. Con lui realizza uno dei capolavori della storia del cinema: gli abiti femminili e quelli di D.Sutherland nel *Casanova* rappresentano uno dei momenti in cui è più evidente l'intesa fra chi collabora alla realizzazione del film inteso come opera. Se, come diceva Fellini, il film perfetto dovrebbe essere fatto di una sola immagine, un solo quadro, forse questo si realizza mille volte nel *Casanova* dove ogni scena è un film in cui perdersi. Quindi un capolavoro che nasce dal sogno di un regista, tradotto in progetto dal costumista e materializzato dall'abilità artigianale della sartoria. La sperimentazione di Donati si è espressa fortemente anche nella televisione delle prime Canzonissime realizzate con Piero Farani per la Sartoria AnnaMode, prima che Farani aprisse la sua, dove

Liliana Cavani, "Il portiere di notte", 1974, costumi di Piero Tosi, Annamode 68 | costume design by Piero Tosi, Annamode 68

Luchino Visconti, "Il Gattopardo", 1963, costumi di Piero Tosi -Sartoria Safas Costumi d'Arte Peruzzi | costume design by Piero Tosi -Sartoria Safas Costumi d'Arte Peruzzi

Jean Jacques Annaud, "Il Nome della Rosa", 1985, costumi di Gabriella Pescucci, Sartoria Tirelli | costume design by Gabriella Pescucci, Sartoria Tirelli

gli abiti erano anche di carta. Donati è morto durante la fine della lavorazione del *Pinocchio* di Roberto Benigni. Oggi la tradizione sartoriale romana continua nelle mani abili ma anziane di pochi artigiani, anche la formazione dei futuri costumisti è faticosamente portata avanti dal Centro Sperimentale e qualche Accademia. Eppure abbiamo vinto più Oscar come costumisti e scenografi che come registi e attori. Pochi sanno chi era Danilo Donati e pochi giovani conoscono questo mestiere. La progettazione del costume cambia come cambiano gli strumenti espressivi, il computer consente l'elaborazione veloce di modelli su schizzi a mano così come avviene per ogni tipo di progetto. Sarebbe quanto mai opportuna una collaborazione fra i luoghi di formazione e Cinecittà per promuovere progetti comuni in un settore che ancora ci vede come unici al mondo.

Spesso però dimentichiamo il patrimonio di cui disponiamo, così come è accaduto a Roma che ha trascurato, troppo presa dalla rincorsa ad un altro importante sarto capitolino, il patrimonio di un altro grande genio del tessuto Roberto Capucci. Giustamente in quanto designer e artista Capucci è stato riconosciuto nella sua grandezza dall'Università. Ecco come Capucci ricorda Danilo Donati: " Io ho adorato quell'uomo. Lui ha lavorato con i più grandi registi che non sono banali, gli hanno dato retta e hanno capito che era un genio, un genio assoluto. Lui inventava: la cosa meravigliosa anche nel costume è inventare un'epoca, rifarla perfettamente è meraviglioso, però se c'è quel tocco in più è affascinante. Fellini deve moltissimo a Donati, ma anche Pasolini e Zeffirelli. In Giulietta e Romeo, quando muore Giulietta, quel tessuto l'aveva plissettato e poi lavato, poi messo al sole, poi rilavato e poi un pò rotto e ricucito, aveva inventato la materia. Si rifaceva al Seicento, ma inventava". Oggi la Sartoria Farani è diretta da Luigi Piccolo che continua a lavorare con lo stesso spirito artistico assimilato da Donati e Farani.

Luchino Visconti, "Il Gattopardo", 1963

The cinema is one of Italy's most important industries. Activities and events are flourishing all over the country thanks to regional film commissions.
Boosted by the cheery enthusiasm for the last two Film Festivals, Rome is trying to recapture its role as a city that welcomes artists rather than just film sets. Unfortunately, although its workers are recognised as being amongst the best in the world, *Cinecittà* is no longer the dream factory it was a few decades ago. We're not referring to world-famous directors or artists, we're taking about the artisans/artists who actually turned the ideas of geniuses like Fellini, Pier Paolo Pasolini, etc., into reality. Rome in the fifties must have been magnificent, energetic in its legendary apathy: writers, script-writers, directors and costume-designers used to meet and waste away the time in cafés like the Caffé Rosati, in Via Veneto or on the Spanish Steps.
Like a huge open-air set, the city welcomed artists from all over the world, attracted as they were by the film industry.
Those were the years of American blockbusters, the dolce vita, and the *paparazzi* of Hollywood on the Tiber.
It was the heyday of theatrical and film ateliers in Rome: these ateliers still make the costumes for national and international films, each specialising in a certain genre. The oldest, *Costume d'arte Peruzzi,* was a subsidiary of *Safas* in Florence specialising in men's clothes and uniforms; *Tirelli* made costumes for Visconti and Piero Tosi thanks to their perfect philological imitations and now makes costumes for Gabriella Pescucci or Maurizio Millenotti. *GP 11* is the dressmaker of all the female stars: the costumes for the Oscar-winning movie *Marie Antoinette* were made by this atelier. *AnnaMode* makes both fashion designs and film costumes. Then there's the *Sartoria Farani* where costumes are something different.
Piero Farani was a builder of dreams, like an architect. He was a designer who used materials (fabrics were just one part of those materials) to create an object that could change the soul of the actor chosen by the director. The *Sartoria Farani* owes much of its fame to its close collaboration with the great maestro Danilo Donati: two nominations and two Oscars, for *Romeo and Juliet* and *Casanova* – statuettes which were never claimed!
Danilo Donati, set and costume-designer, arrived in Rome from Florence where he attended the Academy of Fine Arts with Ottone Rosai. He began to work with Luchino Visconti, but his unique style (delirious and very overstated) steered him towards an oneiric style of cinema like the one by Fellini and Pasolini.
We have chosen to write about Donati from amongst the many great Italian costume-designers because no-one in this field is more representative of Italian creative genius. A dress or a set is based on a

Luchino Visconti, "Le notti bianche", 1957, costumi di Piero Tosi, Annamode 68 | costume design by Piero Tosi, Annamode 68

Vittorio De Sica, "Matrimonio all'italiana", 1964, costumi di Piero Tosi, Annamode 68 | costume design by Piero Tosi, Annamode 68

Sergej Bondarcuk, "Waterloo", 1970, costumi di Maria De Matteis/Ugo Pericoli - Costumi d'Arte Peruzzi | costume design by Maria De Matteis/Ugo Pericoli - Costumi d'Arte Peruzzi

Roberto Faenza, "Mio caro Dottor Graesler", 1991, costumi di Milena Canonero e Alberto Verso, Annamode 68 | costume design by Milena Canonero e Alberto Verso, Annamode 68

Federico Fellini, "Tre passi nel delirio", 1967, costumi di Piero Tosi, Annamode 68 | costume design by Piero Tosi, Annamode 68

Mel Gibson, "The Passion", 2002, costumi di Maurizio Millenotti, Sartoria Tirelli | costume design by Maurizio Millenotti, Sartoria Tirelli

project which exploits its own archetypes and deep-rooted culture. The confidence with which it is created is the same confidence used to choose a colour for a fresco or the structural element of a bridge.
The beauty of perfection is not in the philological choice of the materials or reliable imitation, but in interpreting a concept. "I'll create such a modern Greece it will seem archaic" was what Donati said when designing the costumes for *Oedipus Rex* by Pier Paolo Pasolini. Up to then, costumes had never even thought of reflecting the spirit of the age or the ideas of the director telling the story. Jocasta's dress was made of hen's feathers and shells, a material invented after dyeing, folding and welding as well as stitching. The costume became a work of art in which it was above all the project that was it was above all the project that was searching for meaning.
The relationship between Donati and Pasolini was a happy one; the meeting of two extremely learned men capable of translating culture into poetry. This synergy was one of the reasons behind the Pasolini's brilliance: Donati turned his poetry into images, Italian images inspired by classical artists like Piero della Francesca or Andrea Mantegna.
In the trilogy, *The Decameron*, *A Thousand and One Nights* and *The Canterbury Tales*, the costumes gave lustre to the film thanks to Donati's oneiric vision; they were crucial to lighten up scenes which would otherwise have been very sombre. Unusual materials assembled with hot glue or bostik began to be used in experimental films which started to take advantage of these innovative solutions.
Federico Fellini thought highly of Donati. There wasn't the same *entente* as they was between Donati and Pasolini, but Fellini

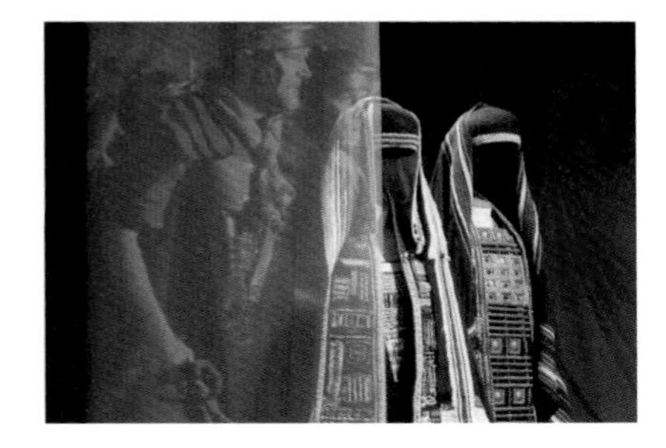

Sartoria Farani

Pier Paolo Pasolini, "Edipo Re", Silvana Mangano, Giocasta

Franco Zeffirelli, "La bisbetica domata", Richard Burton, Petruccio

understood his genius and asked him to design costumes and sets. Together they created one of the masterpieces in the history of films: the female dresses and the clothes worn by Donald Sutherland in *Casanova*. It is a defining moment revealing the relationship established between two people who consider a film a work of art. Fellini used to say that a perfect film should be made of just one image, just one shot; if this is true, then perhaps this happened a thousands times over in *Casanova* where you can loose yourself in every scene.
A masterpiece born from the dream of a director, turned into a design by a costume-maker and produced by the manual skills of a tailor.
Donati's experiments were also part of TV programmes – the first *Canzonissima* produced by Piero Farani for the *Sartoria Annamode*, before Farani opened his own atelier. In these programmes, the costumes were made of paper. Donati died while Roberto Benigni was shooting the final scenes of his film, *Pinocchio*.
Today traditional Roman couture continues in the capable yet aged hands of a few artisans; the training of future costume-designers is painstakingly carried out by the *Centro Sperimentale* and a few Academies. Yet Italian costume and set designers have won more Oscars than Italian directors and actors. Very few people know who Danilo Donati was and only a few know what this profession entails.
Designing costumes changes when the tools we use change: computers make it easy and quick to develop a model based on a handmade sketch, as they do any project. At the very least there should be more collaboration between training centres and *Cinecittà* to sponsor joint projects in a field in which Italy leads the pack.
Often, however, we forget what an incredible legacy we have inherited, for instance in Rome which, focusing as it has on another important Roman couturier (Valentino), has all but neglected the legacy of another great genius of fabric, Roberto Capucci.
Quite rightly, at least Universities have recognised Capucci as a great designer and artist.
This is how Capucci remembers Danilo Donati: "I adored him. He worked with the greatest unconventional directors. They listened to him and understood he was a genius, an absolute genius. He was an inventor: the wonderful thing in costume design is to invent an age, remake it perfectly is marvellous but if there's that little extra, then it becomes intriguing and enchanting. Fellini owes much to Donati, so do Pasolini and Zeffirelli. In *Romeo and Juliet*, when Juliet dies, he plisséd and washed the fabric, then left it to dry in the sun, then washed it again and then tore it and sowed it again: he had invented matter. He looked to the seventeenth century, but he was also a creator."
Today the Sartoria Farani is managed by Luigi Piccolo who continues to work with the same artistic spirit transmitted by Donati and Farani.

Sfilate in miniatura fra tradizione e ricerca
Not Just Fashion, Lifestyle Design

Maurizio Galante è stilista e designer romano. Grazie alle sue preziose e originali collezioni che lo hanno fatto riconoscere come "l'erede di Roberto Capucci", Maurizio Galante è tra i pochissimi italiani presenti nel calendario ufficiale dell'alta moda della capitale francese e le cui opere e i cui abiti sono esposti al Victoria and Albert Museum a Londra e al Costume Institute a Tokyo.

La formazione iniziale di Maurizio Galante è tutta italiana: ha studiato all'Accademia di Costume e Moda a Roma, fino al 1984, presentando l'anno dopo la sua prima collezione "Maurizio Galante X circolare" in occasione di *Milano Collezioni*. Nel 1988 riceve il suo primo riconoscimento dalla moda italiana ed estera con il premio *Fil d'Argent* a Montecarlo e dal 1991 si inserisce nel calendario delle sfilate parigine, conquistando le passerelle di New York, Pechino e Tokyo. Nel 1996 la decisione di trasferirsi a Parigi e di rinunciare ad un lavoro ormai di élite, troppo estraneo ai circuiti che oggi caratterizzano il sistema moda internazionale; "Una scelta personale" dice lo stilista "relativa ad un modo di vivere e di lavorare, ho lasciato l'Italia, ma il legame con lo 'stile' italiano è qualcosa che non si può abbandonare: le cose che stanno intorno a noi diventano parte di noi, nel mio lavoro c'è tutto quello che rappresenta l'Italia, visto attraverso i miei occhi". Se l'Italia rappresenta il filo rosso della tradizione, con la sua poesia e la sua tradizione artigianale, il Giappone, è stata un'occasione di ricerca e sperimentazione tecnologica. Dal 1992 Galante lavora in Giappone collaborando con due aziende: una, specializzata nella vendita su catalogo, l'altra è la ITOCHU, uno dei più importanti gruppi di abbigliamento giapponese che a settembre metterà in produzione una collezione prêt a porter donna con il marchio Maurizio Galante. "La cultura giapponese - spiega lo stilista - rappresenta qualcosa di molto sofisticato e allo stesso tempo molto semplice, è una cultura in cui convivono passato e presente, modernità e tradizione, tutto ciò è molto vicino al mio percorso, al mio lavoro, al mio linguaggio". Anche l'idea del lusso nella cultura orientale è attinente al pensiero dello stilista "In Italia il lusso è aggiungere cose a un abito, lì invece la ricchezza è data dal togliere, togliere fino ad arrivare all'animo delle cose". Oggi il nome di Maurizio Galante è diventato sinonimo di innovazione e sperimentazione nell'uso delle nuove tecnologie digitali applicate al fare moda; ne è un esempio il progetto rivoluzionario *Digital Dress*: si tratta di un abito digitale, senza cuciture, realizzato con una fibra cava innovativa, Élite Micro, nata da una ricerca sui materiali in collaborazione con la Nylstar, seconda azienda al mondo per la creazione di nuove fibre. Il progetto, portato a termine nel 2000, rappresenta il primo esperimento di sartoria via Internet per la realizzazione di abiti personalizzati, firmati, di alta qualità, a prezzi contenuti. "Ho pensato di utilizzare Internet nel modo più consono a quello che veramente è la comunicazione: collaborare con il cliente facendolo partecipare alla creazione dell'abito, basta inserire le proprie misure,

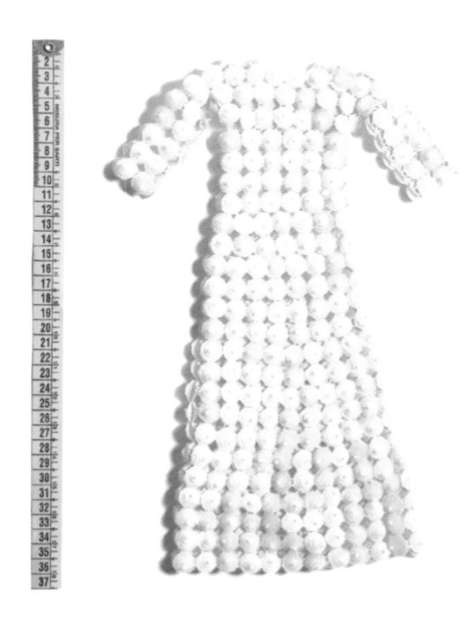

scegliere un modello e un tipo di filo e il prodotto è fatto!". Le ricerche di Galante si esprimono comunque soprattutto sulle scelte dei materiali, che per il giovane stilista devono essere al servizio del progetto creativo. Lo testimonia la sua ultima collezione, forse un omaggio alla storia: nella splendida cornice della Fondation Cartier a Parigi, il designer romano ha presentato, infatti, una preziosa e originale sfilata a base di mini-creazioni ricamate con migliaia di perle vere e coralli, indossate da bambole in crêpe di seta alte 35 cm: un ricordo delle miniature-vestite che nell'Ottocento si mandavano a domicilio alle clienti per presentare i modelli. Negli ultimi anni, Maurizio Galante ha coltivato il suo talento anche al di fuori della moda firmando il "cubo-minestrone", un piatto povero per eccellenza che grazie al suo tocco è diventato piatto da museo. Il composto di verdure surgelate fa parte, infatti, del menu del Museo di Arte Moderna di Lussemburgo, con il quale lo stilista collabora da qualche mese, occupandosi dello sviluppo dei prodotti di merchandising dello shop del museo e del ristorante, per il quale cura appunto il coordinamento artistico del menu. "Non ho paura di

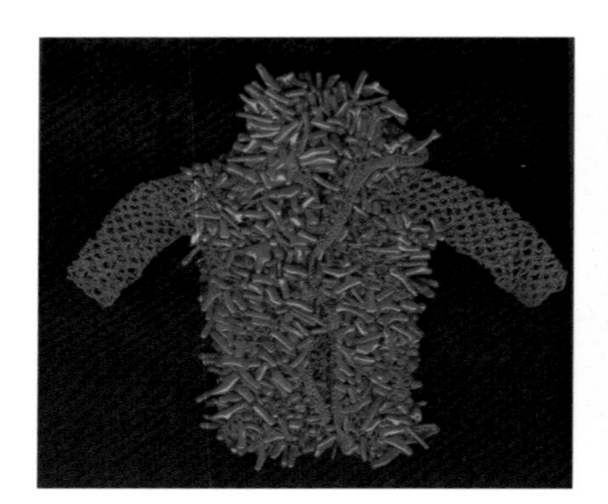

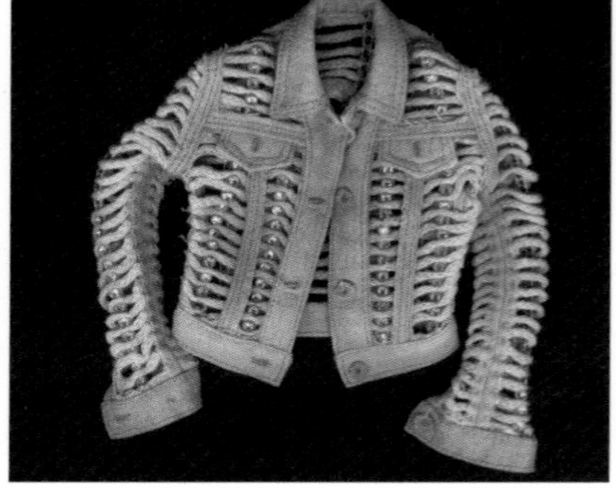

confrontarmi con il design di qualsiasi tipo e il fatto che ho firmato il progetto di un cibo lo conferma. Mi hanno chiesto che tipo di prodotto potevano fare e io ho detto: perché non facciamo delle vecchie ricette, ricette semplici, con prodotti ottimi e li presentiamo in un modo nuovo, moderno e, nella sua semplicità, sofisticato? È un pò come vendere un'idea, un concetto, come lo sono i miei abiti che sono sempre concettuali... Oggi lo stilista non deve solo disegnare abiti, ma deve saper trasmettere un'idea. Non è importante che Tom Ford da Gucci sapesse o non sapesse disegnare. Lui è stato un genio che ha cambiato la moda perché davanti a mille proposte dell'ufficio stile sapeva scegliere quelle cento idee vincenti che venivano realizzate. Aveva attorno uno staff eccezionale".

Modelli di abiti in miniatura. Collezione Haute Couture, Autunno|Inverno 2004-2005
Miniature dress designs. Haute Couture Fall|Winter 2004-2005 Collection

Maurizio Galante is a Roman stylist and designer. Thanks to his exquisite and original collections, which have often led to him being described as 'Roberto Capucci's heir', Maurizio Galante is one of the few Italians on the official haute couture calendar in Paris. On top of this, his outfits are on display at the Victoria and Albert Museum in London and the Costume Institute in Tokyo. While Italy is the workshop of international design, the result of the global culture in which items are produced in Italy and designed in the rest of the world, in the fashion industry young designers often have to turn to foreign companies in order to express their talents.

Galante's early training took place in Italy. He studied at the *Accademia di Costume e Moda* in Rome until 1984. The following year he presented his first collection, *Maurizio Galante X circolare*, at the *Milano Collezioni*. In 1988, he won his first Italian and foreign fashion award, the *Fil d'Argent* prize in Montecarlo and in 1991 became one of the official

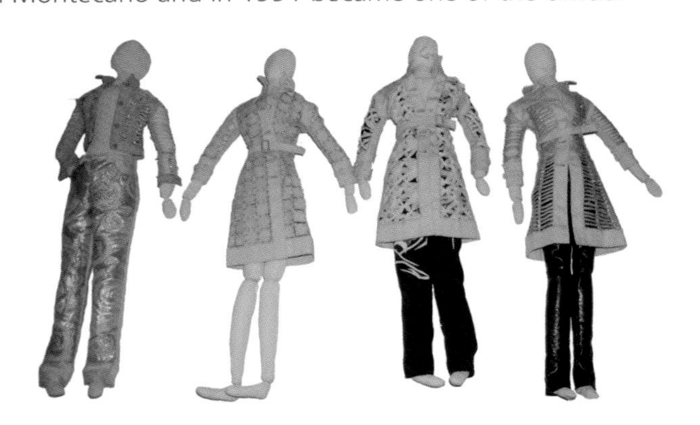

Collezione Haute Couture di abiti in miniatura, Autunno|Inverno 2004-2005, Fondation Cartier pour l'Art Contemporain, Paris
Haute Couture Fall/Winter 2004-2005 Collection of miniature dresses, Cartier Foundation for Contemporary Art, Paris

stylists at the Paris fashion shows. His creations also went on show in New York, Peking and Tokyo. In 1996, he decided to move to Paris and give up haute couture because it didn't fit in with the way in which the international fashion system works. Galante said: "It was a personal decision involving my way of working and living. I left Italy, but I'll always be influenced by *Italian style*. The things that surround us become part of us. My work expresses everything Italian, seen through my eyes". If Italy is Galante's link with tradition, its poetry and artisanal tradition, Japan was an opportunity for research and technological experimentation. Galante had started to work with two Japanese companies in 1992: one is specialised in catalogue sales, the other is the ITOCHU company, one of the most important Japanese clothing companies. In September, the ITOCHU Company will start to produce a prèt-à-porter collection for women designed by Maurizio Galante. The stylist explains that "Japanese culture is very sophisticated and simple at the same time. It's a culture that combines past and present, modernity and tradition. This is very

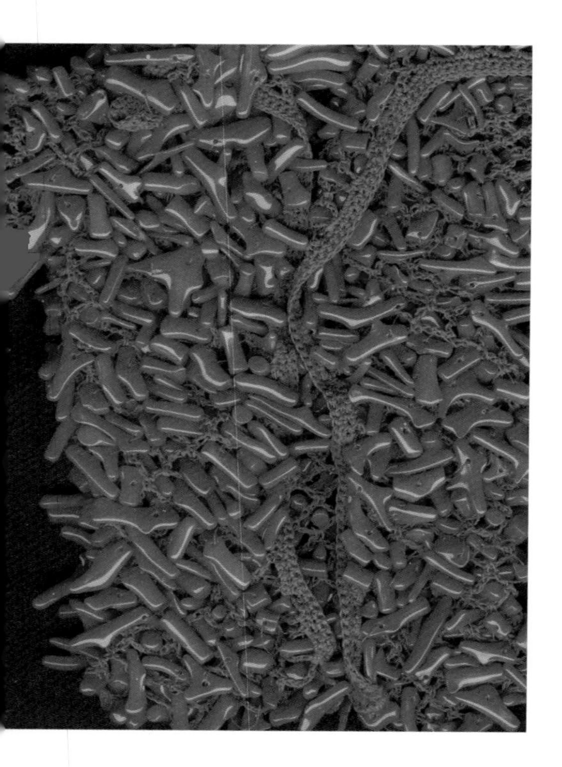

similar to my own style, my work, my designs". Even the oriental concept of luxury is similar to Galante's. "In Italy, luxury means adding something to a dress. In Japan, instead, it means taking things away, until you reach its essence".
Maurizio Galante has become synonymous with innovation and experimentation in the use of new digital technologies in fashion. One example is the revolutionary project, *Digital Dress*. It is a seamless digital dress made of a new hollow fibre, Élite Micro, developed with Nylstar, the second most important company in the world for new fibres. The project was completed in 2000. It is the first web-based experiment for personalised, high quality, designer dresses at reasonable prices. "I thought of using Internet the way it was intended to be used: to communicate. I wanted to work with the client, letting him/her participate in the creation of the design. All the client has to do is to insert his/her measurements, choose the model and type of thread and there's the product!" Galante's research focused mainly on the type of materials, which the stylist believes, have to fit the creative project. One example is his latest collection, perhaps a tribute to history. In the splendid premises of the *Fondation Cartier* in Paris, the Roman designer presented a priceless and original fashion show with mini-creations embroidered with thousands of real pearls and coral, worn by 35 cm

Particolare di camicia realizzata ad uncinetto con ricami in rami di corallo. Collezione Haute Couture, Autunno|Inverno 2004-2005
Detail of a crochet blouse with coral embroidery. Haute Couture Fall|Winter 2004-2005 Collection

Dettaglio di abito realizzato in "tubi sbiechi" di organza di seta. Collezione Haute Couture, Primavera|Estate 1992
Detail of a dress made of silk organza "twisted tubes". Haute Couture Spring|Summer 1992 Collection

dolls in silk crêpe: one way of remembering the miniature-dresses that designers used to send their clients in the nineteenth century to present their creations. In the last few years, Maurizio Galante has used his talents in other fields. He has designed the "minestrone-cube", a poor man's dish *par excellence* which, thanks to his skill and ability has become a museum piece. In fact, the frozen vegetable mixture is part of the menu of the Luxembourg Museum of Modern Art. The stylist has been working with the museum for several months, developing merchandise for the museum shop and artistically co-ordinating the restaurant's menu. "I'm not afraid of tackling any type of design and the proof is that I've designed food. I said why don't we use old, simple recipes with excellent ingredients and make them new, modern and simply sophisticated. It's a little like selling an idea, a concept, like my clothes that are always conceptual… Nowadays a stylist doesn't just design clothes, he communicates an idea. It's not important to know whether Tom Ford at Gucci's knew or didn't know how to draw. He was the genius that changed fashion because when he had to choose between the thousands proposed by his style department, he chose the one hundred winning designs. He had a great staff."

Tecnologia e tradizione negli abiti
Technology and Tradition into Clothes

Il lavoro dello stilista giapponese si presenta come una riflessione sugli aspetti della civiltà orientale e occidentale condotta attraverso un metodo che, da una parte considera il rapporto dell'abito con il corpo, con lo spazio e il movimento e, dall'altra, riesanima le tecniche di realizzazione dei tessuti e dei vestiti. Nella ricerca di Issey Miyake si riuniscono elementi opposti come artigianalità e tecnologia, costruzione e destrutturazione, bidimensionalità e volume.

Quando nel 1978 venne pubblicato il libro "Issey Miyake. East Meet West", la diffusione in Europa della cultura orientale aveva generato già da secoli numerosi fenomeni di contaminazione. A partire dalle merci e dai racconti di viaggi, passando per il sogno esotico di mode come quella settecentesca per le cineserie fino al più recente gusto per il japonisme, nel corso del tempo le forme provenienti dall'oriente si sono spesso sovrapposte e mescolate a quelle occidentali. Nel volume citato, relativo all'attività di Miyake tra il 1970 e il 1977, non si trovano però riproposizioni di forme a kimono o immagini di tsunami, bensì i risultati di una forma di pensiero che unisce aspetti della civiltà orientale con quelli della cultura occidentale. Il lavoro dello stilista giapponese si presenta come una riflessione su questi aspetti, condotta attraverso un metodo che da una parte considera il rapporto dell'abito con il corpo, con lo spazio e il movimento e dall'altra riesamina le tecniche di realizzazione dei tessuti e dei vestiti. È evidente nella sua ricerca l'unione di termini opponitivi quali: tecnologia e artigianalità, costruzione e destrutturazione, bidimensionalità e volume, casualità e intenzionalità. Per queste sue peculiarità l'attività del designer giapponese ha interessato anche quelle aree progettuali che tradizionalmente si sono dimostrate poco attente alla moda. Come ha scritto l'architetto giapponese Arata Isozaki, il lavoro di Miyake "ha avuto un impatto così determinante nella sfera culturale che ha portato un nuovo stimolo a tutte le aree della progettazione".
Del resto, Miyake ha costruito la propria carriera accompagnando il lavoro di stilista - dall'esperienza come assistente di Laroche e Givenchy a Parigi e di Goffrey Beene a New York fino alle sfilate delle proprie collezioni - alla partecipazione a manifestazioni incentrate sul tema della progettazione e alla incessante attività espositiva in musei: nel 1979 ha preso parte alla conferenza internazionale di design ad Aspen e nel 1982 ha esposto alla mostra "Intimate Architecture: Contemporary Clothing Design" al Massachussets Institute of Technology. Molti spazi dedicati all'arte moderna, come il Barbican Art Gallery a Londra, il Touko Museum of Contemporary Art a Tokio o lo Stedelijk Museum ad Amsterdam, gli hanno dedicato delle mostre e, nel 1982, ha destato scalpore un suo abito sulla copertina di "Artforum". Per la prima volta il lavoro di uno stilista era sulla copertina di una rivista d'arte contemporanea, a testimoniare una sorta di rovesciamento del rapporto tra arte e moda: se i

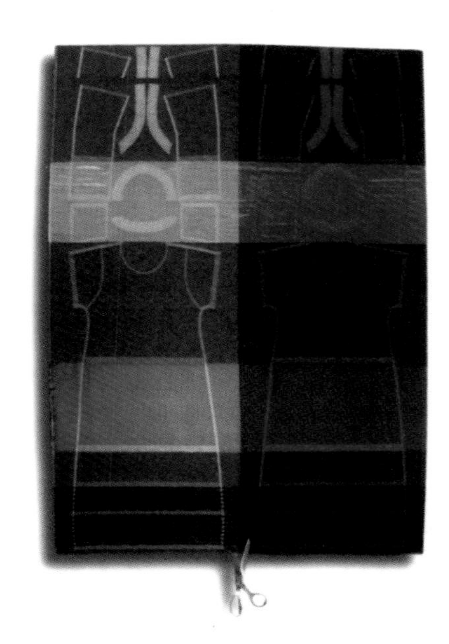

disegnatori di moda hanno sempre preso spunto dalle forme dell'arte o talvolta alcuni artisti hanno giocosamente prestato la propria opera per vestire il corpo (come i futuristi o, più di recente, Getulio Alviani o Lucio Fontana) oggi il lavoro di alcuni stilisti si pone autonomamente come espressione di una riflessione sulla contemporaneità. Se il caso di Miyake è particolare per la grande attenzione che le istituzioni artistiche hanno prestato alla sua attività, più in generale si può notare che nei musei si sta diffondendo la tendenza a dare spazio agli attori e alla produzione della moda, non solo nella sua dimensione storicizzata di "costume".
Va detto altresì che questa evoluzione coincide con la necessità della moda di trovare nuove strade di affermazione, conducendo il sistema delle griffe ad un nuovo livello di riconoscimento sociale che, con l'arte, si faccia donatore di senso "all'irragionevole spreco" della moda.

Abito e corpo. Secondo Miyake "la forma finale degli abiti è determinata dal modo in cui il corpo si muove" e "non diversamente che in architettura e nell'arredamento, il progetto dell'abito non può dirsi compiuto senza la partecipazione di chi lo porta". Questa concezione ha le sue radici nella tradizione giapponese, per la quale è importante che il vestito "abbia una propria vita e un proprio spirito che interagisce con il corpo umano in movimento e a riposo, e che sia abbastanza versatile da adattarsi allo stile di vita di chi lo indossa". "Non c'è una differenza fondamentale tra le discipline progettuali" - sottolinea Miyake - "ma maggiore è la vicinanza fisica della disciplina al corpo umano, più c'è bisogno di usare tutti i cinque sensi". I vestiti di Miyake non sembrano costruiti intorno ad un modello ideale di corpo o ad una identità umana particolare. L'abito recupera il valore antropologico di "pura maschera", senza essere investito della necessità di dover significare il corpo, diversamente da quanto accade nel rapporto normativo e di Abito e corpo, per Miyake, sembrano invece definirsi e trasformarsi nel rapporto reciproco: rapporto in costante mutamento perché il corpo si muove nello spazio. L'ambizione alla permanenza tipica dell'abbigliamento occidentale - evidente nelle espressioni: tiene la piega, cade perfettamente, non fa una grinza - ha condizionato fortemente il lavoro di confezione e di manutenzione: come nella pratica della sanforizzazione (o no-ironing, il procedimento di finissaggio che evita la formazione di pieghe nel tessuto) o nelle tecniche sartoriali che, soprattutto nei capispalla, tendono ad evitare le deformazioni assunte dall'abito con i movimenti del corpo.
Nella cultura orientale, al contrario, la tensione alla perfezione riguarda l'esecuzione, il gesto, mentre il risultato non esprime compiutezza, poiché nell'oggetto si deve manifestare anche il contingente, l'imprevisto.

Pleats Please. Nel caso degli abiti plissettati di Miyake, ad esempio, accade che le piccole pieghe, soprattutto in corrispondenza delle articolazioni del corpo, si tendano e si dilatino a ventaglio quando la persona si muove, enfatizzando alcune parti e generando delle forme proprie. Inoltre la plasticità corporea viene messa in risalto dagli effetti chiaroscurali che si moltiplicano e si modificano con i movimenti.
La plissettatura degli abiti non è una novità: già Mariano Fortuny aveva riproposto all'inizio del ventesimo secolo l'uso di tuniche di seta pieghettate ispirate al kiton greco, mentre più di recente Nanni Strada aveva anticipato l'idea di Miyake con i suoi torchon. Ma su questa tecnica il designer giapponese ha costruito un vero e proprio sistema vestimentario (Pleats Please), sostenuto dalle ricerche di designer tessili.
La pieghettatura è impressa a caldo su capi precedentemente confezionati in dimensioni maggiori di quella definitiva, realizzati in jersey di poliestere, materiale che mantiene la texture anche dopo il lavaggio. Questa operazione viene eseguita a capo ultimato perché la realizzazione delle cuciture sarebbe più complicata sul tessuto plissé. Molte altre texture sono state studiate dai designer tessili allo scopo di conferire diversi rilievi plastici alle stoffe: dalle stropicciature irregolari ottenute appallottolando e comprimendo i capi, alle strutture regolari di piegatura tipiche della tecnica origami. La materia ha sempre, negli abiti di Miyake, un valore fortemente espressivo: monobava di nylon e silicone stampato, ma anche abura-gami, una carta oleata fatta a mano usata in Giappone per la confezione di ombrelli, e sashiko, un tessuto di cotone trapuntato a disegni tradizionali.
Fin dal periodo in cui frequentava il corso di graphic design alla Tama Art University a Tokyo, il progettista giapponese era interessato ai tessuti tradizionali locali, in particolar modo quelli delle zone rurali, e alle loro tecniche.

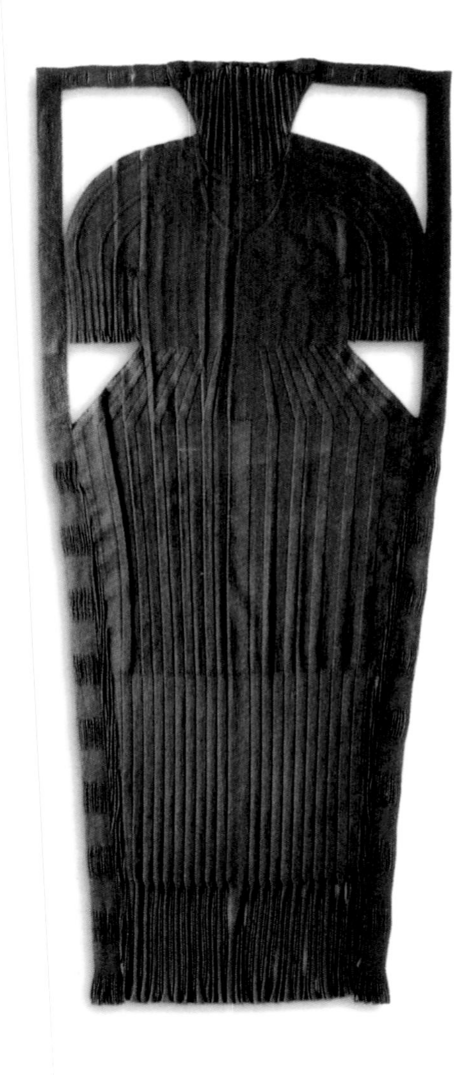

Tessitori giapponesi. In Giappone la tessitura, come tutte le arti applicate, è considerata a pieno titolo una disciplina artistica e non è eccezionale che nei musei d'arte contemporanea si tengano talvolta mostre di tessuti. La tessitura giapponese ha acquisito di recente una grande notorietà anche oltreoceano, dove si moltiplicano eventi, mostre e convegni che presentano lavori e tecniche contemporanei e del passato. Nel 1998 la mostra "Structure and Surface", al Museum of Modern Art di New York, ha presentato alcuni risultati della ricerca, a livello sia artigianale che industriale, dei tessitori giapponesi contemporanei. Non pochi tra questi hanno collaborato con Miyake: la ricerca sui materiali è, infatti, una delle caratteristiche fondamentali della sua attività e per questo motivo egli si avvale di designer tessili che elaborano la materia degli abiti in modo sperimentale. Dal 1971 Makiko Minagawa è responsabile della ricerca tessile del Miyake Design Studio: suo è il tessuto della serie "Prism Collage Method", formato da diversi tessuti - chiffon di poliestere, strati di materiale nonwoven in vari colori parzialmente sovrapposti tra loro e una base in lana - uniti tramite agugliatura. Con questo procedimento, solitamente usato per la produzione di tappeti e moquette, gli aghi che passano attraverso gli strati spostano e allacciano le fibre degli elementi del collage, rendendo maggiormente visibili i colori sottostanti. Per la collezione del 1998, Starburst, Makiko Minagawa ha pensato di racchiudere i capi di abbigliamento tra due leggeri fogli metallici che vengono impressi a caldo sulla sua superficie. Quando l'indumento viene indossato, la parte metallica si rompe irregolarmente e si apre in corrispondenza delle pieghe, facendo emergere il tessuto originale. Koichi Yoshimura è un designer e produttore tessile che ha collaborato con il Miyake Design Studio per realizzare un tessuto riflettente senza usare filato metallico. Il risultato è Iridescent Satin, un raso in poliestere e cotone che si colora di riflessi metallici e cangianti in rapporto al variare della luce e del movimento. Junichi Arai è, con Reiko Sudo, tra i fondatori dell'azienda tessile giapponese Nuno ed è tra i più noti designer tessili giapponesi che hanno ideato stoffe usate per gli abiti di Miyake. Arai proviene da una famiglia che per sei generazioni ha tessuto stoffe per obi e kimono ed è un esperto della tecnica tradizionale giapponese di tintura shibor; ma la sua conoscenza delle tecniche artigianali si combina con la sperimentazione tecnologica per ottenere effetti inusitati, come nel tessuto di filo d'acciaio che diventa morbido e cangiante attraverso il trattamento con agenti chimici e il calore.

A-POC. Con l'ingegnere tessile Dai Fujiwara, Miyake ha progettato un sistema di produzione per una collezione chiamata "A-POC" che lo scorso anno Dai Fujiwara ha presentato al seminario "Weaving Material and Habitation". Questo seminario è stato organizzato da Toshiko Mori,

docente e direttrice del dipartimento di Architettura dell'Università di Harvard che, tra i vari progetti, ha anche realizzato lo spazio espositivo di Miyake a New York. In questo workshop, Toshiko Mori e gli studenti hanno indagato le potenzialità dei procedimenti e dei materiali tessili per la creazione di strutture abitative, cercando le possibilità applicative offerte sia da materiali naturali e tecniche artigianali che da fibre sintetiche e tecnologie recenti. Dai Fujiwara ha sviluppato un programma informatico per realizzare con una macchina per maglieria circolare dei capi senza cuciture, che sono "fustellati" nella pezza da forature lungo la linea di taglio. Acronimo di "A Piece of Cloth", A-POC è il nome di una linea di abbigliamento di Issey Miyake prodotta e presentata in un unico tubo continuo di tessuto. Il cliente, mentre è in negozio, sceglie e taglia scollatura, maniche, gonna, maglia o abito della lunghezza desiderata. Calze, borsa, berretto sono talvolta ottenuti dalle parti di sfrido della pezza. Questo progetto ha l'intento di coinvolgere il consumatore nell'operazione progettuale e di lasciare un margine di scelta a chi acquista, oltre che di offrire un esempio di attenzione ai problemi ambientali attraverso la riduzione degli scarti di lavorazione. Se il concetto di lusso è legato allo spreco, e la moda è per eccellenza, secondo Veblen, un fenomeno di "spreco vistoso", questa parsimonia rovescia i termini finora impiegati. Gli abiti di Miyake sono esuberanti nella grafia, negli accostamenti cromatici, ma i tessuti sono sintetici, "poveri", lontani dalla materia - pelliccia, pelle, seta - tradizionalmente rappresentativa del lusso. Nel suo saggio sul lusso Patrizia Calefato individua in Miyake uno degli interpreti, all'interno dell'industria della moda, di una nuova tendenza nel rappresentare il lusso, nella quale acquista valore il gesto "produttivo di un senso essenziale". Si potrebbe affermare che Miyake rappresenta la tendenza che interpreta e vende il lusso in forma di raffinato abito mentale.

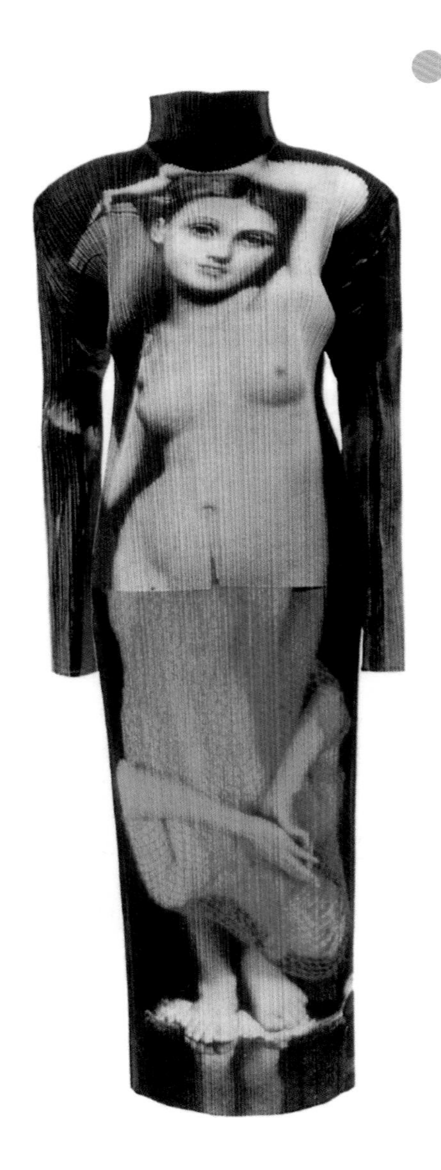

The work of the Japanese designer is a reflection on aspects of eastern and western civilization carried out with a method that on the one hand considers the relationship between outfits and the body, space and movement, and on the other re-examines the production techniques of materials and clothes. In his research, contrasting elements are brought together, such as craftsmanship and technology, constructed and unstructured looks, and two-dimensionality and volume.

When Issey Miyake's book East meets West was published in 1978, oriental culture had already been influencing Europe for many centuries, for instance, trade exchanges or travel stories, the fashionable eighteenth century exotic desire for chinoiserie or the more recent penchant for japonisme. Over the years, these trends all contributed to the superimposition or mixture of oriental and western forms.
Rather than focusing on novel forms of kimono or tsunami images, the chapter of the book dealing with Miyake's designs between 1970 and 1977 highlights a philosophy that combines various aspects of oriental and western civilisations. The designer's work reflects this research carried out by evaluating the relationship between clothes and the human body, space and movement, on the one hand, and the techniques used to make cloth and clothes, on the other. His research reveals how he combined opposing elements: technology and handicraft, creation and destruction, two-dimensional space and volume, randomness and intentionality.
These characteristics of Miyake's work influenced areas of design not usually interested in the world of fashion. The Japanese architect Arata Isozaki said that Issey Miyake's work "has had such a decisive impact on the cultural sphere that it has given a new stimulus to all areas of design".
While building his career as a fashion designer – first as an assistant of Laroche and Givenchy in Paris and Geoffrey Beene in New York then as the designer of his own collections– Miyake also attended events that focused on design and exhibited in many museum: in 1979 he participated in an international design conference in Aspen and in 1982 he had a stand at the exhibition "Intimate Architecture: Contemporary Clothing Design" at the Massachusetts Institute of Technology. Many modern art galleries such as the Barbican Art Gallery in London, the Touko Museum of Contemporary Art in Tokyo and the Stedelijk Museum in Amsterdam have held monographic exhibitions of his work and, in 1982 one of his designs, published on the front cover of Artforum, created quite a scandal. For the first time the work of a fashion designer graced the cover of a contemporary art magazine inverting the relationship between art and fashion. If fashion designers have always been inspired by art forms, or certain artists have at times playfully used

their work to cover naked bodies (for instance the futurists or, more recently, Getulio Alviani or Lucio Fontana), nowadays the work of some fashion designers is automatically a pondered expression on contemporary styles.If Miyake is somewhat special thanks to the attention that artistic institutionshave dedicated to his work, the general trend in museums nowadays is to givemore space to fashion designers and the industry itself, rather than just focusing. This evolution also coincided with the need for fashion to find new ways of keeping centre stage. This led brand names to reassess how society viewed them and, together with art, to give the right meaning to the term, "perverse misuse" of fashion.

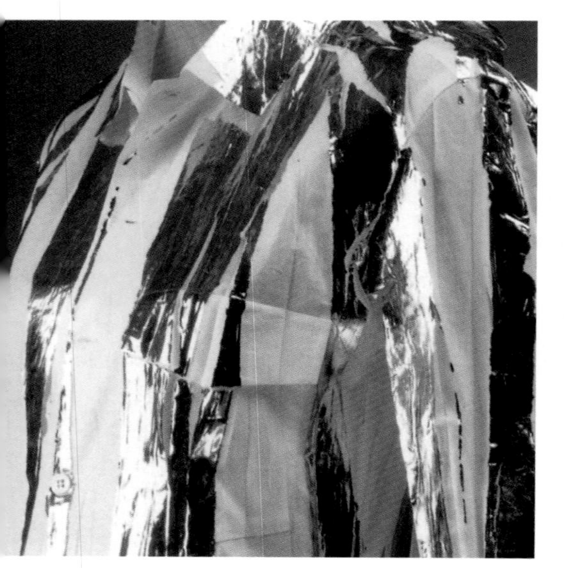

Clothes and the human body. According to Miyake, "The final form of clothing design is determined by the way the body moves" and "unlike architecture and furniture, clothing design cannot be accomplished without the wearer's participation". This concept is part of traditional Japanese culture that believes it is important for clothes "to have their own life and their own soul, a life and soul that interacts with the human body in movement and at rest and is sufficiently versatile so as to adapt to the lifestyle of the wearer". Miyake stresses, "there is no basic difference between design disciplines, but the physically closer the usage of discipline to the human body, the more need there is for making use of all five senses".

Miyake's clothes don't seem built around a perfect body or a particular human identity. The clothes assume the anthropological importance of "pure masks", without having to symbolise the body. This is totally different from the regulatory and conflictual relationship created,

according to Baudrillard, when "clothes have to symbolise the body", a body that "is removed and symbolised in an allusive manner".
For Miyake, clothes and the body seem to be defined and transformed by their reciprocal relationship: a relationship that changes constantly because our bodies move in space.
The desire for permanence typical of western clothes – so obvious in expressions such as: it keeps its shape, it falls beautifully, it doesn't wrinkle – has critically influenced production and upkeep: for instance, the no-ironing or drip-dry finishing procedure that avoids the material to crease, or tailoring techniques that, above all in outerwear, tend to avoid the deformations that clothes are subject to because of body movements.

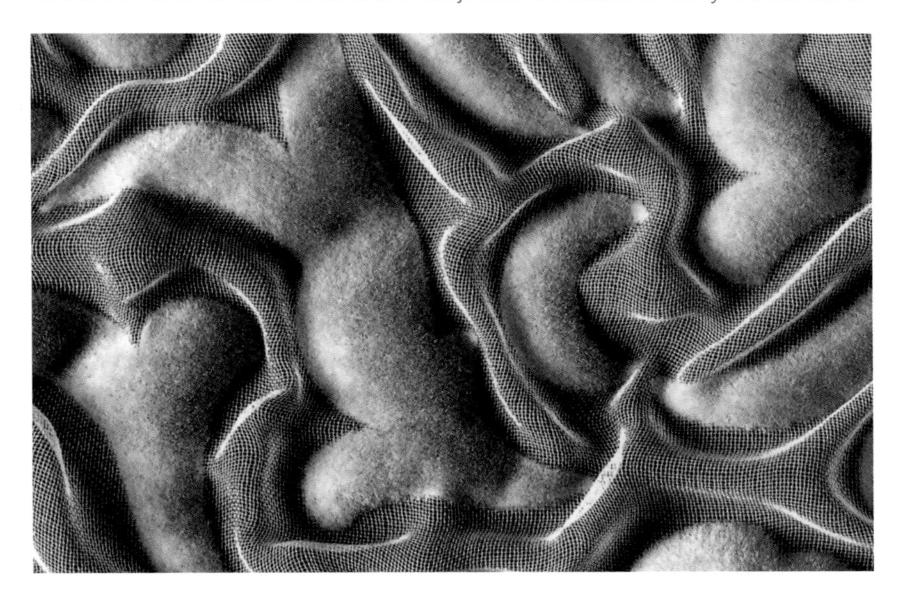

In oriental cultures, on the contrary, desire for perfection focuses on the execution, the gesture, while results do not express perfection because the unforeseen and the unexpected have to be visible in the object.

Pleats Please. In the case of Miyake's pleated dresses, for example, the small pleats, above all the ones where the body bends, tend to expand and open up like a fan when the person moves, emphasizing certain parts and creating their own forms. The chiaroscuro effects that increase and change with movement also highlight the dresses' corporeal plasticity.
Pleated clothes are nothing new. At the beginning of the twentieth century Mariano Fortuny had already proposed the use of pleated silk tunics inspired by the Greek kiton. More recently, Nanni Strada's torchon was a precursor to Miyake's idea. But the Japanese designer has created a clothing system around this technique (Pleats Please), based on research

by textile designers. The pleats are burnt in on clothes that are cut bigger than the final size and made in polyester jersey, since this material keeps its shape after it's been washed. This procedure takes place on the finished dress because it's more difficult to sow the seams on pleated cloth. Many different textures have been studied by textile designers to try and apply various types of plastic structures on cloth and material: irregular wrinkles created by squashing and compressing the clothes or regular structures of typical, origami-type folds.
The materials Miyake uses for his clothes are always very expressive: nylon monofilament and moulded silicone, but also abura-gami, a handmade, oil-soaked paper used to make umbrellas in Japan and sashiko, cotton quilting with traditional designs.
Ever since he attended a course in graphic design at the Tama Art university in Tokyo, the Japanese designer was attracted by both traditional local materials, especially the materials produced in the countryside, and the techniques used to produce them.

Japanese weavers. Like all applied arts in Japan, weaving is considered an artistic discipline to all effects and purposes. Therefore, it is not surprising that contemporary art museums often hold exhibitions of cloth and materials.
Japanese weaving has become renowned the world over and events, exhibitions and conferences are held on past and present works and techniques. In 1988, the exhibition "Structure and Surface" at the MoMA in New York, presented the results of artisanal and industrial research by contemporary Japanese weavers. Many of them have worked with Miyake. In fact, research on materials is one of the key characteristics of his work and this is why he employs textile designers who experiment with the materials used to make his clothes.
Since 1971, Makiko Minagawa is responsible for textile research at the Miyake Design Studio. He designed the cloth in the "Prism Collage Method" made up of different materials — polyester chiffon, layers of superimposed, nonwoven material in different colours with a woollen base —joined together by needle punching. This method is normally used to make carpets and wall-to-wall carpeting: the needles that pass through the various layers move and knot the fibre elements of the collage, revealing the colours underneath.
For the 1998 Starburst collection, Makiko Minagawa thought of placing the clothes between two thin metal sheets that were burnt in on the surface of the material. When the clothes are worn, the metal part breaks up haphazardly and splits apart where the cloth bends, revealing the original fabric underneath. Koichi Yoshimura is a textile designer and producer who worked with the Miyake Design Studio to create a reflective material without using metal yarn. The result was Iridescent

Satin, a cotton and polyester satin with shimmering metal nuances that change with the light and movement.
Junichi Arai, together with Reiko Sudo, is one of the founders of the Japanese textile company, Nuno and one of the most famous Japanese textile designers. He has invented fabrics used by Miyake for his creations. Arai comes from a family that has woven material for obi and kimonos for six generations. An expert in the traditional Japanese technique of shibori dyeing, he combines his artisanal know-how with technological experimentation to create unusual effects, such as his steel wire material that becomes soft and pliable when chemically treated and subject to heat.

A-POC. Together with the textile engineer, Dai Fujiwara, Miyake designed a production system for the "A-POC" collection that last year Dai Fujiwara presented at the seminar called "Weaving Material and Habitation." The seminar was organised by Toshiko Mori, lecturer and director of the Harvard University Department of Architecture which also organised Miyake's New York exhibition. During the workshop, Toshiko Mori and the students studied how these procedures and textile materials could be used to create houses, trying to identify the concrete possibilities provided by both natural materials and artisanal techniques and by synthetic fibres and recent technologies.
Dai Fujiwara wrote a software programme to build a circular knitting/weaving machine to make seamless clothes that are "punched" in the perforation bolt along the cutting line. The acronym of "A Piece of Cloth", A-POC, is the name of a collection designed by Issey Miyake, produced and presented in a single, continuous tube of fabric. When the client is in the shop, he chooses and cuts cleavages, sleeves, skirts, sweaters or dresses requested by the client. Tights, bags, berets are often made from the leftovers of the bolt. This projects aims at involving the consumer in the design process and giving the client more choice as well as taking into account environmental factors by trying to reducing wastage. If the concept of luxury is linked to waste, and, according to Veblen, fashion is par excellence a phenomenon of "showy waste," then this thriftiness reverses the terms used so far. Miayke's clothes are exuberant in their graphics and chromatic matches, but the material is synthetic, "poor", a far cry from the materials – furs, leather and silk – traditionally associated with luxury. In her article on luxury, Patrizia Calefato defined Miyake as one of the interpreters of a new way of representing luxury in fashion, giving "real meaning to productive gestures". We could say that Miyake represents a trend that interprets and sells luxury as an elegant mental "costume"

Sculture di luce, seta, sensualità e magia
Sculptures of Light, Silk, Sensuality and Magic

Attraverso uno sviluppo del prodotto sistematico e intensivo, Ayala Serfaty ha portato avanti un eccezionale progetto di ricerca, produzione e vendita per oltre un decennio dominando la scena nazionale e internazionale. Sin dall'inizio Aqua Creations ha acquisito grande reputazione per il suo design innovativo che combina lavoro fatto a mano con le tecniche industriali, guadagnando diversi premi internazionali. Dal 2002 Ayala Serfaty ha lavorato in modo intensivo su un'unica e inimitabile ricerca e i suoi lavori sono esposti nei maggiori musei di tutto il mondo tra cui il Museo di Arti e Design di New York, il Museo d'Arte di Tel Aviv e il Centro Pompidou di Parigi, ma anche in collezioni private.

Ayala Serfaty si è formata all'arte e alla scultura e nel 1992, dopo una vacanza nel Mar Rosso, ha iniziato a disegnare lampade e mobili dalle forme organiche e biomorfe, ispirate alle straordinarie forme di vita dell'ambiente sottomarino. Lei stessa ricorda quel viaggio come un momento di svolta nel suo personale percorso artistico: "Facevo snorkeling tra i coralli e i pesci. Tutte le cose nell'acqua mi sembravano sedie e lampade! Da quel momento è cambiata la mia vita". Da allora infatti Ayala ha progettato numerose collezioni di oggetti d'arredo con l'obiettivo di creare "qualcosa di caldo, umano, organico e femminile", sperimentando forme fluide e avvolgenti e l'utilizzo di materiali che potessero esprimere al meglio la trasparenza, la leggerezza, il movimento fluttuante e il suono ovattato di quell'ambiente sottomarino da cui è rimasta tanto affascinata. Le sue sensuali sculture luminose di seta indiana sgualcita,pezzi unici completamente realizzati a mano, sono il risultato di un processo creativo che sfuma i confini tra arte e design in un magico ed emozionante effetto scenografico. Come infatti afferma Ayala, "il mio design è un pezzo d'arte con un consiglio per l'uso; i confini tra arte e design si offuscano; non faccio prodotti per i consumatori, ma ciò che è necessario per me per realizzare una forma artistica, un'espressione spirituale ed emotiva". Dal 1993 tutti i progetti di Ayala sono realizzati e distribuiti da "Aqua Creations", una società fondata a Tel Aviv con suo marito Albi e che attualmente conta più di venti collaboratori. Ayala ha deciso di rimanere a lavorare a Tel Aviv perché ritiene che sia un vantaggio e un'opportunità: Israele, pur non essendo un epicentro del design, offre molto spazio alla creatività in quanto è un paese giovane, pieno di gente proveniente da tutto il mondo, ancora molto legato alle tradizioni e che ha un grande bisogno di innovazione e sperimentazione. Pur lavorando da Tel Aviv, i suoi progetti si sono pienamente affermati nello scenario del design internazionale: dal 1997 sono esposti ogni anno al Salone del Mobile di Milano, hanno ottenuto numerosi premi e riconoscimenti e sono stati presentati in diversi musei del mondo. Inoltre negli ultimi anni Ayala ha avuto importanti commesse di lavoro per l'arredamento degli interni di prestigiosi hotel e ristoranti che le hanno permesso di sperimentare progetti su grande scala. Tra questi, uno dei più significativi è senza dubbio la

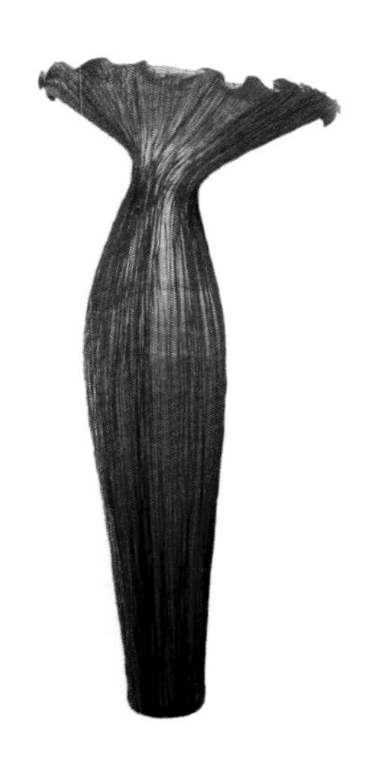

scultura di luce Stand By, realizzata per il ristorante del Parco Oceanografico di Valencia nel 2002: una struttura leggera costituita di 49 grandi sfere luminose ricoperte di seta dorata, che sembrano tante meduse e riempiono lo spazio centrale circolare a doppia altezza, illuminando contemporaneamente il ristorante sottostante e il piano superiore. Qui, come in tutte le altre sue sorprendenti e lussuose creazioni, Ayala applica nella stessa misura principi artistici e di design, ottenendo risultati formali, materici e cromatici carichi di valenze espressive, che producono un coinvolgimento multisensoriale del fruitore. Infatti è particolarmente attenta al comfort visivo e alle qualità tattili dei suoi progetti: sperimenta a fondo, con una grande abilità tecnica e con una seria ricerca morfologica, le potenzialità estetico-sensoriali dei materiali che utilizza e la dimensione percettiva delle diverse forme che sviluppa, per riuscire a controllare in ogni aspetto la qualità estetica dell'effetto finale. Ayala, in diverse occasioni, ha affermato che il più grande ispiratore dei suoi principi estetici è Henri Matisse, ma a differenza di questi che sosteneva che"un buon dipinto dovrebbe assomigliare ad una poltrona confortevole", lei ritiene, viceversa, che "una poltrona confortevole dovrebbe assomigliare ad un buon dipinto".

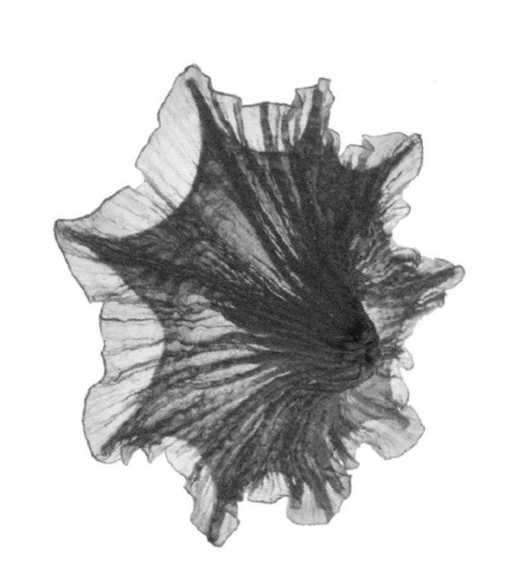

Through systematic and intensive product development, Ayala has been carrying out exceptional research, production and sales work for over a decade, dominating both the national and international scene. From the very start Aqua Creations has enjoyed a great reputation thanks to its innovative design, which combines manual work with industrial techniques and has won various international prizes.
Since 2002 Ayala Serfaty has been intensely working on a unique and inimitable research project. Her pieces are on display in the biggest museums across the world, including the Museum of Arts and Design in New York, the Tel Aviv Museum of Art and the Pompidou Centre in Paris. Her work can also be found in private collections and public locations.

Ayala Serfaty studied art and sculpture. In 1992, after holidaying on the Red Sea, she was inspired by the incredible underwater marine life she saw below the waves and began to design organically-shaped and biomorphic lamps and furniture. She remembers that trip as a turning point in her artistic development: "I was snorkelling among the coral and the fish. Everything under the water looked like chairs and lamps! It changed my life". Ever since then, Ayala has designed numerous furnishing collections

because she wanted to create "something warm, human, organic and feminine". She experimented with fluid, enveloping forms and used materials that could best express the transparency, lightness, flowing movement and muted sounds of the underwater environment that fascinated her so much. Her sensuous, luminous sculptures made of crumpled Indian silk, unique handmade pieces, represent the end product of a creative process that breaks down the boundaries between art and design in a magical and emotional stage effect. In fact, Ayala herself says: "My design is a piece of art with a suggested use. It blurs the boundaries between art and design. I do not make consumers' products; I make whatever is necessary for me to make as an art form, as a spiritual and emotional expression". Since 1993 all her designs have been produced and distributed by "Aqua Creations," a company established in TelAviv with her husband Albi. The company currently employs over twenty people. Ayala decided to stay in Tel Aviv because she believes this gives her certain advantages and opportunities: even if Israel is not the centre of the design world, it doesn't cramp creativity because it is a young nation, where many of its citizens are from different countries in the world, but it is very attached to tradition and needs innovation and experimentation. Although she works in Tel Aviv, her creations are very much part of the international scene: since 1997 they have been shown at the Milan Furniture Fair, won many prizes and awards and have been exhibited in many museums around the world. In the last few years, Ayala has been commissioned to design prestigious hotels and restaurants, allowing her to experiment on a larger scale. One of her most important assignments was undoubtedly the light sculpture Stand By, designed for the restaurant at the Oceanographic Park in Valencia in2002. It is a lightweight structure with 49 large luminous spheres covered in golden silk. The spheres look like jellyfish and fill up the double height circular central space, lighting up the restaurant below as well as the floor above. For this design, like all her other surprising and luxurious creations, Ayala uses a balance of artistic and design principles. The formal, material and chromatic results overflow with expressive fervour and involve the viewer in a multi-sensorial experience. In fact, visual comfort and the tactile quality of her projects are very important to her. In order to control every aspect of the a esthetic quality of the final effect she uses her incredible technical skills and exploits her serious morphological research to experiment at length with the aesthetic and sensorial potential of her materials and the perceptive dimension of the various forms she creates. On many occasions, Ayala has said that Henri Matisse inspired her aesthetic principles, but unlike Matisse who said, "a good painting should be like a comfortable armchair," she believes that "a comfortable armchair should be like a good painting".

45 anni di stile
45 Years of Style

La griffe Valentino, oggetto di desiderio per tutti i cultori della moda, è universalmente sinonimo di alta classe e creatività. Protagonista nel settore della moda e del lusso con una ricca e diversificata offerta di prodotti di abbigliamento, accessori e calzature per uomo e per donna, Valentino Fashion Group S.p.A dispone di un portafoglio di marchi, fra di loro complementari, caratterizzati da una radicata presenza globale, un'elevata notorietà di marca e una forte riconoscibilità anche per scelte cromatiche. Valentino ha dato la sua impronta a una particolare sfumatura di rosso, ora noto come rosso Valentino, ispiratogli dai vividi toni cromatici visti durante una vacanza in Spagna: una tonalità di rosso molto acceso che spazia tra il carminio, il porpora ed il rosso cadmio.

Tre giorni, un parterre selezionatissimo di ospiti italiani e stranieri, da Claudia Schiffer a Meryl Streep, e una serie di eventi in scenari inediti per celebrare quasi mezzo secolo di moda e di stile: così Roma festeggia l'attività di Valentino Garavani. Pezzi unici dalle collezioni private di personaggi della storia e del jet set internazionale in una retrospettiva che, con circa 360 abiti e rari materiali d'archivio, celebra i 45 anni di creatività di Valentino grazie anche ad un allestimento spettacolare e una cornice d'eccezione: il complesso progettato da Meier per l'Ara Pacis e che sembra essersi trasformato per l'occasione nel Museo Valentino.
La mostra, curata da Patrick Kinmonth e Antonio Monferda, è visibile anche dall'esterno del Museo e presenta in una prima sala, una serie di pregiatissimi abiti che si stagliano - quasi in replica seriale - sullo sfondo di una parete rivestita di tessuto nero, accentuando la prospettiva di un "calarsi" nel lusso e nella bellezza. Ogni abito però, è in realtà un unicum che esemplifica la ricerca nei tessuti, nella decorazione, nei materiali, nell'alta sartoria. Dal corridoio prezioso e intimo, si passa senza soluzione di continuità alla prepotente luminosità marmorea della sala dell'altare dell'Ara Pacis. Un'esplosione di design e colore: ovviamente "Rosso Valentino". Qui, come in preghiera e in moto ascensionale - quasi a voler render omaggio a Roma - gli abiti e l'allestimento si fondono in un tutt'uno attraverso l'utilizzo di semplici elementi allestitivi come una serie di gradoni in toni neutri su cui sono posizionati i manichini e poche mensole a U trattate a specchio che vengono messe "a cavallo" del muro che sovrasta l'altare,senza intaccare la struttura, ma sfruttandone il fondale e l'appoggio. Dagli abiti in bianco e nero a quelli monocromatici (in bianco e rosso), fino agli abiti dai colori pastello, ognuna delle opere rappresenta la storia non solo di Valentino, ma anche del bel mondo, della nobiltà, del cinema, della politica.
A sublimare i festeggiamenti una sfilata d'eccezione - ed è la prima volta che Valentino torna a Roma dopo 17 anni -una mostra, un libro - pubblicato dalla casa editrice Taschen e che comprende un'accurata analisi filologica - e un galà esclusivo (tra gli ospiti: Anna Wintour, Claudia

Schiffer, Donald Trump, Elle McPherson, Gwyneth Paltrow, Meryl Streep, la principessa Carolina di Monaco, Rupert Everett e Suzy Menkes), questi gli appuntamenti clou dei tre giorni nel nome di Valentino.

Valentino, 45 Years of Style, Ara pacis, Roma 2008

His label is universally renowned for its high class and creativeness, making it an object of desire for all fashion lovers.
Valentino Fashion Group S.p.A. is a leading player in the fashion and luxury sector, with a rich and diversified range of clothing, accessories and footwear for men and women. In the selective fashion and luxury market, with its limited number of names of international repute, Valentino Fashion Group S.p.A. has a portfolio of complementary brands with a well-established presence worldwide, high brand awareness and a strong recognition factor.
Valentino's trademark is a particular shade of red, now known as Valentino red, which was inspired by the vivid hues he saw on holiday in Spain. Created by the designer for some of his outfits, it is a very bright tone somewhere between carmine, purple and cadmium red. As a rule it is only used by Valentino.

Rome honoured Valentino Garavani withthree days of celebrations, an exclusive listof Italian and foreign guests from Claudia Schiffer to Meryl Streep and events inunusual locations to mark almost fiftyyears of fashion and style. Exclusive designs from the privatecollections of VIPs and the international jet-set were on display in a retrospectivewhich, with its 360 dresses and rarearchival material, celebrated Valentino's 45 year-long career. Its success was also due to a spectacular exhibition design and abreathtaking location: Richard Meier'sdesign for the Ara Pacis turned for the occasion into a "Valentino Museum". The exhibition designed by

Patrick Kinmouth and Antonio Monfreda – also visible from outside the Museum –showcases a series of precious dresses in the first room. The seemingly replicatedseries of garments stands out against the background of a wall covered in blackfabric emphasising the "atmosphere" ofluxury and beauty. However, each dress isunique; its fabric, decorations, materials, all come from Valentino's famous atelier. From the elegant, intimate corridor, the exhibition continues into the luminous marble hall of the altar of the Ara Pacis. An explosion of design and colour – so obviously "Valentino Red". Here, is if in prayer and ascension (almosta homage to Rome), the dresses and the design merge together thanks to the simple design materials: a series of mute-coloured steps for the dummies and a few U-shaped shelves covered in mirrors on top of a wall above the altar. The mirrors don't actually touch it but use it as a support. White and black dresses, solid-colour (white and red) dresses, pastel dresses, alltestify to the history not only of Valentino's career, but also to the world of the aristocracy, cinema and politics. To round off the celebrations, a defilé (this first fashion show held by Valentino in Rome in the last 17 years), an exhibition, a book published by Taschen with an accurate philological analysis and anexclusive gala evening (guests included: Anna Wintour, Claudia Schiffer, Donald Trump, Elle McPherson, Gwyneth Paltrow, Meryl Streep, Princess Caroline of Monaco, Rupert Everett and Suzy Menkes). These were the "don't miss" events of the three-day celebrations for Valentino.

Divine e rovine
Stars and Ruins

La nascita e l'evoluzione della moda a Roma è legata ad una rosa di grandi stilisti che, a partire dai primi anni cinquanta, hanno contribuito a delineare l'identità del Made in Italy, un fenomeno caratterizzato da tratti comuni, ma anche da stili differenziati. In questa storia complessa e controversa la città eterna, ma anche i corpi mitici che indossando gli abiti, hanno contribuito ad affermare i caratteri della moda italiana rivestendo un ruolo di primaria importanza. Star e rovine, sono stati gli strumenti per comunicare il passaggio dall'imitazione dei modelli francesi ad un progetto di ricerca creativa che trae i suoi riferimenti dalla cultura visiva mediterranea, dall'arte antica,dalla tradizione lirica e dalla rappresentazione in costume e dalla capacità artigianale del belpaese. Dal dopoguerra ai primi anni '50, la nascita della moda a Roma avviene in parallelo con un'altra importante affermazione dell'identità culturale italiana, il cinema neorealista. I film neorealisti sembravano documenti ed erano, invece, poesia. L'efficacia e l'accanito bisogno di verità nascevano dal rifiuto del convenzionale e dello sdulcinato che caratterizza la produzione precedente. Rossellini,Comencini, De Sica, Germi, De Santis,Lattuada, Emmer, Fellini, Visconti si trovano di fronte al quadro di miserie del dopoguerra e la realtà diventa la materia del loro lavoro. Anche qui la trama poggia su sfondi e persone: le strade del Prenestino di Roma città aperta (Rossellini, 1945) e la Magnani che corre, con le ciocche sul viso el'abito scuro dimesso; la campagna assolata e selvatica di Fondi in "Non c'è pace tra gli ulivi" (De Santis, 1949) e i golfini grigiastri di Lucia Bosè; gli studi del Tuscolano di"Bellissima" (L. Visconti, 1952); le risaie di"Riso amaro" (De Santis, 1948) e la Mangano in pantaloncini; la modestia di Scagliena il paesello abruzzese di "Pane,amore e gelosia" (Comencini, 1954) e la Lollobrigida col vestituccio strappato e i codini. Il neorealismo non nasce da un movimento artistico, ma da un approccio sperimentale, da un uso semplificato dei mezzi con l'obiettivo"trattato con la stessa noncuranza con cui lo scrittore adopera il taccuino" (M. Gromo,1954) che scruta nel paesaggio interiore del qualunque e nel ventre urbano, nei mercatini,tra le case popolari, nelle mense dei poveri,nei postriboli, rispecchiandoli sullo schermo(Di Biagi, 2003). Così nel campo della moda, il disagio dovuto ad un'identità posticcia conseguente ai grezzi dettami autarchici (fogge severe e legnose, o pastiche di generi realizzati con tessuti nostrani come lanital o lana di caseina, agli antipodi della leggerezza dello stile francese) che avevano caratterizzato il ventennio e impedito la ricerca creativa; si trasforma in rivalsa e nella volontà di affrancarsi dall'etichettatura di "copioni" dei codici vestimentari d'oltralpe. L'approccio dei nuovi stilisti, pur rivolgendosi ad un contesto diverso rispetto a quello della poetica neorealista, ha in comune con essa la valorizzazione di condizioni peculiari profondamente aderenti alla realtà. Dal dopoguerra inizia una ricognizione sulla nostra cultura materiale ed

Audrey Hepburn mette la mano nella Bocca della Verità a Roma
Audrey Hepburn putting her hand inside the Bocca della Verità in Rome

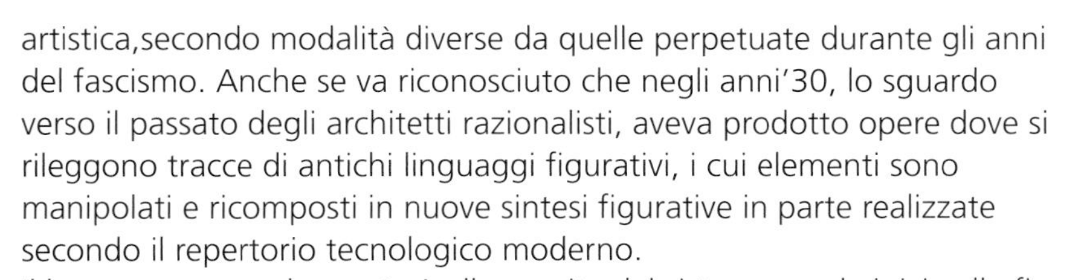

artistica,secondo modalità diverse da quelle perpetuate durante gli anni del fascismo. Anche se va riconosciuto che negli anni'30, lo sguardo verso il passato degli architetti razionalisti, aveva prodotto opere dove si rileggono tracce di antichi linguaggi figurativi, i cui elementi sono manipolati e ricomposti in nuove sintesi figurative in parte realizzate secondo il repertorio tecnologico moderno.
Il lungo processo che porterà alla nascita del sistema moda inizia alla fine degli anni '40quando la concezione dell'abito si trasforma da creazione in progetto controllato in ogni dettaglio tramite il disegno e realizzato innovando le tecniche di taglio e di montaggio. Il contesto sociale ed economico favorisce gli imprenditori del settore: la manodopera femminile è a poco prezzo e il mestiere di sarta, reputato dignitoso, molto ambito. Il riflesso di questa condizione lavorativa sul prodotto è il suo basso costo e la conseguente apertura commerciale verso gli Stati Uniti. L'idea di lanciare il progetto dell'abito italiano sul mercato americano è di Giovanni Battista Giorgini che nel febbraio del '51 organizza a Villa Torrigiani la prima sfilata collettiva di moda italiana. Nel luglio del '52 ottiene una location di prestigio, la Sala Bianca di Palazzo Pitti, dove riunisce, tra specchiere e lampadari di cristallo,case di moda e ditte di boutique e sportwear,un vestiario informale di altissima qualità (come gli splendidi stampati di Pucci) che rappresenta una novità assoluta. La geniale associazione di Giorgini, abito italiano e patrimonio artistico,porta ad una rapida evoluzione degli interior:dagli spazi "tecnici" della vecchia sartoria si passa alla dimensione teatrale e simbolica dell'atelier parigino concepita per catturare i ricchi buyer occidentali. Questa innovazione si realizza con modalità diverse a Firenze, Milano e Roma. Per una serie di motivi il vero aggiornamento su Parigi si attua nella capitale. I due piani degli atelier- un salone e una sala di prova con dorature e specchi - diventano il palcoscenico della moda romana calcato da quei divi che imparano a conoscere le creazioni degli stilisti sui set di Cinecittà, su cui i produttori americani cominciano a girare per risparmiare sui costi e reinvestire i loro capitali. La peculiarità degli esordi della moda italiana è nel rapporto che si crea tra cinema e abiti,tra attrici e stilisti. E la cornice in cui si rappresenta l'incontro tra il mondo di celluloide e la sperimentazione dei nuovi linguaggi vestimentari è la nuova"Hollywood sul Tevere", Roma. Il progetto dell'abito italiano riesce a concretizzarsi e ad avere successo perché sceglie di costruire la propria comunicazione sugli elementi vincenti di quella contemporaneità: i monumenti e le dive. Come le due icone dalla pelle di magnolia e dagli occhi smeraldo: Ava Gardner, testimonial delle Sorelle Fontana che con le loro creazioni dalle linee romantiche ne esaltano la bellezza esotica e la silhouette flessuosa (la gonna lucida e aderente e il vestito "a sirena" indossati dalla diva in TheBarecrooft contessa di J. Mankievicz, 1954; oil perverso abito "pretino" del '56); e l'imperatrice Soraya celebre cliente di

Schuberth che nel '53 disegnò per lei la collezione "Rosa imperiale" composta da trenta abiti di pizzo Valenciennes, tulle e ricamo. Il progetto di Schuberth si nutriva della cultura vestimentaria italiana legata all'abito ottocentesco, anche dovuta all'importanza dell'opera lirica verdiana e alla tradizione delle sartorie teatrali. I suoi abiti fastosi - vita di vespa, spalle rotonde e busto importante - evocativi dell'atmosfera hollywodiana, sono indossati da Gina Lollobrigida, Sophia Loren, Wanda Osiris,Silvana Mangano, Lucia Bosè, Maria Pia diSavoia (M. Rak, 2003). Mentre il grande sarto-architetto Roberto Cappucci con i suoi abiti-scultura - le "Dieci gonne" del '56, un modello realizzato con dieci sottane sovrapposte ispirato ai cerchi concentrici prodotti da un sasso buttato in acqua (S.Gnoli, 2005) e in seguito la linea a scatola del'58 - vestiva lo star

Silvana Mangano nel film "Riso Amaro", 1949
Silvana Mangano in the film "Riso Amaro" 1949

system, Gloria Swanson e Marylin Monroe e le donne del potere, come Jacqueline Kennedy. Anche la ricerca stilistica di Fernanda Gattinoni trova nel rapporto con il cinema la chiave del suo successo, basti pensare alla realizzazione dei costumi stile impero disegnati da Maria de Matteis per Audrey Hepburn in "Guerra e pace" (King Vidor, 1956). Con il successo a sorpresa di"Vacanze romane" (Wyler, 1953) Roma diviene la città in cui girare non solo per ridurre i costi di produzione, ma su cui costruire la trama dei film, sia d'attualità che del passato. Se si scorrono le fotografie delle principali riviste dell'epoca, Bellezza e Grazia, gli sfondi di molte

Anna Magnani con il regista Luchino Visconti nel film "Bellissima", 1951
Anna Magnani with director Luchino Visconti in "Bellissima", 1951

immagini sono i monumenti e le principali attrattive turistiche romane. Palazzi,rovine, piazze e strade con le carrozzelle, il Tevere e le fontane, ma anche San Pietro scelto come quinta per un servizio realizzato in occasione dell'Anno santo (1950) dedicato ad abiti di trine nere severi e sensualissimi per nobildonne che hanno il privilegio"dell'udienza del baciamano". L'iconografia di quegli anni restituisce quindi non solo la documentazione visiva della cultura materiale oggetto dei fashion studies, ma anche elementi necessari alla ricognizione dell'assetto urbano e monumentale della città. Star e siti hanno contribuito a delineare l'identità della moda italiana e la sua spettacolarizzazione che negli anni, pur rinnovandosi, si è perpetuata e rafforzata sullo sfondo di terme e scalinate, nel solco di una tradizione riconducibile alle feste barocche.

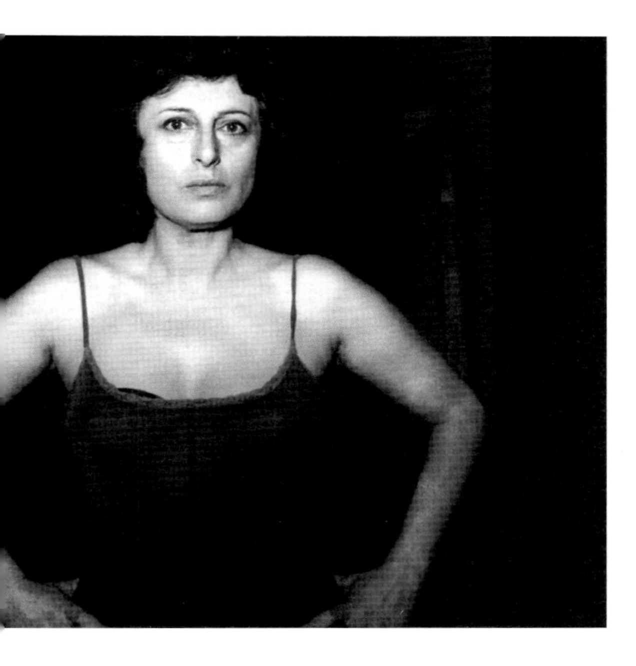

Fashion in Rome blossomed and flourished thanks to a host of famous fashion designers who, since the early fifties have contributed to defining a Made in Italy style, a trend with common traits as well as differences. In this complex and controversial story, the fundamental role played by the Eternal City, as well as the legendary women who wore these clothes, helped to establish the defining traits of Italian fashion. Stars and ruins were the tools used to communicate the move from imitating French models to a creative research project that exploited visual Mediterranean culture, ancient art, the traditions of opera, costume plays and the Belpaese's expert craftsman ship. From the first post-war years to the early fifties, fashion in Rome developed alongside another important trait of Italy's cultural identity: neorealist films. Although neorealist films looked like documentaries, they were in fact poetry. Their success, and the fierce need for truth, was based on rejecting what was conventional and cloy about earlier productions. Rossellini, Comencini, DeSica, Germi, De Santis, Lattuada,Emmer, Fellini and Visconti found themselves faced with scenes of post-war poverty, and reality became the backbone of their work. Their scripts were based on backgrounds and people: the roads in the Prenestino district in Roma, città aperta (Rossellini,1945) and Anna Magnani running with her hair over her face and her drab dark dress; the sunny, wild countryside in Fondi in Non c'è pace tra gli ulivi (DeSantis, 1949) and Lucia Bosè's small greyish cardigans; the Tuscolano studios in Bellissima (L. Visconti, 1952); the rice fields in Riso amaro (De Santis, 1948)and Silvana Mangano in shorts; the humble atmosphere of Scagliena, the small Abruzzi town in Pane, amore e fantasia (Comencini, 1954) and Gina Lollobrigida with her tight, torn dress and pigtails. Neorealism wasn't based on an artistic movement, but on an experimental approach, a simplified use of means. The goal was to "treat the scene with the same nonchalance with which writers use their notebooks" (M. Gromo,1954) to look inside people, into the town's urban womb, the small marketplaces, the in-between tenement buildings, food kitchens and brothels and mirror it on the big screen (Di Biagi,2003).In the world of fashion, the uncomfortable fake identity created by the coarse dictates of the Regime (stiff, plain designs or a mixture of styles made with Italian fabrics like lanital orcasein wool contrasted starkly with French designs) that had characterised the Fascist era and stifled creative research, was turned into revenge and a desire to be free of Italy's image as a "copier" of the French dress code. Even if the context in which the new designers worked was different to neorealist poetics, their joint approach was to highlight conditions as close as possible to reality. After the war, Italy's new material and artistic culture used a criteria that was radically different to the one imposed by the Fascist regime. However, in the thirties, the re-assessment of rationalist architects had led to designs that still had traces of former figurative styles; the latter were re-worked and reorganised into new figurative styles which were

Bellini: modello, 9 marzo 1957 (Archivio Allori) (Allori Archives)
Bellini: model, 9th march 1957 (Allori Archives)

Sfilata alla Sala Bianca di Palazzo Pitti, Firenze, 1955 (Archivio Neri Fadigati, Firenze)
Fashion show in the "White Hall" of Palazzo Pitti, Florence, 1955 (Neri Fadigati Archives, Florence)

Nika Borer prova un abito di Schuberth, 1952 (Archivio Allori)
Nika Borer wears a dress by Schuberth, 1952 (Allori Archives)

produced, to some extent, using the modern technological repertoire. The long process that led to the birth of the fashion system began in the forties when the concept behind clothing changed from creation to project: it involved controlling each small detail in the drawing phase and inventing cutting and production techniques. Italy's social and economic context was favourable to entrepreneurs in this field: female workers were cheap and dressmakers were in high demand since this was considered a dignified profession. These working conditions meant that the product could be produced cheaply, paving the way for trade with the United States. It was Giovanni Battista Giorgini who thought of launching Italian clothes on the American market. In February 1951he organised the first collective Italian fashion show in Villa Torrigiani. In July 1952, he secured a prestigious location, the Sala Bianca in Palazzo Pitti. Under crystal chandeliers and mirrors, he brought together fashion houses, boutique and sportswear companies, high-quality informal clothes (the splendid prints by Pucci, for example)that were completely new and unique. Giorgini's brainwave of mixing Italian fashion and artistic heritage led to the rapid development of interiors: from the "technical" spaces of the old tailor shops to the theatrical and symbolic rooms of a Parisian atelier designed to entice rich Western buyers. This novelty was interpreted differently in Florence, Milan and Rome. For several reasons, closing the gap with Paris took place in the capital. The two floors of the ateliers – a salon and a dressing-room with gilted furnishings and mirrors – became the stage set of Roman fashion used by the stars who began to recognise the creations of the designers on the sets in Cinecittà where American directors began to shoot their films here to save costs and reinvest their capital. The peculiarities of the advent of Roman fashion lies in the relationship that flourished between the film industry and fashion, between actresses and fashion designers. The new "Hollywood on the Tiber" in Rome is where the world of celluloid and the experimentation of new dress styles took place. Italian dress design was successful because it focused on showing off the successful parts of that world: monuments and stars. For instance, the two icons with magnolia

Sul set di "La dolce vita" (Fellini, 1960): Anita Ekberg fa una comoda pausa
A relaxing break for Anita Ekberg on the"La dolce vita" (Fellini, 1960) movie set

skin and emerald green eyes: Ava Gardner, testimonial for the Fontana Sisters who with their romantic creations emphasised her exotic beauty and curved silhouette (the shiny, tight-fitting skirt and 'siren' dress she wore in "The Barefoot Contessa" by J. Mankievicz,1954; or the perverse 'priestly' dress designed in 1956; and Empress Soraya, one of Schuberth's famous clients who in 1953 designed the "Imperial Rose" collection for her with thirty embroidered dresses made with Valenciennes lace and tulle. Schuberth's designs were inspired by nineteenth-century Italian clothes, given the influence of Verdi's operas and traditions of theatrical dressmakers. His sumptuous clothes – small waists, round shoulders and large busts – conjured up a Hollywood-style atmosphere. They were worn by Gina Lollobrigida, Sophia Loren, Wanda Osiris, Silvana Mangano, Lucia Bosè and Maria Pia di Savoia (M. Rak, 2003). The sculpture-dresses by the famous designer/architect, Roberto Cappucci –his "ten skirts" (1956), a design with ten superimposed skirts inspired by the circles made by a stone in a pond (S. Gnoli, 2005) – and later on the Scatola Collection (1958) were destined for the star-system: Gloria Swanson and Marilyn Monroe and powerful women like Jacqueline Kennedy. The film industry was also the key to the success of the stylistic research by Fernanda Gattinoni, just think of the Empire style costumes designed by Maria de Matteis for Audrey Hepburn in "War and Peace" (King Vidor, 1956). After the unexpected success of "Roman Holiday" (Wyler, 1953), Rome became the city in which shooting not only reduced costs, but became the backdrop for films, either modern or historic. Leafing through pictures in the most important magazines of this period, Bellezzaand Grazia, many monuments and main tourist attractions are shown in the background: buildings, ruins, squares and streets with horse-drawn carriages, the Tiber and fountains, as well as St. Peter's, chosen during the Holy Year (1950) as a stage set for a shoot dedicated to plain yet extremely sensual black lace dresses for noblewomen who were privileged to kiss the Papal ring during an audience. The iconography of those years not only visually documents the city's urban and monumental image. Stars and locations contributed to creating the trademark of Italian fashion. Its spectacular effect which over the years has continued to shine is perpetuated and strengthened by the backdrop of historical spas and flights of steps based on a tradition that dates back to the Baroque period.

Ieri e oggi
Yesterday and Today

Ieri: il rapporto tra la moda e la pubblicità è, oramai, di totale dipendenza reciproca. Come dire che ognuna si serve dell'altra in uno scambio continuo di attori e personaggi capaci di promuovere un settore sapendo che gioverà anche all'altro. Se vogliamo dare una data d'inizio a questa relazione, intesa non solo come immagine pubblicitaria del singolo prodotto, ma come comunicazione di un evento e promozione del made in Italy ,risaliamo al 1951. Fino ad allora la moda era solo francese le nostre sartorie copiavano, per esplicita richiesta delle clienti, i modelli di Fath o Dior. Solo i giovani creativi del momento osavano proporre un loro stile e fu a loro che si rivolse l'attenzione di Giovan Battista Giorgini, che aveva già esportato in America il miglior artigianato italiano, per organizzare la storica sfilata per i clienti americani nella sua magnifica casa di Firenze proprio nel febbraio del 1951.
Fece sfilare i giovani di allora come Fontana, Schubert, Emilio Pucci, invitando compratori americani come la rappresentante di Bergdorf Goodmann e le giornaliste ma escludendo la mondanità. Il successo portò ad un'edizione successiva nel luglio dello stesso anno dove Giorgini fu sommerso dalle richieste di partecipazione sia dei compratori che delle giornaliste come Irene Brin del "Time" e di "Life" che chiamavano per avere informazioni sulla luce della sala per poter fare le foto. Dieci anni dopo, aiutato da Michelangelo Testa, Giorgini porterà l'*italian style* a Filadelfia con un evento spettacolare: la presentazione dei costumi italiani dagli etruschi al 1861 a cui seguivano 100 modelli del 1961, dal costume da bagno all'alta moda. La documentazione pubblicitaria di questi eventi è fatta di foto "private" più simili a quelle che rappresentavano mondi paralleli come quello del cinema. Tranne rari casi, la pubblicità veniva fatta dai personaggi più che dalle collezioni. Le sartorie erano luoghi riservati, castelli in cui viveva il *couturier* preoccupato di garantire una *privacy* alla propria clientela più che di avere una pagina sul rotocalco.
Il 1961 segna anche lo spostamento a Roma dell'Alta Moda. Viene presentata al Museo di Arte Moderna di Valle Giulia insieme ai capolavori dei grandi artisti. In questo momento il legame fra arte e moda è fortissimo: gli stilisti si dedicano a sperimentazioni artistiche elaborando nuove geometrie e rapporti.
Uno dei fenomeni più appariscenti sarà quello della Moda spaziale ispirata alle tute dei cosmonauti Gagarin o Armstrong.
Inevitabili le contaminazioni fra moda e costume cinematografico, Roma era protagonista delle grandi produzioni internazionali, le grandi attrici vestivano nelle sartorie romane, in alcune si facevano contemporaneamente costumi ed abiti come da AnnaMode. Le immagini di Barbarella di Roger Vadim, sono diventate un'icona femminile, vestita da J. Fonteray ispirato dalle rivisitazioni di Paco Rabanne delle cotte medievali. Arte, cinema, moda stimolavano un messaggio pubblicitario colto, talmente colto da poter essere rappresentato da grandi nomi:

giornalisti come Maria Pezzi, Adriana Mulassano a cui il "Time" dedica una copertina, Anna Piaggi o il fotografo Alfa Castaldi.
La politica di quegli anni sposterà definitivamente la comunicazione su un piano di maggiore tolleranza: non più mirata ad una classe privilegiata per ceto o per cultura ma diretta ai giovani.
Gli hippies, i pacifisti, i seguaci dei Beatles e Mary Quant, sono loro i protagonisti della cultura e della moda. La serietà della sartoria viene soppiantata dalla boutique, che non deve avere più l'aria inaccessibile, al contrario, deve attirare come luogo di incontro oltre che di vendita. Apre la boutique "Biba" a Londra dove nasce il concetto di usato chic. È Elio Fiorucci che riporta in Italia questa ventata di anarchica libertà della fantasia con abiti e oggetti di ogni tipo, diventati oramai archetipi

L'immagine pubblicitaria dei grandi disegnatori: Renè Gruau per Schubert, 1958
Publicity by big designers: Renè Gruau for Schubert, 1958

La costruzione dell'idea grafica per presentare una collezione, 2006
Development of a graphic idea for a collection, 2006

L'immagine pubblicitaria dei grandi disegnatori: Renè Gruau per Schubert, 1958
Publicity by big designers: Renè Gruau for Schubert, 1958

di quel mondo, come le magliette con gli angeli.
È la fine di quella moda raccontata nei seri servizi di "Moda" fatti da altrettanto seri professionisti, è l'inizio della promozione pubblicitaria di un prodotto studiato per essere accessibile, trovabile, l'esatto contrario di prima. La maglietta ha il sopravvento sul tailleur, perché rappresenta la possibilità di giocare, scegliere anche di cambiare l'aspetto di quello stesso *tailleur*. La libertà di movimento teorizzata dai movimenti politici si traduce nella libertà di scelta, si bruciano i reggiseno in piazza, il lusso scompare dal vocabolario comune.

Oggi: non solo fotografi, giornalisti, stilisti, ma anche *cool hunter*, *stylist*, *look maker* insieme ai nuovi pubblicitari mettono in scena spettacoli quotidiani per celebrare il *Life style brand*; concetto anticipato dalla citatissima frase di Coco Chanel "la moda non è fatta solo di vestiti, la moda è nell'aria. Ha qualcosa in comune con le idee, con il mondo in cui viviamo, con ciò che accade intorno a noi."
Mai come ora è difficile tracciare un confine fra le varie forme di creatività, di design: Pitti a Firenze come il Salone del Mobile a Milano o il Design+ di Roma rappresentano momenti di incontro fondamentali fra le varie discipline.
Il cambiamento che trasforma il disegno di moda in un vero e proprio progetto, nell'accezione più architettonica del termine, avviene negli anni '80 grazie a Giorgio Armani ed al pret a porter. L'abito fatto in fabbrica, grazie a lui, non è più un prodotto solo seriale, è lussuoso grazie alla sua teorizzazione. Non ha più valore solo il prodotto unico dell'alta moda, ma vale l'idea del prodotto industriale. Nasce così un nuovo genere di professionista portatore di stile nei suoi progetti, un vero e proprio designer che fa abiti utili come oggetti utili. Lo studio dello stilista è un luogo più complesso, non solo atelier, si progetta di tutto: scarpe, abiti e borse ma anche alberghi e complementi di arredo.

Il rapporto con la pubblicità diventa determinante, Milano diventa la capitale dello stile, ma, come dice Quirino Conti "lì nacquero tutti i mali e le ambiguità del futuro complesso tra lo stilista e i media". Cominciano così le differenze di trattamento, le collaborazioni tra studi più potenti che condividono clienti ed interessi. I redazionali perdono la loro libertà, la comunicazione è condizionata dai rapporti economici. Quella mondanità che Giorgini aveva escluso dalla prima sfilata del 1951 diventa protagonista, prima interlocutrice di un fenomeno economico di dimensioni inaspettate.
Le sfilate sono eventi mondani gestiti da potenti uffici stampa, non si parla più dell'abito, come facevano le giornaliste di prima, si parla di chi c'era, come fanno le giornaliste di oggi.
L'attenzione di una cantante sposta le quotazioni in borsa di una firma.
La moda ci consente di diventare un personaggio, ci permette di avere

Le icone aristocratiche: Lisa Fonssagrives, moglie e musa di Irving Penn, 1950
An aristocratic icon: Lisa Fonssagrives, wife and muse of Irving Penn, 1950

un ruolo nel teatro della vita di oggi.
Questo nuovo sistema coinvolge nuove figure professionali come il *cool hunter* o lo *stylist*: ricercatori di tendenza e sceneggiatori che lavorano per stimolare il desiderio, vendere un prodotto.
Il servizio di moda non racconta più l'anima dell'abito, ma una storia, un film, una situazione ispirata, dove ogni elemento serve ad evocarla.
Ne nasce una formazione diversa coinvolgendo più di 10.000 ragazzi che ogni anno si iscrivono nelle Scuole Superiori di Moda o nelle Università, dove la didattica si evolve continuamente preparando professionisti in grado di rispondere alle nuove esigenze del mercato.
Roma conserva però una natura diversa, forse perché lontana dalla mentalità imprenditoriale del nord Italia, riesce, grazie anche alla presenza di storiche realtà sartoriali non solo di moda ma anche di spettacolo, a mantenere un profilo artistico puro perché basato sulla cultura e l'artigianato.
La resistenza innata che Roma oppone al sistema economico, che razionalizza ogni movimento nella ricerca di un risultato quantificabile, ora non ci appare più come un limite.
La creatività si muove spontaneamente, forte degli archetipi di un territorio di appartenenza. Le scuole generano creativi con una solida base culturale pur differenziandosi nelle loro proposte.
Strutture come AltaRoma sostengono il lavoro dei giovani, oramai *fashion designer*, come nel "*Who is on next?*", importante concorso promosso con Vogue Italia riservato ai giovani talenti, ed altre iniziative capaci di raccontare la doppia natura di Roma e del Lazio: un palcoscenico internazionale che espone un mondo creativo e produttivo di altissimo livello. Gli ambasciatori di questo Made in Italy-Made in Lazio sono oramai moltissimi: citiamo Maurizio Galante che ha la sua griffe a Parigi e Frida Giannini direttore creativo di Gucci o Grimaldi Giardina o Sergio Ciucci tutti usciti dall'Accademia di Costume e di Moda di Roma. Altri si sono formati in altre città ma hanno deciso di lavorare a Roma come Marco Coretti e Patrizia Pieroni.
Da queste premesse possiamo dire che Roma ed il Lazio si propongono in maniera crescente come grande laboratorio dove si formano e si vedono i nuovi talenti del Made in Italy e che, proprio per parlare di pubblicità, meriterebbero maggiore attenzione.

Yesterday: the relationship between fashion and publicity has become one of reciprocal, complete interdependence. Reciprocal exploitation; there is an ongoing exchange of players and protagonists who promote a certain field, fully aware that this provides a mutual advantage to both. 1951 would be the date we're looking for if we wanted to establish when this relationship started, a relationship that doesn't only involve product sponsorship but the communication of an event and the promotion of Made in Italy.
Before 1951, only France was fashion. All Italian dressmakers did was to copy designs by Fath or Dior upon request. Only up-and-coming young creatives dared to propose their own style. Giovanni Battista Giorgini had already exported the best Italian artisans to America, but it was to them that he turned to organise the historical fashion show for American clients in his magnificent house in Florence in February 1951.
He used the creations of young Italian designers, Fontana, Schubert, Emilio Pucci. He invited American buyers, for instance the representatives of Bergdorf Goodman, and journalists, but not the jet set. The event was so successful that another was held in July of that same year when Giorgini was submerged by requests from buyers and journalists like Irene Brin, Time and Life who called to get information about the lighting in the room because they wanted to take photos.

I protagonisti dell'Alta Moda a Firenze: Jole Veneziani, Emilio Pucci, G.B.Giorgini, Micol e Zoe Fontana, Maria Antonelli, Emilio Federico Schubert, Simonetta e Alberto Fagiani, 1951
Leaders of Haute Couture in Florence: Jole Veneziani, Emilio Pucci, G.B.Giorgini, Micol and Zoe Fontana, Maria Antonelli, Emilio Federico Schubert, Simonetta e Alberto Fagiani, 1951

Un figurino di Federico Emilio. Schubert, 1958
A model by Federico Emilio.Schubert, 1958

Renè Gruau per Laura Biagiotti, 1976
Renè Gruau for Laura Biagiotti, 1976

Un abito di Roberto Capucci, 1985
A Dress by Roberto Capucci, 1985

Ten years later, with the help of Michelangelo Testa, Giorgini organised a spectacular event to bring Italian Style to Philadelphia: he presented traditional Italian dresses from the Etruscans to 1861 and then 100 creations designed in 1961, ranging from swimsuits to haute couture. Documentation of this event comes in the form of 'private' photos, more similar to those that portrayed similar worlds, such as the film industry. Except in very special cases, it was protagonists and not the collections that drew publicity. Dressmakers' ateliers were protected environments, castles in which the couturier wanted to maintain his client's privacy rather than appearing on a page in a popular magazine.
In 1961, Haute Couture moved to Rome. It was presented at the Modern Art Museum in Valle Giulia filled with the masterpieces of great artists. At the time, the relationship between fashion and art was still very strong: designers experimented artistically by creating new geometries and patterns. Space fashion, inspired by the suits worn by the astronauts Gagarin or Armstrong, was one of the most spectacular happenings. Contamination between fashion and film costumes was inevitable. Rome was an important player in international productions; famous actresses wore dresses designed by Roman dressmakers. Some ateliers, for instance AnnaMode, used to make costumes and dresses at the same time. *Barbarella* by Roger Vadim became a female icon; she wore dresses by J. Fonteray inspired by Paco Rabanne's revisitation of medieval tabards. Art, cinema and fashion inspired culture-based adverts; they were so complicated that they were explained by famous journalists: Mario Pezzi, Adriana Mulassano (who appeared on the cover of Time), Anna Piaggio or the photographer Alfa Castaldi.
Ultimately, politics was to shift communications onto a more acceptable level, no longer aimed at classes privileged either by birth or education, but directly at young people. Hippies, pacifists, fans of the Beatles or Mary Quant were the protagonists of culture and fashion. Serious fashion houses were replaced by boutiques that no longer looked forbidding. On the contrary, they were places to meet as well as places to sell. When Biba opened in London it invented the idea of used clothes that were fashionable. Elio Fiorucci with his clothes and assorted objects was the one who brought this wind of anarchical freedom of imagination to Italy. They became archetypes the world over – just think of the T-shirts with angels. This was the end of fashion described in serious fashion articles by just as serious journalists. It was the beginning of ads that showed accessible and available products, exactly the opposite of what they had been. T-shirts became more popular than suits because you could play in them or decide to use it to change what your suit looked like.
The freedom of movement theorised by political movements translated into freedom of choice; bras were burnt in squares and luxury disappeared from our everyday vocabulary.

Today: events to celebrate Lifestyle brands are created every day not only by photographers, journalists and designers, but also by cool hunters, stylists and look-makers and the new generation of advertising agents. The concept behind them was expressed, *in nuce* by Coco Chanel when she said "fashion is not something that exists in dresses alone, fashion is in the sky, in the street. Fashion has to do with ideas, the way we live, what is happening."
Never before has it been so difficult to distinguish between different forms of creativity and design: Pitti in Florence, the Furniture Fair in Milan or Design + in Rome are all crucial events where the different disciplines come together. The events that changed fashion design into a real project (in the architectural sense of the word) took place in the eighties thanks to Giorgio Armani and prêt-à-porter. Thanks to him, factory-made clothes were no longer a serial product; they became luxury items thanks to his theorisation. Single products were no longer important in haute couture; what was important was the concept behind an industrial product. And so a new kind of professional was born, a harbinger of style, a true designer who made useful clothes or useful objects. These professional studios were no longer just an atelier, they became more complex. The studios designed everything: shoes, clothes and bags as well as hotels and furnishings. The relationship between fashion and publicity was

David Lachapelle per Galliano, 1996
David Lachapelle for Galliano, 1996

crucial. Milan became the capital of style, but, in the words of Quirino Conti "this was the birthplace of all evils and the ambiguities of the complex future between designers and the media." This led to differences in how clients were treated and the more powerful studios began to share clients and interests. Editorial staff lost their freedom because communications was governed by economics. The jet set that Giorgini had excluded from his first fashion show in 1951 moved onto centre-stage, the first partners of an unexpectedly successful economic phenomenon. Fashion shows are now society events governed by powerful press offices. Journalists no longer talk about the dresses, but about who attended the show. If a singer is interested in a brand, its stock goes up. Fashion turns us into stars; it lets us play a role on the stage of life. This new system involves new professionals like cool hunters or stylists: trend researchers and script writers who work to inspire desire or sell a product. A fashion article no longer tells you about a dress's soul, it tells you a story, a film, an inspirational situation in which every little element helps to visualise its image.Training and education in this field has changed: over 10,000 young people register each year in Fashion Schools or Universities. Teaching methods are continually updated in order to satisfy new market requirements.
However, Rome has kept its distinctive nature. Perhaps because its mindset is a far cry from the entrepreneurial mentality of Northern Italy it has managed to keep its uncontaminated artistic slant based on culture and craftsmanship. Perhaps it is also thanks to the presence of historical dressmakers and tailors working in the world of fashion and entertainment. Rome's innate resistance vis-à-vis the economical system that rationalises every action in the search for a quantifiable result no longer appears to be a limit. Creativity moves spontaneously powered by the archetypes of its local roots. Schools give creatives a solid cultural education even though their syllabuses are different.
Organisations like AltaRoma support the work of young people, now fashion designers, in important competitions, for instance, "Who is on next?" sponsored by Vogue Italia and reserved for young talented designers, as well as other initiatives that illustrate the double nature of Rome and Lazio: an international stage that highlights a sophisticated world of creativity and production. There are so many ambassadors of this Made in Italy, Made in Lazio: Maurizio Galante who sells in Paris, Frida Giannini, creative director at Gucci, Grimaldi Giardina or Sergio Ciucci, all graduates of the *Accademia di Costume e di Moda* in Rome. Other creatives trained in other cities, but they have all decided to work in Rome, like Marco Coretti and Patrizia Pieroni. Based on these comments, we can say that Rome and Lazio are increasingly becoming workshops in which new talents of Made in Italy are being forged and who deserve greater attention when we talk about advertising.

HAMBOOK
DELLA FORMA BY DAVIDE SCABIN®

food design

Il gusto della forma
A taste for Form

Davide Scabin, fra i primi dieci chef d'Europa, ha sviluppato un percorso personale e in continua evoluzione nell'Alta Cucina, coniugando la fisiologia alla misura del gusto in chiave polisensoriale e indicando nelle dinamiche di percezione dei sapori la materia di indagine privilegiata per una ricerca inedita, Scabin è interprete di un processo creativo che reputa primarie le proprietà emozionali del cibo. Il suo ristorante, Combal.zero, si trova in una delle più importanti dimore della cultura internazionale: il Museo d'Arte Contemporanea del Castello di Rivoli.

Coordinate di una cooperazione sperimentale.
Conosco Davide Scabin e il personale del suo staff al Combal.zero di Rivoli da circa un anno, da quando io e Barbara Brondi, associati nello studio brh+, siamo stati invitati a confrontarci con loro durante un incontro utile a verificare possibili sinergie in ambito progettuale. Il rapporto da tempo si esprime attraverso un confronto dialogico che spontaneamente coagula su temi di interesse comune e che solo dopo una prima verifica critica sulla necessità di approfondimento passa alla fase di progetto.
Nasce così un codice condiviso che identifica una modalità di approccio: l'interesse è rivolto al design come processo e non in esclusiva come risorsa utile all'ideazione formale. Con questa consapevolezza, abbiamo affrontato insieme lo studio delle possibilità di interazione tra anatomia e prodotto, così come l'opportunità di una comunicazione visiva dai caratteri innovativi. Nello specifico, brh+ e Combal.zero hanno progettato in sintonia su temi sensibilmente distinti tra loro, partendo da Balc.one, uno spazio per il consumo del cibo all'aperto riscaldato a infrarossi in cui i commensali sono serviti con un vassoio attrezzato da un kit di alimenti concepito ad hoc. Altri approfondimenti hanno riguardato il restyling dell'Hambook, il concept che mimetizza in forma di libro, per mezzo del packaging, il tradizionale prosciutto e melone, l'ideazione di uno slide show di immagini in successione rapida delladurata di 100 minuti che visualizzi l'infinità di elementi connessi al principio di "gusto della forma".

In che relazione poni i termini design e cibo?
Applicare il design in ambito alimentare significa introdurre criteri industriali alla produzione in cucina. L'argomento design non può suggerire semplicemente una riflessione sugli aspetti formali, ma deve considerare un processo di lavoro che riguarda il piatto dalla sua ideazione al momento in cui è servito e consumato.

Dal punto di vista progettuale, quali sono le tue linee guida nell'elaborazione di un *concept*?
La mia accezione di progetto non corrisponde ad una modalità di pensiero standard che venga personalizzata o declinata in maniera

distinta a seconda delle occasioni; il mio approccio non è vincolato a linee guida generiche, non rispetta un canovaccio, una "ricetta procedurale". Di volta in volta, l'intuizione originale si sviluppa contando su strumenti e metodi distinti: è l'idea iniziale che, in maniera anche istintiva, indica un iter procedurale utile a ottenere delle conclusioni.
E dunque, il progetto di un *concept* implica la sua definizione attraverso un processo aperto che incroci l'idea pura con le conoscenze operative in grado di tradurre la suggestione in concreto.
È un processo ideale: prima di trovare manifestazione nel "disegno", deve trovare riscontro ad altri livelli. Il "tasso di progetto" contenuto in ciascun *concept* non è necessariamente espresso, in maniera completa, dal suo aspetto finale, dalla sua espressione formale. Questa è una componente, che nella maggior parte dei casi sintetizza per difetto le energie impiegate nell'operazione progettuale.

Il design intuito principalmente come attitudine di pensiero, di approccio.
Nello specifico alimentare, si può fare del design agendo sul processo, intervenendo sulla linea di produzione che identifica uno specifico concept: in questo senso, potrebbe non essere necessario proporre inedite soluzioni da gustare, inedite combinazioni tra gli alimenti. Si applicano gli strumenti del design quando si propone un piatto della tradizione locale avendone variato, in modo da ottimizzarle, le regole della realizzazione. Il risultato finale rimane uguale ma, per esempio, si è ingegnerizzato il sistema di produzione.
Il riferimento è al concetto di "design di sistema" che, a mio modo di vedere, influenza la logica del *food design* rendendolo molto avanzato; in questo caso non ci si preoccupa in maniera privilegiata della risultante estetica. Per me l'esteriore, o meglio, ciò che è connesso all'identità formale, è una derivazione e raramente lavoro partendo dal vincolo di esprimersi attraverso una forma data o desiderata a priori.
Il processo creativo che mi riguarda è stato spesso veicolato con il concetto di "gusto della forma". In questa locuzione si esprime una duplicità importante in cui è il termine "gusto" quello che ha maggior importanza. La forma è il sembiante che assume il gusto e non necessariamente è tenuta a esprimere un appeal visivo di alto livello.

Attraverso un esercizio di trasposizione sintetica, si può dire che la forma esprime il gusto in chiave visiva. In questo senso, è lecito introdurre delle considerazioni derivate dall'antropometria, dall'ergonomia.
Concordo, ma mi piace partire dal concetto di gusto per arrivare a fare considerazioni molto simili. Il gusto è l'innesco, il punto di partenza privilegiato.

Da più di dieci anni penso al cibo non tanto come piacere, quanto in termini di emozione, che non deve essere necessariamente quella gastronomica: è quasi una circostanza ideale, direi mentale.

Si può avere in mente un gusto preciso, partire da questo per organizzare la progettazione?
L'esigenza di dar corso ad un processo ha a che fare con l'idea pura, non necessariamente connessa con un sapore di riferimento. Le suggestioni a questo proposito sono molteplici: a volte il lavoro è suggerito dalla restrizione di risorse, dalla costrizione a dover usare pochi elementi utili allo scopo.
Inoltre, mi interessa un processo creativo in grado di risolvere più esigenze in contemporanea, in un unico gesto: in questa direzione, il contributo che altre discipline possono offrire è bene accetto.

Le discipline di progetto riservano attenzione allo spazio d'utenza. Come intendi la questione?
Penso alla posizione che ha chi fruisce, chi consuma. Sovente dico che in cucina ho un attrezzo che i miei colleghi non hanno: la sedia. Preparo il piatto da seduto, per avere, mediamente, la stessa distanza dal cibo del cliente, la stessa visuale della persona a cui è destinato ciò che servo.
Ma questo non ha quasi nulla a che fare con le buone norme dell'impiattamento, con necessità di servizio legate alla presentazione. Curando "il disegno" del cibo nel piatto influisco sulle modalità di consumo e mi è possibile intervenire suggerendo delle sequenze di assimilazione del gusto. Lasciare spazi vuoti in un piatto è fondamentale: in considerazione del fatto che si servono spesso alimenti solidi o semisolidi, esiste una relazione spaziale tra il bordo del piatto e il perimetro fisico di quanto contenuto. In questo "territorio" si organizza la "lettura" della portata e anche la disposizione degli elementi segue un criterio specifico, suggerendo ad esempio l'ordine di assunzione dei componenti. Non uso quasi mai il termine piatto: è il mio spazio, il limite entro quale organizzare una composizione. Io lavoro su una pagina, organizzo uno spartito, in cui il cibo è emozione, poi ricordo...

La memoria del gusto può avere una persistenza e l'emozione di cui parlavi non essere istantaneamente volatile.
Credo di sì. Il *concept* che servo non è ancora completo quando lascia la cucina: è con l'atto del consumo, del mangiare, che si chiude il ciclo di assimilazione. Ma il gusto acquisito può rimanere "in sospensione" e poi essere ricordato.
In un certo senso, mi stimola la ricerca della persistenza del gusto attraverso la memoria. È un processo intimo, personale, e mi affascina il modo in cui il concetto prende forma.

Ciascuno può descrivere un gusto in maniera del tutto soggettiva, personale, che credo non sia opportuno influenzare. Il mio ruolo è quello di concepire un gusto lavorando su un concetto originale, di servirlo, ma non posso e non devo suggerire degli strumenti utili ad interpretarlo. Per questo non amo raccontare in maniera "integrale" cosa servo; il rischio è di anticipare una sensazione, stimolando la tua memoria ad evocare il personale ricordo associato al gusto di un particolare ingrediente ad esempio.
Facendo leva sulla memoria, inoltre, si spunta la possibilità di sorpresa che può essere la scintilla per l'emozione di cui parlavamo.

È l'esigenza che ha suggerito il tuo *Cyber-egg*.
Esatto. Il *Cyber-egg* è tuorlo d'uovo e caviale, viene offerto in un'intercapedine di pellicola trasparente in cui solido e liquido si amalgamano in attesa di essere liberati dal taglio di un bisturi e

raggiungere il palato.L'obiettivo di questo *concept* è eliminare le sovrastrutture mentali dovute all'odore e alla vista del cibo, concentrandosi sulla pura sensazione gustativa che sopraggiunge quando l'uovo *cyber*, messo in bocca, esplode in tutto il suo sapore.
In aggiunta, si ha anche la possibilità di eliminare il controllo sulle modalità di assunzione: l'esplosione avviene in maniera repentina, non è possibile controllarla. Dal mio punto di vista è un *concept* molto avanzato: offre l'opportunità di avere una percezione del gusto non mediata, quasi istintiva, senza nessuna anticipazione.

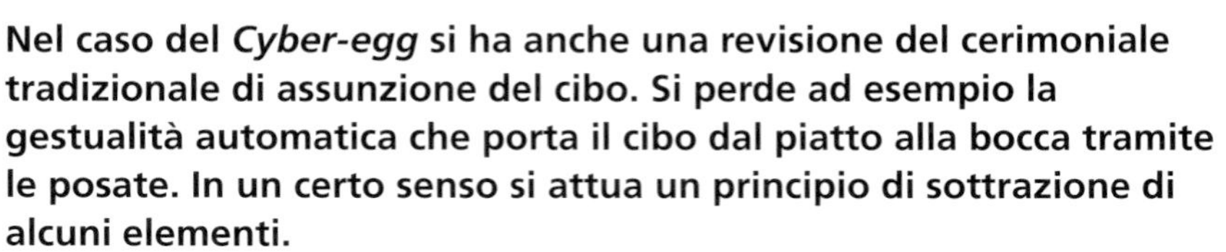

Nel caso del *Cyber-egg* si ha anche una revisione del cerimoniale tradizionale di assunzione del cibo. Si perde ad esempio la gestualità automatica che porta il cibo dal piatto alla bocca tramite le posate. In un certo senso si attua un principio di sottrazione di alcuni elementi.

È vero. Mi piace lavorare per sottrazione ma non amo un approccio preordinatamene "minimale": si sottrae quanto occorre a non intaccare l'architettura del sapore. Il *Cyber-egg* suggerisce un ragionamento: è pura acquisizione del gusto, spogliata del resto.

Che ruolo ha il fruitore nel tuo processo creativo? La sensazione è che sia coinvolto attivamente.

Lo *chef* è spesso orientato a lavorare su una "materia esterna", sul pasto come risultato di una ricetta che porga un "sapore finito in se stesso". Io parto dal presupposto contrario: punto su una logica d'interazione, su un "sapore da completare" da parte di chi consuma. Il cibo preparato è l'innesco e l'azione di somministrazione implica una reazione a livello chimico e fisico, anche psicologico. Lavoro su una "materia interna", emotiva e fisiologica, su come stimolare e attivare i ricettori meno utilizzati, ciò che è dimenticato nelle nostre capacità percettive.

L'uso del packaging non è un esigenza, ma serve a sottolineare, a rafforzare determinati concetti o ad introdurne di nuovi. Nella migliore delle ipotesi, a far pensare che esistono modalità alternative di servire e consumare il cibo.

Il packaging deve essere integrato con il contenuto e funzionale. È un aspetto importante per me e può avere molte valenze. In alcuni casi può essere utile a consumare in maniera più corretta o più semplice il cibo, in altri a creare un interesse aggiunto sul prodotto o a indurre una sensazione di sorpresa, di spiazzamento: i supermercati hanno scaffali pieni di confezioni e inviluppi, ma il fatto di proporli il un ristorante è inatteso e crea stupore. E poi è sovversivo pensare di poter mettere qualcosa di davvero buono all'interno di una scatola.

In definitiva, tornando al tema iniziale, il tuo personale percorso creativo non è soggetto ad una linearità di processo, ad una trama.

Il processo di ideazione non è lineare e si può visualizzare con l'immagine di un *cluster* di molecole organizzate in strutture complesse in grado di originare ogni volta sistemi differenti.

È curioso notare come, aggiungendo o sottraendo un singolo elemento al suddetto processo o invertendone l'ordine di combinazione, il risultato cambi, spesso radicalmente.

Davide Scabin is one of the ten best chefs in Europe. He has developed his own style and is constantly improving his haute cuisine menus.
He approaches taste from a multi-sensorial viewpoint. The dynamics of food appreciation is the basis he uses to create unusual dishes: he interprets a creative process based on the emotional properties of food. His restaurant, Combal.zero is located in one of the most important international houses of culture, the Museum of Contemporary Art in the Castello di Rivoli.

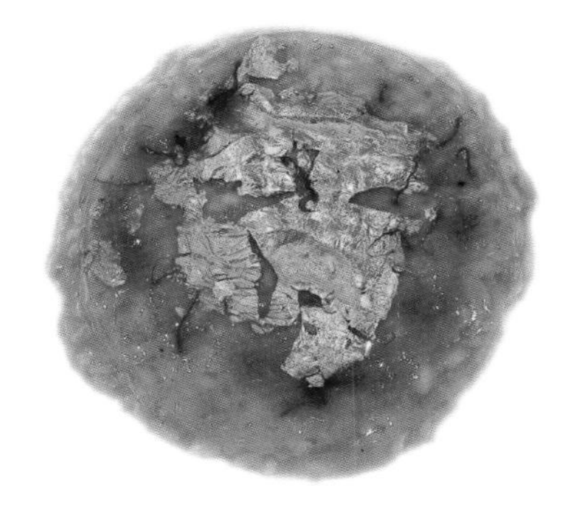

The coordinates of an experimental cooperation.
I've known David Scabin and his staff at Combal.zero in Rivoli for about a year now, ever since Barbara Brondi, an associate in the brh+ studio, and I were invited to discuss working together in the field of design.
For some time now, our relationship has turned into a spontaneous dialogue on common topics: after an initial critical evaluation of whether or not to proceed, we moved on to the design stage. Both of us have the same approach method: we see design as a process and not exclusively as a resource for formal ideas. Based on this approach, we studied how anatomy and product can interact and what novel, visual communication can provide in the way of opportunities. In short, brh+ and Combal.zero have successfully worked together on a wide range of topics, starting with Balc.one, a place where people can eat outdoors. The food is heated in infrared ovens and the clients are provided with trays equipped with an ad hoc food kit.
Other topics include: the restyling of the Hambook – the concept that uses packaging in the form of a book to disguise the traditional dish of ham and melon; the design of a slide show of rapidly changing images that lasts 100 minutes and illustrates the infinite number of elements associated with the principle of "a taste for form"; an ongoing research on the traits of traditional and virtual visual communication associated with the name Combal.zero.

How do you decline design and food?
Applying design to food means introducing industrial criteria to the world of cooking. Design isn't just about formal aspects, it should involve the whole process of producing a dish, from when it's invented to when it's served and eaten.

From the point of view of design, what inspires you when you elaborate a *concept*?
For me, design isn't a standard way of looking at things that is personalised or altered according to the task at hand; I don't use generic guidelines, I don't follow a pattern or a "procedural recipe." Each time, the original idea develops using different tools and methods: it's the original

idea that instinctively indicates the right way to achieve what I'm looking for. Designing a *concept* means using an open-ended process that merges the pure, simple idea with the operative skills that can turn the inspiration into something real.It's an ideal process: before it can be illustrated in a "design," it has to be validated elsewhere. The "amount of design" in each *concept* isn't necessarily completely expressed by the final result or final form. In most cases, you can only vaguely see the energy used during design.

Design considered mainly as a design skill, as an approach?
In the world of food, design can take place by working on the process, by intervening on the production line of a specific concept: in a sense, unusual solutions or unusual food combinations might be superfluous. We can talk about design when a traditional local dish is served after it's been improved by changing the way it's prepared. The final result is the same but, for example, the way it's produced has been revamped. I'm talking about the "system design" concept which, in my opinion, influences the logic of *food design* and improves it enormously; in this case, aesthetics is not the main objective. I think that the exterior, or should I say, what makes up its formal identity, is something that comes afterwards and I very rarely assume a given or an *a priori* form as my starting point. My own creative process has often been influenced by the concept of a "taste for form."
This expression contains two important words, but "taste" is the more important of the two. Form is the way in which taste is made manifest: it doesn't necessarily have to express an elite visual appeal.

In short, could we say that form visually expresses taste?
In a way, can we introduce considerations from the world of anthropometry or ergonometry?
Yes, but I like to start from the question of taste in order to express similar considerations. Taste is the spark, the privileged starting point.
For more than ten years I've thought about food not in terms of pleasure, but as an emotion that doesn't necessarily have to be associated with food and wine: it's more an ideal, I'd say a mental state.

Can you use a specific taste to organise design?
To start a process, you have to have an idea that isn't necessarily associated with a specific flavour. You can be influenced by many things: sometimes by limited resources, by having just a few things to achieve your goal.
I'm interested in a creative process that uses a single gesture to solve

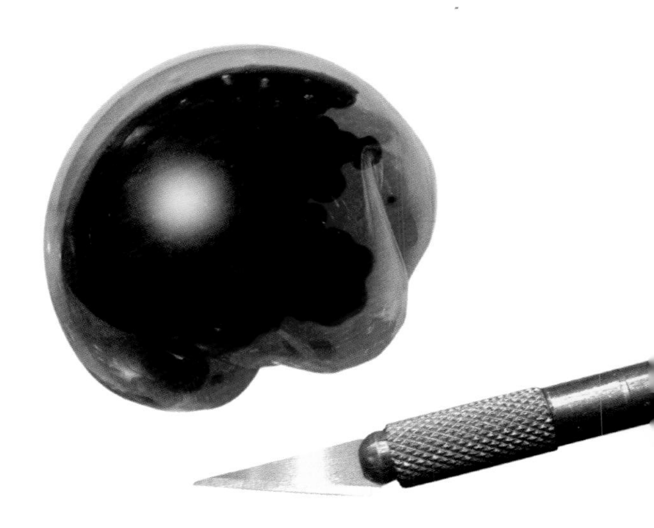

multiple problems: this is where the contribution of other disciplines is always welcome.

Design disciplines also focus on the client/user. What are your views?
I think of the position of the client, the consumer. I often say that I do something in my kitchen that others don't. I prepare the dish sitting down, so that I'm at the same distance from the food as the client: I see what the person who'll eat it will see.
But this has nothing to do with the right way of presenting food, with how the presentation should be served.
When I study how food is "designed" on the plate, I influence the way people
will eat it. I can intervene by proposing the order in which the flavours

should be tasted. You have to leave empty spaces on a plate, that's very important.
Very often we serve solid or semi-solid food; there is a spatial relationship between the side of the plate and the physical limits of its contents.
This is the "territory" in which the dish is "interpreted" and the way the food is arranged on the plate is based on specific criteria that can, for example, propose in which order the ingredients should be eaten. I almost never use the word dish: it is my space, the space in which I arrange the food. I write on a page, I organise a musical score in which food is an emotion, then a memory...

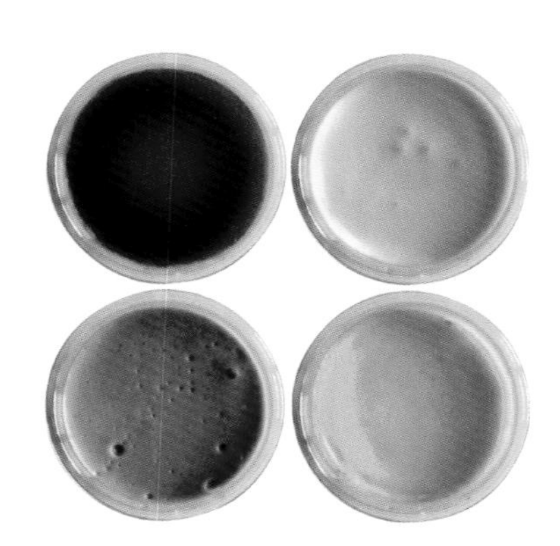

Can the memory of a flavour linger and the feelings you mention not instantly disappear?
I believe so. The *concept* I serve is incomplete when it leaves the kitchen: when it is eaten, the cycle of assimilation is complete. But the flavour people taste can "last" and can be remembered. In a certain sense, what intrigues me is to use memory to try and make flavours last. It's an intimate, personal process and I'm fascinated by the way in which the concept is born.
Everyone can describe a flavour subjectively, individually and I don't think I should influence this. My task is to create a flavour by working on an original concept and serve it: I shouldn't and mustn't propose what tools should be used to interpret it.
That's why I don't like to give a "complete" picture of what I serve; I run the risk of anticipating a sensation by stimulating people's memory and conjuring up their own personal memory of what a particular ingredient tastes like.
By exploiting memory, you eliminate the element of surprise that might be what sets off the emotion we're talking about.

Is this what inspired your *Cyber-egg*?
Yes, The *Cyber-egg* is made of egg yoke and caviar: it is served in a hollow space made with a transparent film in which solids and liquids mix before being freed by the incision of a scalpel and entering a person's mouth. This *concept* eliminates the mental picture conjured up by the smell and sight of the food; it concentrates on the pure sense of taste achieved when the *cyber* egg is eaten and its flavour explodes in people's mouths. You also eliminate control over the way it is eaten: the explosion is immediate and impossible to control.
I believe it's a very advanced *concept*: it allows you to spontaneously taste the flavour almost instinctively, without any anticipation.

The *Cyber-egg* also changes the traditional way in which we eat. It eliminates the automatic gesture of using a fork to put food in one's mouth. In a certain sense, it involves the principle of taking away certain elements.
That's true. I love to work with subtraction, but I don't like a preordained "minimal" approach: subtraction should be used to avoid undermining the architecture of taste.
The *Cyber-egg* implies a rationale: it is the pure acquisition of taste, without all the rest.

What role does the user have in your creative process? It seems he's an active player?
A *chef* often focuses on "external matter," on the meal as the product of a

recipe that provides a "finished flavour." I start from a totally opposite premise: I bet on a logic of interaction, on a "flavour to be completed" by the consumer.
The food is the spark and serving the dish involves a chemical, physical and psychological reaction.
I work on emotional and physiological "internal matter," on how to stimulate and activate the receptors we use least, on what is forgotten by our perceptive skills.

Packaging is not crucial, but it underlines and strengthens certain concepts or introduces new ones. At best, it can make you think that there are other ways of serving and eating food.
Packaging has to be one with the contents and function. It's very important for me and can imply many things. In some cases, it can help to eat food in a better or easier way, in others, it can create added interest in the product, surprise or disorientation. Supermarkets shelves are full of packages and boxes, but serving them in a restaurant is unusual and surprises people. It's also quite subversive to think you can actually put something extremely good in a box.

Going back to what we said at the beginning, your personal creative itinerary doesn't involve a linear process or pattern.
Invention is not linear. Picture it like a cluster of molecules organised in complex structures that always create different systems.
It's interesting to note that by adding or subtracting just one ingredient to this process or by changing the order in which we mix them, the result changes and is often radically different.

Il disegno del gusto
Designing the Shape of Taste

Il food design è disciplina relativamente nuova; in Italia si comincia a parlarne diffusamente a partire dalla primavera del 2004 quando, complice un'edizione della mostra della rivista Interni al FuoriSalone di Milano, si tiene alla Triennale la mostra evento Street Dining Design. Nell'allestimento, affidato a diversi autori tra architetti e designer, il tema del cibo veniva affrontato attraverso il progetto di chioschi a tema in cui consumarlo, con l'esplorazione di forme alternative di fruizione dello stesso e la proposta da parte delle aziende di cibo industrialmente prodotto presentato come creazione di food design. È il caso del Konopizza, forse l'esempio rimasto maggiormente nella mente dei visitatori, che apprezzarono l'idea della tradizionale Margherita calata nelle forme altrettanto iconiche del cono da passeggio; alternativa che senza stravolgere il gusto suggeriva un nuovo modo di consumare easy uno dei prodotti nazionali.
L'evento agisce da catalizzatore del fenomeno già latente e da lì a poco, redazionali, mostre, concorsi, laboratori didattici, iniziano ad appassionarsi al cosiddetto food design che dilaga, letteralmente, ovunque.
Tra le concause di questo interesse: il recente successo nel nostro paese e soprattutto tra i giovani della cucina etnica, specialmente del cibo giapponese con il suo appeal; ovvero il fatto che questo porta con sé un'estetica legata alla sua presentazione ed è percepito più dell'occidentale come un oggetto in sé, una forma "tipo" che cambia solo l'abbinamento dei vari ingredienti. Quindi il recupero della polisensorialità come trend generale per tutti i settori, dove si rimette in gioco l'intera gamma sensoriale e i prodotti, ma anche beni diversi come cosmetici e affini (a Parigi per esempio il rapporto tra pasticceria, cosmetica e lusso è in questi ultimi tempi osmotico), vengono studiati a partire dalle caratteristiche sinestetiche; si mangia quindi "con gli occhi", com'è risaputo, in una globale considerazione del concetto di gusto.
A corollario di queste considerazioni, il fatto che si viveva, e tuttora, in una fase di total look: dove tutto è progettato, disegnato (griffato) in un'esasperazione dell'estetico, celebrato e ricercato in tutte le sue forme.

Ciboh, collana in liquirizia, collezione PE 2006
Ciboh, liquorice necklace, PE collection 2006

Food designers. Il food designer è un designer o cuoco che applica il metodo dell'industrial design, il suo processo, alla progettazione del cibo; in questo modo e attraverso la sperimentazione con le materie alimentari e i processi, ottiene non il classico piatto ma creazioni speciali, che tramite i grandi brand dell'alimentare e la grande distribuzione si possono portare in produzione, diffondendo la cosa ad un pubblico più vasto, allargando i risultati della ricerca, come con gli oggetti di design.
Il food designer, inoltre, dovrebbe essere in grado di lavorare con le

aziende alimentari per suggerire, con la sua esperienza su forma e natura del cibo, la progettazione degli alimenti, come accade già da tempo con i biscotti, i gelati, la pasta (già campo di applicazione dei designer demiurghi, che si sono cimentati, senza grande fortuna però, con le forme per il palato).
Prendiamo l'esempio di Paolo Barrichella, art director, esperto di cucina ed *entrepreneur* che dal 2003 si dedica con grande attenzione all'argomento ed è designer specializzato nella sperimentazione con il cibo. Secondo Barrichella, tre sono le direzioni di sviluppo per il food design: la progettazione per il cibo, la progettazione con il cibo e la progettazione di portata (che riguarda il rapporto tra contenitore-contenuto e comprende il packaging) mentre, con sue parole, "possiamo definire un prodotto come Architettura Alimentare: nel momento in cui grazie alla cultura di progetto, nulla è lasciato al caso e la materia alimentare è posta sul campo in base a motivi ben precisi e dimostrabili".
Nell'aprile scorso, il Premio Internazionale Grandesign – un importante premio internazionale di Design – si è arricchito con l'ingresso proprio del food design; nella fattispecie il premio è andato al progetto dell'*èspesso*: il caffè (schiumato) che si mangia di Ferran Adrià per Lavazza, quest'ultima premiata per essere stata tra le prime aziende ad applicare la cultura di progetto ad un settore finora estraneo.
Citiamo non a caso questo prodotto perché quello di Adrià (e del suo mitico ristorante laboratorio El Bulli) è il nome che torna frequentemente quando si parla di food design; lo chef catalano, autentico guru della cucina creativa, è infatti considerato da tempi non sospetti come uno dei pochi sperimentatori (l'altro nome è sicuramente quello di Alain Ducasse in Francia, tra gli interpreti più noti della tanto criticata *nouvelle cuisine*), soprattutto per la propensione al lato delle trasformazioni; quindi al lavoro sulla materia alimentare, da lui indagata e reinterpretata con vere e proprie "transustanziazioni".
Il movimento è doppio, da una lato si agisce sul gusto (caratteristiche organolettiche, sapore), dall'altro sulla forma (aspetto ma anche consistenza), e in questo appare di fondamentale importanza l'apporto della cucina molecolare, inventata dal chimico e fisico francese Hervé This, che agisce sulla natura microscopica della materia e lavora alla destrutturazione delle ricette come tecnica e stile, così si hanno gli stessi ingredienti di composizione ma "visualizzati" in maniera diversa nel piatto. Il vero food designer, inoltre, non lavora mai da solo, e appare interessante questo rapporto, alle volte molto stretto, simbiotico, tra food designer e chi (chef) lo supporta nella fase operativa; il food design è dunque una forma di progetto collaborato, perché presuppone l'aiuto di un "tecnico" e questa messa in comune di competenze da entrambi i campi si configura per il design come un'autentica strategia di *cross fertilisation*.

Tornando al tema di partenza, e alla relazione di questi aspetti con la figura tradizionale del designer, vediamo come il fenomeno si sia in particolare legato ai giovani, ai designer emergenti.
Da tempo il nome del catalano Martí Guixé è noto come quello di un autentico designer-artista che progetta indagando il rapporto con il cibo e la cultura alimentare, con ideazioni talvolta sorprendenti, come fu il caso del cibo liofilizzato Pharma food (1999), che possiamo considerare l'approdo più estremo della sua ricerca partita da forme più ludiche e tradizionali di sperimentazione (tecno-tapas e "pizze sponsorizzate"). L'attenzione per l'argomento vivacizza temi di concorso e mostre varie, così iniziano ad arrivare segnali di un interesse diffuso verso il fenomeno legato ad una catena di autopromozione del "giovane design" tramite l'evento rappresentato dalla novità del food .
Prima di spostare la sua attenzione al cibo, il Design aveva con successo dedicato energie creative ad accessori e strumenti per servirlo e consumarlo; si prenda il caso di una società specializzata in catering come *Pandora* che, collaborando dai suoi inizi con designer come Giulio

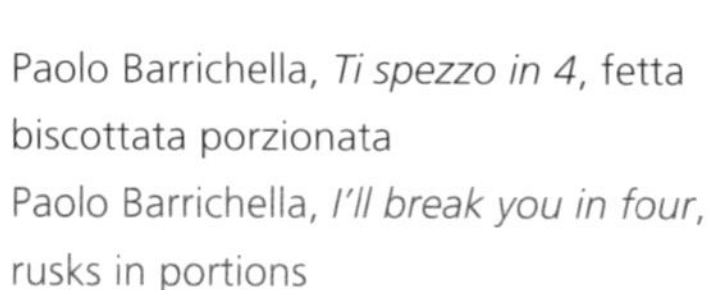

Paolo Barrichella, *Ti spezzo in 4*, fetta biscottata porzionata
Paolo Barrichella, *I'll break you in four*, rusks in portions

Giulio Iacchetti, *tiVoglio*, novellino impronta

Giulio Iacchetti, *tiVoglio*, biscotto vitamine
Giulio Iacchetti, *tiVoglio*, vitamin biscuit

Iacchetti e Matteo Ragni, iniziava a diffondere il gusto per una certa idea di *tableware*, informale, nomadica, addirittura ecologica, che culmina con il premio Compasso d'oro (2001) alla forchetta-cucchiaio monouso Moscardino.
Vi è quindi una sorta di correlazione tra food e oggetti per nuovi comportamenti alimentari che non smette di essere praticata: per esempio, dalla selezione dell'ultima edizione del concorso Opos (Made for China) troviamo la forchetta-bacchetta B-side di Alessandro Busana, che ha disegnato anche un altro oggetto-gadget, Stuzzichello, un punzone decorativo indossabile per aperitivi.
Ci si inventa un mestiere come il catering creativo: lo studio Ciboh di

Milano ne fa questione di stile totale e organizza banchetti per eventi, occupandosi non solo degli accessori ma anche della messa a punto dei menu e la creazione delle pietanze; ma di cibo (cioè edibili, perchè realizzate con ingredienti alimentari) sono anche monili ed accessori da indossare come i cappelli e le sciarpe di zucchero filato.
Ecco che, gradualmente, si registra uno spostamento dell'attenzione dall'utensile gadget, alla materia prima stessa, il cibo, che diventa operazione di progetto.
Si moltiplicano anche gli eventi, mostre e concorsi: da tre anni *Eurochocolate* calamita a Perugia grandi masse con un calendario sempre fitto di incontri (ricordiamo la mostra dell'edizione 2004 sulle forme del cioccolatino), che diventa mezzo di esplorazioni ironico funzionali per parte dei designer invitati.
Ugualmente, a Torino, a cura dell'associazione *One off* (un gruppo di designer, event designer e artisti) il concorso *Fooddesign 3* che vede molteplici proposte che ruotano tutte intorno ad un nuovo modo di concepire e fruire il cibo, con un occhio particolare ai nuovi stili di vita e ai

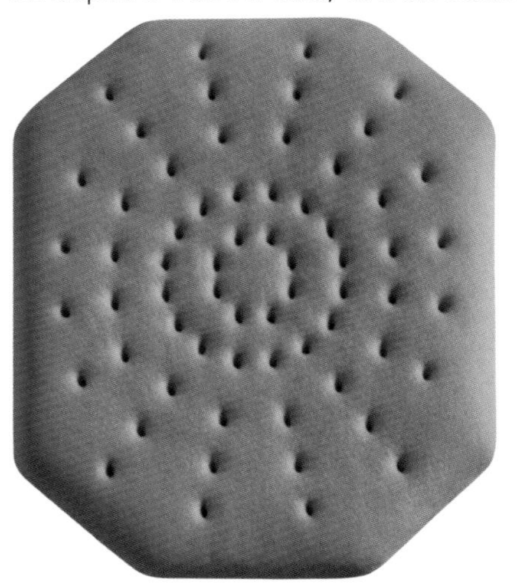

Ottorino Piccinato, *Trecker*, restyling in chiave ergonomica del cracker
Ottorino Piccinato, *Trecker*, ergonomic restyling of a cracker

Giulio Iacchetti, *tiVoglio*, biscotto al caffè
Giulio Iacchetti, *tiVoglio*, coffee biscuit

Giulio Iacchetti, *tiVoglio*, frollino cioccolato nocciola
Giulio Iacchetti, *tiVoglio*, chocolate hazelnut biscuit

target giovanili.
Nascono grazie a questo interesse, vere e proprie associazioni: come Fooddesign (di Paolo Barrichella) o Oneoff, che insieme ad istituzioni come la Città del Gusto Gambero Rosso, si interessano del fenomeno, così come iniziano ad occuparsene le scuole con l'inserimento di corsi dedicati.
Ricordiamo il *Foodlab*, corso semestrale al Politecnico di Milano-Como e soprattutto i seminari tenuti dal 2004 dallo chef Davide Scabin al corso di laurea in disegno industriale del Politecnico di Torino, che si è dimostrato tra le università il maggiormente interessato all'argomento, tanto che due tesi di laurea sono state discusse nello scorso anno accademico su questo

Odoardo Fioravanti, *Chocopower*, cioccolatino a forma di pila, Eurochocolate 2004
Odoardo Fioravanti, *Chocopower*, chocolate shaped like a battery, Eurochocolate 2004

Paolo Barichella, engineering Pierpaolo Magni, *Chocode 2*, cioccolatino da meditazioneì, ICAM
Paolo Barichella, engineering Pierpaolo Magni, *Chocode 2*, chocolate for meditating, ICAM

MDP (Cristina Bacchetti), *Essence*, snack, Magnum

tema e soprattutto, grazie agli sforzi profusi dai neolaureati stessi, sarà probabilmente il primo ateneo ad attivare un Master.
Vi è poi un'attenzione verso gli aspetti legati al sociale e agli stili di vita con casi interessanti che combinano la ricerca, al servizio offerto e alla componente più immateriale legata alla comunicazione del cibo.
Il citato Guixé è l'autore del *Foodball Camper* a Barcellona, replicato di recente a Berlino, esempio non solo di un prodotto bio da mangiare inventato ex novo (che si presenta sottoforma di palle compresse di diversi ingredienti "sani"), ma anche di un locale progettato ad hoc, che tiene conto di una nuova fruizione-libera, anticonvenzionale, rilassata per il consumo del cibo in città.
Lo stesso designer è autore di un recente progetto come sorta di happening: Food Facility ad Amsterdam è una mensa in comune, dove si serve cibo ordinato e recapitato dall' esterno e "mixato" da un food-deejay negli spazi del ristorante, che è senza una vera cucina, sostituita da una rete di cucine sul modello di Internet. Da ultimo, è vivo l'interesse delle industrie al dialogo con i designer, che porta a collaborazioni e ad esiti interessanti e sotto gli occhi di tutti, visto che queste creazioni sono industrializzate e vendute negli scaffali dei supermercati.
Il progetto portato avanti dal designer Giulio Iacchetti per la linea di biscotti *tiVoglio* è esemplare di questa collaborazione; lo studio *Design Group Italia* (tra quelli storici del design milanese) ha da poco aperto una sezione food e collabora con industrie alimentari al progetto e alla consulenza ("trasferiamo così il nostro metodo dal progetto dall'industrial design al cibo"); similmente, l'agenzia MDP di Milano, lavora da anni sul food, in particolare per i gelati anche con studi di marketing.
In Francia ha addirittura aperto i battenti dal 2001 il primo *boureaux de style* dedicato al cibo (*Enivrance* Parigi), con lo scopo di offrire ai grandi gruppi dell'agroalimentare o agli stessi designer, attraverso la creazione di *trend book*, spunti e suggestioni di tendenza sulle forme e le lavorazioni con le materie alimentari, con esiti davvero sorprendenti, tra alta decorazione e *food styling*.
Da tutti questi segnali, colti a trecentossessanta gradi dalla contemporaneità, pare di poter concludere che il food design si sia affrancato dalla condizione di una moda, come veniva fino a poco tempo fa percepito dai più, per dimostrare di avere le carte in regola e soprattutto gli argomenti per poter costituirsi come discorso autonomo, dotato di un suo profilo e caratteristiche metodologiche. Un allargamento, quindi, e non una "deriva" del progetto, da tenere in osservazione.

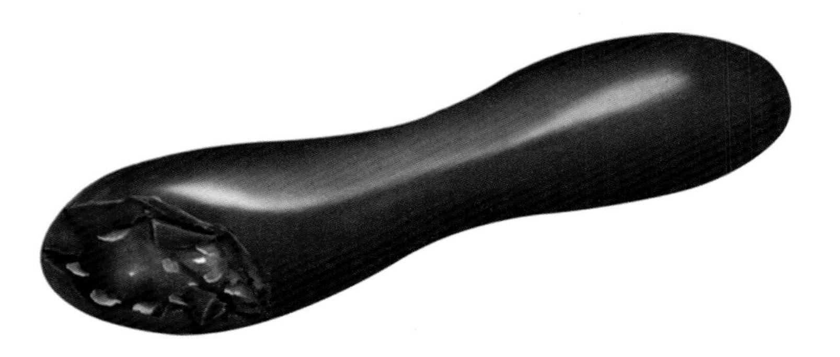

Food design is a relatively new concept in Italy; it started to become more commonplace in Spring 2004 when, thanks to Interni, the magazine of the FuoriSalone in Milan, the Triennale held an event called Street Dining Design.
In the stands created by various architects and designers, the food concept was explored by designing thematic food kiosks and the artists proposed different, alternative ways of eating food. Industrial food production companies also participated in the creation of food design. For instance Konopizza. This is perhaps the example that most visitors remember: they appreciated the idea of eating a traditional Margherita pizza in the iconic shape of an ice-cream cone; without changing the way it tastes, Konopizza proposed a new and easy way to eat one of Italy's national products.
The event acted as a catalyst for what was already a latent trend. Shortly afterwards, editors, exhibitions, competitions and teaching workshops all began to enthuse about food design, a trend that is now literally spreading everywhere.
One reason for all this interest is the recent popularity of ethnic food in Italy, above all among the young, especially Japanese food with the charming way it's served.
Compared to Western food, the presentation of Japanese food is considered something special, a "typical" form in which only the ingredients change.
Another reason is the revival of multisensoriality, a trend that is growing in all sectors; all sensorial goods and products are involved, as are other items such as cosmetics, etc. (in Paris, for example, the borders between pastries, cosmetics and luxury goods have lately become very thin).
Studies are carried out on their synaesthetic characteristics; so we "eat with our eyes," as we all know, based on a global idea of the concept of Taste. Then there's the fact that we used to live – and still do – in an age when "total look" is ubiquitous: where everything is planned and designed (branded), exasperating everything that is aesthetic, famous and exclusive.

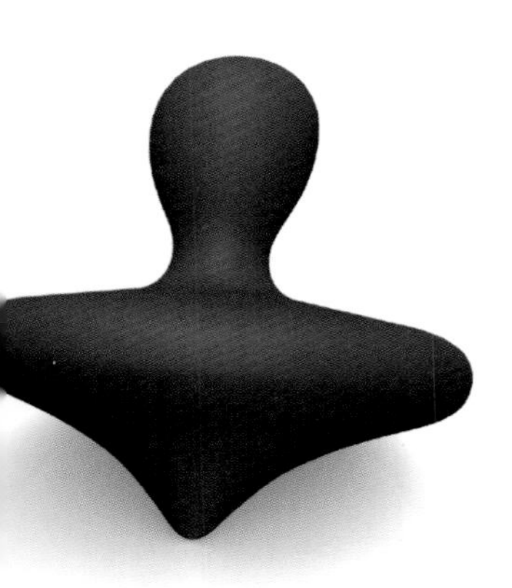

Ilaria Gibertini, *Trottola*, cioccolatino a forma di trottola, Eurochocolate 2004
Ilaria Gibertini, *Trottola*, chocolate shaped like a spinning-top, Eurochocolate 2004

MDP (Cristina Bacchetti), *Infinity*, snack, Magnum

Food Designers. A food designer is a designer or cook who uses an industrial design method and process to design food; experimenting with foodstuffs and processes leads to the creation of special, rather than traditional, dishes. Big food brands and large-scale distribution can produce these creations and get them to a bigger public, extending the results of the experimentation. The same thing happens in the world of design. The food designer also has to be able to work with food companies, using his knowledge about the form and nature of foodstuffs to suggest how to design food. In the past, this method was applied to

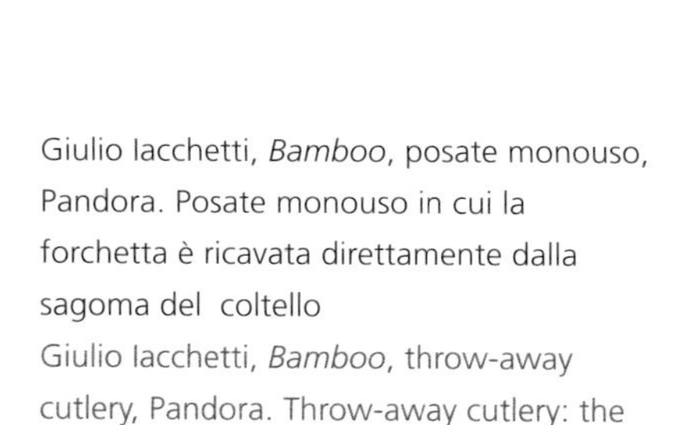

Giulio Iacchetti, *Bamboo*, posate monouso, Pandora. Posate monouso in cui la forchetta è ricavata direttamente dalla sagoma del coltello
Giulio Iacchetti, *Bamboo*, throw-away cutlery, Pandora. Throw-away cutlery: the fork is made from the shape of the knife

biscuits, ice-cream and pasta (a field already overrun by demiurge designers who rather unsuccessfully experimented with specific shapes for people's mouths). Paolo Barrichella is an art director, gourmet expert and entrepreneur who in 2003 began to focus on this issue, becoming a designer who specialises in experimenting with food.
Barrichella believes that food design can develop in three directions: designing for food, designing with food and designing dishes (the relationship between the container and the contents that involves packaging). In his own words, "we can define a product as Food Architecture when, thanks to design culture, nothing is left to chance and foodstuffs are selected for very specific, verifiable reasons."
Last April 2005, the International Grandesign Prize finally dedicated a section to food design which was won by *èspesso*: the edible (skimmed) coffee designed by Ferran Adrià for Lavazza. Lavazza won for

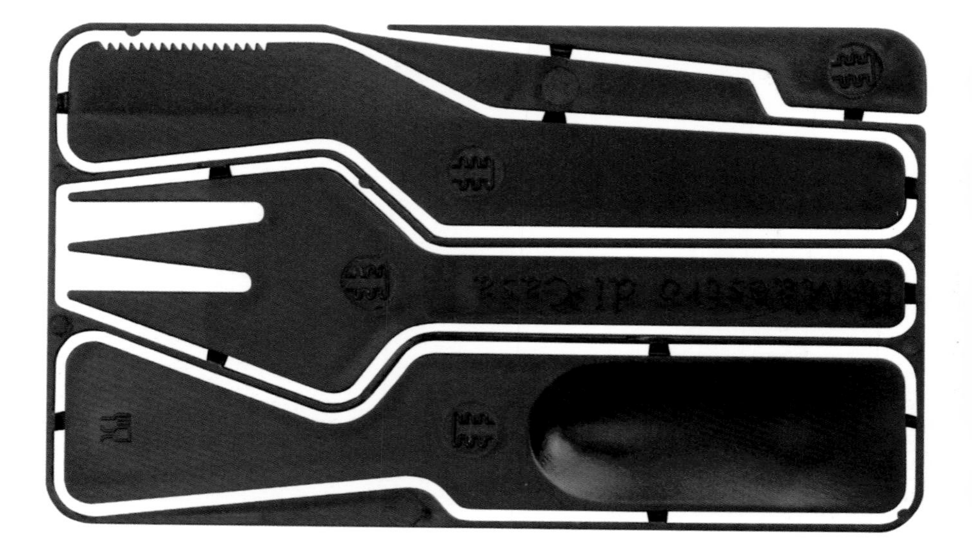

Alessandro Busana, *Stuzzichello*, punzone decorativo-funzionale per aperitivi, 2005
Alessandro Busana, *Stuzzichello*, a decorative/functional toothpick for hors d'œuvres, 2005

Matteo Ragni, *Feed card*

being one of the first companies to apply design culture to a sector that had so far not been involved in design. I purposely mention this product, because Adrià (and his mythical laboratory restaurant *El Bulli*) is a name that often pops up when talking about food design. In fact, the Catalan chef, a real guru of creative cuisine, has always been considered one of the few experimenters (unquestionably the other is Alain Ducasse in France, one of the most famous inventors of the much criticised *nouvelle cuisine*), mainly because he's interested in change, in working on foodstuffs, something he has studied and reinterpreted by inventing real "transubstantiations."

Two things are important: on the one hand, taste (organoleptic characteristics, flavour) and, on the other, form (appearances as well as consistency).
Another important contribution is the molecular cuisine invented by the French physicist, Hervé This: it focuses on the microscopic nature of matter and works on the destructuralisation of the technique and style of recipes. The ingredients remain the same, but are "visualised" differently on one's plate. What's more, the true food designer never works alone. It's interesting to study the often very close, almost symbiotic relationship between the food designer and the person (the cook) who physically helps him. Food design is, therefore, a sort of teamwork, because it also requires a "technician." This combination of skills on both sides could, as far as design is concerned, be called cross fertilisation. Going back to our initial topic and how these issues relate to the traditional image of

designers, we can see that food designers are mainly young, up-and-coming designers. For some time now, Martí Guixé has been well known as a true designer-artist who studies the relationship between food and food culture. Some of his creations are quite amazing; for instance the freeze-dried. Pharma food (1999) which we can consider as being the most radical conclusion of his research that started using more humorous and traditional forms of experimentation (techno-tapas and "sponsored pizzas"). The issue ignites and inflames competitions and exhibitions: people are getting increasingly interested in this trend associated with the self-promotion of "young design" and the novelty of food events.

Paolo Barrichella, engineering Andrea Rondanini, macedonia di perle
Paolo Barrichella, engineering Andrea Rondanini, pearl fruit salad

Before focusing on food, design had successfully concentrated its creative energy on accessories and utensils to serve and eat food. For instance, a catering company like *Pandora* that worked with designers like Giulio Iacchetti and Matteo Ragni right from the start: it began to promote a certain type of informal, nomadic, even ecological tableware which in 2001 won it the Compasso d'Oro prize for the disposable fork/spoon, Moscardino. So there's a link between food and utensils for new eating habits that still continues today: for example, the b-side disposable fork-chopstick by Alessandro Busana selected for the last edition of the Opos competition (Made for China).
Busana also designed another gadget, *Stuzzichello*, a decorative toothpick that can be worn during cocktails. Some people invent jobs, like creative catering: the Ciboh studio in Milan creates a total style

and organises banquets for events. It provides the accessories, decides the menu and creates the dishes. It also makes edible food trinkets and wearable accessories like candy floss hats and scarves. Gradually people's attention has shifted from the utensil/gadget to the raw material, food that becomes the focus of design. Events, exhibitions and competition flourish everywhere: for the past three years *Eurochocolate* attracts huge crowds to Perugia. There are always many workshops and in 2004 the programme focused on the shape of sweets, a way for the guest designers to ironically yet functionally explore design opportunities.
In Turin, the *One off* association (a group of designers, event designers and artists) organises a competition called Fooddesign 3. The numerous

Ciboh, *Chips*, pendenti commestibili in zucchero e argento, collezione AI 2005
Ciboh, *Chips*, edible earrings in sugar and silver, collection AI 2005

Martí Guixé, *Camper FoodBall*, Barcelona

di "fresco e tradizionale", con quella di "tecnologicamente avanzato", sviluppando la possibilità di utilizzare le migliori tecnologie per ottenere una molteplicità di risultati: aumentare la trasparenza del sistema alimentare, offrire informazioni, generare nuove competenze, generare nuove "reti alimentari".
Cioè: inedite forme di relazione de-intermediata tra consumatori e produttori.
Iniziative promettenti. Sono varie e geograficamente diffuse le iniziative promettenti che ci permettono di individuare, nel modo in cui ci si relaziona quotidianamente al cibo nelle società del benessere, tracce di comportamenti in controtendenza rispetto al modello "fast-food+supermercato+prodotti-di-massa". Sinteticamente, queste iniziative si possono riassumere in tre distinti trend, ciascuno portatore di domande progettuali per i designer, che riguardano sia i prodotti che i servizi alimentari e che richiedono un approccio strategico.
L'autoproduzione: È questa la tendenza più radicale affermata sul fronte della domanda come reazione alla crescente difficoltà di capire chi, come e dove il cibo sia prodotto.
In varie forme e con differenti livelli di impegno, l'autoproduzione si sta affermando tra i cittadini metropolitani come comportamento che consente di: controllare la qualità di ciò che si mangia; ritrovare il legame con la terra (nelle forme possibili nella dimensione metropolitana) e l'importanza del rispetto della natura; scoprire la soddisfazione di coltivare i propri alimenti e, sebbene in misura contenuta, conseguire un risparmio economico. In tutta Europa, come pure negli Stati Uniti, sono sempre più diffuse, in tal senso, le iniziative di orti urbani destinate spesso a speciali fasce della popolazione a scopo didattico (per gli alunni delle scuole) o terapeutico (per le persone anziane), accomunate da un significativo riscontro sociale in termini di qualità della vita nel quartiere che le ospita.
La de-intermediazione: Con quest'espressione definiamo una serie d'iniziative messe in atto sia dalla domanda che dall'offerta, volte ad accorciare, rendere più trasparente ed etica la filiera alimentare dal produttore al consumatore. Le forme più dirette di de-intermediazione sono quelle in cui i produttori vendono direttamente ai consumatori, saltando completamente tutti i numerosi passaggi che contraddistinguono la distribuzione nei canali tradizionali. In questo modo chi acquista conosce chi compra e viceversa, secondo un modello di relazione improntato a fiducia, correttezza e riconoscimento di qualità. I mercatini dei produttori (*farmers market*) sono la forma più tradizionale e diffusa di questo modello, ma stanno rapidamente diffondendosi anche i Gruppi d'Acquisto Solidali, ovvero gruppi spontanei che si ritrovano per relazionarsi nella propria zona con piccoli produttori singoli o associati da cui rifornirsi direttamente tramite

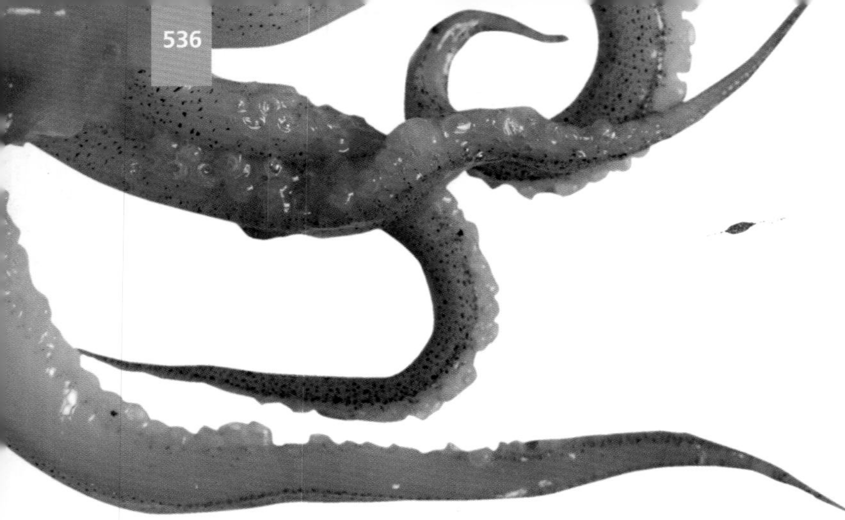

acquisti collettivi. Vicini alle iniziative precedenti si possono annoverare anche gli abbonamenti a forniture periodiche e stagionali di frutta e/o verdura; definiti talvolta "adozioni" di alberi, viti, capre ecc., sono servizi per cui alcuni coltivatori vendono il raccolto della stagione a clienti che possono partecipare anche ad alcune fasi della coltivazione. Queste iniziative sono inedite forme di rete fra chi produce e chi consuma, accomunate dal fatto di rispettare l'equa distribuzione di costi e guadagni, la stagionalità e la prossimità geografica dei prodotti, la salvaguardia delle piccole aziende agricole. Il mercato equo e solidale proietta sulla dimensione internazionale questi valori, creando un modello di relazione con produttori svantaggiati del mondo. Va notato anche che queste iniziative portano in sé un'attenzione privilegiata e consapevole per le produzioni piccole e marginali, attuando in questo modo anche un supporto concreto alla salvaguardia della biodiversità.
I centri multi-servizi: Sono una prima possibile risposta dell'offerta a questa diversificata domanda di servizi alimentari. Il negozio di quartiere come lo abbiamo pensato sino ad oggi, difficilmente può perdurare immutato, almeno nelle città, per motivi di concorrenza, economia e cambiamento degli stili di vita. Oggi si assiste all'emergere di un numero sempre maggiore di attività con identità ibrida, fra il ristorante informale incentrato sul cibo biologico o di qualità, il negozio, il punto di raccolta degli ordini collettivi, il luogo d'incontro dei produttori e il centro di "cultura alimentare". Luoghi dove è possibile trovare risposta ad una domanda di cibo non solo funzionale ma anche sociale e culturale.
L'atelier alimentare. L'Atelier Alimentare suggerisce una visione riassuntiva di come potrebbe proporsi, nel quotidiano, lo scenario del cibo naturale evoluto. Un centro multi-servizi chiamato Atelier Alimentare propone varie soluzioni per acquistare e preparare il cibo: è il luogo dell'alimentazione intesa non solo come necessità biologica, ma anche come cultura e come ponte tra il benessere individuale e i sistemi, naturali e sociale, su cui esso si basa. Vi si valorizza dunque la qualità intrinseca del cibo, ma anche quella dei luoghi in cui viene prodotto e dei sistemi produttivi e distributivi che lo rendono accessibile. Vi si trattano temi relativi alla tipicità dei prodotti, alla naturalità delle produzioni, all'equità dei sistemi distributivi. Combina un negozio di alimentari dietro l'angolo con un piccolo ristorante di quartiere. Vi si promuovono anche relazioni dirette tra consumatori e produttori di prodotti di qualità, e si organizzano iniziative per sviluppare le capacità individuali in fatto di cucina e gastronomia. E, infine, offre i servizi di un ristoratore-dietologo, che si fa carico, quando serve, di filtrare e selezionare l'offerta, proponendo panieri personalizzati di prodotti alimentari.

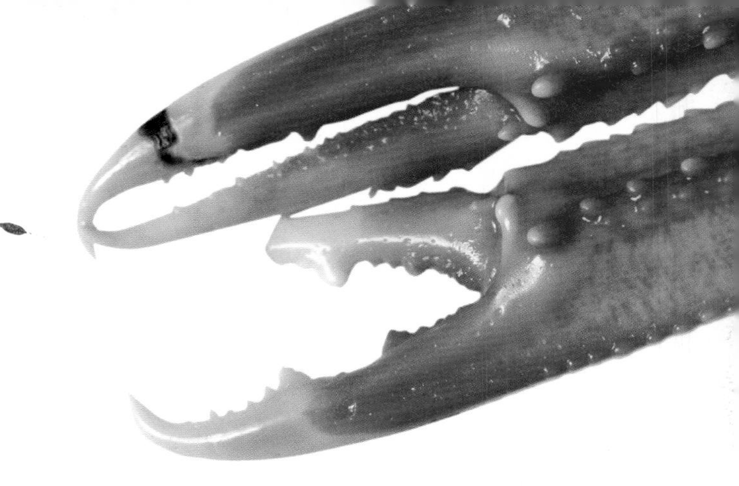

Punto di consegna di un cibo fresco del giorno: Nell'Atelier Alimentare c'è una zona dedicata allo stoccaggio temporaneo della merce prenotata dai clienti e un piccolo reparto "ultimo minuto" di prodotti disponibili immediatamente. Per un utente impegnato che lavora fino a tardi durante la settimana, c'è un programma di organizzazione quotidiana del cibo per la sua famiglia: per prima cosa l'utente definisce con l'aiuto del gestore, e all'occorrenza del dietologo on-line, una sorta di abbonamento quotidiano secondo i gusti e il profilo alimentare. In base a quello, tutti i giorni il gestore fa gli ordini all'ingrosso, confeziona gli ingredienti in porzioni secondo le specifiche di ciascun abbonato e, in alcuni casi, prepara e cucina le pietanze. Al rientro dal lavoro, l'utente passa all'Atelier alimentare per ritirare la spesa che ha ordinato: trova un pacchetto preparato a suo nome che contiene secondo la richiesta "gli ingredienti freschi per preparare una cena veloce". e completa talvolta la spesa con qualche prodotto nella zona "ultimo minuto".
Tavolo conviviale e gruppi di degustazioni: La zona di ristorazione dell'atelier alimentare) è organizzata intorno a un grande tavolo unico e conviviale. Occasionalmente l'Atelier propone degustazioni di prodotti biologici e incontri sul commercio equo e solidale. Un utente "buon gustaio", alla ricerca di qualità, organizza serate alla scoperta di prodotti tipici di piccoli produttori o delle specialità di una regione. Si mette in contatto con cooperative agricole che seleziona personalmente, e dispone sul grande tavolo gli assaggi dei prodotti che raccoglie, per proporli ai clienti di passaggio affinché possano poi ordinarli direttamente. Insieme ad altri appassionati, poi, degusta e confronta i prodotti migliori per selezionare i fornitori che possono entrare nella rete dell'Atelier.
Cucina aperta e club di cuochi: L'Atelier Alimentare è dotato anche di una cucina professionale, utilizzata da cuochi ed accessibile anche ai clienti per le loro necessità. Utenti amatori trascorrono spesso il pomeriggio all'Atelier in compagnia di qualche altro appassionato gastronomo. La cucina è ampia e bene attrezzata. Oltre a dare dimostrazioni delle loro ricette ed a imparare quelle degli altri, beneficiano anche dei consigli di uno chef presente alle riunioni. Cucinano insieme tutto il pomeriggio, gustano le specialità degli uni e degli altri, valutano la preparazione migliore... L'Atelier mette a disposizione gli ingredienti e vende una parte della produzione come piatti pronti. Gli utenti inesperti o sprovvisti a casa di una cucina attrezzata, possono frequentare la cucina aperta dell'Atelier per le ricette più elaborate: a casa, poi, non avranno che da riscaldare i piatti lì preparati.

Progressive natural food. The increased variety of urban lifestyles and associated food models has pushed demand towards intrinsically unsustainable eating habits.
One of the most emblematic and dramatic features of this situation in a world in which most people are undernourished is the fact that obesity is becoming a new pathology. But it isn't the only one. The lack of variety in local food produce and culture is another sadly emblematic feature: the flavour of local products are increasingly becoming standardised, as are the agricultural and productive systems that produce them. Given these problems, we have to invent a different dietary system that will allow us to consider the future of food from another perspective. This test of our imagination is difficult, but not impossible. If we look beyond mean values and the more obvious behavioural traits, we can see that a series of "promising initiatives" actually exist, examples of social and technological innovation that can be considered steps in the right direction. With these contradictory statements in mind, how can design make a positive contribution to reshaping the system which is in dire need of being overhauled? We believe that this contribution should focus on three main issues: (1) help to create scenarios that encourage social

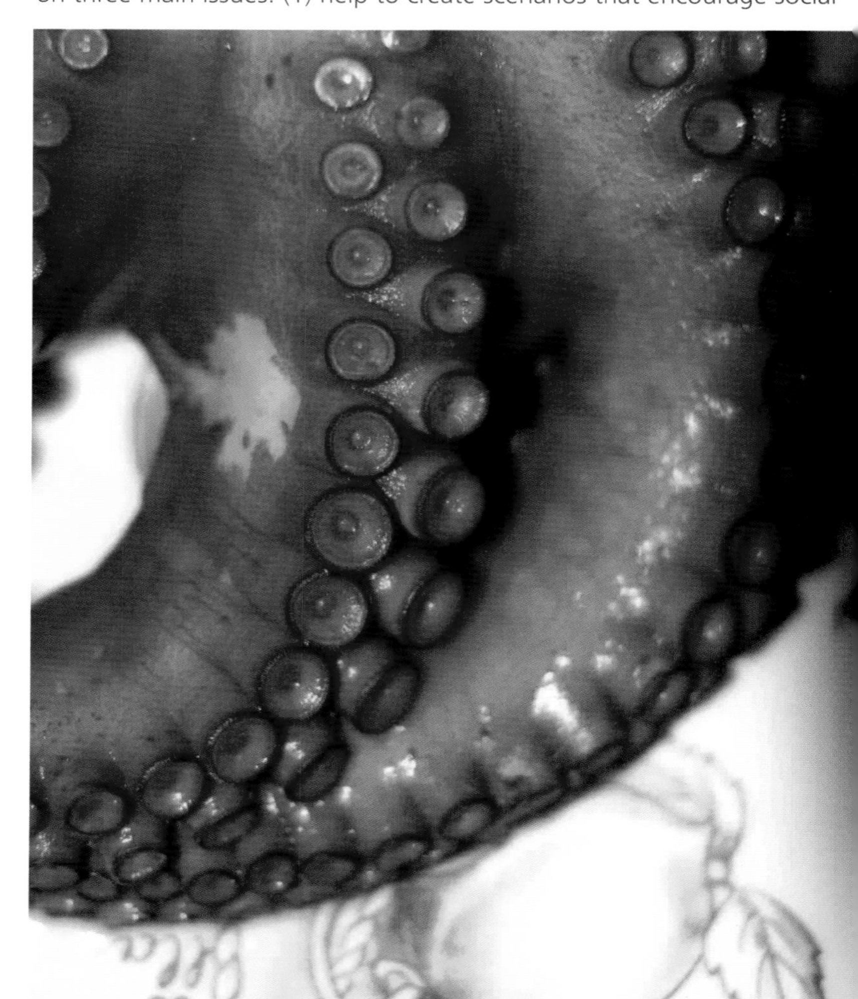

debate on these issues; (2) highlight the good examples that exist and which are in line with these positive scenarios, and (3) propose new ideas for products and services based on these promising ideas and transform them into concrete, practicable proposals. This article proposes a "scenario of progressive natural food": the description of a food chain so that everyone can appreciate and easily access biological food that is fresh, seasonal and (as far as possible) locally produced thanks to a sophisticated multi-local system of production, transformation and consumption. We believe this is particularly promising scenario because we're moving towards a sustainable society as well as a sustainable system of production and consumption. In fact, promoting the consumption of local, seasonal, biological products encourages a healthier, more balanced diet. At the same time, it exploits good eco-efficient systemic and territorial solutions (good eco-efficient production and transformation technologies, low impact distribution systems thanks to the use of locally available resources). This novel approach uses advanced technologies, information and organisational patterns to merge traditional customs and knowledge. It mixes what is "fresh and traditional" with what is "technologically advanced," making it possible to use state-of-the-art technology to achieve multiple results: make the food chain more transparent, provide information, create new skills and new "food networks." In other words: unusual forms of deintermediation between consumers and producers.

Promising Initiatives. There are many "promising initiatives" all over the world. Based on the way in which we relate to food in our affluent society, they provide examples of behavioural counter-trends vis-à-vis the "fast food+supermarket+mass product" model. These initiatives can be divided into three different groups: in each group the designers tackle problems concerning the product, food services and the need for a strategic approach.

Self-production: This is the most radical trend vis-à-vis demand: it is a reaction to the growing difficulty people have to understand who, how and where food is produced.

There are different forms and levels of commitment in self-production: city dwellers increasingly use it to control the quality of what they eat, to rediscover the earth (in ways that are possible in the city) and the importance of respecting nature, to discover how nice it is to grow one's own food and, to a lesser extent, to save money.

All over Europe, as well as in the United States, kitchen gardens are springing up everywhere. They are often used as an educational tool for certain groups of people (for schoolchildren) or as therapy (for the elderly). Socially speaking, these initiatives improve the quality of life in the district in which they are implemented.

Deintermediation: Deintermediation stands for a series of initiatives

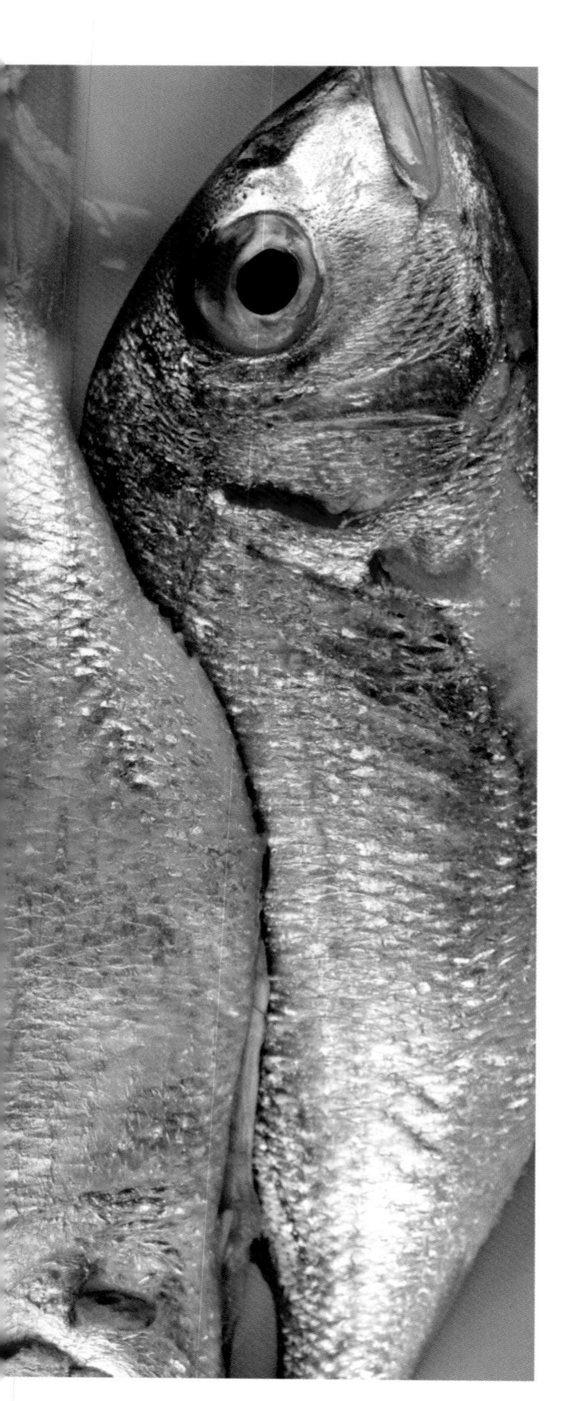

implemented by both supply and demand to make the food chain from the producer to the consumer shorter, more transparent and ethical. Direct forms of deintermediation include producers who sell directly to consumers, eliminating many traditional forms of distribution. Buyers know the sellers and vice versa: this is a model based on trust, honesty and recognised quality. Farmers markets are the most traditional, common example of this type of model, but Solidal Buyer Groups are spreading rapidly. These are spontaneous groups that get together and, as a group, buy directly from single producers or groups of producers in their area. There are other, similar initiatives, forms of subscription for periodical or seasonal supplies of fruit and/or vegetables.

Sometimes called the "adoption" of trees, vines, goats, etc., these services are provided by growers who sell the season's harvest to clients who can also choose to help during cultivation. These are atypical forms of networking between producers and consumers. Both groups believe in the equal distribution of costs and profits, respect the cycle of the seasons, share a geographical proximity to the products and wish to protect small agricultural concerns. The equitable and solidal market transmits these values to the international markets and this creates a network among all the world's underprivileged producers.

There is an intrinsic form of privileged, conscious attention to small, marginal productions in these initiatives, and this provides practical support to maintaining biodiversity.

Multi-service centres: These centres are a first, possible response by the supply chain to the diversified demand for food services. Local stores will find it difficult to carry on as they did in the past, at least in the city, due to the competition, the economy and changes in lifestyles. An increasing number of hybrid stores combine informal restaurants – that focus mainly on biological or quality foods – with shops, warehouses for group orders, meeting areas for producers and centres of "food culture." Places that satisfy a demand not only for real food, but also for social and cultural food.

The Food Atelier. The *Food Atelier* is an example of how the scenario of progressive natural food could become a common experience in our everyday life.

Food Atelier is a multi-service centre that provides different ways to buy and prepare food. It is a place for nourishment considered not only as a biological necessity, but also as a cultural experience; a bridge between individual wellbeing and the natural and social systems on which it is based. It enhances the intrinsic value of food, the places in which it is produced and the production and distribution systems that make it accessible. The centre is involved with issues such as the characteristics of the products, natural production and balanced distribution. It is a corner food store and small local restaurant rolled into one.

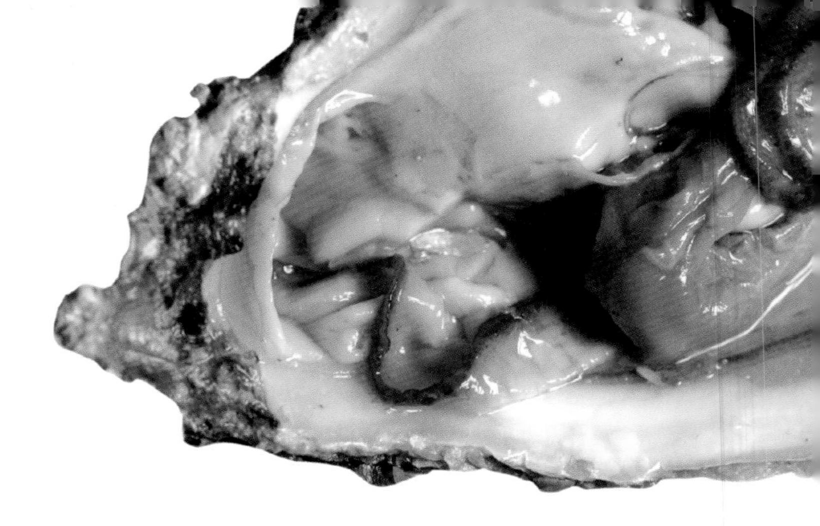

It puts quality product producers and consumers into contact with one another and organises events to improve people individual cooking skills and culinary knowledge. It has an in-house dietician/restaurateur who, if necessary, decides what to offer the clientele, selecting and proposing personalised hampers of foodstuffs.

Delivery centre of fresh daily produce: The *Food Atelier* has set aside a temporary warehouse area for food ordered by the clients and a small "last minute" counter of products that can be purchased immediately. There's a programme for clients who work late all week that establishes the daily requirements of the client's family: helped by the manager and, if necessary the online dietician, the client starts by choosing a sort of daily subscription based on his tastes and dietary profile. Everyday, the manager uses the client's subscription to make gross orders; he then divides the food into portions according to each client's tastes and, in some cases, even prepares the dishes. On his way back from work, the client pops by the *Food Atelier* to pick up his orders: a personalised package with the "fresh ingredients to prepare a quick meal." He might also pick up something at the "last minute" counter.

Convivial Meals and Tasting Groups: The restaurant area of the *Food Atelier* is arranged around a big, convivial table. Occasionally, the Atelier organises tasting sessions of biological products and meetings that focus on equitable and solidal trade.

A "gourmet" client interested in quality products can organise dinners with typical products by small producers or regional specialities.

He contacts agricultural co-ops which he chooses himself and sets out the products on the big table: he then offers them to clients who happen to be passing by so that they can order them directly.

Together with other interested clients he can taste and compare a selection of the best products in order to choose which suppliers can become a member of the *Atelier* network.

Open kitchens and Cooks' Club: The *Food Atelier* also has a professional kitchen used by cooks and clients. Gourmets can spend their afternoons in the *Atelier* with other food enthusiasts. The kitchen is spacious and well equipped. Apart from preparing their own recipes and learning other people's, they can pick the brains of a chef who is always present during the meetings. They cook together the whole afternoon, tasting each other's specialities and deciding which ones are the best…

The *Atelier* provides the ingredients and sells part of the food as ready-to-go dishes. Inexperienced clients or those without a properly equipped kitchen can use the *Atelier's* open kitchen to cook more elaborate dishes: all they have to do once they get home is heat them up.

EXCHANGE
EXCHANGE
WESTERN UNION
BANANE
SCAROLA e RICCIA
€ 2.70 kg
INSALATA
€ 2.70 kg
LOCALE